LES MAÎTRES D'ÉCOSSE
volume I

INSURRECTION

ROBYN YOUNG

LES MAÎTRES D'ÉCOSSE
volume I

INSURRECTION

Traduit de l'anglais (Royaume-Uni)
par Maxime Berrée

Fleuve Noir

Titre original :
Insurrection

First published in Great Britain in 2010
by Hodder & Stoughton
An Hachette UK Company

© 2010, by Robyn Young.
© 2011, Fleuve Noir, département d'Univers Poche,
pour la traduction française.
ISBN : 978-2-265-08986-0

REMERCIEMENTS

Écrire un roman est une tâche souvent difficile et longue, qui demande le concours de nombreuses personnes. Ce livre ne fait pas exception et j'aimerais remercier toutes celles qui m'ont aidée au cours de sa rédaction. D'abord, les guides et les conservateurs que j'ai rencontrés en Écosse et au pays de Galles, qui m'ont parlé avec tant de compétence et de passion de l'histoire des châteaux, abbayes et champs de bataille où je me suis rendue, et en particulier à Clair pour notre incroyable promenade à Glen Trool. Ma gratitude va aussi à Jane Spooner, à la tour de Londres, pour avoir pris le temps de me guider et de m'offrir un aperçu inestimable de l'histoire du lieu. Merci à John Dudeney de ne pas avoir laissé ses chevaux me tuer et pour l'année à la fois terrifiante et enrichissante passée dans son écurie... Depuis, j'ai encore plus de respect pour l'habileté de mes chevaliers. Mes sincères remerciements à Ken Hames qui m'a fait part avec franchise et précision de ses expériences de combats, ce qui m'a permis d'améliorer ma compréhension de l'état d'esprit des guerriers. Je dois beaucoup à l'historien Marc Morris, auteur d'*A Great and Terrible King*, pour sa lecture pointilleuse et les connaissances qu'il a mises au service du manuscrit. Sans des érudits de ce calibre, dont j'ai maintes fois pillé les livres, ce roman n'existerait pas. Merci également à Richard Foreman pour ses précieuses recommandations. Que soit aussi remercié le groupe des écrivains pour les pépites éditoriales et le plaisir des mots partagés, notamment Niall Christie pour sa lecture et mon cher ami et confrère C.J. Sansom pour sa disponibilité des mauvais jours. Au reste de mes amis et de ma famille, et tout particulièrement à Lee – merci, votre soutien et votre amour sont plus importants que vous ne sauriez l'imaginer.

J'aimerais aussi mentionner mon fantastique agent, Rupert Health, ainsi que Dan Conaway chez Writers House, l'équipe de Marsh Agency et, bien entendu, tous les éditeurs qui travaillent sur les éditions internationales. Enfin, merci à tout le monde chez Hodder & Stoughton, l'implication personnelle de tous ceux qui interviennent sur le livre continue de me bouleverser. Mille remerciements en particulier à mon merveilleux éditeur, Nick Sayers, à Anne, Laura, Emma, aux fabuleuses équipes commerciales et à tous les héros dont on ne chante pas assez les louanges : préparateurs de copie, relecteurs, graphistes et fabricants.

GRANDE-BRETAGNE 1286 APRÈS J.-C.

ORKNEY

ÉCOSSE

BUCHAN

BADENOCH   MAR   Aberdeen

ATHOLL   ANGUS   Dundee
LENNOX MENTIETH
       Perth   St.Andrews
Stirling   Kinghorn
Falkirk   DUNBAR   LA MER DU NORD
Glasgow Edimbourg   Berwick
    Irvine Peebles   Roxburgh
ISLAY   Lanark
     Ayr   The Forest   NORTHUMBERLAND
ARRAN
     Turnberry Lochmaben
ANTRIM CARRICK ANNANDALE   Newcastle
        GALLOWAY
ULSTER   Carlisle   Durham

                              ANGLETERRE

                    Lancastre
                  YORKSHIRE York
IRLANDE
ANGLESEY

              LINCOLN
       Conwy
Caernarfon Snowdonia   NORFOLK
  Nefyn   GWYNEDD   Leicester
PAYS   POWYS
DE   WARWICK
GALLES   Cambridge
         HEREFORD
PEMBROKE   GLOUCESTER   ESSEX
        GWENT   Oxford
                          Londres
                        Cantorbéry
                              Douvres
            Salisbury   Lewes
                   Portsmouth
CORNOUAILLES   LA MANCHE

Ah Dieu ! Comme Merlin souvent a dit vrai
Dans ses prophéties, pour celui qui les lit !
Désormais, les deux mers n'en font qu'une,
Elles que de grandes montagnes séparaient ;
Et les deux royaumes divisés n'en font qu'un,
Eux que deux rois gouvernaient.
Aujourd'hui, les habitants de l'île ne font qu'un
Car l'Albanie s'est ajoutée aux terres
Dont le roi Édouard est proclamé souverain.
Les Cornouailles et les Galles sont en son pouvoir
Et la grande Irlande soumise à sa volonté.
Il n'y a de roi ni de prince dans tous ces pays
Que le roi Édouard, qui ainsi les a unifiés...

Pierre de Langtoft (chroniqueur anglais, vers 1307)

PROLOGUE

1262

*Le roi Arthur lui-même fut mortellement blessé ;
et après qu'on l'eut emmené à l'île d'Avallon pour
soigner ses blessures, il abandonna sa couronne à
son parent Constantin, fils de Cador et duc de
Cornouailles, dans la cinq cent quarante-deuxième
année de Notre Seigneur Jésus-Christ.*

Geoffroy de Monmouth,
L'Histoire des rois de Bretagne.

GASCOGNE, FRANCE

1262

Les chevaux hennissaient, paniqués. Les épées fendaient l'air, s'abattaient sur les boucliers et les heaumes. Par leurs visières, les hommes haletants crachaient menaces et jurons, les bras et les épaules tordus par la douleur que faisaient naître chaque coup et chaque mouvement. Des nuages de poussière jaunâtre s'élevaient au-dessus de la terre sèche des vignes. L'odeur des raisins, gonflés par la chaleur, rendait leur gorge encore plus râpeuse tandis que la sueur dégoulinait dans leurs yeux, les aveuglant.

Au milieu de la bataille, un homme en surcot rouge et jaune leva son bouclier pour parer un coup. Son cheval tourna sur lui-même. Ramenant la bête dans le bon sens d'un coup d'éperon, il allongea pour contrer et enfonça sa lame dans le flanc de l'ennemi, à travers le lin et le rembourrage, mais la cotte de mailles arrêta son geste. À ses côtés, un homme de bonne stature, vêtu d'une cape bleu et blanc, envoya un coup vigoureux dans le ventail d'un chevalier. Sous l'impact, l'homme bascula en avant et lâcha son épée. Sa monture trébucha et le fit tomber de selle. Il chuta au milieu des raisins crevés et roula dans le jus noir en tentant d'éviter les sabots qui martelaient le sol autour de lui. Mais l'un d'eux lui écrasa le côté de la tête, broya son heaume et son corps fut bientôt piétiné par les chevaux des hommes qui se battaient.

L'homme en rouge et jaune brandit son épée et lança un cri farouche, quelques autres reprirent aussitôt en chœur.

— Arthur ! hurlaient-ils. Arthur !

Des forces neuves irriguaient les muscles et les poumons trouvaient un nouveau souffle. Maintenant ils étaient impitoyables et ne faisaient plus de quartier. Alors que leurs adversaires tombaient à terre, une bannière claquant au vent fut hissée au-dessus de la mêlée. Elle était rouge écarlate ; au centre, un dragon debout sur ses pattes arrière crachait du feu.

— Arthur ! Arthur !

L'homme qui portait la cape aux rayures bleues et blanches avait perdu son épée, mais il continuait de lutter furieusement en se servant de son bouclier comme d'une arme. D'un coup, il brisa la mâchoire d'un homme avant de se tourner pour envoyer la tranche du bouclier dans la visière d'un autre. Puis, agacé par un chevalier qui lui résistait, il l'attrapa par le cou et le fit tomber de son cheval. Comme son adversaire chutait entre les chevaux en hurlant et en cherchant quelque chose à quoi s'accrocher, un cor retentit à trois longues reprises.

Ceux qui étaient encore sur leur monture baissèrent leur épée. Luttant pour reprendre leur respiration, ils s'efforçaient de maîtriser leurs destriers excités. Les hommes à terre, eux, se relevaient et se frayaient un chemin dans la cohue. Ils étaient entourés de soldats qui les attendaient, un fauchon à la main. Un ennemi qui essayait de s'enfuir à travers les vignes fut rattrapé et forcé de se soumettre. De leur côté, les écuyers rassemblaient les chevaux qui erraient seuls, ayant perdu leur cavalier au cours du combat.

L'homme en rouge et jaune retira son heaume, surmonté d'ailes de dragons argentées. Dans son visage jeune, aux traits marqués, brillaient deux yeux d'un gris intense, et l'une de ses paupières s'affaissait légèrement, lui donnant un air rusé. Le souffle court, Édouard observait les hommes

16

vaincus à qui on prenait leur arme. Quelques-uns avaient été blessés, dont deux gravement. L'un d'eux, aidé par deux camarades, titubait en grognant. Il avait des dents brisées. Édouard sentait la victoire résonner en lui et tout son sang vibrait à son rythme.

— Encore une victoire, mon neveu.

Ce constat avait été prononcé d'une voix bourrue par l'homme à la cape bleu et blanc, brodée ici et là de petits oiseaux rouges. William de Valence avait ôté son heaume et défait son ventail, qui pendait sur le col de mailles lequel tenait le heaume en place. La sueur ruisselait sur ses joues.

Avant qu'Édouard ait le temps de répondre, un écuyer l'interpella.

— Il y a un mort ici, Votre Majesté.

Édouard se tourna et vit l'écuyer penché sur un corps. Le surcot du mort était couvert de poussière et son heaume ébréché. Du sang avait coulé par ses orbites. D'autres hommes regardaient le cadavre en s'essuyant le visage.

— Récupérez son armure et son épée, dit Édouard à l'écuyer après un instant.

— Sire Édouard ! protesta l'un des hommes qu'on avait désarmé.

Il voulut s'avancer, mais les fauchons des soldats l'en empêchèrent.

— Je vous demande l'autorisation de m'occuper du corps de mon camarade !

— Vous aurez son cadavre quand vos rançons auront été acceptées et payées, je vous donne ma parole. Mais je garde son armure.

Là-dessus, Édouard donna son heaume aux ailes de dragon et son bouclier à un écuyer et, saisissant les rênes, lança son cheval entre les rangs de vignes.

— Emmenez les prisonniers, ordonna William de Valence aux soldats.

Les hommes d'Édouard le suivirent, la bannière au dragon flottant comme un poing rouge au-dessus de leurs têtes, plus sombre que le ciel que les ténèbres commençaient à gagner. *Laissant les écuyers rassembler les armes cassées et les chevaux blessés, la compagnie s'en alla, sans un regard pour les paysans qui arrivaient en courant et qui criaient de crainte que les vignes fussent dévastées. Fixé la nuit dernière, le terrain du tournoi avait été choisi entre deux villes, comme à l'habitude, mais il était inévitable que s'y trouvent des champs, des pâturages, ou même des villages.*

Tout en cheminant au pas à travers les champs, Édouard enleva ses gants. Malgré les protections en cuir, il avait des cloques dans le creux de la paume. Derrière lui, il entendait les discussions à voix basse de ses hommes. Il supposait qu'ils parlaient du mort et de la rudesse de sa réaction – après tout, ce n'était qu'un jeu, et leurs adversaires n'étaient pas des ennemis. Mais ce ne serait pas toujours des tournois. Bientôt, les champs de bataille et les ennemis seraient tout ce qu'il y a de plus réel. Il fallait qu'ils soient prêts.

Il massa ses mains, qui lui faisaient mal, et jeta un coup d'œil à Valence, qui chevauchait à ses côtés. L'homme était assis confortablement, son corps massif calé contre le haut dossier de sa selle, les anneaux entrelacés de son haubert tintant contre le bois. Contrairement aux chevaliers plus jeunes, il ne montrait pas le moindre signe de regret pour l'accident et se contentait de passer un bout de chiffon sur son épée souillée de sang. La lame paraissait plus tranchante que celle des armes médiocres dont se servaient Édouard et les autres.

Croisant le regard d'Édouard, Valence le jaugea d'un air matois.

— Il faut marcher quand le diable est aux trousses, neveu. Il faut marcher.

Édouard ne répondit pas, il hocha simplement la tête avant de reporter son attention sur la route. Il n'allait pas discuter sur les règles des tournois, surtout quand son demi-oncle l'avait aidé à gagner la plupart de ceux auxquels sa compagnie avait pris part cette saison. Ça lui avait rapporté assez de chevaux, d'armes et d'armures pour équiper une armée, sans parler des hommes innombrables qui s'étaient présentés à lui, attirés par sa réputation grandissante. À l'occasion du festin qui avait suivi l'une de ces victoires, un soldat l'avait appelé le nouvel Arthur et le nom était resté, comme un signe à rallier la bannière au dragon. Valence était peut-être un homme truculent, dont la passion pour le vice était connue bien au-delà de la ville de France où il était né, mais ses talents et sa brutalité lors des tournois, outre le fait qu'il était l'un des rares proches d'Édouard à ne pas l'avoir abandonné, rendaient sa présence inestimable. Ainsi Édouard laissait-il la bride sur le cou de son oncle, ignorant ses coups d'éclats et ses nombreux écarts.

Alors que plusieurs chevaliers vétérans, bientôt suivis par la compagnie, entonnaient une chanson paillarde célébrant leur triomphe, Édouard regarda derrière lui les hommes encore transpirants, mais dont les visages resplendissaient. La plupart d'entre eux n'avaient, comme lui, guère plus de vingt ans, et ils faisaient partie de la noblesse française. C'est la promesse du butin et de la gloire qui les faisait venir. Édouard les connaissait bien. Tous se battraient pour lui maintenant, sans poser de question. Encore quelques semaines d'entraînement et ils seraient prêts. Alors, il pourrait retourner en Angleterre à la tête de sa compagnie, et il regagnerait son honneur et ses terres.

Cela faisait neuf mois que son père, le roi, l'avait envoyé en exil. Même sa mère était restée muette après cette sentence : la révocation de ses titres sur le pays de Galles et l'Angleterre, lesquels lui avaient été donnés à quinze ans par son mariage. Le roi Henri était sorti du palais de Westminster, austère et silencieux, et l'avait regardé partir pour Portsmouth où un bateau devait l'emmener vers les seules terres qu'il lui restait, en Gascogne. Édouard se souvenait avoir jeté un dernier regard en arrière, et vu que son père déjà s'était retourné et franchissait les portes du palais d'un pas vif. Serrant les dents, il se força à chasser cette image et à se concentrer sur la file des chevaliers qui le suivaient sur leurs montures harassées, tous psalmodiant le nom d'Arthur. Son père n'aurait d'autre choix que de s'excuser quand il verrait le guerrier que son fils était devenu, un guerrier que ses hommes associaient au plus grand roi que le monde eût connu.

Les lueurs du soir avaient pâli et les premières étoiles illuminaient le ciel quand la compagnie pénétra dans la cour du pavillon de chasse à colombage, entouré de dépendance et cerné par les arbres. Édouard descendit de cheval. Tendant les rênes à un palefrenier, il demanda à William de Valence d'attendre l'arrivée des prisonniers puis se dirigea vers le bâtiment principal, pressé de se débarrasser de la poussière sur son visage et d'étancher sa soif avant que les autres commandants n'arrivent pour trouver un accord sur les rançons. Obligé de se baisser pour ne pas se cogner au linteau, il entra dans le pavillon et se fraya un chemin au milieu des domestiques jusqu'à l'étage, où se trouvait sa chambre.

Il y entra, sa cotte de mailles et ses éperons raclèrent le plancher. Dénouant sa ceinture, à laquelle était accrochée son épée, il jeta l'arme sur le lit et apprécia de ne plus sentir ce poids autour de sa taille. Derrière lui se trouvait un miroir. En s'approchant, il entra dans le halo lumineux des chandelles. Il vit sa silhouette se détacher du fond obscur. On avait disposé à son intention une cruche d'eau, une bassine et une serviette. Poussant du pied le tabouret qui se trouvait devant la table, il versa l'eau dans la bassine et se pencha, les mains en coupe. C'était comme de la glace sur sa peau. Il s'aspergea de nouveau et le liquide coula sur ses joues, emportant la poussière et le sang. Puis il prit la serviette et s'essuya. Alors qu'il achevait sa toilette, il aperçut sa femme devant lui. Ses cheveux tombaient en boucles épaisses sur ses épaules, et jusqu'à ses reins. Le plus souvent, elle les enroulait, les dissimulait sous des coiffes. Lui qui était seul à avoir le droit de les contempler, il adorait les voir pendre ainsi.

Éléonore de Castille plissa légèrement ses yeux en amande et elle sourit.

— Tu as gagné.

— Comment le sais-tu ? demanda-t-il en l'attirant à lui.

— *J'ai entendu tes hommes chanter au loin. Mais même sans cela, je le saurais en te voyant.*

Elle caressa sa joue hérissée d'une barbe de plusieurs jours. Édouard prit son visage entre ses mains et le serra avant de l'embrasser. Il sentit le miel et les herbes du savon qu'elle utilisait, et qui venait de Terre sainte.

Éléonore recula en riant.

— *Tu es en sueur !*

Édouard sourit et embrassa encore une fois sa jeune femme, l'étreignant malgré ses protestations et couvrant sa robe immaculée de la crasse de son surcot et de sa cotte de mailles. Après quoi il la libéra enfin et regarda autour de lui, cherchant du vin. Juchée sur la pointe des pieds, Éléonore le prit par les épaules et le força à s'asseoir sur le tabouret, l'invitant à attendre qu'elle lui verse elle-même le breuvage.

Entravé par son armure, mais trop épuisé pour l'enlever, Édouard observa dans le miroir Éléonore faire couler le vin d'une carafe en verre décorée de plumes de paon. Quand elle la reposa et passa le doigt sur le rebord pour recueillir une goutte qu'elle lécha, il ressentit une soudaine bouffée d'affection. La force de son amour était liée à la conscience qu'il pouvait la perdre. En dehors de son oncle, elle était la seule à l'avoir suivi dans son exil. Elle aurait pu rester à Londres, dans le confort et la sécurité de Windsor ou Westminster, car la sentence ne s'appliquait pas à elle. Mais à aucun moment elle n'avait évoqué cette possibilité.

Quand ils avaient embarqué sur le bateau à Portsmouth, Édouard était allé s'asseoir seul dans la cale. Là, la tête enfouie dans ses mains, il avait pleuré. C'était la première fois que cela lui arrivait depuis son enfance, quand son père avait embarqué sur ces mêmes quais pour la France, sans lui. Alors qu'il essuyait ses larmes d'humiliation et, il l'admettait, de peur, car il avait pratiquement tout perdu, Éléonore était venue le trouver. À genoux devant lui, elle avait pris ses mains dans les siennes et lui avait dit qu'ils n'avaient besoin ni du roi ni de la reine,

*pas plus que de son sournois de parrain, Simon de Mont-
fort, cause de son exil. Ils n'avaient besoin de personne.
Elle avait parlé avec virulence, d'une voix forte et déterminée, qu'il ne lui connaissait pas. Plus tard, ils avaient
fait l'amour dans la cale sous le pont, dans une odeur
infecte. Mariés depuis sept ans, leur union n'avait été
jusque-là qu'aimable, presque polie. Mais à cet instant ils
étaient avides, ils avaient pleuré et échangé leur rage et
leur peur jusqu'à ce qu'elles se consument, au milieu des
craquements du bois et du mugissement de la mer qui les
éloignait des rivages d'Angleterre.*

*Leur enfant, le premier à arriver à terme, peut-être issu
de cet amour sauvage, gonflait son estomac déformé par le
miroir, sous la robe volumineuse.*

*Éléonore passa derrière lui et plaça la coupe dans sa
main. Édouard but une gorgée, le vin agressa sa gorge
sèche. Il posa la coupe et ses yeux tombèrent sur un livre
sur le bord de la table, juste à l'orée du halo lumineux, où
il l'avait laissé le matin même.*

*— Je vais demander aux domestiques qu'ils t'apportent
à manger.*

*En même temps que son murmure et la pression de sa
main sur son épaule, Édouard aperçut son reflet dans le
miroir, son visage froncé et pensif. Il effleura ses doigts,
heureux qu'elle le connaisse assez bien pour comprendre
qu'il voulait être seul. Tandis qu'elle s'éloignait en se dra-
pant dans une cape, il la regarda disparaître dans le miroir
avec ses cheveux noirs qui se fondaient dans l'obscurité. La
porte refermée, il baissa les yeux sur le livre, qu'il attira
près de lui en le faisant glisser sur le bois vermoulu. Il était
vieux maintenant, il l'avait depuis l'enfance. Les planches
se détachaient, les pages étaient sales. Gravés dans le cuir,
les mots de la couverture s'étaient presque effacés, mais il
en voyait toujours les contours.*

Les Prophéties de Merlin
Par Geoffroy de Monmouth

C'était l'une des rares possessions personnelles qu'il avait amenées d'Angleterre. Il l'avait lu maintes fois au fil des ans, de même que les autres œuvres de Monmouth : la Vie de Merlin et Histoire des rois de Bretagne, dont on disait qu'il existait plus de copies que la Bible. Édouard connaissait par cœur les aventures de Brutus, le guerrier qui à la fin de la guerre de Troie avait fait voile vers le nord et fondé la Bretagne ; il connaissait l'histoire du roi Lear et l'arrivée de César. Mais c'étaient les contes du roi Arthur qui lui plaisaient le plus, des premières prophéties où Merlin raconte à Uther Pendragon qu'il sera roi et que son fils, à son tour, régnera sur toute la Bretagne, jusqu'à la terrible défaite d'Arthur à Camblam, quand il cède sa couronne à son cousin Constantin avant de faire voile vers Avalon pour se faire soigner. Lorsqu'il avait assisté à son premier tournoi à Smithfield, à Londres, Édouard avait éprouvé une certaine crainte devant les chevaliers vêtus comme les hommes de la cour d'Arthur, l'un d'entre eux figurant le roi légendaire lui-même.

Comme il prenait le livre entre ses mains, le vieil ouvrage s'ouvrit à une page où avait été glissé un bout de parchemin. Il observa l'écriture du scribe, et les mots retentirent dans sa tête, dictés d'un ton pompeux par le roi. Il avait lu cette lettre tant de fois depuis qu'il l'avait reçue. C'était son premier contact avec le roi depuis son départ de Londres. La colère qu'il avait ressentie au départ s'était dissipée. Ne restait plus qu'une impatience dévorante.

La lettre parlait de châteaux rasés et de villes pillées, de champs et de prés dévastés, de terres brûlées, de cadavres jonchant les rues et les places, de la puanteur épaisse de l'air. Les hommes de Llywelyn ap Gruffudd avaient lancé des attaques depuis leurs forteresses dans les montagnes de l'ancien royaume gallois de Gwynedd. Après son mariage avec Éléonore, Édouard avait hérité de son père beaucoup de domaines, dont une bande de territoire le long de la côte nord du pays de Galles, allant de Chester, près de la frontière, à la rivière Conwy. C'étaient ces territoires que l'on mettait à sac, d'après la lettre. Mais ce n'était pas la première fois.

Six ans plus tôt, alors qu'Édouard avait dix-sept ans, Llywelyn avait poussé les hommes de Gwynedd à se révolter contre l'Angleterre, qui occupait la région. Leur soulèvement avait été brutal et efficace. En quelques jours, Llywelyn avait pris le contrôle du pays, les châteaux anglais n'étaient plus que ruines fumantes et les garnisons avaient dû fuir. À court d'argent, Édouard s'était tourné vers son père dès que les premiers rapports lui étaient parvenus. Le roi lui avait refusé son aide, lui disant qu'il avait là l'occasion de prouver sa valeur comme guerrier et meneur d'hommes. La réalité, Édouard le savait, était que Henri, tout à ses tentatives visant à faire couronner son dernier fils Edmond roi de Sicile, était trop préoccupé pour s'embarrasser de le soutenir ou de lui donner de l'argent. En fin de compte, ayant obtenu un prêt de l'un de ses oncles, Édouard était parti seul avec ses hommes sauver ses terres du pays de Galles. Llywelyn l'avait anéanti. Obligé de battre en retraite dès la première bataille, son armée et sa réputation en lambeaux, Édouard se souvenait encore des chansons qui avaient retenti tandis que les Gallois fêtaient sa défaite avec jubilation.

Au même moment, Henri s'était rendu de plus en plus impopulaire à la cour à cause de son entreprise absurde en Sicile et de son favoritisme envers ses demi-frères, les célèbres Valence, arrivés peu de temps auparavant en Angleterre. À la tête des protestataires se trouvait le parrain d'Édouard, Simon de Montfort, comte de Leicester. Ses remontrances à Henri lui valaient beaucoup de partisans, et lors d'une réunion du parlement à Oxford, le roi finit par perdre l'essentiel de son autorité sur les barons. Énervé par la stupidité des agissements de son père et par sa défaite contre Llywelyn, Édouard avait pris le parti de son parrain, qui l'avait persuadé de pactiser avec lui, contre son père. En apprenant cette trahison, le roi l'avait déshérité et condamné à l'exil. —

24

Édouard relut une nouvelle fois la lettre en s'attardant sur le passage final. Cette révolte avait ceci de différent que Llywelyn ap Gruffudd avait réalisé l'impensable en unissant tout le pays de Galles derrière lui. Jusqu'à maintenant, le nord et le sud n'étaient pas seulement divisés par la barrière montagneuse de Snowdonia. Cela faisait des siècles que les chefs guerriers des trois anciens royaumes gallois se disputaient la suprématie. Ils se battaient constamment les uns contre les autres, ainsi qu'avec les seigneurs anglais aux frontières, à l'est et au sud. L'agitation était perpétuelle dans le pays. Voilà que Llywelyn avait calmé les dissidences, réussissant à arrêter le conflit entre Gallois pour qu'ils tournent leurs flèches et leurs lances à l'est, vers l'Angleterre. Henri lui écrivait que Llywelyn s'était emparé d'une couronne d'or et qu'il se faisait appeler prince de Galles. Cette couronne n'était pas n'importe laquelle. C'était la couronne d'Arthur.

Édouard fixa encore un moment le parchemin, puis il l'approcha de la bougie. La peau s'embrasa, la flamme rongeant avec avidité les mots de son père qui lui promettait que s'il revenait et qu'il vainquait Llywelyn, toutes ses terres lui seraient rendues. Il était prêt. Prêt à rentrer chez lui avec les hommes qui s'étaient ralliés sous sa bannière, à reprendre sa place en Angleterre et à accepter les excuses de son père. Prêt à affronter Llywelyn. Les Gallois étaient peut-être unis pour la première fois, mais en cela résidait leur vulnérabilité, qu'Édouard avait perçue dans la lettre. Il avait constaté le pouvoir que conférait le fait d'endosser un costume légendaire. Llywelyn le comprenait bien lui aussi, car il n'aurait pu choisir un symbole plus efficace pour unifier le peuple du pays de Galles. Arthur n'était pas un simple champion pour les Gallois, il était le dernier grand roi britannique avant les Saxons, avant les Normands. Mais si une chose aussi puissante pouvait rassembler tout un peuple autour d'une identité commune, ne pouvait-elle aussi le détruire ?

Alors que le parchemin se consumait en produisant des cendres noires, on frappa à la porte. La stature imposante de William de Valence apparut sur le seuil.

— *Les commandants sont arrivés pour discuter la rançon de leurs hommes.*

Édouard se leva, laissant le parchemin finir de se consumer sur la table. Il ne referma pas le livre, et la lumière vacillante de la bougie continua d'éclairer les lignes écrites à la main.

PREMIÈRE PARTIE

1286

C'était la nuit et les cornes de la lune brillaient avec éclat... Du sommet d'une haute montagne le prophète regardait la course des étoiles en se parlant à lui-même à voix haute. « Que signifie ce rayon de Mars ? Sa flamme rouge signifie-t-elle qu'un roi est mort et qu'un autre doit arriver ? »

Geoffroy de Monmouth, *La Vie de Merlin.*

Chapitre 1

C'était la voix de Dieu. Et Dieu était furieux.

L'intendant du roi, qui passait entre les tréteaux et les bancs, sursauta lorsque le ciel craqua et qu'un nouvel éclair embrasa les lointains. Dans la salle bondée, l'un des plus jeunes domestiques baissa la tête en une attitude que l'intendant prit pour une prière. La tempête était juste au-dessus d'eux, elle écrasait les tours et les remparts, annihilait la lumière de l'après-midi et plongeait le château dans les ténèbres en pleine journée. Le sentiment de terreur, qui avait pris corps quelques mois plus tôt avec les rumeurs, était désormais si tangible que même Guthred – que toutes ces discussions avaient laissé de marbre – ne pouvait s'empêcher de le ressentir.

Lorsque la foudre frappa de nouveau, il leva les yeux vers l'enchevêtrement de poutres en se demandant ce qu'il arriverait si elle frappait le toit. Il se représenta une scène biblique : le feu blanc qui s'abat, les corps calcinés éparpillés au sol, les mains agrippées sur les couteaux et les coupes. S'élèveraient-ils au ciel après être tombés ? Il regarda la carafe qu'il tenait dans sa main couverte de taches de son. Et lui ? Fermant à demi les paupières, Guthred entama une supplique muette avant de se reprendre. Ça n'avait aucun sens. C'étaient ces terribles orages de mars qui avaient provoqué les jérémiades des vieilles femmes et les sermons des gens d'Église. Il continua à progresser entre les tables, mais il avait du mal à ignorer la voix qui lui rappelait dans un murmure que les rumeurs avaient commencé bien avant que le nord n'ouvre sa gueule et ne déverse sur l'Écosse un déluge de neige, de vent et de foudre.

Serrant fermement la carafe de peur de perdre une goutte du précieux liquide qu'elle contenait, l'intendant grimpa l'escalier en bois du dais qui occupait l'extrémité de la grande salle. Chaque marche le hissait un peu plus au-dessus des têtes des seigneurs, des domestiques, des chiens et des parasites qui se battaient pour de l'espace et un peu d'attention. Guthred avait déjà vu les huissiers, sur ordre du majordome, raccompagner plusieurs jeunes gens qui avaient réussi à pénétrer dans la salle où ils n'étaient pas conviés. Les jours de fêtes étaient toujours chaotiques : les écuries ne pouvaient accueillir tous les chevaux, les logements n'étaient pas prêts, les messages arrivaient avec peine, les domestiques devenaient maladroits à force de hâte et leurs maîtres perdaient leur calme. Cependant, malgré ces difficultés et le temps agité de l'aprèsmidi, le roi semblait de bonne humeur. Lorsque Guthred s'approcha, il riait à quelque répartie de l'évêque de Glasgow. Le visage du roi était rouge, sous l'effet du vin et de la chaleur étouffante émanant des cheminées, et il avait renversé quelque chose sur sa robe. Autour de la table, sous le dais, la paille étalée le matin même collait aux pieds à cause des miettes de gâteau au miel et des gouttes de sauce et de vin. Les huit hommes installés de chaque côté du roi parlaient fort, chacun voulant s'exprimer malgré l'orage et les bavardages des autres convives, et le vieil intendant dut se pencher pour se faire entendre.

— Encore du vin, Votre Majesté ?

Sans interrompre sa conversation, le roi Alexandre tendit sa coupe, plus grande que les autres et incrustée de joyaux.

— Je croyais que nous avions déjà réglé cette question, dit-il d'un air bourru à l'homme sur sa gauche.

Lorsque l'intendant eut versé le vin rouge, le roi but une gorgée.

— Pardonnez-moi, sire, répondit l'homme en posant la main sur son hanap quand l'intendant voulut le resservir à son tour. Mais la requête pour...

— Merci, Guthred, dit le roi alors que l'intendant s'avançait vers l'évêque de Glasgow, qui tendait déjà sa coupe.

Le visage de l'homme se crispa.

— Sire, la requête du prisonnier vient directement de mon beau-frère. Étant à la fois son parent et Justicier du Galloway, il serait malvenu de ma part de ne pas accorder à sa demande l'attention qu'elle mérite.

Le roi Alexandre fronça les sourcils pendant que les yeux noirs de John Comyn continuaient de le scruter. À la lueur des chandelles, le long visage de lord de Badenoch avait un teint cireux, et son expression était aussi sobre que ses vêtements : une cape de laine noire, doublée aux épaules de fourrure de loup d'un gris si exactement identique à celui de ses cheveux qu'il était difficile de dire où terminait l'une et où commençaient les autres. Le blason du surcot qu'il portait en dessous était à peine visible : un bouclier rouge brodé de trois gerbes de blé. Le roi était frappé par la ressemblance entre Comyn le Rouge et son père – la même attitude raide, la même expression sans joie. Tous les Comyn étaient-ils donc pareils ? Y avait-il quelque chose dans leur sang ? Alexandre jeta un regard sur la table et aperçut le comte de Buchan, dit Comyn le Noir, qu'on appelait ainsi, comme son frère, en raison de ses armes : un bouclier noir avec trois gerbes de blé. En retour, il n'eut droit qu'à des traits pincés et à un regard noir. S'ils n'étaient pas des guerriers aussi valeureux, il les aurait probablement exclus depuis des années de la cour. À dire vrai, les Comyn le mettaient mal à l'aise.

— Comme je vous l'ai dit, je vais y réfléchir. Thomas de Galloway est en prison depuis plus de cinquante ans maintenant. Il peut sans doute supporter quelques semaines supplémentaires.

— Chaque jour doit paraître une éternité à un innocent, lui répondit John Comyn avec une légèreté qui ne masquait pas l'insolence.

— Innocent ?

Les yeux bleus d'Alexandre se plissèrent. Il posa sa coupe, ayant perdu l'envie de rire.

— Cet homme s'est rebellé contre mon père.

— Ce n'était qu'un garçon, sire. C'est le peuple de Galloway qui l'a porté à sa tête.

— Et mon père a fait en sorte qu'ils le payent de leur sang.

Alexandre parlait avec véhémence, l'alcool l'énervait et lui échauffait le visage.

— Thomas de Galloway était un bâtard. Il n'avait aucun droit de se proclamer seigneur et le peuple le savait.

— Ils n'avaient pas de bonne solution – soit ils se soumettaient à un bâtard, soit ils laissaient leur pays être divisé entre trois sœurs. Vous pouvez sûrement comprendre leur détresse, Votre Majesté ?

Alexandre décela un sous-entendu dans le ton de John Comyn. Lord de Badenoch essayait-il d'insinuer que sa propre situation était en quelque sorte comparable à ce qui s'était passé dans le Galloway il y avait plus d'un demi-siècle ? Il n'eut pas le temps de trancher car une voix glaçante se fit entendre à l'autre bout de la table.

— Vous distrayez notre gracieux hôte de son assiette avec votre bavardage, sir John. Le conseil est terminé.

Les yeux de John Comyn se reportèrent vivement sur l'homme qui venait de parler et croisèrent le regard calme de James Stewart, le grand chambellan. Son masque glissa un instant, révélant une lueur d'hostilité, mais avant qu'il eût pu répondre, la voix tonitruante de Robert Wishart, l'évêque de Glasgow, s'éleva.

— Bien parlé, sir James. Que nos bouches nous servent à nous nourrir et à louer le Seigneur pour Ses dons et Sa bonté, dit Wishart en levant sa coupe. Le vin est remarquable, sire. Il est de Gascogne, n'est-ce pas ?

La réponse du roi se perdit dans le fracas du tonnerre qui réveilla les chiens. L'évêque en renversa son vin.

Wishart afficha un sourire matois.

— Si le jour du jugement dernier est arrivé, alors nous partirons le ventre plein !

Et il avala une longue gorgée qui humecta ses lèvres. L'évêque de St Andrews, aussi maigre et austère que Wishart était gras et animé, voulut protester, mais Wishart parla plus fort que lui.

— Vous savez aussi bien que moi, monseigneur, que si le jugement dernier avait eu lieu chaque fois qu'on y a cru, nous serions bien souvent montés au ciel !

Le roi était sur le point de répondre, mais il se ravisa en voyant un visage familier dans la foule en contrebas. C'était l'un des valets de la reine, un Français zélé du nom d'Adam. Sa cape de voyage scintillait à la lumière des bougies et ses cheveux noirs étaient plaqués sur son front à cause de la pluie. Adam passa devant l'une des cheminées et le roi vit de la fumée s'élever au-dessus de lui en un nuage vaporeux. Le page grimpa à la hâte les marches qui menaient à l'estrade royale.

— Sire.

Adam s'arrêta devant le roi pour s'incliner et reprendre son souffle.

— J'apporte un message de Kinghorn.

— Par cette tempête ? s'étonna Wishart tandis que le page se penchait pour parler au roi à voix basse.

Lorsque Adam eut fini, un léger sourire plissa les lèvres d'Alexandre et la rougeur de ses joues, due au vin, se communiqua à sa gorge.

— Adam, va chercher Tom dans son logement. Dis-lui de m'amener ma cape et de faire seller mon cheval. Nous partons pour Kinghorn sur-le-champ.

— Comme il vous plaira, sire.

— S'est-il passé quelque chose ? s'enquit l'évêque de St Andrews tandis que le valet se hâtait de repartir. La reine, est-elle...

— La reine va bien, dit Alexandre avec un sourire tout à fait épanoui. Elle désire seulement me voir.

Il se mit debout. Il y eut un grand brouhaha de bancs qu'on renverse et tous les occupants de la salle se levèrent avec lui, certains donnant de petits coups de coude à leurs voisins de table hébétés par le vin afin qu'ils suivent le mouvement. Le roi leva les mains et s'adressa à eux d'une voix forte.

— Je vous en prie, rasseyez-vous. Je dois prendre congé. Mais restez et profitez des festivités.

Il fit signe au joueur de harpe, et bientôt des notes métalliques résonnèrent au milieu du hurlement du vent.

Alors que le roi quittait la table, James Stewart vint se placer devant lui.

— Sire, attendez le matin. C'est une mauvaise journée pour voyager, surtout par cette route.

Le roi s'arrêta en voyant le visage inquiet du chambellan. Derrière lui, la même inquiétude se lisait dans les yeux des autres hommes de la tablée, sauf dans ceux de John Comyn qui s'était penché par-dessus la table pour parler avec son frère, le comte de Buchan. L'espace d'un instant, le roi hésita à se rasseoir et à

demander du vin à Guthred. Mais il devait répondre à un appel plus pressant. La dernière chose que John Comyn avait dite lui restait en travers de la gorge. *Vous pouvez sûrement comprendre leur détresse ?* Alexandre ne le pouvait que trop, car la question de sa succession lui avait coûté deux ans de calvaire, après que l'héritier en qui il avait placé tous ses espoirs avait terminé dans la tombe avec sa femme, sa fille et son fils. La mort de son fils aîné avait coupé net la lignée d'Alexandre, comme une chanson stoppée avant le refrain. Elle ne se poursuivait plus que par un faible écho de l'autre côté de la mer du Nord, incarné dans la personne de sa petite-fille Marguerite, l'enfant de sa défunte fille et du roi de Norvège. Oui, Alexandre comprenait très clairement le choix impossible auquel avait fait face le peuple du Galloway cinquante ans plus tôt, quand leur seigneur était mort sans descendance mâle.

— Je dois partir, James, dit-il d'une voix douce mais ferme. Mon mariage a eu lieu il y a six mois et Yolande n'attend toujours pas d'enfant. Ce n'est pas faute d'essayer. Si elle reçoit ma semence ce soir, si Dieu le veut, j'aurai un héritier l'année prochaine à la même saison. Je suis prêt à endurer un orage.

Ôtant la couronne d'or qu'il avait portée au cours du conseil et de la fête, Alexandre la tendit à l'intendant puis se passa la main dans les cheveux pour les aplatir.

— Je reviendrai sans tarder.

Il s'interrompit une seconde, les yeux posés sur John Comyn.

— Entre-temps, tu peux dire à lord de Badenoch que je vais accéder à la requête de son beau-frère.

Les yeux d'Alexandre s'allumèrent.

— Mais attends demain.

Une esquisse de sourire naquit sur les lèvres de James.

— Sire, le salua-t-il.

Sa robe rouge écarlate brodée d'or scintillant, Alexandre traversa l'estrade à la suite du valet aux pieds crottés. Le garde s'inclina, ouvrit les doubles portes et le roi sortit, le son de la harpe diminuant peu à peu derrière lui.

Dehors, la tempête le frappa de plein fouet. Une pluie glaciale le gifla et l'aveugla à demi tandis qu'il descendait dans la cour. Un éclair zébrant le ciel noir le fit tressaillir. Les nuages étaient si bas qu'ils semblaient raser les toits des bâtiments qui se dressaient devant lui jusqu'à l'enceinte intérieure, au pied de laquelle le sol déclinait abruptement vers les remparts extérieurs. De son point de vue élevé, le roi pouvait contempler par-dessus les murs la ville royale d'Édimbourg qui s'étirait en contrebas du promontoire en haut duquel était perché le château.

Au loin, au pied de la colline, il distinguait la forme pâle de l'abbaye de Holyrodd, derrière laquelle les masses rocheuses noires s'élevaient en falaises balayées par le vent et voilées par les nuages. Au nord, la terre formait un plateau de pâturages verdoyants et de champs, puis de marais qui ouvraient sur le Forth of Forth, que les Anglais appelaient la mer d'Écosse. Par-delà cette étendue d'eau qu'illuminait par instant la foudre, se déployaient les collines boisées de Fife et le chemin qu'il allait suivre. Kinghorn, à vingt miles de là, semblait plus loin que jamais. Repensant aux sombres paroles de l'évêque de St Andrews, qui avait déclaré que le jour du jugement dernier, la nature serait aussi déchaînée que ce jour, Alexandre hésita, debout sur la dernière marche, la pluie s'abattant sur lui. Mais quand il vit Adam arriver en courant, il se força à mettre le pied dans la boue et garda à l'esprit l'image de sa jeune épouse qui l'attendait au chaud dans le lit. Il y aurait du vin aux épices et du feu dans la cheminée.

— Sire, Tom est malade, l'informa Adam à haute voix pour couvrir le vent.

Il portait la cape de voyage du roi.

— Malade ?

Alexandre fronça les sourcils pendant que le page lui attachait le vêtement doublé de fourrure aux épaules. Tom, qui le servait depuis plus de trente ans, voyageait toujours avec lui. Adam était certes un jeune homme capable, mais il était le favori de la reine, dont il avait rejoint la suite l'automne précédent.

— Tom allait bien cet après-midi. Le médecin l'a-t-il vu ?

— Il dit que ce n'est pas la peine, répondit Adam en le guidant à travers les flaques d'eau. Prenez garde où vous marchez, sire.

Des lanternes brûlaient un peu plus loin, leurs flammes ressemblaient à des oiseaux en cage, voletant et se cognant contre les carreaux. Le vent portait les hennissements des chevaux et les ordres échangés par les hommes.

— Qui va m'escorter ?

— Tom envoie maître Brice prendre sa place.

Alexandre plissa un peu plus le front tandis qu'Adam le menait jusqu'aux écuries. La puissante odeur de paille et de crottin lui emplit les narines.

— Sire, l'accueillit le maître des écuries en amenant un coursier gris magnifique. J'ai sellé Hiver pour vous, bien que j'aie eu de la peine à croire maître Brice quand il m'a dit que vous partiez par ce temps.

Le regard d'Alexandre se posa sur Brice, un homme taciturne, un peu lent d'esprit, à son service depuis moins d'un mois, engagé pour aider Tom qui s'épuisait à veiller sur le roi et sa nouvelle épouse. Alexandre avait pensé demander à l'intendant de le remplacer, mais avec les préparatifs du conseil, il n'en avait pas eu le temps. Brice s'inclina sans dire un mot. Maugréant et se sentant soudain tout à fait sobre, Alexandre enfila les gants de cavalier que le maître des écuries lui tendait. Lorsqu'il se hissa sur le cheval en s'aidant du montoir, sa robe remonta sur ses chausses déjà maculées de boue. Il se serait changé, mais il ne voulait pas perdre ce qu'il restait de la journée. Pendant que le maître des écuries serrait les sangles d'une poigne ferme, ses deux hommes d'escorte montèrent sur les chevaux qu'on avait sortis des stalles pour eux. C'étaient deux palefrois, plus petits et plus légers que la monture du roi. Adam avait un nouveau cheval, le sien ne s'étant jamais remis du périple jusqu'à Édimbourg.

La voix du maître des écuries s'éleva tandis qu'ils s'enfonçaient sous la pluie.

— Bon voyage, sire.

Adam ouvrit la voie dans la cour du château. Les chevaux avançaient sans difficulté bien que le sol fût meuble. Le soir n'était pas encore tombé, mais déjà des torches brûlaient aux fenêtres du poste de garde, l'obscurité étouffant la lumière. Les gardiens ouvrirent les grilles et les trois hommes s'engagèrent sur le sentier escarpé qui descendait. Bientôt le poste de garde les domina du haut de la pente de rocaille noire, les torches formant comme de petits yeux d'ambre. Quand ils franchirent la deuxième grille des remparts extérieurs, les gardes saluèrent le roi avec surprise.

Sur la grand-route qui menait à la ville couraient des torrents d'eau de pluie, mais comme il n'y avait personne, le roi et les deux hommes à ses côtés accélérèrent le pas. Le vent agitait leur cape, ébouriffait leurs cheveux, et ils arrivèrent en ville trempés et gelés. Laissant Édimbourg derrière eux, ils se hâtèrent de traverser les étendues de plaine vers l'estuaire de la Forth.

À Dalmeny, où les vents venus de la mer les harcelaient, ils mirent pied à terre devant la maison du maître du bac. Il faisait complètement noir désormais. Tandis qu'Adam frappait à la porte, le roi observa les eaux noires et enflées qui s'étiraient sur une longue distance. La foudre éclata au loin au-dessus des collines et le grondement lui parvint telle une vague déferlant sur lui. La tempête se déplaçait au nord vers le Fife.

Le maître du bac entrebâilla la porte, une lanterne à la main.

— Oui ? lança-t-il en écossais, maussade. Ah, c'est encore vous.

Lorsqu'il aperçut derrière Adam la tête du roi, son attitude changea du tout au tout.

— Sire ! salua-t-il en ouvrant la porte en grand. Toutes mes excuses. Je vous en prie, entrez vous abriter.

— Je vais à Kinghorn, dit Alexandre en passant sans difficulté du français, qu'il avait parlé toute la journée au conseil, à l'abrupt dialecte anglo-écossais.

— Avec ce vent ?

L'homme jeta un regard inquiet sur la grève derrière sa maison, où l'ombre massive du bac se distinguait dans le noir.

— Je ne crois pas que ce soit très raisonnable.

— Ton roi t'a donné un ordre, le rabroua sèchement Adam. Il n'a pas besoin de savoir ce que tu en penses.

Rabattant sa capuche sur son crâne, le maître du bac passa devant Adam pour s'adresser au roi.

— Sire, je vous en conjure, attendez demain matin. Vous pourrez loger ici avec vos hommes. Ce ne sera pas des plus commodes, mais vous serez au sec.

— Tu ne t'es pas plaint quand tu as fait traverser mes hommes.

— C'était bien avant que la tempête n'éclate. Maintenant... Eh bien, sire, c'est vraiment trop dangereux.

Alexandre était à bout de patience. À chaque pas qu'il faisait, on semblait contrecarrer ses efforts pour rejoindre sa femme.

— Si tu as peur, mes hommes manieront les rames. Mais de toute façon, je traverserai ce soir !

Le maître du bac baissa la tête d'un air accablé.

— Oui, sire.

Il se dirigea vers l'intérieur de son logis, mais se retourna avant d'entrer.

— Dieu notre Seigneur sait que je ne pourrais pas mourir en meilleure compagnie que la vôtre, sire.

Alexandre le regarda avec fureur disparaître à l'intérieur.

Il revint bientôt avec six hommes, des moines de l'abbaye de Dunfermline qui avaient gagné le droit de s'occuper du bac à la lointaine époque de Marguerite. Leurs habits de laine et leurs sandales devaient bien peu les protéger de la morsure du vent, mais ils ne se plaignirent pas et conduisirent le roi au bord de l'eau. Derrière eux venaient Brice et Adam, qui avait calé les étriers en fer dans les sangles en cuir pour qu'ils ne cognent pas le flanc des animaux durant le voyage.

La traversée fut longue et malaisée, les hommes se courbaient pour échapper autant que possible au déluge qui s'abattait sur leur capuche et les mouvements erratiques du bateau perturbaient les chevaux. Des gerbes d'eau cinglaient et imbibaient leurs lèvres de sel à mesure que le bateau montait et s'écrasait sur la houle. Alexandre se jucha sur la poupe, enroulé dans une fourrure trempée que le maître du bac lui avait donnée afin qu'il ait chaud. Le tonnerre s'était éloigné, ce n'étaient plus que lointains grondements, mais le vent ne semblait pas vouloir se calmer et les chants plaintifs que les moines entonnaient en ramant étaient à peine audibles dans ses hurlements. Malgré les inquiétudes du maître du bac, le bateau accosta sans problème au bourg royal d'Inverkeithing.

— Nous allons longer le rivage, dit Alexandre tandis qu'Adam faisait descendre Hiver du bac sur le sable mouillé. Ce sera plus abrité.

Aux fenêtres des maisons près de la plage, la lumière filtrait, comme une invitation.

— Pas ce soir, sire, l'avertit le maître du bac en prenant la fourrure humide que le roi lui rendait. La marée du printemps lance les vagues droit sur les falaises par

40

endroits. Vous pourriez vous retrouver coupé de toute possibilité d'avancer ou de reculer.

— Nous allons prendre la piste du haut, sire, dit Adam en préparant les étriers du roi. Nous arriverons plus vite.

Leur chemin déterminé, le roi et ses hommes d'escorte enfourchèrent leurs chevaux et se lancèrent sur la piste qui partait vers les pentes boisées au-dessus d'Inverkeithing, vers le sentier de la falaise. Ils avançaient lentement dans les ténèbres que la couverture des arbres rendait encore plus étouffantes, mais au moins ils bénéficiaient de sa protection. Une fois sortis des bois, ils furent à nouveau à la merci de la pluie et du vent qui les fouettaient constamment tandis qu'ils suivaient la piste au milieu des falaises, pentes à pic au-dessus d'eux et à leurs pieds. Le sol était boueux, les sabots des chevaux s'enfonçaient et les obligeaient à une démarche tortueuse. Adam se porta en tête et demanda à Brice de se placer derrière lui pour prévenir le roi des embûches les plus traîtresses. Alexandre était un cavalier émérite mais son cheval, beaucoup plus large que les palefrois d'Adam et de Brice, eut de plus en plus de difficultés à poursuivre l'ascension dans la fange, et bientôt le roi fut distancé. Il entendait les cris de ses hommes au milieu des rafales de vent mais ne parvenait plus à les voir dans le noir. Serrant les dents et se maudissant de n'avoir pas tenu compte des conseils de l'intendant, il poussa Hiver, lui donna des grands coups de talon, émit force jurons, jusqu'à ce que le cheval s'agite et se cabre. Dans son esprit, le roi conservait l'image de sa jeune épouse blottie au chaud dans ses draps, mais sa vision lui semblait désormais un salut plus qu'une promesse.

Alexandre luttait avec son cheval dans la pente, L'animal jetait sa tête en tous sens parce qu'il tirait trop fort sur les rênes. C'était de la folie. Il aurait dû écouter James, attendre jusqu'au matin. Il voulut appeler Adam et Brice, pensant faire demi-tour. Ils pourraient s'abriter à Inverkeithing jusqu'à ce que la tempête passe. C'est alors qu'un éclair illumina le ciel et que le roi vit la falaise qui s'élevait au-dessus du sentier. Par-delà ce promontoire vertigineux se trouvait Kinghorn. Ce n'était pas très loin, à deux ou trois kilomètres. Se penchant en avant sur sa selle, le roi donna du talon dans les flancs de sa monture épuisée pour la forcer à avancer. Le chemin était toujours plus raide. Alexandre distingua les cris des mouettes qui tournoyaient au cœur de la tempête. Il n'entendait plus ses hommes. La piste se fit plus étroite, des roches à nu sur sa gauche et un précipice sur sa droite, dont la gueule sombre s'ouvrait vertigineusement. Il savait qu'il restait quelques centaines de mètres à peine avant de retrouver un terrain plus facile, mais pour ce qu'il voyait, il aurait aussi bien pu s'enfoncer en enfer. Soudain son cheval dérapa, et il tira sur les rênes pour le ramener. Sous l'effort, une douleur vive lui transperça les mains.

— Oh, cria-t-il alors que le coursier apeuré glissait de nouveau en essayant de faire demi-tour. *En avant !*

Une forme noire apparut devant lui.

— Sire !

Alexandre fut instantanément soulagé.

— Prenez mes rênes, lança-t-il à Adam au milieu du déluge. Je vais devoir poursuivre à pied. Hiver ne peut pas m'emmener là-haut.

— Attendez, sire, je vais vous accompagner. Le sol est plus ferme après. Je vais vous guider.

— Attention, je suis sur le rebord, l'avertit le roi, qui sentait la pluie pénétrer sous sa cape et lui geler l'échine. Où est Brice ?

— Je l'ai envoyé devant.

Adam manœuvra le palefroi entre le roi et la paroi qui se dressait contre la piste. Un éclair illumina son visage, sur lequel se lisait une expression intense, tandis qu'il se saisissait des rênes du roi en maîtrisant son propre cheval entre ses genoux.

— Très bien, l'encouragea Alexandre en se préparant. Un dernier effort.

— Un dernier effort, sire, répéta Adam en se jetant sur lui.

La première chose qu'Alexandre sentit fut le mouvement brusque de son cheval, qui se cabra. Il devina aussitôt que l'animal avait été frappé, ce que lui confirma son bref hennissement. Son propre cri s'étouffa et il ne put émettre qu'un grognement en s'affalant sur le ventre, le pommeau en bois de son épée lui rentrant dans l'estomac. Il s'agrippa au col de la bête et ressentit une nouvelle douleur, c'était sa jambe cette fois qui avait reçu le coup. Il eut le temps de se rendre compte que cela venait du cheval d'Adam et que le page avait lâché ses rênes. Puis il plongea avec Hiver dans les ténèbres.

Adam s'efforça de calmer son cheval tandis que le cri du roi s'évanouissait. Au bout d'un moment, il parvint à l'apaiser suffisamment pour mettre pied à terre. Tenant les rênes d'une main, il se pencha pour nettoyer le sang de la dague qu'il serrait dans l'autre, il l'essuya sur l'herbe mouillée qui poussait sur la piste. Quand il eut terminé, il souleva sa chausse et rangea la lame dans le fourreau en cuir fixé à son mollet. Se déplaçant avec précaution au bord du précipice, il attendit en reniflant à cause des gouttes d'eau qui coulaient le long de son nez. Après quelques minutes, un éclair zébra le ciel. Adam aperçut alors une grande forme grise étalée en contrebas, sur le rivage. Il attendit. Il aurait dû y avoir la lune ce soir, mais les nuages la cachaient. Cependant, le vent et la pluie avaient couvert le hurlement du roi, même si cet idiot de Brice était sans doute trop loin et qu'il ne l'eût pas entendu de toute façon. La foudre frappa encore, à trois reprises, presque simultannées. Le cheval était toujours là où il était tombé, mais cette fois Adam aperçut une forme plus petite gisant à côté de lui. La robe écarlate du roi était aussi reconnaissable qu'un drapeau. Satisfait, le page cala son pied dans l'étrier et remonta en selle. Même si le roi avait survécu à sa chute, il mourrait de froid avant que quiconque lui vienne en aide, car Adam s'arrangerait pour que ceux qui le rechercheraient partent dans la mauvaise direction. Éperonnant son cheval, il remonta la piste de la falaise vers Kinghorn. Il se répétait le mensonge qu'il avait prévu de raconter à la jeune reine.

Sur le rivage, en bas, le cheval mourant tourna la tête. Le sang coulait à flot de la profonde entaille à la patte antérieure. Plusieurs tendons avaient été tranchés et cela lui avait coûté son équilibre, puis d'autres blessures avaient été causées par la chute. À quelques mètres de là gisait sa royale charge, bras écartés, le cou tordu en un angle funeste. Une bourrasque venue de la Forth souleva un pan de la cape du roi, qui claqua contre le sable, mais rien d'autre ne bougeait.

Ce soir, les morts ne ressusciteraient pas.

Chapitre 2

Le garçon eut le souffle coupé lorsque le cheval s'élança sur le sable, lançant derrière lui des jets de sable humide et l'emmenant loin des cris qui retentissaient dans son dos. Agrippant les rênes d'une main, le garçon se pencha en arrière sur sa selle. Presque debout sur les étriers, il s'efforçait d'arrêter le cheval, et ses muscles se mirent à trembler sous l'effort. Le vent lui ramenait les cheveux dans les yeux, ce qui l'aveuglait, et la lance qu'il serrait dans son autre main balançait en tous sens. Sans prévenir, le cheval accéléra et la tension sur les rênes devint intolérable pour le garçon. Lorsque l'animal tourna au galop en direction des vagues, il lâcha la lance, qui retomba sur le sable et se brisa sous les sabots. Au loin, il entendit qu'on criait son nom.

— *Robert !*

Prenant les deux rênes à deux mains, le garçon lutta contre sa monture. De frustration et de peur, il se mit à crier tandis que se poursuivait sa course folle vers le rivage. La mer, d'un blanc étincelant sous le soleil, arrivait vite, elle emplissait son champ de vision de son bouillonnement. Le seul bruit qu'il percevait était celui des vagues qui déferlaient. Le ciel bascula et il aperçut les nuages et une mouette qui volait. Puis il fonça tête la première dans l'écume.

Le froid le saisit brutalement, et l'eau salée envahit ses poumons tandis qu'il disparaissait sous la surface agitée. La mer le rejeta dans un sens, puis dans l'autre, il ne savait plus où étaient le haut et le bas, aveuglé par le choc glacial et la panique qui l'envahissait. Sa poitrine se comprimait toujours davantage, se refermait sur elle-même. Il ne pouvait plus respirer. Enfin, son pied toucha le fond. Il poussa, et émergea à la surface où il put prendre une bouffée d'air. Il reçut une nouvelle vague dans le dos, mais même à genoux et balancé comme un fétu de paille, il parvint à garder la tête hors de l'eau. Les yeux fixés sur la plage, il se dégagea des déferlantes, la tunique collée à son corps. Lorsqu'il reprit définitivement pied, toussant et crachant, il se rendit compte que les vagues lui avaient arraché ses chaussures. Le dépôt de coquillages sur le rivage lui blessait la plante des pieds et il se plia en deux, laissant l'eau couler sur son nez et sur son cou.

— Robert !

Le garçon se redressa et vit son instructeur courir vers lui. Son cœur se figea lorsqu'il vit la lance brisée bien qu'elle fût plus petite que celle des hommes.

— Pourquoi n'avez-vous pas tenu les rênes plus bas ?

L'homme s'arrêta devant le garçon trempé et brandit la lance en miettes.

— Elle est fichue ! Tout ça parce que vous n'êtes pas capable de suivre un conseil tout simple !

Frissonnant à cause du vent, le garçon croisa le regard furieux de son instructeur. L'homme, qui avait des épaules de taureau, était rouge et transpirait à cause de la course qu'il avait faite pour le rattraper. C'était au moins un motif de satisfaction.

— J'ai essayé, maître Yothre, dit-il d'une voix contenue, et il regarda vers la plage, où le cheval s'était arrêté, les rênes pendant sur son encolure.

Il s'ébrouait et soufflait par les naseaux, donnant l'impression de rire de lui. La colère s'empara de Robert qui se rappela à quel point il était excité de commencer cette nouvelle phase de son instruction, quatre semaines plus tôt, et combien il avait déchanté en constatant que le seul cheval sellé dans les écuries de son père était ce puissant destrier. Il avait appris à monter sur un poney très doux, et plus récemment, il avait su venir à bout d'un jeune palefroi intelligent. Mais cette bête toute noire n'avait rien à voir avec eux. Il avait l'impression de danser avec le diable. Le regard de Robert revint sur Yothre.

— Mon père a plus de trente chevaux dans son écurie. Pourquoi avez-vous choisi Pieds d'Airain ? Même les palefreniers l'évitent. Il est trop violent.

— Le problème, c'est que vous manquez de force, le gronda Yothre. Et d'habileté. Le cheval répondra si vous suivez mes instructions. Et de toute façon, ajouta-t-il, plus amène, ce n'est pas moi qui l'ai choisi. C'est votre père.

Robert garda le silence. Le soleil faisait briller ses joues tandis qu'il s'était tourné vers la mer. Sous sa mèche de cheveux noirs, son visage pâle était tendu. Au-delà des déferlantes, la mer était d'un vert profond et translucide. Plus loin, vers l'île d'Alisa Craig, la Roche aux fées, l'eau s'assombrissait, elle prenait une teinte gris ardoise, et encore plus loin, autour de la lointaine île d'Arran, elle devenait noire. Ici, sur la côte de Carrick, c'était une belle journée venteuse de printemps, mais sur les hauteurs d'Arran, les nuages s'étaient accumulés et il avait plu sans discontinuer durant la matinée. Cela faisait suite aux violentes tempêtes qui avaient ravagé l'Écosse depuis le début de l'année. Robert distinguait sur l'horizon la pointe nord de l'Irlande. En apercevant cette frontière évanescente, si souvent cachée par la brume ou le brouillard, sa douleur se réveilla.

Son frère était toujours quelque part sur ce bout de terre, aux soins du seigneur irlandais, un vassal de son père, auquel ils avaient tous deux été confiés. Il ne faisait pas le moindre doute qu'Édouard devait déjà avoir fini ses leçons du jour. Il naviguait peut-être déjà à bord d'une des petites embarcations en bois qu'ils avaient taillées en bas de la rivière, devant le manoir d'Antrim, avec les garçons de la famille où ils avaient été placés, riant et courant sur les rives. Ce soir, ils mangeraient du saumon et, au coin du feu, ils boiraient de la bière douce en écoutant le seigneur raconter les légendes des héros irlandais, les batailles rageuses et les chasses au trésor. Les douze mois que Robert avait passés à Antrim avaient été parmi les plus beaux de toute sa vie, et son père nourricier lui avait appris tout ce qu'il devait savoir en tant que fils aîné de l'une des plus puissantes familles d'Écosse. Robert avait pensé qu'il retournerait chez lui pour occuper sa place aux côtés de son père, non plus en garçon, mais en homme s'apprêtant à devenir chevalier. La réalité avait été cruellement décevante.

— Viens, nous allons recommencer, disait Yothre en lui faisant signe de le suivre jusqu'à Pieds d'Airain. Et cette fois, si tu fais comme je te dis, nous pourrons éviter que...

Un cri perçant l'arrêta en pleine phrase.

Un petit garçon accourait vers eux à travers les dunes. Derrière lui, le château de Turnberry se dressait sur son promontoire rocheux au-dessus de la houle, avec ses remparts couronnés de cormorans et des mouettes qui tournaient en rond.

Robert sourit en voyant le garçon se hâter, ses petites jambes dispersant des gerbes de sable autour de lui.

— Niall !

Son petit frère s'arrêta devant lui, à bout de souffle, en ignorant complètement Yothre qui le regardait d'un air exaspéré.

— Des hommes sont arrivés... et grand-père aussi !
dit Niall, dans un halètement.

Un grand sourire illumina le visage de Robert, surpris par cette annonce. Aussitôt, il se mit à courir sur
le sable avec Niall, sa tunique humide pendant autour
de ses jambes.

— Maître Robert, cria Yothre derrière lui, votre
leçon n'est pas terminée.

Le garçon se retourna, et l'homme jeta la lance brisée vers Pieds d'Airain.

— Vous allez remonter en selle une dernière fois.

— Je monterai demain.

— Je parlerai à votre père de votre désobéissance.

Les yeux bleus de Robert lancèrent des éclairs.

— Allez-y, dites-lui, lança-t-il en rattrapant son frère
à toutes jambes.

Quand ils eurent franchi les dunes, les deux garçons
dépassèrent le petit groupe de maisons, de bateaux
de pêcheurs et de fermes qui composaient le village de
Turnberry et remontèrent à la hâte le chemin sablon-
neux qui menait au château. Là, Robert allongea la
foulée et laissa Niall loin derrière lui. Sous ses pieds,
le sol avait été retourné par des sabots. Ses poumons
étaient en feu, l'effort réchauffait ses membres gelés et
éloignait la menace de Yothre.

Alors qu'il s'approchait des portes, qui étaient
grandes ouvertes, l'un des gardes l'interpella.

— Maître Robert ! le salua l'homme en souriant.
Alors, que vous a encore fait ce démon aujourd'hui ?

Robert l'ignora et ralentit sa course en entrant dans
la cour. Le maître des écuries dirigeait des hommes et
des chevaux en grand nombre. Entre les animaux qui
se déplaçaient lentement, Robert vit que toute la
famille était sortie pour accueillir les invités, que nul
n'attendait. Il regarda d'un œil distrait ses deux frères,
sa mère et ses trois sœurs, dont la plus jeune hurlait
dans les bras de sa nourrice. Il s'attarda un instant sur
son père, le comte de Carrick, qui avait endossé sa

cape violette ornée de galons dorés, puis il scruta des yeux les nouveaux venus. Il reconnut James Stewart, ce qui le surprit. Le grand chambellan d'Écosse, l'un des hommes les plus puissants du royaume, dont la famille occupait cette haute fonction depuis des générations, se tenait au côté d'un grand comte de l'Est. Il y avait d'autres hommes avec eux, mais tous furent relégués au second plan lorsque le regard de Robert se posa sur l'homme d'allure léonine qui occupait le centre de la troupe, avec sa grande chevelure argentée et son visage buriné, comme surgi du passé. Robert Bruce, lord d'Annandale. L'homme dont son père et lui partageaient le nom.

Robert entendait Niall arriver en pantelant derrière lui et il s'avança vers son grand-père, vêtu d'un surcot et d'un manteau couverts de poussière sur lesquels étaient visibles les armes d'Annandale. Son sourire se figea lorsqu'il découvrit la gravité du visage du vieil homme. Les autres adultes paraissaient tout aussi sérieux, se rendit-il compte. Sa mère semblait bouleversée, et son père secouait la tête. Alors, Robert saisit une phrase au vol. Cela semblait impossible, pourtant l'ambiance qui régnait confirmait que c'était bien la vérité. À voix haute, sans réfléchir, il répéta cette même phrase, sous forme de question : « Le roi est mort ? »

Tout le monde se tourna vers lui, qui se tenait là tout trempé, des algues dans les cheveux et du sable sur la joue. Il vit l'inquiétude de sa mère et le regard désapprobateur de son père, puis la voix de son grand-père s'éleva dans le silence.

— Approche et laisse-moi te regarder, mon garçon.

Et ses yeux noirs, aussi austères et farouches que ceux d'un hibou, se posèrent sur lui.

Chapitre 3

Avec l'arrivée inattendue des grands seigneurs, les serviteurs du château furent occupés jusque tard dans la journée à allumer le feu dans les chambres vides, à trouver du linge propre pour les lits et à faire de la place dans les écuries. Mais aucun endroit n'était plus agité que la cuisine, où les cuisiniers devaient concocter un festin non plus pour la maisonnée déjà assez importante du comte, mais pour sept nobles et l'armée d'hommes qui les accompagnaient. Ce nombre augmenta encore, en fin d'après-midi, quand six autres hommes à cheval franchirent les portes du château. Pour Robert, qui observait cette agitation depuis la fenêtre de la chambre qu'il partageait avec ses frères, la journée prenait une signification d'une grande importance ; au-delà de la mort du roi, il sentait qu'un autre événement attendait, tapi dans l'ombre. Il se demandait ce que cela pouvait être et ce qui allait se passer lorsque, dans la cour, les gardes refermèrent les portes derrière les six cavaliers. Quelque part dans le château, une cloche carillonna. Les dernières lueurs du jour mouraient à l'ouest, où la lumière dansait sur les sommets d'Arran.

Lorsque les hommes entrèrent dans le château, des

serviteurs passèrent entre eux, versant un vin rouge couleur rubis dans des coupes en étain alignées. Dehors, le flot étouffé des vagues ne se tarissait pas, l'odeur des embruns se mêlant aux parfums de la nourriture et à la fumée des feux de bois. On avait sorti des tréteaux et des planches supplémentaires pour que tout le monde puisse prendre place à table. La salle était bondée et la chaleur qui se dégageait de la cheminée rendait l'atmosphère encore plus étouffante. Sur le mur, derrière la table, pendait la bannière du comte, aux armes des Carrick : un chevron rouge sur fond blanc. Plus loin était suspendue une grande tapisserie montrant, en des motifs de soie colorée, le moment où Malcolm Canmore tuait Macbeth, son rival honni, lors d'une bataille, avant de s'emparer du trône et d'ouvrir la voie à l'illustre dynastie dont la famille Bruce était une descendante lointaine. Robert avait toujours trouvé que le roi victorieux, ainsi représenté, ressemblait de façon frappante à son père.

Il s'agita nerveusement devant les portes de la salle tandis que les invités entraient à la file. Les seigneurs s'installèrent à la grande table, les chevaliers et les hommes à leur suite occupant les bancs autour des tables à tréteaux. Avec Robert se trouvaient ses jeunes frères, Alexandre, Thomas et Niall, ainsi que sa sœur aînée, Isabel. Quand le dernier d'entre eux, un jeune homme aux yeux d'un bleu intense, qui adressa un clin d'œil aux enfants, entra dans la salle, Robert le suivit à l'intérieur, résolu à trouver une place aussi près que possible de son grand-père. La voix de sa mère l'arrêta aussitôt.

— Vous mangez dans votre chambre ce soir.

Robert fit volte-face, abasourdi par cet ordre. Sa mère, la puissante comtesse de Carrick qui, en l'épousant, avait fait de son père le comte de ce pays sauvage, sortit de l'ombre du couloir. Son abondante chevelure noire couvrait sa tête en un arrangement complexe de tresses tenues en place par du fil argenté.

Sa robe de lin blanche était tendue sur son ventre, gros du dixième enfant qu'elle portait.

Tenant par la main une petite fille qui faisait ses premiers pas, elle s'approcha de Robert sans le quitter du regard.

— Est-ce que tu m'as entendue ?

— Mère... commença Isabel.

— Allez souhaiter bonne nuit à votre père et à votre grand-père, et filez en haut.

Elle avait prononcé ces mots en gaélique, ce qui signifiait que la conversation était close. Elle ne s'exprimait ainsi que lorsqu'elle était en colère ou qu'elle s'adressait aux domestiques.

— Allez, maintenant, insista-t-elle en repassant au français, la langue préférée de son époux.

Robert entra dans la salle, où les conversations à voix basse allaient bon train, et marcha vers son père, qui présidait à la grande table. Il essaya de croiser son regard, cherchant les signes de la colère que son père devait éprouver s'il savait qu'il avait écourté son entraînement. Le comte était plongé dans une discussion avec un homme à la taille d'ours, drapé dans des fourrures noires. Robert reconnut l'un des hommes arrivés en dernier.

— Bonne nuit, père, murmura-t-il.

Le comte lui jeta un coup d'œil, mais poursuivit sa conversation. Robert se demanda, avec un soulagement grandissant, si les événements extraordinaires du jour pouvaient avoir empêché Yothre d'informer son père et il se dépêcha d'aller trouver son grand-père, assis à l'autre bout de la table. Lord d'Annandale avait pris dans ses bras sa petite sœur, Christiane, que sa mère avait aidée à marcher jusque-là.

— Que lui donnez-vous à manger, lady Marjorie ? plaisanta le vieux Bruce en posant l'enfant à terre avec un grognement.

La comtesse sourit chaleureusement au vieillard.

53

— Venez maintenant, dit-elle doucement aux enfants en les poussant vers la porte, où la nourrice attendait pour les emmener à l'étage.

Alors que Robert s'attardait, la voix de son père retentit, sévère.

— Vous avez entendu votre mère. Dehors !

Lord d'Annandale regarda successivement Robert, puis le comte.

— Après vous, ce garçon est l'homme de cette maison. Il devrait rester.

Puis, se tournant vers Marjorie, il ajouta :

— Avec votre permission, madame.

Mais avant que la comtesse ait pu dire un mot, le père de Robert répondit.

— L'homme de cette maison ? lança-t-il avec dédain. À onze ans, alors qu'il est incapable de tenir sur une selle avec une lance ? Je me demande pourquoi je me suis donné la peine de l'envoyer à Antrim si c'est ainsi que je suis récompensé de mes efforts.

Les joues de Robert s'empourprèrent et il baissa la tête, certain que tous les hommes présents sentaient sa honte.

En vérité, aucun d'eux ne le regardait ; leur attention était retenue par les deux hommes qui se tenaient de chaque côté de la table, et qui se faisaient face en silence. L'un avait un regard noir et farouche, dur et arrogant, l'autre d'un bleu glacial, plein de mépris.

— Cela ne me dérange pas que Robert reste.

La comtesse s'était dirigée vers son époux et avait posé ses deux mains sur ses épaules pour le calmer. Le comte murmura quelque chose à sa femme pendant que celle-ci prenait place sur le fauteuil tapissé installé pour elle, mais Robert n'écoutait pas. Il se mordait l'intérieur des joues pour ne pas sourire tandis que son grand-père lui faisait signe de s'asseoir sur un banc à proximité. Les trois hommes qui s'y trouvaient déjà, dont l'un était le grand chambellan en personne, lui firent de la place. Robert aperçut son frère Alexandre qui l'observait avec jalousie, ce qui rendit sa victoire encore plus savoureuse, puis les enfants s'en allèrent. Robert s'aperçut alors qu'il était à côté du jeune homme aux yeux bleus qui lui avait fait un clin d'œil. Il inclina légèrement la tête, ne sachant trop si le jeune homme méritait seulement de la politesse ou un respect plus marqué. Le jeune homme lui sourit en retour.

— Grand chambellan, commença le grand-père de Robert d'une voix pleine d'autorité qui fit taire les conversations, voulez-vous ouvrir notre conseil en donnant à mon fils et à lord d'Islay les nouvelles de la cour royale qui sont en notre connaissance.

Il fit un signe de tête à l'homme vêtu de fourrure et grand comme un ours, qui discutait plus tôt avec le comte.

— Mon message vous a informés des mauvaises nouvelles qui nous amènent à nous rassembler ce soir, mais il y a d'autres détails que je ne pouvais prendre le risque de divulguer par écrit et...

— Je crois, père, le coupa le comte, que des présentations sont nécessaires avant que nous ne commencions. Nos compagnons ici se connaissent peut-être de nom, mais ils n'ont pas tous eu l'occasion de se rencontrer.

Sans attendre de réponse, il se leva, sa robe violette suivant ses mouvements, et tendit la main vers un homme de carrure imposante, aux cheveux noirs et gras, assis à la table.

— Sir Patrick, comte de Dunbar.

Robert cessa d'observer l'air contrarié de son grand-père et écouta son père.

— Sir Walter Stewart, comte de Menmeith, et ses fils, Alexandre et John.

De la main, le comte désigna trois hommes aux cheveux roux et au visage constellé de taches de rousseur. Puis il se tourna vers lord d'Islay assis à sa droite.

— Sir Angus Mór MacDonald.

Il montra ensuite un homme trapu à l'air enga-
geant, assis à la table, et le jeune homme aux yeux
bleus à côté de Robert.

— Ses fils, Alexandre et Angus Og.

Enfin, le comte s'avança vers le chambellan.

— Et, bien sûr, sir James Stewart et son frère, John.

Il se rassit auprès de la comtesse, les bras tendus à
la ronde.

— Lady Marjorie et moi-même sommes honorés de
vous accueillir dans notre château, malgré les circonstances.

Il s'inclina alors vers James tandis que les serviteurs
entraient, apportant des soupières pleines de ragoût
de chevreuil fumant, agrémenté de thym.

— Je vous en prie, grand chambellan, allez-y. Je
suis impatient d'entendre ce que vous avez à dire.

Robert observa les convives, capable à présent de
mettre des visages sur des noms et des histoires qu'il
connaissait. Il savait qu'il était en compagnie de quelques-
uns des hommes les plus puissants du royaume, ce
qui suffisait à lui faire oublier que son père n'avait pas
daigné le présenter.

Le chambellan se leva.

— Vous avez tous appris la terrible vérité, que notre
seigneur et roi, Alexandre, est mort le mois dernier en
allant retrouver la reine à Kinghorn. Une tempête l'a
séparé de son escorte. Il semble que son cheval ait
glissé et l'ait précipité dans l'abîme. La chute lui a
brisé le cou.

Seuls les bruits des louches contre les soupières
accompagnaient les paroles graves du chambellan, les
serviteurs s'occupant d'abord de la table d'honneur.
Lorsqu'un domestique déposa un morceau de ragoût
dans le tranchoir de Robert, l'odeur de la viande le
submergea. Il y avait un trou au milieu de l'épaisse
tranche de pain pour récolter le jus. Robert vit que
son père s'était penché en avant et écoutait attentive-
ment. Il chercha une cuillère et s'avisa qu'on ne lui en

avait pas donné. Le serviteur s'était éloigné et Robert n'osait pas l'appeler. Il n'avait pas mangé depuis le matin et son estomac criait famine.

— Son corps n'était pas plus tôt découvert que les Comyn ont cherché à profiter de la situation.

Une pointe de colère perçait dans la voix calme du chambellan.

— Fort heureusement, un conseil venait d'avoir lieu à Édimbourg et nous avons pu étouffer leurs ambitions. Sir Patrick et moi, dit-il en désignant le comte de Dunbar, avec le soutien de l'évêque de Glasgow, nous avons organisé l'élection d'un conseil de six gardiens. Ils régleront les affaires courantes jusqu'à l'intronisation du nouveau roi.

— Qui sont les six ? demanda lord d'Islay d'une voix sonore.

Son français était balbutiant et étrange, le gaélique étant sa langue natale.

— Moi-même, répondit le chambellan, les évêques de Glasgow et de St Andrews, le comte de Fife, et les chefs de Comyn le Rouge et de Comyn le Noir.

— Un équilibre des pouvoirs, marmonna le comte de Carrick en plongeant sa cuillère dans le ragoût. Dommage que vous n'ayez pu manœuvrer à votre avantage, chambellan.

— Les Comyns remplissent des offices parmi les plus importants du royaume. Il était impossible de les tenir à l'écart.

Robert étudiait son dîner en se demandant s'il pouvait manger avec ses mains lorsqu'une cuillère arriva sur sa droite. Angus Og MacDonald sortit un petit couteau d'un étui à sa ceinture, découpa un coin de son tranchoir et le porta à sa bouche, ses yeux bleus scintillant à la lumière des torches. Robert remercia d'un signe de tête le fils de lord d'Islay, puis commença son repas.

— Nous sommes au courant des tentatives des Comyns pour s'emparer du trône, poursuivit James. Ils n'ont jamais cessé d'essayer, par la force même, comme certains d'entre nous se le rappellent.

Le regard du chambellan se posa sur lord d'Annandale, qui acquiesça sans rien dire.

— Mais il y a plus inquiétant que leur envie de pouvoir, reprit-il en se tournant vers l'assemblée. À la cour, j'ai appris qu'il est utile d'observer ceux qui sont les plus proches du roi. Depuis un certain temps, mes hommes gardent un œil sur ce qui se passe dans la maison royale. Après la mort du roi, l'un de mes espions a entendu sir John Comyn ordonner à un chevalier de porter un message dans le Galloway. Comyn parlait de la mort du roi, disant que le roi avait décidé la libération d'un prisonnier au cours du conseil. Mais il y a une chose en particulier qui a attiré l'attention de mon espion. Comyn a dit : « Faites savoir à mon beau-frère que nous nous verrons bientôt, car l'heure sera bientôt venue pour le lion blanc de rougir. »

Plusieurs hommes prirent la parole en même temps.

Le comte de Carrick fixait le chambellan, le front plissé.

— Balliol ?

— Nous pensons, dit James, que Comyn le Rouge a l'intention de mettre lord de Galloway sur le trône.

Robert stoppa le mouvement de sa cuillère vers sa bouche. La mine soucieuse des hommes autour de la table, ne lui révélait pas comment on était arrivé à cette conclusion stupéfiante. Il reposa sa cuillère tandis que les hommes parlaient tous en même temps. Soudain, il vit le lien. Le lion de la bannière de Galloway était blanc. Celui de la bannière royale d'Écosse était rouge. L'heure était venue pour le lion blanc de rougir.

La voix profonde de lord d'Islay couvrit celle des autres.

— C'est une grave accusation portée contre des hommes qui ont prononcé le serment de fidélité, fit Angus Mór MacDonald qui se pencha en avant, son torse puissant semblant prêt à faire craquer les four-rures. Il y a deux ans, les seigneurs d'Écosse ont juré de reconnaître la petite-fille d'Alexandre comme son héritière. C'est à Marguerite désormais que revient le trône. Nous avons tous prêté serment. Je ne porte pas les Comyn dans mon cœur, mais les accuser, ainsi que Jean de Balliol, lord de Galloway, de manquer à leur parole ?

— Qui parmi nous aurait pu imaginer que cela se passerait ainsi, surtout après le mariage du roi avec Yolande ? rétorqua Patrick de Dunbar en passant la main dans ses cheveux gras. Reconnaître la petite-fille du roi, qui se trouve en Norvège, comme son héri-tière, était une pure précaution, et non une réalité que nous pensions devoir affronter. La fidélité que nous avons jurée ce jour-là pèse lourdement sur nos épaules. Combien d'entre nous vont rester assis et se laisser gouverner par une enfant reine qui vit dans une cour étrangère ?

Il fit un signe de la tête au chambellan avant de conclure.

— Il ne fait pas de doute pour moi que Balliol, poussé par l'ambition des Comyn, va tenter de s'empa-rer du trône.

— Nous devons réagir promptement, intervint le comte de Carrick en tapant du poing sur la table, fai-sant voler plats et coupes. Nous n'allons pas laisser les Comyn asseoir un de leurs parents sur la Pierre du Destin. Nous ne pouvons pas laisser prendre ce qui nous appartient !

Il s'arrêta et jeta un coup d'œil à lord d'Annandale.

— Ce qui vous appartient, père, rectifia-t-il. Si un homme dans ce royaume devait prendre le trône, ce serait vous. Vous y avez plus de droits que Balliol.

— Pas par primogéniture, dit doucement le comte de Menteith, les yeux rivés sur le seigneur d'Annan-dale, qui garda le silence. Par la loi du premier sang, Balliol gagne.

— Ce n'est pas seulement par le sang que mon père peut prétendre au trône. Il avait été désigné héritier par le père du roi avant la naissance d'Alexandre !

Tandis que tous les hommes se mettaient à parler sans s'écouter, Robert se tourna vers son grand-père. Le vieux seigneur le lui avait confié une fois, des années plus tôt. Robert se souvenait de la fierté qui irradiait sur le visage de son grand-père lorsqu'il lui avait raconté en détail le jour où le roi Alexandre III l'avait désigné comme son successeur. C'était à l'occasion d'une partie de chasse. Le roi était tombé de cheval. Il ne s'était pas blessé, mais l'incident l'avait inquiété, et il avait fait s'agenouiller tous ses vassaux présents sur le sentier poussiéreux de la forêt. Là, il leur avait demandé de reconnaître sir Robert Bruce, qui avait du sang royal, comme son héritier, s'il venait à mourir sans descendance. Son grand-père avait dix-huit ans à l'époque. Deux ans plus tard, le roi avait eu un fils et la lignée royale avait été assurée, mais les Bruce n'avaient jamais oublié cette promesse depuis lors. Pour Robert, cela ressemblait à l'une des histoires incroyables dans les contes : authentique, certes, mais qui n'existait que dans un passé lointain, comme les histoires du héros irlandais Fionn mac Cumhaill que son père nourricier lui racontait à Antrim. Aujourd'hui, assis dans la salle à manger de son père avec ces grands hommes, il frissonna en comprenant que l'histoire devenait réalité.

Il était possible que son grand-père devienne roi.

Alors que la conversation s'échauffait, menaçant de se transformer en dispute, lord d'Annandale se leva, la lumière du feu de la cheminée embrasant son visage taillé à coups de serpe.

— Assez, lança-t-il d'une voix qui fit taire l'assemblée. J'aimais Alexandre non comme un sujet aime son roi, mais comme un père aime son fils.

Robert vit le visage de son père s'empourprer à ces paroles.

— J'ai promis de le servir jusqu'à mon dernier souffle, poursuivit le vieil homme en les regardant un à un. Et cela signifie que je compte respecter le serment que j'ai prononcé, que nous avons tous prononcé, c'est-à-dire de reconnaître sa petite-fille comme notre reine. Nous devons empêcher Jean de Balliol de monter sur le trône. Nous devons protéger le trône. Mais pour elle. Un homme qui ne respecte pas son serment ne mérite pas de respirer, conclut-il sévèrement en se rasseyant.

— Je suis du même avis, dit James Stewart dans le silence qui suivit. Mais comment protéger le trône ? Si les Comyn désirent installer Balliol sur le trône, ils resteront sourds aux protestations. J'ai bien peur qu'ils aient assez de pouvoir dans le royaume pour y parvenir, avec ou sans le soutien des gardiens.

— Les conseils et les gardiens ne sont pas la réponse, répliqua lord d'Annandale. J'y ai pensé tout au long du voyage. Il n'y a qu'une chose que les Comyn comprennent, et c'est la force. Nous devons porter le fer dans le Galloway. Par une série d'assauts, nous nous emparerons des places fortes les plus importantes tenues par le Justicier, John Comyn, et par les Balliol. D'un coup, nous anéantirons la présence des Comyn dans le Galloway et discréditerons Balliol. Il faut qu'on le voie comme un homme faible incapable de défendre ses propres frontières, sans parler d'être roi.

Robert connaissait la haine de son grand-père pour les Comyn, qui contrôlaient de vastes régions d'Écosse et avaient de l'influence dans les cercles royaux depuis des générations. Quand les premiers Comyn avaient traversé la mer d'Angleterre avec Guillaume le Conquérant, ce n'était pas en seigneurs possédant de riches domaines en Normandie, comme les ancêtres de Robert, mais en simples clercs. Et c'est ainsi qu'ils avaient prospéré en Angleterre pendant que les rois se succédaient, après la conquête, avant de monter plus au nord. Grâce à l'appui de seigneurs bien intentionnés et à leur débrouillardise, leur fortune avait atteint une telle ampleur que c'était un Comyn, et non un Bruce, qui était devenu le premier Normand comte d'Écosse et même le premier à pouvoir prétendre au trône par un mariage. Les fils de clercs n'avaient rien à faire dans la noblesse, avait toujours affirmé le grand-père de Robert. Cependant, la haine du vieil homme avait semblé avoir d'autres racines, plus profondes, que le simple dédain. Robert ne l'avait jamais compris, et jusqu'à maintenant, il n'avait jamais pensé à poser la question.

— Nous devrions contacter Richard de Burgh, proposa le père de Robert. Le comte d'Ulster ne sera que trop heureux de fournir des hommes et des armes. Les hommes du Galloway sont depuis longtemps une épine dans son pied, avec leurs attaques contre l'Irlande. Et nous devrions aussi informer le roi Édouard. En tant que beau-frère d'Alexandre, dès qu'il aura appris sa mort, il voudra s'impliquer dans la succession.

— Le roi d'Angleterre a été le premier à être informé en dehors des frontières écossaises, répondit le chambellan. L'évêque de St Andrews a envoyé un message en France à Édouard le jour où on a découvert le corps d'Alexandre.

— Raison de plus pour le contacter, reprit le comte en regardant son père. Si Marguerite vient régner ici, elle aura besoin d'un régent pour gouverner à sa place jusqu'à ce qu'elle ait atteint l'âge de décider par elle-même, et il faudra aussi désigner un héritier. En nous emparant des forteresses des Comyn, nous démontrerons que nous méritons cette distinction. Nous prouverons notre force. Et la force, ajouta fermement le comte, fait partie des qualités que le roi Édouard sait apprécier.

— Nous ferons appel à Richard de Burgh si le besoin s'en fait sentir, convint lord d'Annandale. Mais ce n'est pas la peine d'impliquer le roi dans nos affaires.

— Je ne suis pas d'accord, répliqua le comte. Le soutien d'Édouard nous mettrait en bonne position pour prendre la tête du nouveau gouvernement.

— Le roi Édouard est un ami et un allié, et nos familles lui doivent une grande partie de leur fortune, mais il pense d'abord à lui-même et il n'agira que dans les intérêts de son royaume.

Le vieil homme avait parlé d'une voix sans appel. Le comte fixa son père encore un instant, puis il hocha la tête.

— Je vais rassembler les hommes de Carrick.

— Moi aussi, je peux envoyer des hommes, annonça lord d'Islay.

— Nous ne pouvons tous vous soutenir ouvertement, dit James Stewart. Pas par les armes. Le royaume est déjà suffisamment divisé depuis des années. Je ne veux pas qu'une querelle se transforme en guerre civile.

Il réfléchit un instant avant de poursuivre :

— Mais je suis d'accord. Le trône doit revenir à Marguerite.

Lord d'Annandale se rassit et leva sa coupe.

— Que Dieu nous accorde la force.

Chapitre 4

Robert s'effondra à genoux dans l'herbe, la respiration coupée. Des gouttes de sueur dégoulinaient sur ses joues tandis qu'il restait là, le sang cognant contre ses tempes. Quand les taches noires devant ses yeux s'évanouirent, il se laissa tomber à la renverse. Il entendait des voix à bout de souffle se rapprocher, des bruits de pas étouffés par terre. Se redressant sur les coudes, les yeux plissés à cause du soleil, il vit ses trois frères remonter la colline en courant dans sa direction.

Thomas arriva le premier, tête basse, concentré sur son ascension. Derrière lui, Niall s'aidait de ses mains tant il avait envie de battre Thomas, qui avait pourtant deux ans de plus que lui. Bon dernier, Alexandre faisait exprès de monter lentement. Thomas l'emporta. Il s'écroula sur l'herbe chaude à côté de Robert, aspirant de courtes bouffées d'air entre ses dents. Sa tunique était trempée.

Quelques instants plus tard, Niall les rejoignit.

— Comment vous faites pour aller aussi vite ?

Robert sourit à son petit frère et resta allongé, la douleur refluant peu à peu de ses muscles.

Il fallut plusieurs minutes à Alexandre pour arriver. Son ombre s'étira sur Robert.

— On serait rentrés plus vite en prenant le sentier, dit-il en se tenant les côtes.

— Nous n'étions pas passés par là. En plus, ajouta Robert avec un grand sourire, je voulais voir si j'étais encore capable de le faire.

— Tu nous bats toujours. Tu es le plus grand, murmura Thomas en s'asseyant.

La sueur avait plaqué ses cheveux sur son front, et devant ses yeux. Ils étaient bouclés et blonds comme ceux de leur petite sœur Christiane. Les autres avaient des cheveux noirs, pareils à ceux de leur mère, sauf leur demi-sœur Marguerite, qui s'était mariée et les avait quittés.

— Alexandre est plus vieux que Niall et toi, rétorqua Robert, et vous l'avez tous les deux battus.

— Je n'ai pas vraiment essayé de les battre, rectifia Alexandre. Maintenant que tu as gagné, rentrons.

Robert s'assit en soupirant. Après plusieurs semaines sans entraînements ni leçons, il s'impatientait. Le château avait été occupé par les préparatifs de la bataille, les adultes étaient tendus, préoccupés. Chaque jour, de nouveaux chevaliers, tous vassaux de son père, arrivaient depuis les villes et les domaines autour de Carrick. Robert les connaissait pratiquement tous, car tous, à un moment, étaient venus rendre hommage au comte, s'agenouiller devant lui et prononcer le serment sacré, les mains dans les siennes tandis qu'ils juraient en retour leur indéfectible loyauté et celle de leur domaine. De même que son père tenait ses terres directement du roi, à qui il devait apporter son soutien en cas de guerre, verser des impôts, et rendre des services tels que la protection de ses châteaux, les hommes de Carrick, en lui rendant hommage, étaient obligés de combattre aux côtés du comte. Ils amenaient avec eux leurs propres hommes, à pied ou à cheval, armés et prêts à donner l'assaut sur le Galloway.

Toutes ces allées et venues avait mis son père d'une humeur massacrante et, plus tôt, Robert et ses frères étaient sortis seuls du château. La liberté retrouvée loin de cette atmosphère oppressante et des réprimandes continuelles du comte leur était un soulagement. La lumière mordorée de cette fin d'après-midi était l'une des plus sublimes que Robert eût vues depuis son retour d'Irlande. Il n'avait pas envie de gâcher ce moment.

— Attendons encore un peu.

— Quelqu'un va finir par remarquer que nous ne sommes pas là. Nous sommes partis depuis plus d'une heure.

— Personne ne s'en soucie. Ils sont tous trop occupés.

— Tu veux dire que tu ne vas pas rentrer ?

Robert leva les yeux vers son frère, qui se tenait au-dessus de lui, les mains sur les hanches. Alexandre avait toujours été d'un grand sérieux, même quand il avait l'âge de Niall, mais ces derniers temps il était devenu plus austère qu'un moine. Il s'étonna de ce changement, si évident depuis son retour d'Antrim. Il se disait que cela avait peut-être quelque chose à voir avec leur père ; le comte avait-il été particulièrement dur avec lui pendant son absence ? Mais le comte semblait toujours content d'Alexandre et de Thomas, qui étaient l'un le plus obéissant, l'autre le plus calme de la fratrie. La réponse lui vint tout à coup. Lorsque Édouard et lui-même avaient été envoyés en Irlande, Alexandre était devenu le plus âgé des garçons de la maisonnée. Maintenant qu'il était de retour, son frère avait peut-être l'impression qu'il lui volait la place... Robert n'arrivait pas à se sentir désolé pour lui. Alexandre n'avait aucune idée de la chance qu'il avait de ne pas être celui sur lequel reposent tous les espoirs de la famille.

D'autant, pensa sombrement Robert, que son père avait l'air déterminé à lui rendre impossible de prouver qu'il était à la hauteur de cette grande responsabilité.

— Vas-y si tu veux, dit-il en se rallongeant et en fermant les yeux. Je reste.

— Vous feriez mieux de venir, dit Alexandre à Thomas et Niall. À moins que vous ne vouliez goûter à la ceinture de père.

Robert entrouvrit un œil et vit Thomas se mettre debout. Il sentit une certaine colère l'envahir en regardant les deux garçons descendre la colline. Autrefois, Thomas et Niall faisaient tout ce qu'il disait. Il reposa la tête sur l'herbe et écouta le bourdonnement des abeilles dans la bruyère. Il aurait voulu qu'Édouard soit là. Mais son frère, qui avait un an de moins que lui, devait rester encore six mois en Irlande. Édouard était plein d'énergie, c'était un sacré manieur d'épée et il était capable de grimper en haut des arbres auxquels personne ne se serait risqué. Il savait aussi mentir avec aplomb et était toujours partant pour relever un défi. Tout paraissait terne sans lui.

Niall se gratta la tête.

— Qu'est-ce qu'on fait ?

Après quelques instants, Robert se leva d'un bond, résolu à ne pas laisser Alexandre lui gâcher l'après-midi.

— Je vais t'apprendre à te battre.

Il courut jusqu'à un bosquet d'arbres battus par le vent, attrapa une petite branche et tira jusqu'à ce qu'elle craque. Puis il la cassa en deux, ôta les feuilles et tendit le morceau le plus long à son petit frère.

— On va s'entraîner ici, dit-il en désignant un carré d'herbe dégagé.

Au loin, les collines hautes de Carrick se déployaient à l'est. Au bas des pentes, il y avait beaucoup d'arbres, mais les sommets étaient nus. Robert les voyait comme des hommes au crâne dégarni formant un cercle protecteur autour de Turnberry.

— Comme ça, dit-il en écartant les jambes et en empoignant le bâton à deux mains.

Niall imita son frère, son visage soudain sérieux. Il avait les genoux tachés par l'herbe. Robert balança lentement le bâton en l'air en décrivant une courbe vers le cou du garçon.

— Bloque mon coup, maintenant.

Niall balaya sèchement le bâton de Robert.

— Trop rapide. Il faut commencer lentement. Comme ça.

Robert brandit de nouveau son arme factice devant lui, puis il lui fit décrire une courbe, d'abord d'un côté, puis de l'autre, avant de la lever au-dessus de sa tête.

— Ensuite, plus vite, dit-il en accélérant son mouvement. Fais comme si tu te battais contre quelqu'un.

Le bâton fendait maintenant l'air avec un petit bruit sifflant.

— Qui ?

— Un ennemi. Un homme des Comyn !

Niall fouetta l'herbe avec son bâton.

— Regarde, Robert, j'en ai deux !

— Deux ? fit Robert en désignant le bas de la colline avec son bâton. Il y a toute une armée là-bas ! Mort à tous les Comyn ! hurla-t-il en chargeant le long de la pente, le bâton tendu devant lui.

Niall s'élança derrière lui et leurs cris se transformèrent en rires lorsque Robert trébucha et s'étala de tout son long. Son frère s'assit sur lui avec un cri de victoire tandis que Robert grognait. Tous deux se laissèrent rouler sur la pente en abandonnant leurs armes improvisées. Ils ne s'arrêtèrent qu'en bas, sans se rendre compte que quelqu'un les observait.

— Qu'est-ce que vous faites ?

En entendant cette voix inconnue, Robert ouvrit les yeux. Il se rendit compte qu'il y avait là une fille. Poussant son frère, il se redressa pour lui faire face. La fille était d'une minceur extrême, avec de longs cheveux noirs et plats qui se répandaient sur ses épaules osseuses, comme une queue-de-rat. Elle portait une robe usée jusqu'à la corde, qui avait dû autrefois être blanche, mais que la poussière avait rendu grise. Dans ses petites mains crasseuses, elle tenait une poche. Elle dégageait une odeur de terre et de fleurs entêtante, mais Robert était surtout attiré par ses yeux, car c'était, semble-t-il, ce qu'il y avait de plus grand chez elle ; ils semblaient dévorer tout son maigre visage.

— En quoi ça te regarde ? répondit-il en gaélique, mal à l'aise face à l'intensité de son regard.

La fille pencha la tête de côté.

— Qui êtes-vous ?

— C'est l'héritier du comte de Carrick, c'est à lui que ces terres appartiennent.

Robert jeta un regard noir à Niall pour le faire taire, mais la fille ne sembla pas le remarquer. Son regard inquisiteur passa de sa tunique trempée de sueur à son visage sale. Ses lèvres se tordirent lorsque ses yeux s'arrêtèrent sur ses cheveux. Levant involontairement la main, Robert découvrit qu'un brin de bruyère s'était logé dans une mèche. Il s'effrita entre ses doigts. La fille haussa les épaules.

— Tu n'as pas l'air d'un comte, dit-elle en tournant les talons et en regagnant la prairie.

Robert la suivit des yeux et s'aperçut qu'elle n'avait pas de chaussures, pas même de ces sabots en bois que portaient les paysans qui travaillaient aux champs. Il connaissait tout le monde à Turnberry et dans les environs : les serfs et les vassaux de son père, les fermiers et les pêcheurs, ainsi que leurs femmes et leurs enfants, et même les marchands et les agents du roi à Ayr et dans les autres villes alentour. Or il ne connaissait pas cette fillette effrontée qui battait la campagne toute seule.

— Comment ose-t-elle parler comme ça, marmonna Niall.

Robert ne l'écoutait pas.

— Viens, murmura-t-il en se déplaçant discrètement vers les arbres qui couvraient les pentes moins escarpées au pied de la colline.

— On va du mauvais côté, dit Niall en jetant un coup d'œil à la mer, en bas de la vallée, qui de loin ressemblait à un linceul bleu.

Il courait pour suivre la foulée de son grand frère.

— Robert !

— Tais-toi, lui ordonna sèchement Robert alors qu'ils se mettaient à couvert.

La fille marchait sans se presser le long d'une piste rocailleuse qui suivait les courbes d'un maigre ruisseau. Malgré le bruit de l'eau, le vent chaud lui apportait les bribes d'une chanson. Près d'une croix en pierre, elle leva les jupes de sa robe grise et traversa, puis elle remonta la colline couverte de fougères de l'autre côté. Robert étudia le terrain en songeant à une chasse à laquelle son grand-père l'avait emmené dans les bois d'Annandale. Le vieil homme lui avait répété encore et encore l'importance d'une couverture adéquate où le chasseur devait se dissimuler à sa proie. Il y avait un taillis de sorbiers, une petite butte et plusieurs rochers entre le cours d'eau et lui.

— On devrait rentrer, Robert, soupira Niall à ses côtés. Alexandre a raison. Quelqu'un va remarquer qu'on est partis.

Robert s'immobilisa, les yeux braqués sur la fille. Il évacua de son esprit l'air pincé d'Alexandre et sentit l'irritation l'envahir à l'idée de rentrer sagement avec Niall au château.

— Suis-moi, dit-il à son frère et il se mit à courir entre les arbres tandis que la fille continuait à monter.

C'était un jeu, mais aussi sérieux qu'une chasse. Les deux garçons passèrent des arbres à la butte, d'un rocher à un buisson, et ils poursuivirent la fille de l'autre côté du ruisseau, par-delà la crête de la colline et jusque dans la vallée suivante, plus densément boisée que la première. De temps à autre, la fille s'arrêtait et regardait autour d'elle, et les garçons se jetaient dans les taillis. Elle semblait les emmener dans une course sinueuse, passant par-dessus des cours d'eau, puis sous les arches que formaient des arbres tombés au sol. Au bout d'un moment, elle grimpa un talus abrupt.

Lorsqu'elle disparut derrière l'arête, Robert s'élança à ses trousses. Mais, voyant que Niall ne suivait plus, il se retourna.

— Allez !

— Je sais où on est, maugréa Niall.

Sur son visage, que des branches basses cachaient à moitié, se lisait de l'inquiétude. Robert hocha la tête avec impatience.

— Près de Turnberry, je sais. On va voir où elle va, et ensuite on rentre.

— Robert, attends !

Sans tenir compte de son frère, Robert gravit le talus. En haut, il aperçut une tache grise dans les bois en contrebas et se laissa glisser en s'agrippant à des racines saillantes par sécurité. Quand il arriva en bas, il perçut l'odeur âcre de la fumée. Il se demanda si elle venait du village, mais Turnberry était à plusieurs kilomètres vers l'est. Devant, les arbres étaient plus clairsemés. Robert se figea. La fille se dirigeait vers une vallée verdoyante, dominée par un tertre impressionnant parsemé de rochers et d'ajoncs. Le soleil couchant l'auréolait d'une couronne rose, alors que dans la vallée tout n'était qu'ombre. Au pied du tertre était nichée une petite maison en bois et en terre. La fumée s'élevait par une ouverture dans le toit. À côté de la maison, dans un enclos fait de pieux liés entre eux, deux énormes cochons se vautraient dans la fange. Robert jeta un regard à son frère qui arrivait seulement à sa hauteur.

— C'est sa maison, murmura-t-il en désignant l'habitation.

— C'est ce que je te disais, répondit Niall d'une voix à la fois énervée et apeurée.

La fille, qui passait sous l'ombre d'un gros chêne, était presque arrivée à la porte. À travers l'épais feuillage, Robert distingua plusieurs formes ressemblant à des toiles d'araignées pendues aux branches. Il était déjà venu quelquefois dans cette vallée et il avait vu cet arbre, mais même Édouard n'avait jamais osé approcher assez pour voir ce qu'étaient au juste ces toiles d'araignée.

— Partons, l'implora Niall en l'agrippant par le bras.

Robert hésita. Il ne quittait pas la maison des yeux. La vieille femme qui vivait là était bien connue : c'était une sorcière. Elle avait deux chiens qu'Édouard appelait les Loups de l'Enfer. Une fois, ils avaient pris Alexandre en chasse et l'un d'eux l'avait mordu. Par la porte de la chambre de ses parents, Robert avait regardé le médecin recoudre la plaie. Il s'attendait à ce que son père, furieux, cherche à se venger – qu'il envoie des hommes à la maison de la vieille femme pour tuer ces bêtes sauvages, mais son père s'était contenté de prendre Alexandre par les épaules et de les serrer à lui faire mal. *Ne t'approche plus jamais de cette maison,* avait murmuré le comte d'une voix implacable. *Plus jamais.*

Robert était à deux doigts de se laisser persuader par Niall de rebrousser chemin lorsque la fille, parvenue à la porte, s'arrêta. En se retournant, elle leva la main dans leur direction et les salua. Les yeux de Robert s'arrondirent. Quand elle ouvrit la porte et disparut à l'intérieur, on entendit un aboiement, puis plus rien. Se débarrassant de la main de son frère sur son bras, Robert se leva et descendit la pente d'un pas décidé. Il était l'héritier d'un comte, qui venait juste après le roi au sein de la noblesse. Un jour, il hériterait de terres en Irlande et en Angleterre, le riche domaine d'Annandale et l'ancien comté de Carrick, et les hommes qui répondaient aujourd'hui aux appels de son père s'agenouilleraient devant lui. Il irait où bon lui semblait.

Il marcha sur une branche pourrie, qui craqua avec un gémissement. Robert regarda derrière lui, espérant que Niall ne l'avait pas vu sursauter. Il sourit d'un air brave, puis fit volte-face en entendant aboyer. Sur le côté de la maison, deux énormes molosses filaient comme l'éclair. Robert aperçut leurs crocs jaunes et leur pelage noir embroussaillé, et il prit ses jambes à son cou pendant que Niall fonçait devant lui en criant de terreur.

Chapitre 5

L'aube grise pointait au-dessus des collines du Galloway. La brume recouvrait les champs et les bestiaux étaient des formes étranges dans son voile blanc. La journée serait chaude, mais sans soleil, le ciel à l'est ne promettait que l'humidité. Des mouettes tournaient en cercles lents au-dessus des eaux marron de la Urr, cherchant leur pitance dans les berges boueuses. L'eau avait reflué avec la marée dans l'estuaire de Solway.

Sur la rive ouest, au sommet d'un mont, se dressait un château, protégé d'un côté par la rivière, de l'autre, côté terre, par un profond fossé. Le fond de la tranchée était rempli d'une argile rouge et poisseuse, et il n'était possible de traverser que par un pont-levis, fermé pour la nuit. Une double rangée de piliers en bois s'élevait du fossé, tels des croque-morts attendant de conduire un cadavre à ses funérailles. À leurs pieds, tapis dans le noir, et invisibles pour les gardes du château qui arpentaient les chemins de ronde tout là-haut, se trouvaient sept hommes. L'argile enduisait leurs mains, ainsi que les bras et les torses de leurs gambisons matelassés. Elle couvrait leurs visages cachés sous des capuches de laine, maculait leurs chausses et leurs bottes. Cela faisait plus d'une heure qu'ils se tenaient là, la mélasse jusqu'aux genoux, les pieds gelés par le froid. Pas un mot ne sortait de leur bouche. Seuls les cris languissants des mouettes et les conversations assourdies des gardes leur parvenaient. De temps à autre, leurs yeux se croisaient, billes brillantes et mouvantes, mais ils détournaient vite le regard, chacun à l'abri dans son monde de silence, attendant la cloche matinale et se demandant si elle sonnerait avant que la brume qui les dissimulait ne se lève, ou que le ciel cendreux ne s'éclaircisse.

Les minutes s'écoulèrent jusqu'à ce que, à l'intérieur du château, un carillon retentisse. En l'entendant, les hommes dans le fossé se redressèrent. Quelques-uns se dégourdirent les doigts avec précaution et bougèrent légèrement dans la vase. Les murmures des gardes cédèrent place brutalement à des cris, lorsqu'ils se décidèrent à accomplir la routine quotidienne qui consistait à baisser le pont-levis. Il bascula, soutenu par d'épaisses cordes torsadées, et les hommes dans la tranchée levèrent la tête pour observer cette grande masse fondre sur eux et déplacer la brume. Le pont atterrit sur les piliers avec un bruit sourd. Il fut suivi par le claquement du verrou de la herse qu'on tournait et des pas des gardes sur les planches.

L'un des gardes se posta sur le bord du pont-levis. Tout en bâillant bruyamment, il ouvrit son gambison, puis ses braies.

— Utilise les latrines, Boli.

Le garde regarda par-dessus son épaule.

— Monseigneur n'est pas là. Personne ne me verra.

— Sauf nous, dit un autre. Et même ta femme ne veut pas voir ta queue toute flétrie.

Boli grogna une réponse obscène à ses camarades qui ricanaient et se mit à uriner dans le fossé. Le liquide jaune et chaud coula le long d'un pilier, s'amassa sur la surface entaillée du bois, puis continua sa course dans la tranchée, où il se répandit sur les mains de l'un des hommes qui y étaient entassés. Il détourna la tête.

Au moment où Boli fermait ses braies, un bruit se fit entendre. Il se tourna vers la piste poussiéreuse qui menait au pont-levis depuis les bois et vit deux hommes apparaître dans le brouillard. Ses camarades les avaient vus eux aussi. Tous faisaient silence désormais, les épées à portée de main. Comme le bruit se faisait de plus en plus fort, Boli plissa les yeux pour mieux y voir. Au bout d'un moment, il prit conscience que les deux hommes faisaient rouler une barrique.

— Halte, lança-t-il en ajustant son gambison et en allant à leur rencontre. Qu'est-ce que vous colportez ? demanda-t-il en désignant la barrique d'un geste du menton.

— Le meilleur hydromel de ce côté de Solway, répondit l'un des hommes en s'arrêtant devant le pont-levis. Notre maître est venu pour le marché de Buittle, et il nous a demandé d'apporter ce cadeau à Jean de Balliol. Si Monseigneur le trouve à son goût, peut-être pourrions-nous lui en fournir davantage, à un prix raisonnable.

— Sir Jean n'est pas là.

Boli fit le tour de la barrique, pour l'inspecter.

— Qu'est-ce que c'est ? lança un autre garde en traversant le pont-levis, la main sur le pommeau de son épée.

— De l'hydromel pour sir Jean.

— Rien pour nous, alors ?

Boli sourit aux marchands.

— Bon, je vais le goûter, juste pour voir si ça vaut la peine.

Il attrapa la coupe en argile accrochée à sa ceinture, près de son fourreau.

— Et servez-moi comme un prince.

Le marchand prit la coupe tandis que l'autre retournait la barrique. Puis, il se pencha et commença à tirer sur le bouchon. De l'autre côté du pont-levis, une main couverte d'une croûte rouge agrippa le rebord d'une planche. Tout d'un coup, le marchand se redressa puis, avec une brutalité farouche, il frappa le garde au visage avec la coupe.

Celle-ci s'écrasa contre la mâchoire de Boli, explosant sous l'impact, et une écharde de terre cuite se ficha dans sa joue. Il tomba sur le flanc, le sang coulant sur sa joue et ses lèvres. Pendant que les autres gardes éberlués se mettaient à courir, le deuxième marchand leva le pied, révélant la cotte de mailles sous sa tunique. Il donna un grand coup de pied dans la barrique. Sa botte fit éclater le bois et il plongea les mains dans l'ouverture, dont il ramena des touffes de laine de mouton et, surtout, deux courtes épées. Il en jeta une à son compagnon au moment où Boli récupérait et s'emparait de sa propre arme avec un cri de rage. Alors que les hommes se jetaient les uns contre les autres, des cris retentirent. Les autres gardes avaient vu les hommes se hisser sur le pont-levis.

Le premier homme à émerger serrait un couteau entre ses dents. Un garde fonçait sur lui, il roula et attrapa son arme. Le garde frappa. L'homme se jeta sur le côté et lança son bras. Il toucha son adversaire au mollet, entre les attaches de la jambière, et le garde s'écroula en se tordant de douleur. Alors, un bref instant, il regarda ses camarades qui avaient réussi à grimper sur le pont, puis il tourna les yeux vers la barrique, près de laquelle les faux marchands se défendaient encore. Cependant, il n'eut pas le temps d'aller chercher les épées, car un autre garde l'attaquait déjà. Il esquiva la première allonge de son opposant, mais la deuxième l'atteignit à l'estomac. Même si le rembourrage de son gambison écarta le danger, l'impact le fit reculer. Son pied chercha un appui, ne rencontra que du vide, et il se précipita au fond du fossé.

Boli, dont le sang bouillonnait toujours sur la joue où l'écharde de terre cuite était fichée, jeta son épée contre l'homme qui l'avait blessé. Malgré ses hurlements de douleur et de furie, son agresseur para le coup, puis le frappa de la main à la joue, enfonçant davantage encore l'écharde. Boli cria à pleins poumons et tenta de reculer, mais son adversaire se rua sur lui en se servant de tout son poids. La force de l'impact le propulsa dans la tranchée.

Pendant que ses camarades poursuivaient le combat, l'homme fouilla dans la barrique pour en tirer d'autres épées courtes cachées dans la laine. Puis il courut vers les autres, qui n'avaient pour armes que leurs couteaux, faibles défenses contre les épées des gardes. Deux d'entre eux étaient déjà morts. Mais les hommes reculèrent pour prendre les armes qu'il leur tendait, et les chances s'équilibrèrent.

Alors que les assaillants se regroupaient et reprenaient leur assaut de plus belle, une cloche se mit à sonner. Le raffut avait alerté tous les gardes du château. Des flèches se mirent à pleuvoir depuis les remparts. L'une se planta juste derrière l'homme qui avait distribué les épées à ses camarades et qui courait maintenant le long du pont-levis. Enjambant un garde mort, il atteignit la herse : un garde venait à sa rencontre. Dans son élan, le garde s'empala de lui-même sur son épée. La lame transperça le tissu et le rembourrage avant de s'enfoncer dans la chair molle de son ventre. Le faux marchand poussa pour le déchirer jusqu'aux entrailles, puis il retira la lame en la tournant violemment sur elle-même. Laissant derrière lui le garde prostré, à genoux, les mains sur son ventre, serrant le surcot orné d'un lion blanc qui se gorgeait de sang, l'homme se dirigea vers le treuil du pont-levis, à l'intérieur. Il entreprit de trancher la corde, qui se dépenailla petit à petit sous ses coups. Tout en s'attaquant à la corde, il sortit une corne de sa tunique et, la portant à ses lèvres, il souffla. Une note unique, aigrelette, retentit.

Tout de suite, des bruits de sabots étouffés, venus des bois qui bordaient le château, se firent entendre.

Bientôt ce fut le vacarme assourdissant d'une caval-cade, lorsque les soixante hommes environ, dont vingt à cheval, sortirent du couvert des arbres pour se ruer vers le pont-levis. Lorsqu'ils l'atteignirent, l'un des cavaliers se détacha du groupe et traversa, les fers de sa jument blanche martelant le bois. Il tenait une épée à la main et un bouclier, qui portait un chevron rouge sur fond blanc, était sanglé à son autre avant-bras. Sous sa cape blanche, ornée des mêmes armoiries, il portait une cotte de mailles et des chausses, elles aussi en mailles, qui s'effilaient jusqu'à la pointe des pieds. Un grand heaume protégeait son visage. Le cavalier lança sa monture vers les portes. Dispersant sur son passage les derniers gardes, qui tentaient de les fer-mer, il pénétra dans la cour.

Le cavalier ignora les gardes qui prenaient la fuite et arrêta la jument devant une grande salle. Les cris qu'il entendait derrière lui signifiaient que d'autres hommes à cheval le suivaient, alors de sa main libre il poussa les portes. Elles grincèrent, mais s'ouvrirent suffisamment pour qu'il puisse manœuvrer sa mon-ture et entrer, en se baissant pour ne pas heurter le linteau. Seules quelques torches brûlaient à l'intérieur de la salle, néanmoins il y avait assez de lumière pour qu'il constate que l'endroit était vide. À en juger par les bols éparpillés sur la table, le panier de linge ren-versé par terre et le mur où un rectangle plus clair indiquait qu'une tapisserie avait été fixée récemment, les lieux avaient été abandonnés à la hâte. Le cavalier fit avancer sa jument sur les dalles, qui rendaient un son creux dans le vide. Au-dessus du dais, derrière la table, une énorme bannière bleue décorée d'un lion blanc rugissant pendait du mur. L'unique œil visible lançait des éclairs. Le cavalier dégaina son épée et retira son heaume, ce qui révéla les traits anguleux de son visage, ainsi que ses yeux d'un bleu glacial. Robert Bruce, comte de Carrick, croisa le regard du lion.

— Balliol, murmura-t-il.

Le comte entendait qu'on se battait dehors, mais le château n'était défendu que par une petite garnison. Il était clair que son principal occupant n'était plus ici, malgré les rumeurs qui prétendaient le contraire. En se penchant, il déposa son heaume sur l'une des tables et se débarrassa du bouclier fixé à son bras. Sa jument rongeait son frein, l'écume à la bouche. Robert se dégagea des étriers et mit pied à terre, sa cotte de mailles produisant un cliquetis de métal. S'approchant d'une des torches à sa portée, il la saisit et s'avança vers le dais. La mâchoire serrée, il grimpa les marches tandis que les courants d'air faisaient vaciller la flamme. Il s'immobilisa un instant, les yeux braqués sur le lion blanc, puis il approcha la torche du bas de la bannière. La soie s'embrasa instantanément et le comte recula. Un petit sourire malicieux rajeunit soudain son visage.

Il se tenait là, regardant les flammes dévorer la bannière, lorsqu'il sentit quelque chose le frapper dans le dos. Il se retourna vivement en lâchant la torche, qui roula sur l'estrade du dais, et découvrit un homme, les yeux arrondis, un couteau à la main. Son armure venait de lui épargner la vie en déviant la lame. Avec un grognement, Bruce lança son poing protégé par les mailles dans le visage de son agresseur. L'homme partit à la renverse, tomba du dais et s'écrasa sur une table, qui se fracassa sous son poids, projetant des bols d'argent partout sur le sol. Le comte descendit les marches d'un pas lourd en sortant son épée. Il donna un coup de pied dans un ustensile de cuisine qui traînait au sol et se pencha sur l'homme, étendu de tout son long au milieu des débris de la table.

— Je vous en supplie, implora l'homme en levant les mains. S'il vous plaît, je...

Le comte abattit sa lame en travers de la gorge de son agresseur. Celui-ci émit des gargouillis étranglés. De sa bouche grande ouverte puis de sa gorge jaillirent des flots de sang et le comte appuya sur l'épée jusqu'à toucher les dalles. Le corps de l'homme se convulsa quelques instants, puis se figea. Alors que le comte retirait la lame et entreprenait de l'essuyer sur la tunique du mort, les portes s'ouvrirent et une troupe d'hommes entra.

À sa tête se trouvait le père de Bruce. Le vieux lord d'Annandale avait calé son heaume sous son bras. Ses cheveux blancs étaient presque translucides dans le contre-jour. Son surcot arborait un lion bleu, les anciennes armes de la famille Bruce, qui dataient de David Ier, le roi qui leur avait offert le domaine d'Annandale. Au niveau de son cœur était attachée une feuille sèche et brune de palmier venue de Terre sainte, rappel pieux de leur participation aux croisades. Au comte, elle évoquait un paysage ocre qui s'étirait par-delà les murs d'Acre, capitale des croisés, sous un ciel vermillon, les appels à la prière qui se répercutaient d'un minaret à l'autre, noyés par les cloches des églises. Ils avaient combattu les Sarrasins sous la bannière du roi Édouard et il avait été récompensé de ses services et de sa loyauté par une élévation de leur statut déjà considérable en Angleterre. Le comte se sentit soudain déterminé à faire en sorte que ces jours de gloire ne soient pas qu'un simple souvenir desséché, épinglé sur la poitrine de son père.

Le lord observa la bannière de Balliol qui finissait de se consumer derrière son fils couvert de sang.

— La garnison s'est rendue. Buittle est à nous.

Un cri aigu se fit entendre. Il venait d'un des jeunes hommes que retenaient les chevaliers du comte. À force de se débattre, il réussit à se libérer de ses geôliers et courut vers l'homme mort étendu au milieu de la table brisée. Se jetant à genoux, il écarta les débris de bois et prit sa tête entre ses mains. Ses vêtements traînaient dans la flaque de sang. Ses yeux se tournèrent vers Bruce, dont la lame était toujours maculée de traînées de sang.

— Vous êtes une bête, dit-il dans un souffle, en se levant. *Une bête !*

Le comte le regarda avec mépris.

— Tuez-moi ce chien, ordonna-t-il à deux de ses vassaux, tous deux chevaliers de Carrick.

Les deux hommes s'avancèrent, mais la voix de lord d'Annandale les stoppa net.

— J'ai dit que c'était terminé. La garnison est libre de s'en aller.

Les chevaliers baissèrent leurs armes et regardèrent tour à tour le comte et son père.

— Tu peux partir, dit lord d'Annandale au jeune homme, insensible à la colère qui se lisait le visage de son fils. Aucun mal ne te sera fait.

— Pas sans mon père, émit difficilement le jeune homme. Il était l'intendant de sir Jean de Balliol. Il mérite d'être enterré dignement.

Après quelques secondes d'hésitation, le vieux Bruce fit signe à deux de ses hommes.

— Aidez-le.

Portant le corps ensanglanté de son père, aidé de deux chevaliers d'Annandale, le jeune homme passa devant le comte de Carrick.

— Que la malédiction de saint Malachie vous poursuive à jamais ! fit-il entre ses dents.

Bruce éclata d'un rire dédaigneux.

— Malachie ? Garde tes menaces pour les crédules, railla-t-il en avançant d'un pas.

Lord d'Annandale l'arrêta encore une fois.

— Laisse-le tranquille.

Il avait parlé d'une voix forte, implacable. Mais, alors qu'il regardait le jeune homme emporter le corps dans le matin brumeux, lord d'Annandale avait sur son visage une expression de peur.

Chapitre 6

— S'il vous plaît, monseigneur est en pleine prière. Si vous voulez bien attendre dans le parloir, je peux...

Ignorant les protestations du moine, John Comyn poussa les portes de l'église St Mary. La nef s'étirait devant lui, sa pénombre emplie d'une odeur d'encens. Après s'être accoutumé à la faible lumière, il aperçut un homme à genoux devant l'autel sur lequel étaient posées des chandelles. Au moment où Comyn faisait un mouvement pour le rejoindre, le moine vint se poster devant lui.

— Sir, je vous en prie. Il a demandé qu'on ne le dérange pas.

— Il fera une exception, affirma Comyn en avançant d'un pas décidé vers l'homme agenouillé.

Celui-ci leva subitement la tête en entendant Comyn s'approcher. Sur son visage, le soulagement succéda à la colère.

— Loué soit le Seigneur, vous avez reçu mon message.

Il fit signe au moine qui hésitait à s'en aller, puis revint à Comyn, non sans remarquer le renflement de l'armure sous la cape de l'homme, emblasonnée des armes de Comyn le Rouge : trois gerbes de blé sur fond rouge.

— Vous êtes un remontant pour un esprit inquiet.

Sous le regard impatient de Jean de Balliol, Comyn ressentit la morsure du ressentiment. Il eut du mal à s'en défaire, bien qu'il acceptât l'étreinte de son beau-frère. Son attention fut toutefois attirée par l'autel, qu'il apercevait par-dessus son épaule. Au centre du halo lumineux, sous une statue de la Vierge, se trouvait un coffret d'ivoire qui suscita sa colère. Le Galloway – dont Balliol hériterait à la mort de sa mère – était envahi par l'ennemi, et lui ne trouvait pas mieux à faire que de se mettre à genoux au fond de ce monastère isolé et de prier devant le cœur de feu son père. Si Comyn avait posé son doigt sur l'arbre généalogique de sa famille et remonté le temps, lui aussi aurait pu prétendre descendre de la famille royale de Canmore, même si c'était de façon plus indirecte que Balliol. Quelle chose fluctuante que le sang qui décidait arbitrairement lequel accédait au pouvoir. Il repoussa cette idée. Les Comyn Rouges avaient toujours prospéré dans l'ombre du trône. Le roi n'était qu'un instrument, comme son père avait l'habitude de le dire. Eux étaient les musiciens.

Balliol vit son beau-frère regarder le coffret d'ivoire. Il hocha tristement la tête, prenant l'air préoccupé de Comyn pour de la compassion.

— C'est la première chose que ma mère a emporté de Buittle quand nous nous sommes enfuis. Elle l'installe chaque soir à la table du dîner.

Levant les mains comme pour étreindre le foisonnement de piliers qui soutenaient les arches de chaque côté de la nef, Balliol fit un demi-tour sur lui-même.

— C'est incroyable, n'est-ce pas, ce que l'amour peut inspirer ? Ma mère a bâti cette abbaye à la mémoire de mon père. Je lui ai dit d'enterrer son corps ici quand le maître-autel a été terminé, mais elle a refusé de se séparer de ce coffret, même dans la mort, et elle a ordonné qu'on l'enterre avec elle. Je m'émerveille devant sa force ; une femme devenue veuve à l'hiver de sa vie, accomplir une œuvre pareille...

Perdu au loin, le regard de Balliol revint sur Comyn.

— Croyez-vous qu'ils pourraient le détruire ?

— Détruire quoi ? demanda Comyn, qui pensait encore au coffret contenant le cœur de l'ancien lord de Galloway.

— Cet endroit, répondit Balliol qui se mit à faire les cent pas. Ces enfants de putains viendront-ils me chercher ici ?

Comyn regarda Balliol fourrager dans ses cheveux, qu'il avait châtains, comme sa sœur avec qui Comyn s'était marié onze ans plus tôt. La ressemblance s'arrêtait là. Balliol n'avait ni la passion, ni l'agilité d'esprit de sa sœur. Comyn avait toujours pensé que les femmes de la famille Balliol avaient été dotées du courage qui manquait aux hommes.

— Avez-vous des nouvelles de leur position ?

— Oui, j'ai des nouvelles, répondit Balliol avec amertume. Les Bruce ont pris Buittle.

Comyn accusa le coup. Les attaques des Bruce contre les châteaux de Wigtown et Dumfries avaient frappé à la source du pouvoir des Comyn dans le sud-ouest de l'Écosse, mais bien que la prise de ces deux places fortes eût mis à mal la fierté de la famille, elle n'avait pour ainsi dire rien changé aux projets à long terme des Comyn. Buittle, le fief de Balliol, c'était une autre histoire.

— Comment savez-vous que le château est tombé ? Dans votre message, vous disiez que vous partiez à l'abbaye de Sweetheart par mesure de précaution, parce que les Bruce venaient d'entrer dans le Galloway.

— Le fils de mon intendant m'a tenu au courant. J'ai laissé son père à Buittle, avec une garnison, pour veiller sur les biens que je ne pouvais emporter. Mon intendant est mort au cours de l'assaut donné par le comte de Carrick. (Balliol en prononçant ce nom avec

85

une grimace de dégoût.) Ainsi que huit de mes hommes. Huit !

— Quand est-ce arrivé ? le pressa Comyn.

— Il y a une quinzaine de jours.

— Et vous ne savez rien des mouvements des Bruce depuis lors ?

— D'après ce que j'ai appris, ils se seraient arrêtés à Buittle.

Comyn réfléchit un moment.

— Le fils de votre intendant, est-il encore ici ?

— Oui. Je l'ai recruté dans l'armée du Galloway. Sa haine des Bruce en fera un combattant redoutable, le moment venu.

— Je veux lui parler.

Balliol suivit Comyn qui traversait déjà la nef.

— Comme vous voudrez, mais d'abord occupons-nous d'organiser l'accueil de vos hommes. Derrière le domaine de l'abbaye, il y a un champ où ils pourront établir leur camp. Je vais demander à un moine de vous guider.

— Ce ne sera pas nécessaire. Je n'ai que mes écuyers.

Balliol s'arrêta.

— Vos écuyers ? Mais alors, où est votre armée ?

Comyn posa son regard sur lui.

— Il n'y a pas d'armée. Je suis venu seul.

— Mais dans mon message, je vous disais que j'avais besoin d'hommes et d'épées pour arrêter les Bruce. Mes vassaux se sont dispersés, je n'ai pas eu la moindre chance de résister. Comment puis-je me battre seul ?

Balliol s'échauffait à mesure qu'il parlait.

— Je comptais sur vous, qui êtes à la fois mon frère et le Justicier du Galloway. Au nom de Dieu, pourquoi donc vous êtes-vous donné la peine de venir ?

— Laissez-moi parler à cet homme et je vous expliquerai.

Balliol voulait poursuivre la discussion, mais l'air obstiné de Comyn, le poussa à reprendre sa marche vers la sortie de l'église.

— Dans ce cas, venez, concéda-t-il. Nous trouverons Dungal près de la tombe de son père. Il l'a à peine quittée.

Plissant les yeux à cause de la lumière, d'autant plus éblouissante que l'église était obscure, Balliol guida son invité à travers le monastère. La lumière du soleil au zénith ne l'avantageait pas, il accentuait les cernes sous ses yeux, les plis aux commissures de sa bouche et la peau grêlée de ses joues, due à une maladie infantile. Il avait trente-sept ans, soit cinq de moins que Comyn, mais il semblait plus vieux. Les années avaient disséminé des taches de son sur son visage et il perdait ses cheveux.

— Les autres gardiens sont-ils au courant de ce qui se passe dans le Galloway ? demanda Balliol d'une voix amère. S'y intéressent-ils seulement ?

— Les rapports qui sont parvenus à Édimbourg étaient confus, mais tout le monde à la cour est maintenant au courant des attaques des Bruce.

— Il faut dire qu'ils n'ont pas fait grand-chose pour s'en cacher, répliqua Balliol. J'ai entendu dire qu'ils parcouraient la campagne en faisant flotter leurs bannières.

Il marchait dans le cloître en serrant les poings. Deux des frères lais qui aidaient les moines à s'occuper du monastère arrosaient les herbes du jardin, que le soleil de juin desséchait.

— En fait, il semble bien qu'ils veulent que toute l'Écosse soit au courant de ce qu'ils font.

— Ils veulent vous discréditer, dit Comyn après un moment de silence. Je crois que c'est le motif qui les pousse à vous attaquer. Quand j'ai eu connaissance des premiers rapports, j'ai craint que les Bruce n'aient eu vent de nos projets. Maintenant, avec la chute de Buittle, j'en suis certain. Cet intrigant de James Stewart a des yeux et des oreilles partout.

— Vous auriez dû être plus prudent !

— Nous n'aurions pas pu garder secrète bien long-temps notre intention de vous porter sur le trône.

Comyn toussa.

— Mais j'admets que nous aurions été mieux pré-parés à résister à nos rivaux s'ils l'avaient découverte moins tôt.

— Lord d'Annandale n'est pas un rival pour le trône. Il déclare qu'il se bat au nom de la Pucelle de Norvège.

— La Pucelle ?

— C'est comme cela qu'ils appellent la petite-fille d'Alexandre, Marguerite.

Balliol jetait sur son beau-frère un regard désespéré.

— Ils le considéreront bientôt tous comme une sorte de sauveur, tandis que je passerai au mieux pour un brigand, et au pire pour un coquin qui a trahi le serment prononcé et cherche à voler le trône à une enfant ! Je peux tout perdre, John !

— Ce n'est pas encore terminé, mon frère, et ne vous inquiétez pas trop pour votre réputation. Lord d'Annandale fait bien plus de mal à la sienne. Par leurs agressions dans le Galloway, les Bruce risquent d'ébranler le royaume tout entier. Je vais m'assurer que le ressentiment qui grandit à leur encontre est à notre avantage.

Balliol se réfugia dans un silence tendu tandis qu'ils sortaient du cloître par une allée couverte menant à une porte dans le mur d'enceinte. Dehors s'étalaient des champs jaunes qui ondoyaient sous la chaleur. Partout des nuées d'insectes voletaient autour des deux hommes qui cheminaient à travers le cimetière, à l'arrière de l'église dont les murs de brique rouge pro-jetaient leur ombre sur les croix de bois alignées. Lorsqu'ils arrivèrent, Comyn vit un jeune homme accroupi à côté d'une tombe à la terre fraîchement retournée.

Le jeune homme se leva à leur approche.

— Sir, salua-t-il Balliol en s'inclinant avant de regarder Comyn à la dérobée, plein d'appréhension. J'ai accompli mes devoirs. Je vous jure que mes prières pour mon père ne me distraient pas des tâches qu'on attend de moi.

— Je ne suis pas ici pour vous punir, répondit Balliol. Cet homme, mon beau-frère, est sir John Comyn, Justicier du Galloway et lord de Bannedoch. Il désire vous parler.

Lorsqu'il le regarda de nouveau, Comyn vit à quel point ses traits étaient tirés. Il avait l'air de n'avoir pas dormi depuis des jours. Comyn supposa qu'il était encore à peine un homme. Il lui fit signe de le suivre à l'écart de la tombe.

— Dungal, c'est ça ?

— Oui, sir, Dungal MacDouall.

— Parle-moi de l'attaque de Buittle, Dungal.

Comyn écouta le récit du garçon. Sa voix, d'abord hésitante, se fit rapidement plus claire et plus ferme, et lorsqu'il raconta comment son père avait été tué par le comte de Carrick, il fulminait.

— Et tu es venu ici dire à sir Jean ce qui était arrivé à Buittle ? lui demanda Comyn quand il eut terminé.

— Pas tout de suite, répondit Dungal. Les autres hommes libérés à ce moment-là sont partis à Sweetheart informer sir Jean et lady Dervorguilla. Je leur ai confié le corps de mon père et je me suis porté volontaire pour surveiller le château. Je voulais savoir où iraient les Bruce, ensuite.

— Combien de temps es-tu resté ?

— Dix jours.

— Et pendant ce temps, les Bruce n'ont pas bougé ?

Comyn se tourna vers Balliol.

— Quand ils se sont emparés de Wigtown et Dumfries, les Bruce ont chaque fois établi une garnison et puis ils sont repartis. Ils ne sont restés que quelques jours, pas plus. Il est évident que quelque chose les retient à Buittle.

— Un cavalier est arrivé, dit lentement Dungal en fixant Comyn du regard. Je crois que c'était le quatrième matin après l'attaque. De là où j'étais caché dans les bois, je l'ai bien vu. On l'a fait entrer aussitôt.

Dungal baissa la tête après un regard fuyant en direction de Balliol.

— Je suis désolé, je l'avais oublié.

— Ce cavalier avait-il un équipement, quel qu'il soit ?

— Il avait un bouclier doré, avec une bande à damiers bleu et blanc.

— Les armes des Stewart, s'écria aussitôt Balliol.

Comyn se força à réprimer l'ire croissante que faisait naître en lui la preuve de l'implication du grand chambellan.

— Les délais correspondent, confirma-t-il avec raideur. Ce que je pense, c'est que les Bruce ont appris par ce cavalier que la cour est désormais au courant et c'est la raison pour laquelle ils marquent une pause.

Il s'éloigna du mur et fit signe à Balliol de le suivre.

— Je crois que la bataille est finie, dit-il calmement tandis qu'ils progressaient sur le sol inégal entre les tombes. Pour l'instant. Ce n'est pas encore annoncé publiquement, mais ça le sera bientôt. C'est pour cela que je suis venu. Je voulais vous le dire en personne.

Il s'était arrêté à quelque distance de Dungal et faisait maintenant face à Balliol.

— Me dire quoi ?

— La reine est enceinte, Jean.

Balliol donna l'impression d'avoir reçu un coup au visage.

— Elle a dû concevoir quelques semaines avant la mort d'Alexandre, reprit Comyn. La sage-femme qui l'a examinée a déclaré qu'elle était à cinq mois du terme. Elle montrait déjà des signes depuis quelque temps, mais on les a mis sur le compte de son chagrin après la mort du roi.

— Alors nous avons fait tout cela pour rien ? Tous ces risques, nous les avons pris pour rien ?

Balliol fixait Comyn, le visage révulsé.

— J'ai perdu ma maison, mes hommes. Mon honneur !

— Ce n'est pas fini, répondit vivement Comyn.

— Bien sûr que si. Ce n'est pas qu'un bébé dans une cour étrangère. Cet enfant sera le véritable héritier du roi !

— Oui, mais avec cet enfant, fille ou garçon, il faudra installer une régence qui gouvernera jusqu'à ce qu'il ait l'âge de le faire par lui-même.

Comyn planta son regard dans celui de Balliol pour l'empêcher de détourner les yeux.

— Nous avons toujours le temps.

Chapitre 7

Robert raffermit sa prise sur les rênes et ramena en arrière la grande tête noire de Pieds d'Airain. Il jura entre ses dents contre l'animal, employant un mot que l'un des garçons d'Antrim, en Irlande, lui avait appris, puis il remit la lance en position.

— Prends tes rênes plus bas ! cria Yothre.

Robert répéta le même mot tout bas, cette fois à l'adresse de son instructeur, et tout en gardant les yeux rivés sur la cible, il enfonça les talons dans les flancs musculeux du destrier. Pieds d'Airain s'élança sur la plage en se mettant rapidement au galop. Le garçon se pencha en avant, les genoux pliés pour accompagner son rythme. Le bouclier fixé sur le mât pivotant grandissait rapidement. Le sac de sable attaché de l'autre côté l'attendait, le défiait. D'un mouvement du bras, Robert allongea. La douleur fusa dans ses doigts et, à la dernière seconde, sa lance dévia. Il passa devant la quintaine sans toucher la cible, le fer fendant l'air juste au-dessus du bouclier.

Robert tira sur les rênes pour empêcher Pieds d'Airain de filer vers la mer, bleu turquoise et sereine. Yothre hurlait ses instructions. S'appuyant fermement sur les étriers, se redressa et força le cheval à s'arrêter abruptement, ce qui faillit l'éjecter de la selle.

— Trop faible, cria Yothre. Recommence.

Robert maintint le cheval, le temps de retrouver son équilibre. Il avait le souffle court et sa main lui faisait mal. Deux de ses doigts était liés par une attelle, sa prise sur la lance était d'autant plus délicate. Lors d'une précédente session d'entraînement, la semaine passée, il avait frappé la quintaine maladroitement et avec une telle force que ses doigts s'étaient retournés sur la hampe et que les os, sous le choc, s'étaient cassés. Il prit le temps de respirer et de savourer le vent frais et salé, sans écouter les ordres de Yothre qui lui intimait de faire demi-tour. On était en septembre, mais la chaleur était aussi forte qu'en juillet. Ce long été était marqué au fer rouge sur sa peau, et le jour où il avait eu douze ans était venu et reparti sans un mot de son père et de son grand-père. Cela faisait trois mois qu'ils étaient partis. Il aurait voulu être avec eux, servir sa famille, mais il savait qu'il n'était pas prêt. Pas encore. Plaçant la lance en position, Robert fit tourner le cheval et se mit en ligne, la cible en vue. Avec détermination.

— Concentre-toi ! lui lança Yothre.

Robert lança sa monture. Le château de Turnberry emplissait son champ de vision, mais il ne le voyait que comme une ombre monumentale surmontée d'un coin de ciel, toute son attention tournée sur le petit bouclier qui se rapprochait. Il poussa un cri en allongeant et tapa dans le mille, le cheval et lui se déplaçant à l'unisson en un instant de grâce fluide. La lance frappa le centre du bouclier avec un bruit mat et la cible bascula. Le mât pivota sur lui-même à toute allure. Robert se pencha, s'attendant à ce que le sac de sable vienne lui percuter l'arrière du crâne, mais il était déjà loin. Il afficha un grand sourire, gagné par l'euphorie.

— Bien, maître Robert. Encore.

Sans laisser à Pieds d'Airain la possibilité de repasser au trot, Robert décrivit une large boucle, pressé de réussir un deuxième coup d'affilée. Le destrier se déplaçait en obéissant à ses moindres coups de reins, aux moindres pressions des genoux. Le bouclier avait pratiquement fait un tour complet et retrouvé sa position initiale. Robert lança le cheval au grand galop, se dressa. Visa. De la mer leur parvinrent un cri et un tourbillonnement d'ailes. Deux mouettes s'élevaient en spirales au-dessus de l'eau en se disputant un poisson. Pieds d'Airain releva la tête en entendant ce bruit. Et alors, effectuant de lui-même un virage, il se précipita vers la plage.

Et sur le sable ils filèrent, toujours plus loin de Yothre qui leur courait après, par-delà les dunes puis sur les champs bourbeux qui entouraient le château. Robert, qui rebondissait follement sur sa selle, se rendit compte qu'il n'arrêterait pas si facilement Pieds d'Airain et jeta sa lance. Le cheval sauta un petit ruisseau sans prévenir. Violemment projeté en avant, Robert ne parvint pas à garder ses pieds dans les étriers. Il ne put faire autrement que de lâcher les rênes et il dut se rattraper au pommeau de la selle. Le cheval galopait sans fléchir en direction des bois précédant les collines au-delà de Turnberry. Robert s'agrippait et essayait de s'adapter au rythme du destrier, ses jambes pendant, inutiles, contre les flancs de l'animal, et de caler ses pieds dans les étriers qui balançaient. Les arbres se dressaient, menaçants. Et bientôt ils s'enfoncèrent dans le feuillage, où les branches le fouettèrent.

Le cheval continuait sa course folle, toujours plus loin. Une branche frappa Robert au visage et lui lacéra la joue. Il pencha la tête, ferma les yeux pour éviter qu'une autre ne l'aveugle. Se couchant sur l'animal, il chercha à récupérer les rênes. Ses doigts les frôlaient, mais il n'avait pas de prise. Soudain Pieds d'Airain vira à gauche pour contourner un arbre, et

Robert glissa sur le côté en criant. Au passage, son genou heurta l'arbre et son cri se transforma en glapissement. Son attention distraite par la subite douleur, il ne vit pas la branche qui se précipitait à sa rencontre. Il la prit de plein fouet et tomba à la renverse. La chute, sévère, fit voler un nuage de poussière et de feuilles. Pieds d'Airain ne s'arrêta pas pour autant, il poursuivit sa fugue à travers les arbres, laissant Robert inanimé sur le sol de la forêt.

La lumière dansait sur ses paupières. Il lutta pour ouvrir les yeux, et la lumière le fit tressaillir. Tournant la tête de côté, il aperçut un alignement de fougères écrasées et des rosiers. Les champignons, charnus et empoisonnés, poussaient à même les troncs. Il avait quelque chose sur le visage. Il le sentait ramper sur sa joue. Il essaya de se redresser mais sa tête cognait si fort qu'il se crut prêt à vomir. S'affalant de nouveau, Robert resta immobile à attendre que sa vision soit moins floue. Là-haut, loin au-dessus de lui, les feuilles formaient des toiles lumineuses. Quand le martèlement sur son crâne se réduisit à des coups étouffés, d'autres douleurs s'imposèrent. Son genou, surtout, le martyrisait. Robert planta ses mains dans le sol et s'assit en ahanant. Ses doigts cassés l'élançaient. Sa chausse était déchirée au genou, et le sang avait noirci le tissu. En dessous, il distinguait la peau mise à nu, purulente. Il regarda autour de lui en essayant de se repérer. De toutes parts, il était cerné par les arbres qui formaient une grande muraille verte. L'après-midi était déjà avancé au moment où il avait quitté la plage, mais le ciel cuivré indiquait que c'était maintenant le crépuscule. Il se rendit compte qu'autour de lui, dans le bois, tout n'était que silence. À part le craquement des branches et le vent dans les feuilles, il n'y avait ni chants d'oiseaux, ni bruits de petits animaux dans les broussailles. C'est alors qu'il l'entendit – un grognement sourd.

En jetant un coup d'œil sur sa gauche, Robert vit les fougères bouger. Puis un grondement le fit pivoter d'un coup, sur sa droite cette fois. Il prit appui sur ses mains en repoussant les vagues de douleur et tenta de se lever. Cependant, lorsqu'il vit les fougères s'écarter, et une grosse tête noire en émerger, il se figea. L'espace d'un instant, il crut qu'il s'agissait d'un loup, mais la mâchoire anguleuse et la tête carrée étaient celles d'un chien. Ses babines se retroussèrent, révélant les gencives d'un jaune maladif et les crocs acérés. Les muscles roulaient sur son échine tandis qu'il s'approchait de lui, la tête en avant. Sortant des buissons sur sa droite, un deuxième chien se montra. Ses yeux injectés de sang lui donnaient un regard sauvage. Robert leur cria des ordres aussi fermement que sa peur le lui permettait, mais il ne réussit qu'à les faire gronder davantage. Ses doigts fouillaient le parterre de feuilles à tâtons, à la recherche d'un caillou, d'un bâton, n'importe quoi qui pût les effrayer. De quelque part au milieu des arbres, une voix se fit entendre. Les deux chiens se couchèrent à plat ventre. Celui qui avait les yeux injectés de sang se mit à gémir.

Apparut une vieille femme qui se frayait un chemin dans les broussailles, un bâton noueux à la main et une petite poche en cuir dans l'autre. Elle portait une cape marron dont le bas était couvert de fleurs épineuses et maculé de boue. Ses cheveux tombaient en une masse épaisse dans son dos, et s'ils étaient d'un noir foncé à l'extrémité, les racines étaient blanches. Des brindilles et des feuilles s'y étaient emmêlées. Son visage dégageait une forme de brutalité. Ses pommettes saillantes étaient parcourues d'arêtes qui partaient de sa bouche sévère pour remonter vers son front proéminent, creusé de rides et de plis crasseux. Robert l'avait déjà vue dans ces bois et une fois aussi, il y avait longtemps, au village. C'était la sorcière qui habitait la maison dans la vallée et les chiens, qui la couvaient d'un regard de vénération, étaient ceux qui les avaient pris en chasse, Niall et lui.

La femme s'arrêta en l'apercevant, et son front se plissa tandis qu'elle l'étudiait. Entre ses dents, elle émit un sifflement qui provoqua un spasme chez Robert, mais il ne lui était pas destiné. Sur son ordre, les chiens se levèrent et vinrent se coucher à côté d'elle. Lorsqu'elle s'approcha de lui, Robert vit quelque chose bouger à l'intérieur de la poche, des membres ou des écailles qui glissaient contre le cuir. Elle posa son bâton contre un arbre et se pencha en lui tendant sa main parcheminée. Robert se recula, horrifié par son odeur, mais surtout parce qu'il avait peur de son contact. Les yeux de la femme ne furent plus que de minces fentes.

— Reste ici alors, finit-elle par dire, et attends que les loups te dévorent.

Son gaélique était ample et pur, comme si elle n'avait jamais parlé aucune autre langue. Il était plus riche que le sien, lui dont la bouche s'était conformée au français, à l'écossais, au latin et au gaélique depuis qu'il avait appris à parler. Elle ramassa son bâton, s'enfonça dans les buissons avec les chiens à sa suite. Robert essaya de se mettre sur ses pieds, mais sa douleur au genou l'en dissuada.

— Attendez !

La femme continua de marcher. Elle était presque hors de vue, les branches se refermant sur son passage.

— S'il vous plaît !

Le silence dura quelques instants, puis les broussailles s'agitèrent de nouveau et il la vit réapparaître. Cette fois, Robert tendit la main. Sans un mot, la femme la prit. Sa force l'étonna. Il se releva rapidement, trop rapidement, et dut ravaler un cri lorsque son poids se porta sur son genou.

— Tiens, maugréa-t-elle en lui proposant son bâton.

Robert s'en saisit et se mit à penser à une image qu'il avait vue une fois dans un livre. Elle montrait une sorcière qui traçait sur le sol, avec une canne, un cercle dont le centre était occupé par un démon noir s'élevant d'un feu. Il s'attendait presque à ce que le bâton n'ait pas la texture habituelle du bois, mais ce ne fut pas le cas. Le bois était encore chaud à l'endroit où elle l'avait tenu.

Ensemble, la femme le soutenant par un bras, lui s'appuyant sur la canne, ils progressèrent lentement à travers bois pendant que les chiens couraient devant eux. Au bout d'un moment, les arbres s'espacèrent et le terrain descendit jusqu'à une vallée abritée. En reconnaissant la maison en bas de la colline, il se rendit compte que Pieds d'Airain l'avait emmené plus loin qu'il ne l'avait cru. Grimaçant à chaque pas, il leva la tête lorsqu'ils arrivèrent au chêne qui surplombait le logis. D'aussi près, il distinguait nettement ce qui pendait des branches. C'étaient des brindilles, débarrassées de leurs feuilles et de leur écorce, toutes blanches, et assemblées entre elles pour constituer des cages rudimentaires. Au centre, suspendus à des bouts de ficelle telles des araignées difformes, se trouvaient divers objets. Un chiffon jaune, une petite dague en argent, un rouleau de parchemin usé. La femme ouvrit la porte et ils entrèrent dans la maison.

Un feu crépitait au centre de la pièce, projetant un halo de lumière ambrée qui repoussait loin les ombres. Les chiens s'allongèrent près des flammes, langue pendante. À mesure que ses yeux s'habituaient à la lumière mouvante, Robert s'aperçut que la pièce était remplie de tout un bric-à-brac. Des casseroles étaient suspendues aux poutres qui frôlaient parfois la tête de la femme. Entre elles étaient accrochés des bouquets d'herbe, de fleurs. Robert avait l'impression de se trouver loin sous terre et de regarder les racines des plantes qui poussaient à la surface. Leur odeur entêtante lui tourna la tête. Une paillasse couverte de fourrures était posée à même le sol. Des crânes et des os étaient disposés par terre, juste devant. Des squelettes d'animaux, comprit-il une fois la stupeur passée. Il y avait des galets lisses pris sur la plage, des outils en bois et en pierre, et deux oiseaux dont les yeux morts brillaient comme des petites perles. Le plus surprenant dans tout cela, néanmoins, c'était la pile de livres entassés dans un coin près d'une liasse de peaux. Certains étaient de toute évidence très anciens, leur reliure se détachait. Robert observa la femme à la dérobée. Elle venait de ranger sa petite poche sur une étagère, près d'une rangée de marmites en terre cuite et de couteaux d'allure inquiétante. Il se rapprocha discrètement des livres, intrigué. Ses frères et sœurs, tout comme lui, savaient lire et écrire, mais d'ordinaire c'était réservé au clergé, à la noblesse et à certains riches marchands. Cette femme n'appartenait à aucune de ces conditions ni d'ailleurs à aucun groupe ; c'était une femme qui vivait seule, presque à l'état sauvage.

Lorsqu'elle réapparut en pleine lumière, la femme tenait un instrument qu'elle déposa près du feu.

— Brigid !

Robert sursauta en voyant les fourrures bouger sur la paillasse. Quelqu'un dormait là. C'était la fille qu'il avait suivie plusieurs mois plus tôt. Elle émergea en poussant un profond bâillement et se leva du lit. Elle portait la même robe grise froissée. Ses grands yeux se posèrent sur le garçon avec un mélange de curiosité et de surprise.

— Assieds-toi, dit la femme à Robert, et apporte-moi de l'eau, ajouta-t-elle en se tournant vers la fille.

Tandis que Robert s'asseyait, la fille sortit et la femme farfouilla sur une étagère, piochant ici et là des poignées d'herbes. Une odeur âcre chatouilla les narines de Robert. La fille revint avec un seau, ses maigres bras tendus par l'effort. Elle le déposa sur le feu, puis alla vers la femme. Elles échangèrent quelques paroles à voix basse que Robert ne réussit pas à entendre. Il regarda avec appréhension la fille s'approcher de lui, une bande de lin à la main. Accroupie près du seau, elle trempa le tissu. Sa robe se collait à son corps décharné et laissait voir ses côtes. Elle se leva et vint vers lui, la bande de lin dégoulinant dans ses mains.

Robert se recula quand il la vit tendre les mains.

— Je peux le faire.

Lui abandonnant le tissu, Brigid se mit à genoux près du feu, les bras autour de ses genoux osseux. L'un des chiens leva la tête et gémit à son intention. Elle l'ignora et regarda Robert nettoyer le sang sur son visage.

— Il a peut-être été attaqué ? dit-elle en s'adressant à la vieille femme.

— Je suis tombé de cheval, expliqua Robert.

— Il est comte, tu sais.

— Fils de comte, répondit abruptement Robert, mal à l'aise que la fille fasse comme s'il n'était pas là.

— Je sais qui il est, dit la vieille femme en sortant de l'ombre avec un bol rempli de matière noire. C'est moi qui l'ai accouché.

Robert arrêta instantanément de frotter sa joue.

— Non. Ce n'est pas vrai. Ma mère a eu la même sage-femme pour tous ses enfants, proclama-t-il, furieux du visage inexpressif de la femme. Elle n'aurait pas... laissé une...

Il ne termina pas sa phrase. Sans répondre, la femme saisit une poignée d'herbes dans sa mixture. Elle écarta le tissu déchiré de sa chausse et l'appliqua sur sa peau écorchée, ce qui le fit grimacer, puis lui tendit le bâton.

— Emmène-le aux bois, Brigid. Il saura comment rentrer, dit-elle sans le quitter des yeux. Ne reviens pas ici. Ni toi, ni personne de ta famille.

Elle avait prononcé ces mots d'un air hostile.

Robert se laissa guider par la fille dans le crépuscule. L'air était frais après la chaleur oppressante de la maison et il frissonna en passant devant le chêne, décoré de ses cages qui tournaient lentement sur elles-mêmes. Il avait les idées plus claires et la fraîcheur des herbes avait engourdi son genou, même si chaque pas lui donnait l'impression qu'on lui enfonçait une aiguille dans la rotule. Tout en claudiquant pour gravir la colline, il jeta un coup d'œil en coin à la fille qui marchait en silence à son côté.

— C'est ta mère ?

— Ma mère est morte. Je suis venu vivre avec Affraig cet hiver. Je suis sa nièce.

— C'est une sorcière ?

Brigid haussa les épaules en guise de réponse. Robert était sur le point de lui demander si elle pensait que sa tante avait menti à propos de sa naissance quand il entendit des cris au loin. C'est lui qu'on appelait.

— C'est mon instructeur, dit-il à la fille.

— Pourquoi as-tu besoin d'un instructeur ?

— Il m'apprend à monter à cheval. Pour faire la guerre.

Les lèvres de la fille ébauchèrent un sourire.

— Tu devrais en prendre un qui soit meilleur, dit-elle avant de s'en aller par les prés.

Robert la regarda partir, puis il se dirigea vers les voix en criant à son tour pour se faire entendre.

Outre Yothre, plusieurs serviteurs du château et les frères de Robert participaient à la battue. C'est Niall qui le découvrit le premier. Il poussa un cri de soulagement et courut à sa rencontre mais, en le voyant, ne put s'empêcher d'avoir l'air choqué. Derrière lui, Yothre se hâtait de les rejoindre et écartait les branches qui le ralentissaient.

— Où est Pieds d'Airain ? demanda Robert tandis que son instructeur passait son bras autour de sa taille pour le soutenir.

Il s'appuyait toujours sur le bâton pour marcher.

— On l'a retrouvé, il errait près du village, répondit Thomas en arrivant avec Alexandre et les serviteurs. On te cherche depuis des heures. Qu'est-ce qui s'est passé ?

— Je suis tombé.

— Mais où es-tu allé ?

— Allons, coupa brusquement Yothre, rentrons à la maison. Votre mère voudra sans doute qu'un médecin l'examine.

Sur le chemin du château, Robert ne cessait de penser à la révélation de la vieille femme. Il était certain qu'il s'agissait d'un mensonge, mais il ne voyait pas à quoi lui servait de l'embobiner, à moins peut-être qu'elle ait agi par pure cruauté. Pourtant, n'était-ce pas ce que faisaient les sorcières ? Jouer avec les émotions des hommes et exploiter leurs faiblesses ? Les réflexions de Robert prirent fin quand ils arrivèrent à proximité du château, où une troupe entrait à la file.

Les hommes étaient de retour de la guerre.

Robert essaya de marcher plus vite, mais il dut se contenter de grimacer de douleur et de frustration et de regarder ses frères courir devant lui en lançant des cris de joie. En entendant les appels des garçons, quelques hommes tournèrent dans leur direction leur visage las et tanné par le soleil. Deux chariots tirés par des bœufs les suivaient. Robert laissa échapper un soupir de soulagement en apercevant son grand-père au milieu de la foule. Devant lord d'Annandale, le comte de Carrick montait sa jument blanche. Un mélange d'émotions contradictoires envahit Robert, mais il fut distrait par l'un des chariots qui passait en cahotant. Voyant une dizaine d'hommes à l'arrière du chariot, Yothre et lui s'arrêtèrent.

Robert observa leurs vêtements défraîchis et leurs membres bandés. Le premier qu'il vit avait une bourre de tissu sur l'œil droit, et dessous, sa joue était couverte d'une croûte de sang. Un autre n'avait plus qu'un moignon à la place de la main gauche, du lin en grande quantité était enroulé sur son poignet et il avait le teint cireux. La plupart étaient assis sur les côtés du chariot et dodelinaient de la tête au gré des cahots de la route. Trois d'entre eux étaient étendus au milieu, dont l'un, caché sous une couverture, ne montrait que ses pieds nus, blancs et gonflés. Ainsi entassés, ces infirmes aux plaies ignobles semblaient absents, comme si ce n'était pas leur corps, mais leur âme qui avait été amputée. Robert ne parvenait pas à les quitter des yeux, même après que Yothre l'eut conduit à l'écart et que le chariot, qui emmenait les blessés au château, se fut éloigné. Il avait déjà vu des corps mutilés : des bandits ficelés dans des cages à l'extérieur du château, sur la route d'Annandale, dont les oiseaux dévoraient la chair. Mais ceux-là, à l'époque, avaient quelque chose d'irréel. Ce n'étaient pas des gens qu'il connaissait.

Chapitre 8

Robert se faufila dans la chambre en faisant attention de ne pas déranger le sommeil de ses frères. Dans
la faible lueur, il distingua Alexandre, couché sur le
côté, le visage crispé par quelque rêve. Thomas, sur le
dos, avait un bras qui pendait à l'extérieur du lit et la
couverture emmêlée dans ses pieds. En passant devant
Niall, il vit qu'il avait les yeux ouverts et qu'il l'observait. Mettant un doigt sur sa bouche, il se glissa par
l'ouverture de la porte.

Il longea le couloir dans la pénombre, une main sur
le mur pour se diriger, le bruit de ses pas couvert par
le ressac de la mer. Il dépassa la chambre que ses
sœurs partageaient. Plus loin, des pleurs provenaient
de la petite chambre adjacente à celle de ses parents.
La porte était entrouverte et une bougie éclairait la
pièce. Robert avança à pas de loups, son genou enveloppé de lin l'élançait. Il aperçut le dos de la nourrice
qui berçait Matilda, sa sœur. Et il poursuivit son chemin vers la chambre de ses parents.

Il s'arrêta devant leur porte, craignant d'entendre la
voix de son père. Peut-être le conseil était-il déjà terminé ? Mais non, il était encore tôt et il ne l'avait pas
entendu monter l'escalier. Seul le silence répondait à

son angoisse. Robert tourna la poignée et ouvrit. Le courant d'air fit trembler les flammes des bougies à l'intérieur.

— C'est vous, Robert ?

Sa mère s'adressait à lui du fond de son lit, où elle avait remonté les draps lie-de-vin jusqu'à son cou.

— Non, murmura Robert, sachant qu'elle parlait de son père.

Elle repoussa les couvertures et s'assit. Ses cheveux dénoués tombaient sur ses épaules. Les ombres de la pièce lui dévoraient le visage, creusant ses yeux et ses joues. La naissance de Matilda, le mois dernier, n'avait pas été de tout repos et sa mère n'avait presque pas quitté le lit depuis lors.

— Vous avez mal ?

L'inquiétude perçait dans sa voix. Le genou de Robert ne se laissait pas oublier, de même que son entaille à la tête que le médecin avait recousue, mais ce n'était pas la raison de sa visite.

— Non, dit-il en s'approchant du lit, incapable d'imaginer la vieille sorcière dans cette belle chambre décorée de rideaux, de tapis et de meubles richement travaillés. Parlez-moi de ma naissance.

La surprise envahit le visage de sa mère, puis elle détourna la tête. Le ventre de Robert se noua. Il y avait de la culpabilité dans le regard de la comtesse.

— Pourquoi cette question ?

— Je...

Il hésita. Les pleurs du bébé comblaient le silence.

— Matilda, dit-il subitement. Depuis sa naissance, je me demande comment était la mienne. Fut-ce aussi difficile que pour elle ?

Sa mère le fixa un instant, puis soupira.

— Pendant un moment, nous avons cru que vous n'arriveriez jamais au monde.

Elle tendit la main et lui caressa la joue.

— Mais vous êtes là.

Robert se recula, il voulait des réponses. Et il décida qu'il ne servait à rien de louvoyer.

— J'ai menti aujourd'hui, dit-il tout à trac, et il baissa les yeux en voyant sa mère froncer les sourcils. Je n'étais pas seul dans les bois. Quelqu'un m'a trouvé. Et m'a aidé.

Sa mère s'était redressée sur son oreiller.

— La vieille femme aux chiens.

Ses doigts se serrèrent sur la couverture.

— Elle a dit quelque chose, poursuivit Robert en croisant le regard de sa mère. Elle a dit qu'elle m'avait accouché.

— C'est vrai, murmura la comtesse.

Robert secoua la tête, il ne voulait pas y croire.

— Mais c'est une sorcière ! Comment avez-vous pu...

Il ne termina pas. La seule pensée que les mains crasseuses de cette vieille femme avaient touché les premières son corps nu le rendait malade. Il ne lui vint pas à l'esprit qu'à l'époque, elle était plus jeune. Pour lui, elle avait toujours été une vieille bique.

— Certains la traitent de sorcière, dit doucement sa mère, d'autres la considèrent comme une guérisseuse.

— Je croyais que c'était Ede qui était là pendant mon accouchement. Vous m'avez dit qu'elle était présente pour nous tous, même Marguerite.

Robert remarqua que le visage de la comtesse s'était fermé à l'évocation de sa demi-sœur. Le premier mari de sa mère était un chevalier mort à la croisade alors qu'elle était enceinte. Le frère d'armes du chevalier, Sir Robert Bruce, était revenu de Terre sainte pour raconter à la veuve ce qui était arrivé et tous deux s'étaient rapprochés. Quelques mois plus tard, ils se mariaient, sans avoir demandé la permission au roi Alexandre, qui, dans sa colère, leur confisqua leurs terres. Seule l'intervention de lord d'Annandale avait calmé le roi et permis au père de Robert d'acquérir

Carrick comme son mariage avec sa nouvelle femme lui en donnait théoriquement le droit.

— Ede était là et c'est elle qui m'a assistée, ou du moins qui a essayé. Vous mouriez à l'intérieur de moi, Robert.

Ses yeux brillaient à la lueur des chandelles.

— Le travail avait duré trop longtemps. Affraig vivait au village à cette époque. Elle était connue pour ses talents de guérisseuse. Elle a sauvé votre vie. Et la mienne.

Robert était certain que l'histoire ne s'arrêtait pas là. Les questions ne manquaient pas. Pourquoi ses parents ne lui en avaient-ils jamais parlé, par exemple quand Alexandre s'était fait mordre par un des chiens ? Et pourquoi cette femme avait-elle l'air tellement en colère ? *Ne reviens pas ici*, avait-elle dit. *Ni toi, ni personne de ta famille*. Robert tourna la tête en entendant marcher dans le couloir. Sa mère ne sembla pas les remarquer.

— Pourquoi a-t-elle quitté le village ? demanda-t-il vivement. Pourquoi s'est-elle installée dans les collines ?

— Elle a été bannie, répondit sa mère après une hésitation. Votre père...

Cette fois, elle avait perçu les bruits de pas. Elle s'arrêta en pleine phrase et ses joues s'empourprèrent.

— Retournez au lit, Robert, lui ordonna-t-elle d'une voix forte et peu naturelle.

La porte s'entrebâilla et Robert vit apparaître son père, qui semblait pensif. Le comte se renfrogna et ouvrit la porte en grand.

— Allez vous coucher.

Au moment où il allait obéir, Robert sentit la main froide de sa mère sur la sienne. Elle se pencha en avant et déposa un baiser sur sa cicatrice au front.

— Ne parlons plus de ça, maintenant, lui souffla-t-elle à l'oreille tandis que son mari ôtait sa robe doublée de fourrure et la suspendait à une perche.

Robert sortit de la chambre en regardant son père, qui s'asseyait sur un tabouret pour retirer ses bottes. Son visage était blême. Robert se demanda ce qui s'était passé dans le Galloway. Il avait envie d'aller voir son grand-père pour le savoir, mais il était tard, ses blessures le tourmentaient et trop de questions lui avaient déjà occupé l'esprit.

Marjorie suivit son fils des yeux. Son mari se frictionnait le pied et ne leva même pas la tête. Il pouvait être tellement adorable. Pourquoi ne l'était-il jamais envers leur fils ? Il lui avait toujours dit qu'il ne voulait pas que Robert devienne mou en grandissant, c'est pourquoi il le traitait si durement, mais Marjorie savait que ce n'était pas le fond de l'affaire.

— Qu'y a-t-il ?

Ainsi surprise à l'observer, elle se força à sourire.

— Je suis simplement fatiguée.

Elle le vit avec étonnement remettre sa botte.

— Vous ne vous couchez pas ?

— Dans un moment, dit-il en venant vers elle.

Marjorie reposa sa tête sur l'oreiller. Elle ferma les yeux et il l'embrassa. Elle n'était pas fatiguée, elle était éreintée. Elle avait l'impression que l'accouchement lui avait retiré les dernières sèves de sa jeunesse. Dix enfants, cela faisait beaucoup à porter pour n'importe quelle femme.

— Reposez-vous.

Elle sentit le lit bouger lorsqu'il se releva, puis elle l'entendit aller et venir dans la chambre, se servir une coupe de vin, ouvrir un coffre. Elle commença à dériver vers le sommeil, apaisée par les bruits familiers de son mari après tous ces mois qu'elle avait passés seule. Un peu plus tard, elle entendit qu'on toquait à la porte. Marjorie se réveilla, inquiète à l'idée que Robert soit revenu poser d'autres questions. Il n'avait pas idée à quel point son père serait en colère s'il apprenait qu'il était allé à la maison d'Affraig. Mais ce n'était pas son fils. C'était l'un des serviteurs de son mari. Elle vit le comte lui donner une bourse. Dans son autre main, son mari tenait un parchemin roulé.

— Ça suffira à vous payer le passage en France et le retour. Soyez prudent.

— Ne craignez rien, sir, dit l'homme en prenant la bourse et en la rangeant dans une petite poche attachée à sa ceinture à côté de son épée. Je l'apporterai sans encombre en Gascogne.

— Donnez-le en main propre au roi Édouard. Je ne veux pas qu'un de ses serviteurs le lise.

L'homme s'inclina et partit en emportant le rouleau. La comtesse ferma les yeux. Au bout d'un moment, elle sentit le corps familier de son mari se coller à elle. Dormir ne serait pas pour tout de suite.

Chapitre 9

Robert se dépêchait de traverser les bois, maintenant de la main la capuche qui le protégeait de la pluie qui s'égouttait à travers le feuillage. Les arbres étouffaient le murmure lointain des vagues sur la plage de Turnberry. Les premières tempêtes de l'automne étaient arrivées tôt cette année. La semaine dernière encore, les hommes de Carrick travaillaient sous un ciel bleu pour finir les dernières récoltes. S'ils avaient eu quelques jours de retard, les moissons d'avoine et d'orge auraient été noyées. Depuis, on avait emmené le bétail vers les hauts pâturages. Les animaux qui ne passeraient pas l'hiver allaient être tués afin de fournir de la viande. C'était une saison de labeur, toutes les mains participaient à l'exploitation de la terre. Les hommes que la famille Bruce avait perdus au cours des attaques manquaient cruellement aujourd'hui.

Robert s'aidait du bâton noueux pour avancer et s'enfoncer toujours plus avant dans les bois. Il se sentait idiot de prendre prétexte du bâton, mais il n'avait pas trouvé d'autre excuse. Pourtant, Dieu sait qu'il y avait réfléchi durant le tumulte des dernières semaines.

Les victoires de Wigtown, Dumfries et Buittle avaient été pratiquement balayées par la nouvelle de la grossesse de la reine, qui s'était rapidement propagée dans le royaume. Robert n'avait pas été convié à assister aux différents conseils qui avaient suivi le retour des hommes, mais d'après les bribes de conversation qu'il avait surpris, son grand-père avait décidé de se retirer du Galloway et de laisser une petite garnison dans chacun des châteaux en attendant que la naissance d'un héritier mette un terme aux ambitions de Comyn et de Balliol. Son père n'avait, semble-t-il, pas du tout apprécié cette décision et, lorsque le vieux Bruce était parti une quinzaine de jours plus tôt, son départ avait eu lieu dans un silence tendu. Malgré l'agitation de sa famille, Robert avait ses propres préoccupations. Mais aujourd'hui, pour la première fois depuis le début des récoltes, il avait réussi à s'échapper sans qu'on le remarque.

Lorsque le bois devint moins touffu, il aperçut la maison au pied de la colline. Des flaques grises cernaient le tronc du chêne aux feuilles rousses. La gloire ultime de l'été finissant. Les cochons se tassaient dans un coin de l'enclos, essayant de s'abriter sous une avancée du toit. Trois génisses se trouvaient maintenant avec eux.

Tout en se demandant comment la vieille femme avait les moyens d'acheter les animaux, Robert descendit la pente boueuse, la canne l'aidant à garder l'équilibre.

Quand il arriva près de la porte, des aboiements féroces se firent entendre. Sur le côté de la maison apparurent bientôt les deux chiens noirs, qui couraient en jappant. Résistant à l'envie de s'enfuir, Robert demeura immobile. Les chiens ralentirent et progressèrent ventre à terre, épaules basses. Robert tendit sa main ouverte, la paume levée vers le ciel, vers les bêtes, comme il le faisait avec les chiens de chasse de son grand-père. De grosses gouttes de pluie roulaient continuellement sur son nez. Le plus gros des deux vint vers lui en grondant. Levant le museau, il approcha sa truffe de la main tendue, et Robert éclata de rire, soulagé, quand il vit sa langue rose lui lécher la paume. La porte s'ouvrit avec fracas et la vieille femme s'encadra dans l'embrasure. Les chiens allèrent aussitôt la rejoindre en contournant les flaques.

— Je t'ai dit de ne pas revenir.

Elle parlait d'une voix forte et belliqueuse, pour se faire entendre par-dessus le déluge. Robert fit quelques pas en avant, tendant la canne.

— Je voulais vous la rendre.

À peine eut-il prononcé ces mots qu'il comprit à quel point cela sonnait faux. Ce mensonge piteux eut pour effet de provoquer une moue dédaigneuse chez la vieille femme. Comme elle s'apprêtait à refermer la porte, il ajouta :

— Et pour voir Brigid.

La femme suspendit son geste, et son visage semblait hésiter entre humour et irritation. Il était évident que, pour elle, il était risible.

— Elle est partie, mon garçon.

— Partie ?

— À Ayrshire. Un maréchal-ferrant s'est pris de béguin pour elle.

Affraig fit un signe du menton en direction de la canne :

— Laisse-la dehors, dit-elle en fermant la porte.

Robert considéra le bâton noueux qu'il tenait entre ses mains. Il se sentait en colère, une colère alimentée par l'humiliation et la déception. Jusqu'à cet instant, il ne s'était pas vraiment rendu compte que sa deuxième excuse était vraie : il voulait revoir l'étrange fillette. Poing fermé, il cogna à la porte. Elle s'ouvrit.

— Pourquoi l'avez-vous laissée partir ?

Une expression d'ironie cruelle se dessina sur les traits de la femme.

— Si j'avais su que l'héritier d'un comte s'intéresserait à elle, j'aurais attendu. Peut-être que la fille m'aurait rapporté plus que trois vaches !

Un rire obscène découvrit ses dents jaunâtres et Robert éprouva de la répugnance pour cette femme. Il jeta la canne à terre et tourna les talons. Puis, trouvant en lui une soudaine assurance, il fit volte-face :

— Quand je serai comte, je ferai en sorte que vous soyez toujours bannie. Vous n'entrerez jamais plus à Turnberry.

Son rire méprisant s'évanouit.

— Comme tu ressembles à ton père, dit-elle d'une voix mordante. Je n'aurais pas cru que deux avortons naissent du grand lord d'Annandale, mais tu es la preuve vivante de l'échec de cette puissante lignée. C'est bien dommage. Oui, bien dommage, répéta-t-elle d'une voix toujours plus basse.

— Comment osez-vous ! s'emporta Robert, les joues en feu. Vous ne connaissez même pas mon grand-père !

La vieille femme pointa du doigt les branches hautes du chêne. Robert vit qu'elle désignait l'une des cages que le vent faisait osciller. Il n'avait pas remarqué celle-là la fois précédente, à cause de l'épais écran de verdure. Usée par les intempéries, prête à se casser, cette cage paraissait plus ancienne que les autres. À l'intérieur se trouvait une cordelette en forme de nœud coulant, noircie par la pluie.

— Qu'est-ce que c'est ? demanda-t-il en reportant son attention sur la femme.

Elle avait disparu à l'intérieur de la maison en laissant la porte ouverte. Robert hésita, mais sa curiosité était plus vive que sa colère et il s'avança donc sur le seuil.

— Quel est le rapport avec mon grand-père ?

Affraig soufflait sur les braises pour raviver le feu. Des étincelles volaient autour d'elle. Elle ne répondit pas.

— Cet arbre, qu'est-ce que c'est ?

— Un chêne, répondit-elle sèchement.

— Ce n'est pas ce que je vous demandais.

— Je le sais.

Affraig se redressa pour lui faire face. Tandis que la pluie battait le toit, elle le dévisagea un moment dans la pénombre.

— Ferme la porte. Tu fais entrer le froid.

Robert s'exécuta. Rabattant sa capuche en arrière, il s'aperçut que sa cape et ses bottes dégoulinaient sur le sol. La vieille femme ne semblait pas l'avoir remarqué. Elle s'était juchée sur un tabouret et se penchait vers le feu, fixant les flammes d'un regard lointain. Ses cheveux tombaient par-dessus ses épaules, formant comme un rideau. Les chiens étaient couchés à ses pieds, la tête posée sur les pattes avant, éclairés par la lueur rouge des flammes.

— Des destins.

Robert secoua la tête en entendant ce mot, ne sachant trop comment le comprendre. Il attendit qu'elle en dise plus.

— Quand ils désirent quelque chose, les hommes et les femmes viennent me voir. Je tisse leurs désirs dans la trame de leur destin. J'utilise le pouvoir du chêne pour faire en sorte qu'ils se réalisent.

— Ils feraient mieux d'aller à l'église et de prier. De demander à Dieu sa bénédiction, répondit Robert, intrigué par sa franchise, mais également mal à l'aise.

Ce que tout cela impliquait portait un nom. Un nom encore plus fort que sorcellerie. C'était de l'hérésie. Dieu seul pouvait faire en sorte que le futur advienne, décider du sort des hommes.

Les yeux de la femme se posèrent sur lui.

— Il y a des prières auxquelles Dieu ne répond pas. Pas ce Dieu.

Robert éprouva un frisson de terreur, mais il avança d'un pas vers le feu, oubliant que ses vêtements étaient trempés.

— Il n'y en a pas d'autre.

— Que sais-tu de la terre que tu arpentes ? rétorqua-t-elle, sa voix se faisant de nouveau mordante, dominatrice. Du passé ?

Robert se souvint d'un tuteur qui lui avait fait écrire encore et encore les noms des rois d'Écosse, de Kenneth mac Alpin à Alexandre, en passant par Malcolm Canmore, jusqu'à ce qu'il les connaisse par cœur.

— Ma mère a hérité du comté par son père, Niall de Carrick, et des terres d'Antrim par sa mère. Quand mon père est revenu de Terre sainte, il...

— Tu crois que l'histoire commence avec ta famille ? Non, mon garçon. Que sais-tu de ces îles ? (Elle fit un grand geste comme pour embrasser le monde.) L'Écosse, l'Angleterre, l'Irlande, les vieux royaumes du pays de Galles ?

Des images évanescentes et disparates lui vinrent à l'esprit, et il entendit une nouvelle fois la voix de son tuteur lui décrivant l'arrivée des Romains ; ces grands hommes de l'ancien monde qui avaient conquis la Bretagne avec leur vaste armée, tuant tous les païens qui s'opposaient à eux. Puis les Normands, sous la bannière du Conquérant. Quand ils arrivaient à cette époque, la voix de son tuteur se faisait toujours plus douce, plus gracieuse. Ce n'est qu'en entendant une version différente que Robert avait commencé à soupçonner son tuteur d'avoir quelque peu altéré l'histoire de la conquête pour complaire à son élève, lui-même descendant d'un seigneur normand, Adam de Brus. La voix de son tuteur s'éteignit, remplacée par les intonations bourrues de son grand-père lui parlant de la bataille de Lars contre les Norois dans leurs vaisseaux dont les proues étaient des dragons, il y avait à peine plus de vingt ans. Et il y avait les saints, bien sûr ; Colomba et Ninian, André et Marguerite. Il y avait tant d'images et de noms qu'il ne savait pas par où commencer. Finalement, il se contenta de hausser les épaules.

Affraig réagit par un petit sifflement qui fit lever la tête à un chien. Son aboiement fut réprimé par un coup de pied et il se recoucha en geignant.

— Oui, les Romains, fit Robert avec un soupir, et puis les Saxons, et les Normands. Je sais tout ça.

Affraig le dévisagea.

— Les Romains adoraient-ils le Dieu chrétien dans leurs temples ? Leurs sacrifices, c'était pour Lui ?

— Ils étaient païens, admit Robert, jusqu'à Constantin.

— Et les hommes venus de l'est ? Quelles déités honoraient-ils ? Que fais-tu de Wotan, de Frigg ?

— Les Saxons aussi sont devenus chrétiens, rétorqua Robert.

— Et tes ancêtres irlandais, du côté de ta mère, vers quels dieux se tournaient-ils ? Et les dieux de la Bretagne ? Lug et sa lance magique, Dagda ? Rhiannon et Beli ?

Elle reprit, sans laisser le temps à Robert de répondre :

— En voilà, d'autres dieux, non ?

— Mais ce sont de faux dieux. Plus personne ne les honore.

— Vraiment ? Qui donc les femmes implorent-elles pour calmer les douleurs de l'enfantement ? Tu as dû entendre ta mère prononcer son nom pendant ses prières.

— Sainte Brigitte, répondit aussitôt Robert. C'est une sainte chrétienne.

— Autrefois elle s'appelait Brigantia, déesse de la fertilité et du printemps. Les curés font comme s'ils l'oubliaient, dit-elle en se penchant pour mettre une bûche au feu.

Quand les flammes illuminèrent son visage, Robert se fit la réflexion qu'elle n'était pas aussi âgée qu'il l'avait d'abord pensé, elle n'avait peut-être que quelques années de plus que sa mère. Sous la crasse et la sueur accumulées, il aperçut quelque chose dans son visage, une parenté avec Brigid, la fille, mais avec la dureté de l'os, de la pierre, du fer. Il se demandait comment elle en savait tant, puis il se rappela que la présence de livres l'avait surprise la première fois. Robert jeta un coup d'œil à la pile, juste derrière le feu, puis il posa la question dont il cherchait toujours la réponse.

— Pourquoi m'avez-vous montré la cage, dans l'arbre, après avoir parlé de mon grand-père ?

— Tu connais sans doute saint Malachie ?

Affraig rit de nouveau quand Robert se signa, mais cette fois avec respect.

— Oui, reprit-elle, c'est une puissante malédiction que ce saint a fait peser sur ta famille. Assez puissante pour faire déborder la rivière d'Annan et emporter le château. Assez puissante pour demeurer comme une ombre sur la famille Bruce, plus d'un siècle après que Malachie l'eut lancée.

Robert hocha la tête en silence. Aussi loin que remontaient ses souvenirs, il avait toujours connu cette malédiction. Au siècle dernier, Malachie, l'archevêque d'Armagh, était passé par Annandale en se rendant à Rome. Alors qu'il logeait au château d'Annan, qui appartenait à l'un des ancêtres de Robert, il découvrit qu'un homme accusé de vol par la famille Bruce était sur le point d'être pendu. Malachie implora qu'on épargne le voleur, requête qui lui fut accordée par le lord. Pourtant le lendemain, Malachie trouva l'accusé pendu au gibet. Depuis lors, sa malédiction vengeresse contre la famille Bruce était toujours invoquée pour expliquer la destruction ultérieure de leur forteresse, ainsi que tous leurs malheurs. Robert avait vu les ruines du château de son ancêtre à Annan et il connaissait bien la terrible histoire de la crue. Il comprenait désormais pourquoi un nœud coulant, pareil à ceux des pendus, avait été fait sur la cordelette à l'intérieur de la cage.

Affraig reprit la parole.

— Lors du voyage qui l'a ramené de Terre sainte, ton grand-père a brûlé un cierge à la chapelle de ce saint. Mais il y a quelques années, il est venu me voir. Il pensait que ses prières n'avaient pas été exaucées, et il m'a demandé de lever la malédiction. Il voulait que sa lignée se libère de ce poids.

Robert observa qu'une étrange expression traversait son visage, de l'affection peut-être, mais il écarta ce détail tant il était abasourdi par cette révélation que son grand-père avait demandé un sortilège à une sorcière. Néanmoins, il demeurait intrigué.

— Quand la malédiction sera-t-elle levée ?

— Cela, je ne peux le dire. Le chêne doit faire son œuvre. Quand ce sera fait, la cage tombera.

Robert se demanda s'il n'aurait pas été plus simple de la détacher, puisqu'il fallait qu'elle tombe, mais bien sûr elle lui aurait dit que ça ne devait pas se passer de cette façon. Il y avait encore une chose qu'il ne comprenait pas. Le jour où Alexandre s'était fait mordre par le chien, son père lui avait dit de ne jamais retourner auprès de la maison de la vieille femme. Robert avait supposé que c'était en raison de la menace des chiens, plutôt que de la femme elle-même, car le comte avait toujours méprisé toute forme de superstition. Mais puisque sa mère avait laissé entendre que l'exil d'Affraig était dû à son père, cela pouvait suggérer que cette recommandation cachait autre chose.

— Pourquoi êtes-vous bannie de Turnberry ?

Aussitôt le visage de la femme se referma.

— Tu devrais partir, dit-elle en se levant et en allant vers l'étagère où elle avait confectionné la compresse pour son genou.

Robert était trop proche des réponses qu'il cherchait pour se laisser bousculer si facilement.

— Dites-le moi. Je veux savoir.

— Je t'ai dit de partir.

Le dos tourné, elle saisit un bouquet de racines et prit un couteau.

— Je peux demander à mon père.

Elle fit volte-face, la lame scintillant dans son poing. La lueur meurtrière dans ses yeux fit reculer Robert de plusieurs pas. Il crut une seconde qu'elle allait l'attaquer. Mais finalement son expression s'adoucit, les rides reprirent possession de son visage aux traits coupants. Puis, lentement, elle laissa retomber le couteau. Sa main tremblait.

— J'ai tissé le destin de ton père, jadis.

Robert la regarda, incrédule. La révélation à propos de son grand-père avait déjà été un choc, mais il n'arrivait tout simplement pas à imaginer son père demandant à cette marâtre un sortilège pour son avenir. L'idée même était si absurde que c'en était risible. Robert se souvenait que son père s'était moqué de la fervente veillée de son grand-père au sanctuaire de saint Malachie, quand il s'était efforcé de lever la malédiction. Même quand Robert parlait de Fionn mac Cumhaill et des héros irlandais dont il avait appris l'existence à Antrim, il prenait un air menaçant et lui demandait de se taire.

— Je l'ai pendu au chêne pour lui, murmura Affraig, mais il est arrivé quelque chose. Un de ses hommes...

Elle s'arrêta un instant, le front plissé, les yeux baissés sur son couteau.

— Je lui ai demandé son aide pour une affaire, qu'il me rende justice. Il a refusé, dit-elle en relevant la tête et en fixant Robert de ses yeux fiévreux. J'ai arraché son destin et je l'ai réduit en miettes devant le château.

Malgré sa stupéfaction, un frisson parcourut Robert. Affraig se détourna et reposa le couteau sur l'étagère.

— Après, il m'a bannie du village. Je sais qu'il voulait me bannir de Carrick, mais ta mère l'en a empêché parce que j'avais sauvé la vie de son premier-né. Toi, conclut-elle en lui présentant son dos.

Une bûche glissa et se brisa dans le feu, mais Robert ne détacha pas ses yeux de la vieille femme.

— Quel était le destin de mon père ?

Affraig attendit quelques instants avant de répondre :

— Devenir roi d'Écosse.

Les six hommes remplissaient l'espace confiné de la pièce. Les serviteurs avaient accumulé le bois dans la cheminée pour que le château tout entier profite de la chaleur, même si la pièce, avec ses précieux occupants, se trouvait à quelque distance dans le couloir. Cependant, cette distance n'abolissait pas les hurlements. Entre les plaintes de la torturée, des voix de femmes leur parvenaient, haut perchées, inquiètes. De temps à autre, les cris diminuaient pour n'être plus que gémissements et les voix des femmes devenaient presque inaudibles. Les hommes, qui parlaient très peu entre eux, se réfugiaient alors dans le silence, comme s'ils craignaient d'entendre encore la parturiente. Cela faisait maintenant quatre heures que durait cette tension dans cette chaleur de four.

James Stewart était adossé, près de la porte, au mur en pierre dont la fraîcheur le soulageait légèrement. Des rideaux épais cachaient les vitres, derrière lesquelles une pluie fine crépitait sans fin. Il se demanda quelle heure il était, mais il résista à l'envie de traverser la chambre et d'écarter les rideaux. James changea de position pour soulager ses pieds douloureux. Il n'y avait que deux tabourets dans la pièce et ils étaient réquisitionnés par Comyn le Noir, comte de Buchan, et le comte de Fife, un homme obèse qui avait hérité du droit de couronner un nouveau roi. Le chambellan jeta un coup d'œil à l'évêque de St Andrews, plongé dans ses prières près du feu. Il s'étonnait que ce frêle vieillard endure de rester sur ses genoux si longtemps. La silhouette trapue de Robert Wishart passa devant lui. L'évêque de Glasgow faisait les cent pas. James croisa les yeux de John Comyn, qui se tenait debout près de la fenêtre.

Lord de Badenoch soutint son regard, qui semblait le défier. James, sentant son hostilité, ne broncha pas. Les deux hommes ne s'étaient jamais aimés. Leurs rapports à la cour étaient exclusivement fondés sur la nécessité, mais depuis les attaques des Bruce sur le Galloway, l'animosité de Comyn le Rouge avait atteint un paroxysme. James avait la nette impression que lord de Badenoch était au courant du rôle qu'il avait joué dans l'invasion. Quoi qu'il en soit, ça n'avait plus d'importance désormais. D'ici quelques heures, les tentatives de Comyn pour installer leur beau-frère sur le trône vacant seraient nulles et non avenues.

Un nouveau hurlement déchirant perça le silence, plus long et plus fort que les autres, davantage un cri de détresse que de douleur. Il fut suivi par un long silence. Lorsque des bruits de pas se firent entendre dans le couloir, James détacha son regard de Comyn. L'évêque de Glasgow s'immobilisa et son homologue de St Andrews releva la tête de ses mains jointes. Le comte de Buchan se leva de son tabouret. Seul le comte de Fife, qui s'était endormi, le menton posé sur la poitrine, ne bougea pas lorsque la porte s'ouvrit.

La femme qui apparut contempla un instant les hommes qui attendaient l'issue. Son tablier blanc était couvert de sang. James sentait son odeur âcre. Son regard se posa sur lui.

— Un garçon, lord Stewart, déclara-t-elle.

— Dieu soit loué, dit Wishart.

James, néanmoins, continua de scruter le visage de la femme qui conservait une grande gravité. Au bout d'un moment, elle répondit à la question qu'il n'osait formuler.

— Il est mort avant de naître, sir. Je n'ai rien pu faire pour le sauver.

Wishart jura bruyamment.

Se détournant, James se passa la main dans les cheveux. Au même instant, il aperçut John Comyn, dont les yeux brillaient d'une flamme intense.

Chapitre 10

Bordeaux s'éveillait. Le clocher de la cathédrale déversait une cascade de carillonements sur le labyrinthe des rues. Des oiseaux s'élevaient au-dessus des toits, leurs ailes blanches se découpant sur le bleu du ciel matinal. Les volets s'ouvraient en cognant les devantures des magasins, des seaux pleins d'urine se vidaient dans les gouttières. Avant d'entamer leur travail, cordonniers et merciers, forgerons et maréchaux-ferrants s'interpellaient en mots simples et grossiers qui se répercutaient contre les façades des rues étroites.

Adam dirigea son palefroi à travers la ville, les oreilles assaillies par le vacarme des cloches. Revenir dans la ville où il était né, après tant de temps passé à l'étranger, lui procurait un sentiment peu commun. La ville paraissait étrangement neuve, pleine de promesses, au lieu de lui sembler aussi familière que sa propre peau. Pourtant il connaissait tous les tours et les détours des ruelles, il se rappelait les parfums qui l'assaillaient de toutes parts, la puanteur des abattoirs à l'entrée de la ville, les senteurs chargées du marché au bétail ou encore le relent nauséabond et légèrement salé de la Garonne. L'air était doux, le vent d'hiver moins cruel, et il ne portait plus le poids du secret sur ses épaules, ce qui lui laissait la possibilité d'apprécier les sons qui lui parvenaient, les arômes qui l'environnaient, les conversations qu'il surprenait ou les altercations auxquelles il assistait, sans se demander s'il n'y avait pas là un piège, ou seulement un danger.

Les cloches de la cathédrale sonnaient et Adam, à cheval, allait au trot vers les hauts remparts du château qui dominait la ville. Bannières et drapeaux étaient hissés sur les tourelles, étendards bariolés se découpant contre le ciel. L'une des bannières, rouge écarlate et plus grande que les autres, ornée de trois lions jaunes, attira l'attention d'Adam tandis qu'il s'approchait des portes, et puis les gardes impeccables en gambison s'enquérirent de la raison de sa présence et il l'oublia. Mettant pied à terre, Adam prit un rouleau de parchemin dans la sacoche fixée à sa selle, dont le cuir était couvert de la poussière accumulée au cours de son voyage à travers la France. Un garde examina le sceau du document pendant que l'autre l'interrogeait. Ses réponses les satisfirent, et ils s'écartèrent pour le laisser passer sous la herse menaçante.

Bien qu'il fût tôt, la cour était pleine de serviteurs et d'officiers royaux. L'élégance sobre des bâtiments et les riches vêtements des hommes et des femmes qu'il croisait étaient un baume pour Adam après le long hiver d'Édimbourg, naufragé qu'il était sur cette grosse montagne noire, où le hurlement du vent hantait les couloirs, parmi tous ces Écossais à la peau blême. En voyant des hommes dérouler de longs drapeaux colorés et les disposer sur les flancs des bâtiments, il prit conscience avec surprise que Noël arrivait. La douceur de l'air, qui avait augmenté à mesure qu'il progressait vers le sud, lui avait fait croire que c'était plutôt le printemps. Une fille aux cheveux bruns passa devant lui en escortant trois oies dodues. Adam prit le temps d'apprécier son souple déhanchement avant de se diriger vers les écuries. Après avoir laissé sa monture à un palefrenier, il se rendit à la tour située dans le coin est de l'enceinte, en haut de laquelle flottait la bannière écarlate aux trois lions.

Il y avait d'autres gardes à l'entrée de la tour, et d'autres questions, mais on finit par le conduire en haut des escaliers, à une petite pièce où l'odeur d'encens masquait tant bien que mal celle de la peinture fraîche. Le page qui l'escortait frappa à la porte qui s'ouvrit et, tandis que son accompagnateur entrait, Adam aperçut un autre serviteur. Allant se poster à la seule fenêtre de la pièce, il observa par les carreaux la ville qui s'étalait en contrebas. La porte se rouvrit et il fit volte-face, s'attendant à ce qu'on l'appelle, mais le page descendit l'escalier sans lui dire un mot ni lui donner la moindre instruction. Adam s'adossa au mur car il n'y avait aucun meuble, la décoration se limitant à une tapisserie qui montrait un groupe de jeunes chevaliers portant tous des boucliers rouges, ornés d'un symbole aussi familier à Adam que les armoiries de sa propre famille : un dragon jaune dressé sur ses pattes arrière au milieu des flammes.

Finalement, la porte s'ouvrit de nouveau et un homme lui fit signe d'entrer. Le salon jouissait de la lumière matinale qui pénétrait par les fenêtres cintrées. Après la pénombre, il fallut un moment à Adam pour s'habituer au soleil. Il vit alors un homme derrière une table encombrée de parchemins soigneusement empilés. Avec son mètre quatre-vingts, c'était toujours l'un des personnages les plus grands qu'Adam ait jamais rencontrés. Ses cheveux longs jusqu'à l'épaule, où se distinguaient des mèches blanches, étaient bouclés aux extrémités, selon la mode du moment, mais sa robe en lin, d'un bleu solennel, était d'un dessin tout simple, contrairement aux rayures et aux soieries flamboyantes de ses courtisans. Parfaitement ajustée à sa carrure athlétique, elle était maintenue par une ceinture en cuir rehaussé de touches d'argent. Seuls ses yeux d'un gris intense permettaient de déceler chez lui des signes d'impatience ou d'agitation. Une de ses paupières tombait légèrement, unique imperfection d'un visage par ailleurs soigné. Cela se voyait aujourd'hui davantage que lorsqu'ils s'étaient rencontrés vingt-quatre ans plus tôt, pensa Adam. À cette époque, l'homme qui se trouvait devant lui était un jeune lord condamné à l'exil. À désormais presque cinquante ans, il était roi d'Angleterre, duc de Gascogne, souverain d'Irlande et conquérant du pays de Galles.

— Sire, le salua Adam en s'inclinant bas.

Les yeux pâles du roi allèrent vers le page qui attendait près de la porte.

— Laissez-nous.

Tandis que le page quittait la chambre, Adam remarqua une scène peinte sur le mur, de l'autre côté. Elle ne s'y trouvait pas lors de sa dernière visite. Elle aussi mettait en scène les chevaliers avec les boucliers au dragon, mais cette fois ils entouraient un homme assis sur un trône en pierre, et qui portait une couronne en or. D'une main l'homme tenait une épée dont la lame était cassée, de l'autre une fine canne dorée. Un pupitre aux gravures délicates était installé en bas de la fresque. Adam regarda le gros livre relié en cuir qui y était posé. De là où il était, et malgré l'angle de vision, il réussit à déchiffrer les mots écrits en lettres d'or sur la couverture. Il n'avait jamais vu ce livre, mais il savait de quoi il s'agissait.

— Je vous attendais plus tôt, Adam.

Adam chassa ses pensées et se concentra sur Édouard.

— Le travail de la reine a commencé plus tard que prévu.

— Je suppose que vous avez accompli votre mission ?

La voix d'Édouard, d'ordinaire si pleine d'assurance, dissimulait mal son agitation. Plus inhabituel encore, il y avait de l'inquiétude dans ses yeux. Il était penché en avant, ses mains aux veines apparentes plantées sur la table.

— Dieu a fait le travail pour nous. L'enfant est mort avant de naître.

Édouard se redressa.

— Bien, dit-il au bout d'un moment. C'est très bien.

Il s'assit dans un fauteuil à haut dossier, son regard se faisant soudain dur, accusateur.

— Cette histoire aurait dû être terminée depuis des mois, avant que la reine ne tombe enceinte.

La colère faillit étouffer Adam, mais la prudence l'obligea à ne rien montrer. Il méritait des louanges d'Édouard, pas des remontrances. C'est vrai, la grossesse avait constitué un obstacle imprévu, mais tuer le roi n'avait rien de facile. S'il avait fallu l'assassiner de loin, avec un carreau d'arbalète en travers de la gorge, Adam y serait parvenu bien avant que la reine ne conçoive. Mais Édouard avait insisté, sa mort devait passer pour un accident, et Adam s'était arrangé pour faire partie de l'escorte de la nouvelle épouse d'Alexandre, serviteur anonyme parmi d'autres.

Le poison, il l'avait d'emblée éliminé ; il lui était impossible d'approcher des cuisines sans se faire remarquer et d'ailleurs, le roi avait des goûteurs. Au sein de la cour royale, chaque fonction était remplie par un serviteur spécifique, et chacun s'occupait avec zèle de ses devoirs. Il avait fallu plusieurs semaines à Adam pour prendre sa décision. Le chemin côtier entre Édimbourg et Kinghorn était parfait. Même après avoir choisi le lieu, passer à l'acte lui-même n'avait pas été une mince affaire ; il devait gagner les faveurs de la reine et guetter une opportunité, qui se présenta finalement à l'occasion du festin. Le roi aurait bu, il serait plus facile à maîtriser physiquement si besoin était, et les marées du printemps faisaient du sentier à flanc de falaise la seule route viable. Son unique priorité était de convaincre la reine de mander le roi, afin qu'elle scelle involontairement le sort de son mari en l'attirant dans un guet-apens, et faire en sorte que les valets les plus compétents de son époux ne puissent l'accompagner, ce qui ne laissait que Brice, l'idiot, à sa disposition. La tempête avait constitué un avantage précieux, bien qu'imprévu, même si la symétrie poétique de la proclamation du jugement dernier lui avait peu ou prou échappé.

— Tout de même, reprit Édouard en cessant de fixer Adam, c'en est terminé.

Le roi regarda les documents sur la table, en tira un d'une pile. Adam reconnut le grand sceau qui était apposé au bas du parchemin. Il provenait de la curie papale à Rome.

— J'ai la permission de Sa Sainteté, dit Édouard en défroissant la lettre de la paume de la main. Je mettrai un terme à cette affaire à mon retour en Angleterre. Pour l'instant, il y a des problèmes plus immédiats. Le roi Philippe a le plus grand mal à exercer le moindre contrôle sur mes activités ici, en Gascogne. Mon jeune cousin n'apprécie pas que je détienne plus de pouvoir que lui dans le duché. Je crois que ça le rend nerveux.

— Pouvez-vous vous permettre d'attendre si longtemps, sire ? Il y a beaucoup de remous en Écosse depuis la mort du roi. La famille Bruce a pris les armes contre les Balliol. Ils accusent lord de Galloway de comploter pour s'emparer de la couronne.

— Les Bruce ne m'inquiètent pas. Le comte de Carrick m'a déjà envoyé un message pour m'assurer de son soutien quelle que soit la décision que je prendrai concernant l'avenir du royaume. Il m'obéira. Quant aux autres seigneurs écossais, je vais leur faire parvenir des missives leur ordonnant de suivre les ordres de leur conseil des gardiens, jusqu'à ce que l'enfant puisse venir de Norvège.

— Pensez-vous qu'ils vont obéir ?

— Aucun d'entre eux ne voudra me défier au risque de perdre ses domaines en Angleterre.

Adam savait ce que cet homme avait réalisé en Angleterre, au pays de Galles et en Terre sainte ; il savait ce qu'il avait accompli au fil des ans, et de quelle façon. Il acquiesça, respectueux de la certitude qu'il lisait dans les yeux d'Édouard.

— Que dois-je faire maintenant, sire ?

— Vous pouvez reprendre votre commandement.

Ramassant le document portant le sceau du pape, Édouard se leva et alla jusqu'à une petite porte en fer insérée dans l'un des murs de la salle. Adam vit une serrure sur le côté. Édouard l'ouvrit et déposa le parchemin à l'intérieur. Puis il en sortit une bourse en cuir fermée par un cordon.

— Voilà, dit-il en la tendant à Adam. Votre paiement final. Je vous prie de m'excuser pour la poussière qui s'est déposée dessus.

— Je vous remercie, sire, murmura Adam.

Il hésita un instant, puis posa la question qui l'avait préoccupé dès que le roi l'avait chargé de cette dangereuse tâche.

— Avez-vous parlé à quiconque de mon implication dans cette affaire ?

Les yeux d'Édouard se plantèrent dans les siens.

— La mort du roi Alexandre est un accident. Ça n'a pas de raison de changer.

— Oui, sire, dit Adam en empochant la bourse renflée. Un accident.

La porte s'ouvrit derrière eux et une voix, douce et musicale, leur parvint.

— Je suis désolée, je ne savais pas que tu avais un visiteur.

Adam, se retournant, découvrit une femme de grande taille, au teint olivâtre et aux traits délicats. Ses cheveux étaient dissimulés sous une coiffe d'où pendaient des fils de soie et elle portait une robe richement brodée qui dissimulait ses pieds. Adam ne l'avait pas vue depuis plusieurs années et les rides qui sillonnaient le visage de la reine le surprirent.

— Je vous laisse.

— Ce n'est pas la peine, Éléonore, dit Édouard en allant vers elle. Je prenais seulement des nouvelles d'Angleterre.

Le visage d'Éléonore se rembrunit.

— Les enfants ?

— Ils vont bien, la rassura Édouard, son visage si dur arborant un de ses rares sourires, d'une tendresse étonnante. C'est de la politique, rien de plus.

Édouard posa une main sur l'épaule gracile de sa femme pour la guider dans la chambre, et s'adressa à Adam, toute trace de son sourire effacée.

— Sir Adam s'en allait justement.

En se dirigeant vers la porte, Adam jeta un dernier coup d'œil à la fresque et au pupitre placé en dessous. Les lettres d'or du titre minutieusement calligraphiées sur la couverture du gros volume scintillaient à la lumière :

La Dernière Prophétie de Merlin.

DEUXIÈME PARTIE

1290-1292

Ils ne veulent pas attendre pour prendre possession du royaume légalement, ils veulent s'emparer de la couronne.

Geoffroy de Monmouth, *La Vie de Merlin.*

Chapitre 11

De tous côtés retentissaient des cors, leurs appels stridents faisant écho aux aboiements des chiens. La meute courait à toute allure. Il y avait des heures qu'ils poursuivaient leur proie, l'aube glaciale et son brouillard dense avaient cédé la place à la brume diaphane du milieu de matinée. La mort était proche maintenant et, encouragés par les cors, ils couraient tête la première à sa rencontre.

Robert pressait son cheval à travers les bois. Les arbres étaient couverts de jeunes bourgeons et l'odeur des nouvelles pousses emplissait ses poumons tandis qu'il s'efforçait de suivre le rythme, le coursier obéissant aux moindres de ses pressions sur les rênes qu'il tenait dans ses mains gantées. Devant lui il y avait un arbre couché, victime des tempêtes hivernales. Il enfonça les talons dans les flancs du cheval et se leva pour accompagner son mouvement. Le coursier sauta par-dessus le tronc pourri et retomba dans un bruit de tonnerre en faisant s'élever une gerbe de feuilles. Les chiens avaient disparu derrière une crête escarpée. Robert entendait leurs hurlements, plus puissants que les cors qui sonnaient dans son dos. Animé d'une détermination farouche, il guida le cheval dans le raidillon. En haut, le terrain redescendait dans une clairière incurvée comme un bol, qui se terminait par un talus élevé où s'enchevêtraient des racines. Une ouverture se distinguait dans le talus. Attroupés devant, les chiens aboyaient de frustration.

Comprenant que la proie avait réussi à échapper au piège, Robert poussa un juron et mit pied à terre avant de rejoindre les chiens. La brume était plus épaisse par ici, de même que les odeurs de mousse et de terre. Il chercha le cor qui pendait à sa ceinture. Alors que ses doigts venaient de s'en saisir, il entendit un bruit à l'intérieur de la cavité. Robert lâcha le cor et agrippa son épée par le pommeau. Les vieux chiens grondaient, les oreilles rabattues, le poil hérissé. Les plus jeunes geignaient comme des biches apeurées et exténuées. Avec n'importe quelle autre proie, même un cerf adulte ou un sanglier féroce, ils n'auraient pas eu autant d'appréhension. Robert tira son épée et traversa leur cercle protecteur, s'obligeant à rester calme. Il entendit qu'on l'appelait au loin, dans le brouillard, mais il continua.

En s'approchant, le souffle coupé, il vit que l'ouverture n'était pas profonde, c'était plutôt un creux devant lequel pendaient les racines. Il voyait une forme recroquevillée à l'intérieur, plus sombre encore que l'ombre. Elle était plus imposante qu'il ne s'y était attendu, mais pas autant toutefois que ce que certains rapports avaient laissé entendre. Son museau était long et fin, la mâchoire déjetée vers l'avant, les babines ourlées ne cachant rien des incisives crochues. Son pelage était noir et épais, la fourrure hivernale n'était pas encore complètement tombée. Mais le plus frappant, c'étaient ses yeux : deux billes jumelles d'or en fusion. Combien d'animaux étaient morts en contemplant ce regard brûlant, se demanda-t-il ? Au cours de l'hiver, il avait vu le résultat sanglant de ses destructions aux abords du village, les moutons éventrés, les vaches écorchées vives et vidées de leurs entrailles. Le loup, lui avait appris son grand-père, ne tuait pas seulement pour se nourrir, mais par plaisir. C'était un chasseur que seul le sang pouvait rassasier. Son cœur était ténébreux et sa morsure mortelle.

Les cors avaient fait silence. Robert entendait les hommes crier et les chevaux converger vers la clairière. Serrant fermement son épée dans sa main moite, il s'arma de courage et visa la forme sombre au fond de la cavité. Le loup fut le plus rapide. Il jaillit hors de son trou, ses yeux couvant un incendie. Robert tenta de le toucher, mais il ne réussit qu'à lui frôler le flanc quand il passa devant lui. Le loup attaqua l'un des chiens puis, se voyant cerné, il se retourna et sauta sur Robert, lequel, en cherchant à l'esquiver, se prit le pied dans une racine et s'affala par terre. Il ne put que crier quand la gueule du loup se referma sur sa cheville. Ramassant son épée qui, elle aussi, était tombée, Robert la fit tournoyer et frappa la créature au cou. La lame affûtée s'enfonça dans son pelage et pénétra sa chair épaisse. Le loup relâcha sa prise, voulut bondir de nouveau, mais trois chiens lui sautèrent dessus par-derrière et il hurla en sentant les crocs se ficher dans sa croupe et ses pattes arrière. S'écartant à croupetons des corps livrés au combat, Robert se releva au moment où deux autres chiens se jetaient dans la mêlée, achevant de clouer le loup au sol. Il hurlait de rage et de douleur, la chair déchirée. Du sang coulait sur le sol poussiéreux. Tenant son épée à deux mains, Robert s'avança et planta la lame dans le flanc de l'animal. Le sang jaillit, gicla sur sa tunique et son visage, la puanteur et sa chaleur lui obstruant la gorge. Il tourna la tête en essayant de ne pas s'étouffer tandis que les hommes à cheval investissaient la clairière.

Les chasseurs arrivèrent en premier, descendant la crête au galop, des cannes fourchues à la main, prêts à acculer la proie. En voyant Robert penché sur le loup, au milieu des chiens, ils ralentirent. Deux d'entre eux prirent les fouets attachés à leur ceinture afin de disperser les chiens. Les autres sortirent les laisses. Robert entendait les appels qu'on lui lançait, mais il regardait la flamme qui s'éteignait dans le regard du loup. Sa tête pendait en arrière et il ne respirait plus que faiblement. Finalement, un dernier frisson le parcourut et il demeura immobile. Robert se releva et tira son épée d'un coup sec. Alors que les chasseurs mettaient de l'ordre dans la meute, il se tourna vers son grand-père. Derrière lui venaient son père et son frère, Édouard, ainsi que dix hommes du cru mobilisés pour accompagner la chasse. Robert croisa le regard d'acier de son grand-père. Fier de lui, il voulut sourire mais le vieil homme se dirigea vers les chasseurs qui faisaient cercle autour des chiens. Le loup gisait prostré dans la poussière, le sang formant une mare près de sa dépouille. Deux chiens avaient été blessés lors du combat. Le vieux lord se pencha sur l'un d'eux pour examiner sa blessure. C'était Scáthach, sa chienne préférée. Robert inspecta avec embarras les traces de crocs sur sa botte.

Le vieux lord, se redressant, se tourna vers lui.

— Pourquoi ne t'es-tu pas servi de ton cor ?

Robert passa sa langue sur ses lèvres sèches.

— Je n'ai pas eu le temps, mentit-il en sentant son triomphe s'échapper.

Son grand-père fronça davantage encore les sourcils.

— Assurez-vous que ces plaies sont bien nettoyées, lança-t-il aux chasseurs.

— La blessure est grave ? demanda Robert à son père, qui s'en allait examiner les chiens sans même accorder un regard à son fils.

Robert regarda les hommes s'affairer auprès des chiens blessés. L'excitation de la chasse l'avait quitté. Aussi morte que le loup, elle était oubliée. Tournant les talons, il partit vers les arbres, repoussant les branches pour se frayer un chemin. Il s'assit sur une souche pourrissante et posa à terre son épée tachée de sang. Avec des gestes lents, il remonta sa chausse. Deux marques rouges faisaient le tour de sa cheville.

— Est-ce que ça saigne ?

Robert sursauta et vit Édouard qui arrivait près de lui.

— Non, répondit-il. La peau n'est pas ouverte.

— Tu as de la chance. J'ai entendu dire que le seul moyen de guérir d'une morsure de loup, c'est de se baigner nu neuf fois dans la mer.

Occupé à remettre sa botte, Robert ne répondit pas. Édouard s'adossa à un arbre devant lui. Robert leva les yeux, prenant soudain conscience que son frère, nonchalamment appuyé, était vraiment grand. Sa tunique verte et ses chausses marron le faisaient se confondre avec la forêt, ses mèches de cheveux noirs étant cachées sous un chapeau à plume. À quatorze ans, il avait un visage potelé, enfantin, que des fossettes creusaient encore lorsqu'il souriait. Alors qu'ils avaient un an d'écart, tout le monde disait toujours qu'ils se ressemblaient, et Robert se demanda quelles transformations lui-même avait connu en deux étés, depuis qu'il occupait le rang d'écuyer de son grand-père. Cela faisait un an qu'il n'avait pas vu son frère, lui-même revenu d'Irlande juste avant son départ.

— Cette créature était une brute sauvage, reprit Édouard avec une pointe de soulagement. Si je l'avais tuée, je la ferais empailler et accrocher dans le salon, même si l'odeur devait rebuter les invités. Elle dégageait la même odeur que les bottes de père ! ajouta-t-il en tordant le nez.

Robert se mordit les lèvres, mais ne put s'empêcher de sourire. Édouard riait de bon cœur en secouant la tête.

— Tu devais avoir le feu sacré pour t'attaquer à ce loup alors qu'il était acculé.

Le sourire de Robert disparut. Il récupéra son épée, ramassa une poignée de feuilles et nettoya le sang sur la lame.

— On le cherche depuis des mois. On avait pris les autres de la meute, mais celui-ci réussissait toujours à s'échapper.

Il se leva pour faire face à son frère. Il avait envie de crier à Édouard qu'il n'avait pas vu les champs couverts de sang après le passage des loups, qu'il n'était pas là au beau milieu de l'hiver avec les hommes d'Annan et Lochmaben, à tendre des pièges, à attendre des heures durant dans l'obscurité, les doigts gelés par le froid, le souffle formant des nuages de vapeur tandis que les outres de vin passaient de main en main. Le jour de sa première chasse, quand il avait aidé à ramener un loup dans les filets, son grand-père lui avait tracé une ligne sur le front avec le sang de l'animal, en lui disant qu'il était un homme maintenant. Il se détourna, incapable de prononcer ces mots. Ils n'étaient pas destinés à son frère, mais à son père.

Après la cruelle déception qui avait suivi son retour d'Irlande – la tutelle permanente du comte était si accablante et ingrate –, Robert avait enfin commencé à s'épanouir dans la maison de son grand-père. Aux côtés du vieux lord, il avait fait les premiers pas qui mènent à la condition d'homme, s'approchant chaque jour davantage, avec une confiance et une certitude croissantes, du noble lord qu'il était appelé à devenir. Il se rappelait bien sa première nuit au château de Lochmaben, son grand-père l'avait fait asseoir dans la grande salle et avait insisté longuement, gravement, sur l'importance de l'héritage dont il était le destinataire.

— Considère ta lignée comme un grand arbre, lui avait dit le vieux lord. Un arbre dont les racines remontent à l'époque du Conquérant et au règne de Malcolm Canmore, et encore plus loin, par ta mère, jusqu'aux anciens rois d'Irlande. Les racines sont profondes, elles nourrissent les branches qui poussent, s'entrelacent par les mariages, passent par la maison royale d'Écosse et la noblesse d'Angleterre, jusqu'à mon père et à moi. Toi, Robert, tu es un bourgeon qui pousse sur des branches maîtresses.

Mais ces mots sonnaient creux désormais. Le comte n'était arrivé à Lochmaben que depuis deux jours et déjà Robert avait l'impression d'avoir de nouveau douze ans, et non quinze – comme si les dernières années et tout ce qu'il avait fait s'étaient effacés. Il pouvait chasser et tuer une bête malfaisante, il restait impuissant face au regard désapprobateur et glacial de son père.

— Nous aussi, nous avons cru qu'il y avait des loups à Turnberry l'hiver dernier, dit Édouard en regardant Robert s'accroupir et reprendre le nettoyage de sa lame. Des agneaux ont disparu. Père pensait que c'étaient les chiens de la sorcière.

— Affraig ? demanda Robert en s'asseyant sur ses talons.

Il n'avait pas pensé à la vieille femme et à son arbre à cages depuis longtemps.

— Je n'arrive toujours pas à croire ce que tu m'as raconté avant de partir, reprit Édouard. Est-ce que tu en as parlé à grand-père ?

Robert acquiesça tout en frottant le plat de l'épée avec une poignée de feuilles.

— Alors ?

— Il n'a pas voulu en parler.

— Il n'a pas nié ?

— Non. Mais il n'a pas confirmé.

Robert se releva et glissa l'épée dans le fourreau pendu à sa ceinture. Il la nettoierait convenablement plus tard.

— Je suppose que tu n'as pas parlé à père ?

— Je ne cherche pas à attirer les coups de fouet. Père se met facilement en colère, ces derniers temps. Il s'est occupé de Niall avec sa ceinture la semaine dernière. Il a eu une fièvre il y a quelques mois, mère pense que c'est l'explication de son irritabilité.

139

Édouard eut un petit rire désabusé.

— Mais je l'ai assez entendu râler à propos de Salisbury pour savoir que le médecin pourrait lui appliquer des sangsues par centaines qu'il ne changerait pas d'humeur.

— Qu'est-ce qu'il disait ? demanda Robert, son attention à présent éveillée.

— Que ce n'était pas juste qu'il ne soit pas impliqué dans les négociations avec le roi Édouard. Qu'il aurait dû être à Salisbury avec grand-père.

Robert éprouva une certaine satisfaction. Certes, il n'était pas présent au conseil au cours duquel le traité de Salisbury avait été scellé, mais il s'était rendu en ville avec l'escorte de son grand-père et il avait vu les émissaires du roi arriver pour les négociations.

Après que la reine eut accouché d'un enfant mort-né, des tensions avaient menacé d'éclater, mais aussitôt après, des missives étaient arrivées de France au nom du roi Édouard, ordonnant à tous les hommes du royaume de s'en remettre au conseil des gardiens jusqu'à ce que Marguerite soit couronnée. Le grand-père de Robert, ravi par cette décision, avait retiré ses dernières troupes du Galloway et, pour le bien du royaume, il avait restitué les châteaux conquis à Balliol et aux Comyn. Après cela, le calme était revenu : la plupart des hommes avaient accepté de bon gré les ordres d'Édouard, et les autres n'avaient pas envie de mettre en danger leurs domaines en Angleterre en s'opposant au roi. Quand Robert était allé vivre avec son grand-père, le royaume avait retrouvé la paix.

Et à l'automne dernier, le roi Édouard, après avoir passé trois ans en Gascogne, était revenu et avait contacté les gardiens pour discuter des modalités du voyage de Marguerite, qui avait presque sept ans désormais, de la Norvège jusqu'à l'Écosse. Lord John Comyn s'était placé à la tête de la délégation qui devait se rendre en Angleterre pour ces négociations, mais avec l'aide de James Stewart, lord d'Annandale avait réussi à se joindre au groupe. Robert avait accompagné son grand-père en Angleterre, où les attendait l'une des plus importantes conférences des dernières décennies, conférence où l'on avait résolu que Marguerite viendrait en Écosse d'ici la fin de l'année. Il ne restait plus que les détails à régler, ce qui serait fait bientôt, lors de l'assemblée qui allait se tenir dans la ville de Birgham.

Robert aurait voulu que son père ne soit pas invité à participer aux ultimes pourparlers, mais étant l'un des treize comtes, il était impossible qu'on ne le convoquât pas. Néanmoins, il était résolu à ne pas laisser traiter avec mépris la position qu'il avait acquise dans le cercle de son grand-père. La chasse ne s'était pas conclue par le succès escompté. Il voulait tellement prouver sa valeur qu'il s'était montré imprudent, mais maintenant qu'il était au courant des frustrations de son père, il ne se sentait plus aussi impuissant.

— Viens, lança-t-il à son frère, allons voir la curée.

Les deux frères rebroussèrent chemin pour rejoindre le groupe des chasseurs, qui avaient déjà entrepris de vider le loup de ses entrailles. Une fois son estomac enlevé, on nettoierait la cavité avant de la remplir d'un mélange de mouton et de céréales. On lâcherait alors les chiens pour qu'ils se régalent, ce rituel constituant leur récompense pour une chasse réussie. Les hommes se passaient des outres de vin, l'ambiance était joviale.

Robert se dirigea vers son grand-père. En passant devant son père, il veilla à marcher la tête haute.

— Scáthach va-t-elle bien ? demanda-t-il en regardant la chienne qui léchait ses plaies.

— Elle en a vu d'autres, répondit son grand-père au bout d'un moment.

Robert leva les yeux vers lui.

— Je suis désolé, grand-père, s'excusa-t-il d'une petite voix. J'aurais dû vous attendre.

Le vieux lord grommela.

Mortifié, Robert le salua d'un signe de tête et alla s'occuper de son cheval, qui broutait des buissons à proximité. Il entendit la voix de son grand-père dans son dos.

— Je parie que les bergers d'Annandale dormiront mieux ce soir.

Quand il saisit les rênes de son coursier, un grand sourire éclairait le visage de Robert.

Chapitre 12

Comme ils approchaient lentement de Birgham, dans les Borders, Robert se leva sur ses étriers pour tenter d'apercevoir la foule qui se réunissait. Son grand-père chevauchait en tête de la compagnie, avec le comte Patrick de Dunbar, le puissant seigneur qui avait participé aux négociations de Turnberry quatre ans plus tôt et dont le château les avait abrités les trois dernières nuits. Le père de Robert se trouvait à l'arrière avec six chevaliers de Carrick, et son frère et lui fermaient la marche avec les écuyers et les serviteurs. Au loin, dans un champ collé à une église, des centaines de tentes avaient été érigées. De la fumée s'élevait des marmites et des hommes discutaient en petits groupes tandis que les écuyers soignaient leurs chevaux. Une ambiance festive animait toute la scène. Il y avait même des ménestrels qui jouaient de la musique.

— Est-ce que tu vois les Anglais ? lui demanda Édouard en suivant le regard de Robert et en se tordant le cou. Ils sont déjà là ?

— Je ne crois pas, répondit Robert avec impatience.

Son grand-père ne modifia en rien le pas des chevaux, dont les sabots s'enfonçaient dans la terre retournée. Peu à peu, les voix et la musique devinrent discernables, et plus fortes les odeurs de crottin et de fumée, jusqu'à ce que finalement ils arrivent dans le champ derrière un autre groupe de voyageurs. Robert dévisagea les hommes autour de lui, dont un bon nombre semblait accorder beaucoup d'attention à sa famille. Tous les regards n'étaient pas amicaux.

— Robert.

Lorsque son grand-père l'appela, Robert descendit lestement de cheval et se hâta de le rejoindre près des tentes alignées. Il prit les rênes du cheval pie du vieil homme tandis que celui-ci mettait pied à terre en grimaçant. Entendant des cris, Robert se retourna et vit des hommes hisser des bancs par-dessus le mur de l'église.

— L'assemblée devait se réunir dans l'église, lui expliqua son grand-père les yeux rivés aux bancs qu'on emportait vers le centre du champ, où une plate-forme avait été dressée à l'ombre d'un chêne. Mais le toit a été frappé par la foudre.

Robert, plissant les yeux à cause du soleil, distingua un trou noir sur le côté du toit, dont une partie était effondrée.

— C'est peut-être un signe, murmura Édouard en arrivant près d'eux avec la jument blanche de leur père.

Leur grand-père ne parut pas entendre. Il venait d'être hélé par un homme frêle aux cheveux roux, au teint rouge, qui arrivait en boitant avec deux jeunes gens. Robert les reconnut.

— C'est Sir Walter, le comte de Menteith, et ses fils, dit-il à son frère. Ils étaient à Turnberry quand grand-père a décidé d'attaquer le Galloway.

Au moment où il prononçait ces paroles, il fut attiré par un groupe qui traversait le champ dans leur direction. Robert observa le long visage effilé de John Comyn, qu'il avait déjà rencontré à Salisbury. Sa cape, bordée de fourrure de loup, arborait trois gerbes de blé sur fond rouge, et ses cheveux pendaient librement sur ses épaules.

— Regarde. C'est le diable en personne.

Édouard fronça les sourcils.

— Qui ça ?

Robert baissa la voix quand ils croisèrent les hommes.

— C'est lord de Bannedoch, le chef des Comyn Rouges.

Un garçon pâle à peu près de son âge, aux cheveux noirs longs et plats, suivait le lord. Il ressemblait trop à Comyn pour ne pas être de sa famille. Son fils, supposa Robert.

— Je pensais qu'il était plus grand, dit Édouard. Qui est avec lui ?

Robert regarda l'homme aux cheveux noisette, à la peau grêlée et à l'expression fermée que son frère lui désignait du menton.

— Je crois que c'est lord de Galloway, Jean de Balliol.

Balliol se tourna de leur côté et, l'espace d'un instant, Robert crut qu'il l'avait entendu, mais il n'était pas à portée de voix, et d'ailleurs l'attention du lord s'était d'abord arrêtée sur son père et son grand-père. L'hésitation de Balliol provoqua un trouble chez ses compagnons. Pendant un moment, les deux compagnies s'arrêtèrent, les Bruce interrompant leur conversation avec les comtes de Menmeith et de Dunbar. Robert remarqua un jeune homme de la délégation de Balliol. Il était vêtu d'une jaque de cuir et portait une pique. Cependant, ce n'était ni l'armure ni l'arme qu'on remarquait, mais la haine qui se lisait sur son visage. Il ne quittait pas son père des yeux.

— Messeigneurs. Bienvenue.

La voix de James Stewart mit un terme à la tension. Le grand chambellan arrivait à grands pas vers lord d'Annandale et le comte de Carrick. Avec lui se trouvait un homme corpulent et tonsuré, qui transpirait d'abondance. C'était Robert Wishart, l'évêque de

Glasgow. Robert l'avait rencontré une fois, brièvement, et avait conçu à la fois de la crainte et du respect pour cet homme énergique.

Alors que Balliol et Comyn reprenaient leur route vers la plate-forme, Robert vit le jeune homme portant la pique cracher dans l'herbe avant de les suivre. James Stewart et lord d'Annandale, heureux de se retrouver, se prirent mutuellement dans leurs bras. Robert remarqua que le grand chambellan saluait son père de façon cordiale, mais plus formelle.

— Monseigneur, dit le vieux Bruce en se penchant pour embrasser la main de l'évêque de Glasgow. Je suis content de vous revoir.

— Surtout en une si belle occasion, répondit l'évêque. Enfin, après la grande tragédie qui a endeuillé notre royaume, le trône va de nouveau être occupé. Il est de bon augure que notre nouvelle reine partage son nom avec l'une de nos chères saintes. Dieu veuille que la jeune Marguerite accoste saine et sauve sur nos rivages.

Robert vit son père se crisper. Il sentit intuitivement ce que représentait ce jour pour lui. La destinée dont il avait rêvé était sur le point de s'écrouler. Bientôt, Marguerite monterait sur le trône d'Écosse et donnerait naissance à une nouvelle lignée, une lignée qui s'éloignerait des Bruce et de leurs prétentions. Il réalisa alors que lui aussi allait y perdre. L'image d'Affraig réduisant en miettes la cage qu'elle avait confectionnée pour son père lui traversa l'esprit et il se demanda si finalement ce n'était pas la sorcière qui était responsable de la situation. Au même moment, des trompettes résonnèrent et tous les hommes se tournèrent vers la majestueuse procession qui apparut dans le champ, les bannières éclatantes flottant au-dessus des rangs d'hommes à cheval. Les Anglais étaient arrivés.

À leur tête se trouvait John de Warenne, comte de Surrey, et petit-fils du légendaire William Marshal, l'un des plus grands chevaliers que l'Angleterre ait connu. Warenne connaissait lui-même très bien les champs de bataille et, à soixante ans, il avait participé à l'essentiel des campagnes de Henry III et de son fils, Édouard. Il avait combattu lors de la rébellion de Simon de Montfort et pendant les sanglantes guerres d'Édouard au pays de Galles, de sorte qu'il s'était élevé parmi les chevaliers les plus en cour auprès du roi. Son éminence le précédait et Robert ne fut pas peu impressionné en voyant cet homme imposant, à la chevelure blanche flamboyante, qui montait un destrier massif couleur sable. Il était vêtu d'un manteau aux somptueuses broderies bleu et jaune qu'il avait rabattu sur l'une de ses épaules, affichant ainsi le scintillement des mailles sous son surcot et le pommeau doré de son épée.

Derrière le comte venait un homme en robe violette qui, bien qu'il fût plus jeune de vingt ans, jouissait déjà d'une réputation formidable. Anthony Bek, l'évêque de Durham, avait commencé son illustre carrière dans le clergé après ses études à l'université d'Oxford. Revenu de Terre sainte avec le roi Édouard, il avait été fait constable de la tour de Londres, puis évêque de Durham, diocèse chargé de la défense des frontières nord de l'Angleterre. Le pouvoir qu'il détenait par sa position faisait pratiquement de lui un roi dans son évêché. D'ailleurs, pour Robert qui le regardait monter son cheval de bataille avec trente chevaliers à sa suite, l'évêque Bek ressemblait moins à un homme d'Église qu'à un prince guerrier.

Robert avait déjà vu ces deux hommes à la conférence de Salisbury mais ici, dans ce champ baigné de soleil, accompagnés par la fanfare des trompettes, ils paraissaient encore plus prodigieux. Peut-être était-ce simplement la solennité de l'occasion, ou le contraste avec les hommes qui les attendaient dans le champ. La plupart des seigneurs écossais portaient des broches ornées de pierres précieuses ou des chaînes en argent pour tenir en place leurs capes ourlées de fourrure. Ils avaient aussi des plumes aux chapeaux, des épées et des dagues réalisées avec art, des fourreaux décorés. Mais leurs habits de laine ou de lin étaient plus frustes que ceux des Anglais, et peu d'entre eux avaient endossé leur cotte de mailles. Ils n'étaient pas venus pour se battre. Personne, apparemment, ne l'avait expliqué aux Anglais. Tous, du comte à l'évêque en passant par les chevaliers et les écuyers, arboraient une armure, fût-ce un simple gambison, et la plupart des chevaux étaient bardés. Ils étaient habillés de vêtements fins et voyants : des soies brodées et des velours aux couleurs vives qui évoquaient une nuée de papillons gigantesques survolant le champ.

Mettant pied à terre, John de Warenne alla aussitôt trouver Balliol et Comyn, qui s'étaient portés à sa rencontre. Cela n'avait rien de surprenant étant donné que Balliol était marié à sa sœur, mais il était évident que c'était une source d'agacement pour le père de Robert, qui observait leur échange d'amabilités d'un air renfrogné. Tandis que les seigneurs commençaient à se diriger vers le dais et à prendre place sur les bancs devant la plate-forme, James Stewart fit signe à lord d'Annandale et aux autres de le suivre. Robert s'avança, mais son grand-père se tourna vers lui.

— Reste ici.

Robert voulut protester, mais le lord s'en allait déjà.

— Je croyais que nous serions dans l'assemblée... se plaignit Édouard à côté de lui.

Les deux frères regardèrent les hommes se mêler à la foule de plus en plus compacte des barons, des évêques et des abbés, alors que la horde des chevaliers, des écuyers, des pages et des palefreniers, relégués au bord du champ, s'occuperaient des chevaux et des feux de camp. Les ménestrels, qui avaient arrêté de jouer, étaient allongés dans l'herbe et avaient à la main des coupes de bière et non des luths et des lyres.

L'excitation que Robert avait ressentie durant le voyage s'était évaporée et il se laissait aller à la colère qui bouillait en lui. Il fixait le dos du comte et il se demanda s'il aurait été exclu de la même façon si son père n'avait pas été là. D'une main, il protégea ses yeux du soleil tandis que les hommes s'asseyaient. L'évêque Bek montait sur l'estrade et le comte de Surrey saluait son grand-père, qui avait réussi à se placer à côté de Jean de Balliol.

— Peut-être les entendrons-nous d'ici ? murmura-t-il.

Mais il les voyait déjà en train de parler, et en dehors de quelques éclats de voix, les conversations étaient inaudibles à cette distance.

Édouard balança d'un pied sur l'autre un instant, puis il alla trouver l'un des jeunes chevaliers de Carrick en tirant derrière lui la jument blanche de leur père.

— Sir Duncan, pouvez-vous vous occuper des chevaux ?

— C'est à vous que cela incombe, maître Édouard, le rabroua le chevalier.

John de Warenne était monté sur la plate-forme avec l'évêque Bek et il s'adressait à l'assemblée. Il y avait plus d'hommes que de bancs et ceux qui n'avaient pu trouver de place se tenaient debout à l'arrière. Robert ne pouvait même plus voir son père et son grand-père. Il regarda autour de lui tandis qu'Édouard insistait :

— S'il vous plaît, Duncan.

— Quoi ?

— Si vous me rendez ce service, je ne dirai pas à mon père que vous avez essayé d'embrasser Isabel.

Le chevalier éclata de rire.

— Votre sœur ? Je ne lui ai même jamais parlé.

— Mon père n'en sait rien.

— C'est une plaisanterie, dit le chevalier, mais son sourire avait disparu.

Édouard s'abstint de répondre. Le visage de Duncan se ferma et il tendit la main pour prendre les rênes.

— Où que vous alliez, vous avez intérêt à revenir avant le comte.

Édouard fit signe à Robert qui, souriant, amena son cheval et celui de son grand-père au chevalier indigné. Les deux frères repartirent rapidement à travers les champs, ignorant les marques de curiosité des autres écuyers. John de Warenne était en train de parler lorsqu'ils s'immiscèrent dans la foule.

— Nos royaumes connaissent la paix depuis un siècle. L'Écosse et l'Angleterre sont devenus de véritables voisins, dont la relation s'épanouit, outre la bénédiction des mariages, grâce au commerce et aux hommes qui, de part et d'autre de la frontière, détiennent des terres et des offices. Le roi Alexandre, paix à son âme, comprenait les avantages d'une union solide, d'où son mariage avec sa première femme, la fille du roi Henry, sœur de Sa Majesté le roi Édouard.

Robert et Édouard se pressèrent contre un groupe de prieurs, dont les crânes tonsurés luisaient au soleil.

— Et bien que sa mort soit une tragédie qui nous a tous affectés, de cette tristesse naît aujourd'hui un espoir qui pourrait rapprocher encore davantage nos royaumes. Cet espoir s'incarne en la personne de sa petite-fille, Marguerite de Norvège. Comme l'a confirmé le traité de Salisbury, l'enfant sera amenée sur-le-champ en Écosse, où elle sera couronnée reine.

Des murmures appréciateurs suivirent ces paroles. Robert se dressa sur la pointe des pieds pour essayer de voir par-dessus les têtes des prieurs. Il arrivait tout juste à distinguer entre leurs épaules la silhouette reconnaissable de l'évêque Bek, avec sa robe violette. L'évêque serrait quelque chose dans sa main. Un épais rouleau de parchemin.

— Deux ans avant sa mort, le roi Alexandre a écrit au roi Édouard pour évoquer la possibilité d'un mariage entre les maisons royales d'Angleterre et d'Écosse.

Pendant que le comte parlait, Robert vit l'évêque Bek dérouler le parchemin. Un grand sceau pendait au bas du document.

— Aujourd'hui, le désir des deux rois va être comblé. Nous avons ici une dispense de Sa Sainteté à Rome, qui accorde sa bénédiction au mariage de Marguerite avec Édouard de Caernarfon, fils et héritier du roi.

Quelques secondes de silence suivirent cette déclaration du comte de Surrey. Puis de la foule jaillit un flot d'exclamations et de protestations.

Chapitre 13

— Étiez-vous au courant, lord Stewart ?

La question du comte de Menteith retentit au milieu du vacarme ambiant. Un par un, les hommes assis autour de la table tournèrent leur regard vers James Stewart, à qui elle s'adressait. Le grand chambellan croisa le regard inquisiteur du vieux comte.

— Non, Walter. J'ai été aussi surpris que vous.

— Et vous, sir Robert ? demanda alors Menteith à lord d'Annandale. Vous étiez à Salisbury lors de la signature du traité. Le comte de Surrey ou l'évêque Bek vous ont-ils fait part de cette proposition ? Ou à vous, monseigneur ?

Cette dernière interrogation ne sortit pas l'évêque de Glasgow de ses méditations. Il demeura le menton appuyé sur ses mains jointes, perdu dans ses pensées.

— Personne n'en savait rien, répondit fermement James.

— Quelqu'un croit-il réellement que le roi Alexandre ait proposé une chose pareille à Édouard ? demanda un jeune homme aux cheveux noirs bouclés, une expression intense sur le visage. Parce que je ne l'imagine pas suggérer un mariage royal sans en discuter avec sa cour.

— Vous pensez que les Anglais nous mentent, John ?

Le jeune homme haussa les épaules avec désinvolture avant de se rasseoir.

— Peut-être.

Plusieurs voix s'élevèrent mais Robert, assis avec son frère au bord du dais de la grande salle, lorgnait l'homme qui venait de prendre la parole. Il avait rencontré sir John l'année précédente, juste après que le jeune homme eut hérité du comté d'Atholl. Le comte, également prévôt d'Aberdeen, avait la réputation d'être un provocateur, mais Robert avait trouvé que son franc-parler changeait agréablement des manières plus guindées des autres lords qu'il avait rencontrés. John avait pour épouse l'une des filles du meilleur camarade de son grand-père, Donald, le loyal comte de Mar.

C'est d'ailleurs Donald qui se tourna vers son gendre pour lui répondre dans le brouhaha.

— Méfie-toi, John. Ne lance pas des accusations sans preuve. Le roi Alexandre était troublé par la mort de son dernier fils, naturellement. Même après avoir fait jurer aux hommes du royaume fidélité à Marguerite, il était absorbé par la volonté de trouver un héritier plus approprié, d'où sa quête d'une épouse. Nous ne savons pas ce qu'il a pu promettre, ni à qui, à l'heure où tout lui semblait incertain.

Robert sentit Édouard se coller à lui pour lui parler dans le creux de l'oreille :

— On dirait que les rois d'Écosse promettent beaucoup de choses.

Robert devina que son frère faisait référence à la promesse faite par le père d'Alexandre, quand il avait fait de leur grand-père son héritier. Ses yeux se posèrent sur le vieux lord, qui paraissait lui aussi perdu dans ses pensées. Robert but une gorgée de la bière que lui avaient servie les serviteurs de sir Patrick. On les avait fait entrer dans la salle du comte, avec les

153

autres hommes, à leur retour de Birgham. Comme il n'y avait pas assez de place sur les bancs autour de la table, les deux frères s'étaient assis sur l'estrade. Robert s'attendait à ce que leur père leur ordonne de s'en aller, mais le comte et les autres étaient sans doute trop occupés pour remarquer leur présence, et ils écoutaient en silence pendant que les hommes passaient l'après-midi à discuter la situation.

— Quelles que soient les promesses d'Alexandre, cela n'excuse pas le fait qu'Édouard ait consulté le pape à propos de ce mariage dans notre dos, s'emporta John d'Atholl d'une voix pleine de colère. C'est un exemple de plus de la volonté du roi d'Angleterre d'étendre ses frontières. N'oubliez pas son attitude au pays de Galles. Il y a sept ans, la guerre s'est terminée là-bas par l'asservissement du peuple et la mort du prince Llywelyn. Peut-être veut-il faire la même chose ici, mais par les liens du mariage plutôt que par le fer.

— Vous parlez de choses dont vous ne savez presque rien, le coupa abruptement le comte de Carrick.

Robert regarda son père, qui avait servi dans l'armée d'Édouard lors de sa conquête du pays de Galles. Robert avait huit ans à l'époque où le comte était parti avec ses hommes, dont seulement deux étaient revenus. Il se rappelait à quel point son père avait changé après son retour : ses insomnies, son penchant accru pour l'alcool, son tempérament irascible. Le comte avait participé à quelques-unes des batailles les plus sanglantes de la campagne, une campagne qui faisait suite à d'innombrables autres en plusieurs décennies de lutte entre les princes de Galles et les rois d'Angleterre.

— Avec tout mon respect, sir Robert, reprit John d'Atholl, je considère que votre loyauté à Édouard dans cette affaire n'est pas pour rien dans votre opinion.

Le comte de Carrick semblait prêt à exploser.

— J'espère bien qu'il n'est pas question de remettre en cause ma loyauté à l'égard d'un homme à qui j'ai rendu hommage.

— La fidélité due par un vassal est une chose, répondit John en élevant la voix par-dessus celle de James Stewart, qui voulait intervenir dans le débat, mais votre intimité avec le roi d'Angleterre est bien connue. Vous avez donné son nom à votre second fils.

Il désigna Édouard, qui était assis à côté de Robert sur l'estrade.

— Ce n'est que le troisième que vous avez appelé Alexandre.

Robert jeta un coup d'œil à son frère qui s'était redressé, soudain attentif.

— Je ne savais pas qu'il y avait des règles quant aux noms à donner à ses enfants, rétorqua Robert d'une voix sourde.

— Cette discussion est inutile, s'interposa James Stewart d'une voix tendue. John de Warenne et l'évêque Bek attendent notre réponse d'ici deux jours. Nous devons prendre une décision.

— Vous ne parlez pas pour l'ensemble des gardiens, lord Stewart, le mit en garde le comte Donald de Mar. Quelle que soit la décision que nous prendrons, il faudra que Comyn et les autres l'acceptent.

— Donald, laissez-nous nous inquiéter de cet aspect, l'évêque Wishart et moi-même, répondit James. Pour l'heure, cessons de nous disputer et tentons de trouver une issue.

Il se tourna vers lord d'Annandale, qui était toujours plongé dans le mutisme.

— Nous ne vous avons pas entendu, mon ami. J'aimerais savoir ce que vous pensez.

Autour de la table, quelques hommes acquiescèrent. Le silence tomba. John d'Atholl se renfonça dans son siège tandis que le calme revenait. Robert avait l'impression que son grand-père ne répondrait pas, mais le vieil homme finit par lever la tête et balaya l'assemblée du regard.

— De mon point de vue, il y a deux questions qui doivent être tranchées avant de pouvoir parvenir à une conclusion. La première, qu'avons-nous à gagner en acceptant cette proposition ? La seconde, qu'avons-nous à perdre en la rejetant ? Dans le second cas, il suffit de penser à ce que le roi Édouard nous a accordés. Nous avons pratiquement tous des domaines en Angleterre. Au fil des ans, ma famille a tiré un grand bénéfice du patronage des rois d'Angleterre. Il est probable que ces cadeaux nous seraient retirés si nous rejetons le mariage. J'ai toujours été en bons termes avec le roi Édouard, mais je n'ignore pas qu'il peut se montrer prompt à châtier.

Le père de Robert hocha la tête, pour une fois d'accord avec le lord. Il regarda les autres d'un air qui semblait les défier de mettre en doute ce raisonnement. Aucun ne le fit.

— Mais il y a autre chose qui m'inquiète bien plus que la perte de ma fortune, poursuivit le lord après quelques secondes. Et c'est le coût pour notre royaume. Marguerite est jeune. Elle a vécu ses premières années dans une cour étrangère et elle sera la première femme à s'asseoir sur la Pierre du Destin. Il faudra qu'un régent ou un conseil règne en son nom pendant de nombreuses années. Je me souviens bien qu'Alexandre est monté sur le trône à huit ans. J'ai assisté à la montée en puissance des Comyn qui ont tout tenté pour le contrôler, même de l'isoler contre sa volonté et de le tenir captif. Durant sa jeunesse, Alexandre a été un pion qu'on utilisait et autour duquel on se battait. Il a fallu qu'il grandisse pour pouvoir imposer sa volonté contre ceux qui pensaient le dominer. Marguerite n'en sera jamais capable. Seul un mariage peut assurer sa position. Un jour, si Dieu veut, elle portera un enfant et nous retrouverons de la force.

— Dans ce cas, qu'elle se marie à un Écossais, répondit John d'Atholl. Si Marguerite épouse le fils d'Édouard, il deviendra roi et notre royaume perdra ses libertés. Quand Édouard de Caernarfon succédera à son père, l'Écosse deviendra un simple membre dans le corps de plus en plus vaste de l'Angleterre, dont il sera la tête. Sir James, continua-t-il en se tournant vers le chambellan, voulez-vous que votre office soit repris par un Anglais ? Et vous, monseigneur – il s'adressait maintenant à Wishart, qui fronçait les sourcils –, souhaitez-vous que l'Église d'Écosse soit assujettie à York et Canterbury ? Et vous autres ? Voulez-vous donc qu'on vous étrangle d'impôts, comme les Gallois ?

— Je comprends votre peur, John, réagit lord d'Annandale en croisant le regard passionné du jeune homme. Mais ce n'est pas comparable à ce qui s'est passé au pays de Galles. Les Anglais sont ici pour négocier, pas pour faire la guerre. Nous pouvons choisir les termes du mariage.

Le vieux Bruce se pencha en avant et, plantant les mains sur la table, il les enveloppa de son regard d'acier.

— Nous pouvons choisir notre avenir.

John Comyn entra à cheval dans le camp alors que le soleil se couchait derrière une masse de nuages violets. Le vent d'ouest s'était levé au fil de l'après-midi et, dans la clairière, les tentes claquaient, retenues par des piquets et des cordes. Les branches des grands arbres de la forêt de Selkirk se balançaient bruyamment. La tempête se préparait.

Lord de Badenoch abandonna les rênes de son cheval à ses écuyers et se dirigea dans le crépuscule vers la plus grande tente, les épines de pin craquant sous ses bottes. Puis, écartant les pans de la main, il entra.

Jean de Balliol se leva rapidement de la couche basse couverte de fourrures au bord de laquelle il était assis. Son expression se modifia lorsqu'il étudia le visage de Comyn.

— Laissez-nous, ordonna-t-il à ses pages.

Sans attendre que ses serviteurs aient quitté la tente, il avança vers Comyn.

— Ils l'ont fait, n'est-ce pas ? Je le vois sur votre visage.

Il avait dit cela avec une pointe d'espoir dans la voix, comme s'il avait pu se méprendre sur l'attitude de son beau-frère. Comyn l'anéantit d'un hochement de tête.

— J'ai été battu au nombre de voix.

Balliol s'écroula sur la couche, et Comyn ajouta :

— Ils vont rencontrer les Anglais cet après-midi pour donner leur consentement au mariage.

Balliol, hébété, leva les yeux.

— Je n'arrive pas à croire que lord d'Annandale ait accepté cela.

— Pourquoi pas ? De cette façon, il obtient ce pour quoi il se bat depuis le départ : Marguerite de Norvège accédera au trône, comme le voulait Alexandre.

— Mais avec ce mariage, les Bruce et les autres abandonnent leur souveraineté !

— Les gardiens n'ont accepté le mariage qu'à certaines conditions très strictes, répondit Comyn d'une voix plate. Les libertés et les coutumes qui ont cours en Écosse seront maintenues. Les impôts ne pourront être levés que pour les besoins du royaume. Aucun Écossais ne sera soumis à d'autres lois que les nôtres et aucun parlement ne s'ingérera dans nos affaires. Même s'ils s'unissent par ce mariage, nos royaumes resteront indépendants et seront gouvernés séparément.

Quand Comyn eut terminé, le silence retomba, seulement troublé par le vent qui s'engouffrait dans la tente.

— Je suis resté assis là des heures à craindre le pire, dit finalement Balliol en se levant. Et j'ai découvert qu'il y avait encore un espoir. Allons voir mon beau-père. Demandons à John de Warenne d'aller parler au roi Édouard pour le convaincre de retirer sa position.

— Avez-vous vu la bulle papale que l'évêque Bek a produite ? Elle date d'il y a quatre ans. Édouard se prépare depuis la mort du roi Alexandre. Rien ne le détournera de son ambition.

— Alors c'est comme ça ? éclata Balliol en jetant un regard noir à son beau-frère. Vous n'allez même pas essayer ?

— Cela ne sert à rien. Les choses sont trop avancées.

Balliol avança d'un pas, la main tendue devant lui comme pour saisir Comyn à la gorge.

— J'ai tout risqué pour saisir ma chance ! Et c'est vous qui m'y avez poussé ! Pour cela, je me suis offert aux attaques de mes ennemis et j'ai ruiné mon nom auprès de la noblesse de ce royaume. Ma mère a rejoint mon père dans la tombe après l'attaque contre Buittle. Je suis certain qu'elle aurait vécu plus longtemps sans cela. Et maintenant vous me demandez de me retirer, de mener ma vie dans... dans...

Balliol se détourna, cherchant les mots, puis il se retourna vers Comyn pour les lui cracher au visage :

— Dans *l'obscurité* ! Et non comme un roi, ou comme un lord respecté à la cour.

La peau grêlée de ses joues avait pris une teinte rouge fiévreuse.

— En tout cas, vous pouvez être sûr, *mon frère*, quels que soient les termes de l'accord des gardiens avec les Anglais, que votre rôle à l'ombre du trône est terminé. Je serai peut-être ruiné mais je n'irai pas seul dans les ténèbres, car j'entraînerai avec moi les si puissants Comyn !

Alors que la rancœur lui boursouflait le visage, Comyn ne se départait pas de son calme.

— Je ne crois pas que nos familles doivent se résoudre à la ruine.

159

— Que pourriez-vous bien faire qui puisse l'éviter ? répliqua Balliol. Quoi ? Allez-vous enfermer la jeune reine, comme Alexandre jadis ? La détenir jusqu'à ce qu'on accepte vos conditions ?

Il secoua la tête.

— Cet enlèvement ne nous avait rien apporté de bon, au bout du compte. Les Bruce s'y étaient employés. Je doute que vous aurez l'opportunité de réitérer ce type d'action.

— Si une lutte pour le trône devait commencer demain, notre position serait différente de celle qu'elle était il y a quatre ans. Nos forteresses nous ont été restituées et nous les avons renforcées. Je ne suis pas resté les bras croisés en attendant que le trône se trouve un nouvel occupant, pas plus que les Comyn Noirs ou les Comyn de Kilbride. Nous avons tous noué des alliances, fortifié nos positions et nos territoires.

Balliol laissa échapper un gémissement de frustration.

— Pourquoi parlez-vous encore de lutter ? La Pucelle fait voile pour l'Écosse où elle va se fiancer à l'héritier de la couronne d'Angleterre. C'est fini, croyez-moi !

Comyn jeta un coup d'œil par-dessus son épaule en entendant les pans de l'entrée claquer. Dehors, le camp était encore animé. Il revint à Balliol.

— Sauf si la fille n'atteint pas nos rivages.

Balliol allait déverser sa haine sur Comyn mais il s'arrêta, interloqué, l'expression de son visage se modifiant à mesure que l'idée se développait, limpide, dans son esprit.

— J'espère que vous ne suggérez pas ce à quoi je pense, murmura-t-il.

— C'est le seul moyen pour que ce royaume survive. Peu importe ce que disent les gardiens, et peu importe les conditions qu'ils posent pour ce mariage. Édouard de Caernarfon a six ans, mordiable ! Il ne gouvernera pas ce royaume avant des années et, d'ici

160

là, son père nous aura si bien enchaînés à ses lois que nous ne nous libérerons jamais. Ne vous y trompez pas, le roi Édouard cherche à prendre le contrôle de l'Écosse par l'intermédiaire de son fils. C'est ce que je ferais à sa place.

Comyn avait le visage sombre. Balliol s'approcha de lui.

— Vous parlez d'infanticide, John. Non, de *régicide* ! Je ne participerai pas à un acte aussi vil.

— Est-ce vil de sauver notre royaume et ses libertés ? Car telle est mon intention. La fille sera une victime de guerre. Un sacrifice nécessaire. Une vie contre l'avenir de notre royaume. C'est un prix modique à payer.

— Un prix modique ? Est-ce donc ce que cela coûte d'aller en enfer ?

— Les gardiens ont décidé qu'une escorte de chevaliers écossais ferait voile vers la Norvège pour aller chercher l'enfant. Je peux m'arranger pour que l'un de nos hommes fasse partie de cette escorte.

— Écoutez-vous, c'est de la folie !

Balliol poussa Comyn et se prépara à sortir de la tente.

— Non, c'est à vous d'écouter, Jean, rétorqua Comyn d'une voix implacable. Si cette enfant pose le pied sur les rivages écossais, vous ne vous assiérez jamais sur la Pierre du Destin. Dites-moi, êtes-vous prêt à laisser échapper votre seule chance de devenir roi ?

Écartant des deux mains les pans de la tente, Balliol baissa la tête. Son dos se découpait sur la lumière rougeâtre des feux de camp.

Chapitre 14

Le drakkar fendait l'écume. À sa proue, la tête de dragon rugissait au-dessus des vagues. Les quarante rames qui montaient et descendaient sur ses flancs figuraient les ailes de la bête. En cette fin d'après-midi, le soleil faisait scintiller ses écailles dorées, l'or se réfléchissant à la surface de l'eau alors que le bateau avait mis le cap à l'ouest dans la mer du Nord. Assis à la poupe, l'évêque Navre de Bergen transpirait dans ses fourrures. L'air était doux pour septembre, même ici en pleine mer, mais il savait que lorsque le soleil se coucherait et qu'il serait obligé de se coucher sous la voile avec le reste de l'équipage, il serait heureux d'avoir ses peaux. Quatre jours et demi qu'ils avaient quitté les côtes de Norvège, et il ne se faisait toujours pas à la houle continuelle qui interdisait à sa tête et à ses jambes de fonctionner normalement. Regardant par-dessus les rameurs qui occupaient les bancs, de l'autre côté du vaisseau, Navre essaya d'apercevoir le capitaine. Il avait très envie de savoir quand, selon lui, ils arriveraient à Orkney. Le roi Éric lui avait dit que le voyage jusqu'aux îles norvégiennes ne devrait pas prendre plus de cinq jours si le vent était correct, mais la voile avait rarement frémi depuis qu'ils avaient quitté Bergen et ils n'avaient pratiquement pu compter que sur les rames.

L'évêque s'allongea. Il n'arrivait pas à voir le capitaine à cause de l'inutile voile blanche qui lui bouchait la vue au milieu du bateau, et il n'avait aucune envie de faire le périlleux voyage jusqu'à la proue, la coque en bois, les hommes et les armes formant un obstacle insurmontable. Le drakkar, qui s'appelait *Ormen Lange* dans la langue de ce peuple, *Le Grand Serpent*, ne transportait pas seulement son équipage, mais des chevaliers écossais et anglais arrivés quelques semaines plus tôt à la cour de Norvège, les deux parties insistant pour escorter le précieux chargement. L'évêque avait éprouvé quelque satisfaction à voir le roi Éric refuser catégoriquement la galère envoyée par Édouard d'Angleterre, remplie de présents pour Marguerite. Les Écossais gagneraient peut-être une reine et les Anglais une femme pour leur futur roi, mais c'est un vaisseau norvégien qui la leur amènerait, en l'honneur de son père et du royaume où elle était née. Vingt-sept ans plus tôt, les Norvégiens avaient été défaits à la bataille de Largs, et trois ans plus tard ils signaient le traité de Perth, par lequel ils cédaient aux Écossais les Hébrides extérieures et l'île de Man. Pour ce peuple qui avait été maître des mers nordiques depuis des siècles, ce voyage à bord d'un redoutable drakkar en forme de dragon constituait un dernier acte de défi et de fierté.

Navre entendit une fille rire dans la structure en bois qui se dressait à la poupe, et il tourna la tête. Ce n'était guère plus qu'une hutte, il y avait juste assez de place à l'intérieur pour un enfant et un adulte, mais elle était joliment montée en bois d'if, avec une petite porte surmontée d'un arc et un toit penché. Le drakkar n'avait pas de pont sous lequel s'abriter et le roi voulait que sa fille voyage confortablement. La porte s'ouvrit et Marguerite apparut, une tranche de pain d'épice à la main. Elle avait des miettes autour de la bouche. Elle sourit à l'évêque, puis grimpa sur un banc et s'accouda au plat-bord pour regarder l'eau. Il voulut se lever, inquiet que la fillette se penche ainsi, mais sa nourrice sortait déjà de l'abri pour la faire descendre. Il se rassit tandis que Marguerite pointait du doigt un poisson en riant avec excitation. Il était heureux de la voir si joyeuse, elle qui avait tant pleuré lorsqu'ils l'avaient séparée de son père pour l'emmener sur le bateau. Le sourire de Navre disparut en repensant à ce qui attendait l'enfant, qu'il connaissait depuis sa naissance. En ce moment même, les seigneurs écossais se dirigeaient vers Scone, où se trouvait la Pierre de couronnement. À sept ans, elle portait tous les espoirs d'un royaume sur ses épaules.

Alors que l'enfant allait sur le côté du bateau pour contempler la mer, le parfum du pain d'épice envahit le nez de l'évêque. Son estomac chavira.

— Vous ne devriez pas continuer à lui en donner, dit-il à la nourrice. Elle va se rendre malade.

— Son Altesse a dit...

— Je sais ce qu'a dit son père, l'interrompit Navre. Il aurait dit n'importe quoi pour lui rendre le sourire. Mais ce n'est pas une raison pour qu'elle se remplisse le ventre de friandises.

L'évêque, nauséeux, regarda la jeune fille fourrer dans sa bouche un dernier morceau de pain d'épice. Bien que le roi Éric eût renvoyé le bateau anglais, il avait accepté les cadeaux que les Écossais avaient apportés à l'enfant en l'honneur de sa défunte mère, fille de feu le roi Alexandre.

— Quand arriverons-nous à Orkney ? demanda Marguerite en s'asseyant à côté de lui et en époussetant sa robe pleine de miettes.

— Bientôt, mon enfant.

Pendant que Marguerite fredonnait un air que les rameurs chantaient parfois, l'évêque mit sa tête en arrière et ferma les yeux, laissant les derniers rayons du soleil réchauffer son visage.

Une main se posa sur son épaule et Navre se réveilla. L'évêque ouvrit les yeux, à demi assommé, et vit la nourrice qui le regardait. Derrière elle, le voile blanc du ciel ondulait doucement. Il comprit après un instant qu'on avait baissé la voile pour la nuit et que le drakkar, qui tanguait légèrement dans la pénombre bleutée, avait jeté l'ancre.

— Que se passe-t-il ?

— Je vous en prie, venez, monseigneur.

Navre se leva et suivit maladroitement la nourrice dans l'abri. Il baissa la tête et entra avec difficulté par le cadre étroit de la porte. L'odeur de la maladie le frappa d'emblée. Marguerite était recroquevillée sur son grabat agrémenté de fourrure, l'unique lanterne éclairant son visage cireux. Elle se tenait le ventre à deux mains. Il se pencha sur elle et lui toucha le front. Il était moite, et elle avait les cheveux trempés. Des vomissures souillaient son menton et sa robe. Navre se tourna vers la nourrice, qui se tenait, nerveuse, sur le seuil.

— Je vous avais dit de ne pas lui redonner de friandises, la tança-t-il.

— Je ne lui en ai pas donné, répondit la nourrice d'une petite voix.

Navre tendit la main et ramassa le bol posé par terre. Une demi-portion d'un épais bouillon séchait contre les parois. Il le renifla.

— Son repas était frais, précisa la nourrice avec une pointe d'indignation. Je l'ai préparé moi-même. Ça doit être la nourriture étrangère. Ou une fièvre.

La fillette gémit et rejeta sa tête en arrière, le visage tordu de douleur. Ses veines bleues se dessinaient sous sa peau. Ses yeux n'étaient plus que des fentes. L'évêque reposa le bol et poussa la nourrice pour sortir.

Pratiquement plié en deux pour passer sous la voile, il traversa le bateau dans toute sa longueur, malgré les remous. Un bouclier le fit trébucher mais il continua. Il se cogna le tibia contre une poutre, se redressa en grimaçant, se cogna la tête contre la voile. Rien ne l'arrêta, il se frotta le crâne et lança ses jambes en avant. Une vague souleva le vaisseau. Alors qu'il allait tomber par-dessus bord, une main l'agrippa.

— *Soyez prudent.*

Navre marmonna « Merci » à l'intention des silhouettes qui s'entassaient dans l'ombre. Finalement, il atteignit la proue où il trouva un groupe d'hommes qui partageaient une coupe d'hydromel et riaient en écoutant le capitaine raconter une histoire.

Quand il vit l'évêque, le capitaine s'interrompit aussitôt.

— Monseigneur ?

— Sommes-nous loin de la terre ?

— En repartant à l'aube, nous y serons à midi.

— Il faut y arriver avant, l'informa Navre en baissant la voix, la princesse est malade.

Le capitaine fronça les sourcils, puis hocha la tête.

— Je vais réveiller les hommes. Nous repartons tout de suite.

Il désigna l'un des hommes d'équipage :

— Svein est un guérisseur. Il va examiner l'enfant.

Tandis que l'évêque et le guérisseur repartaient vers l'arrière, une cloche se mit à sonner et le capitaine ordonna à l'équipage de hisser la voile. Un murmure parcourut le drakkar. *La princesse est malade.*

L'un des chevaliers anglais, que le vacarme avait tiré de son sommeil, arrêta l'évêque qui arrivait vers la poupe.

— Que se passe-t-il ? demanda-t-il en latin, langue qu'ils parlaient tous deux. On raconte que la fille est malade. Pouvons-nous nous rendre utiles ?

— Vous pouvez prier, répondit Navre en pénétrant dans l'abri.

Les hommes sortirent en soupirant et propulsèrent bientôt le drakkar dans la nuit, la tête de dragon scintillant au milieu des étoiles. Dans l'abri, la fillette toussait et transpirait. De temps à autre, elle appelait son père mais sinon elle souffrait en silence, le visage livide et crispé. Malgré la nourrice qui répétait que son repas était sain, le guérisseur essaya de lui faire avaler de l'eau salée afin qu'elle vomisse, dans l'espoir de purger son corps d'un mauvais aliment éventuel. Mais elle était trop faible pour boire. À la fin, il posa un linge humide sur son front pour tenter de faire baisser la fièvre. Navre s'agenouilla à côté d'elle. Il avait pris son crucifix dans son coffre et, tout en priant pour l'âme de l'enfant, il le tenait au-dessus de son visage pour chasser les démons qui tournoyaient peut-être autour d'elle.

Quelques heures plus tard, une forme obscure apparut sur la ligne d'horizon à l'ouest. Le ciel poudré d'étoiles s'éclairait peu à peu. Les rameurs, épuisés et en sueur, retrouvèrent de l'énergie en apercevant la terre et, au bout d'un moment, le bateau accosta sur la bande de sable déserte d'une des îles à proximité d'Orkney.

Les hommes prirent appui sur le plat-bord et sautèrent dans l'eau en tenant les cordes. Avec l'aide des vagues, ils tirèrent le grand drakkar jusqu'à la plage. Navre prit Marguerite dans ses bras. Sa respiration était faible maintenant et cela faisait un moment qu'elle ne s'était pas plainte. Craignant sa mort prochaine, il lui avait posé les questions et lui avait administré les derniers sacrements. Sa peau était aussi blanche que le marbre, signe qu'elle se trouvait dans le royaume des ombres. Il l'emporta dans l'aube, où le vent frais agita ses cheveux. Svein et la nourrice voulurent l'aider mais l'évêque refusa de laisser à d'autres le soin de la transporter et il descendit prudemment la passerelle.

Les hommes firent silence tandis que l'évêque de Bergen posait le pied sur le rivage, l'écume entraînant sa robe avec elle. Les chevaliers anglais et écossais se regroupèrent devant lui, le visage tendu. Lorsque l'évêque déposa la fillette au sec sur le sable, sa tête retomba contre son bras. Il l'observa. Les yeux de Marguerite, grands ouverts, contemplaient fixement le ciel pâle.

Chapitre 15

— Sir Robert, je vous en supplie ! l'implorait le moine en pressant le pas pour rester à sa hauteur. N'entrez pas armé dans la maison de Dieu !

Lord d'Annandale, sans prêter attention à ses récriminations, continua d'avancer à grandes enjambées vers l'église, sa cape ornée du lion bleu claquant dans la brise. Derrière lui se trouvait le comte de Carrick et dix chevaliers, tous armés. Le comte avait la main posée sur le pommeau de son épée et sa cotte de mailles scintillait sous son surcot et son manteau. L'église, devant eux, était auréolée de la nuance rouge sang du jour qui mourait. Les portes étaient fermées, mais les fenêtres cintrées étaient éclairées de l'intérieur par la lueur des torches.

Robert, qui suivait son père et son grand-père, observa son frère. Tous les deux avaient leurs fourreaux à la ceinture et ils portaient des gambisons en cuir, qu'on avait durcis en les trempant dans de l'huile et de la cire. Par-delà les édifices religieux, Robert aperçut les pentes de Moot Hill qui s'élevaient dans l'embrasement du crépuscule. Les cimes des arbres qui entouraient l'antique lieu des couronnements envoyaient des reflets cuivrés dans les dernières lueurs. Son attention fut distraite de la colline par l'un des chevaliers de son père.

— Restez derrière nous, ordonna l'homme aux deux frères tandis que la compagnie approchait de l'église.

Ignorant les supplications du moine, lord d'Annandale ouvrit les portes en grand. Un tumulte leur parvint en même temps que la lumière flamboyante des torches. Les portes cognèrent contre les murs, et immédiatement les voix se turent.

Robert marchait derrière les chevaliers, il vit une vingtaine d'hommes se tourner vers eux. Il connaissait la plupart d'entre eux depuis l'assemblée de Birgham, cinq mois plus tôt : les évêques de Glasgow et de St Andrews, le comte Patrick Dunbar, le comte Walter de Menmeith et les autres. Le reste de la foule se composait de moines augustiniens de l'abbaye, reconnaissables à leur robe. La nef s'étirait derrière eux, flanquée d'anges et de saints dont les visages de pierre étaient tournés vers l'autel.

— Est-ce vrai ? demanda le vieux Bruce d'une voix frémissante de colère.

Il avait le visage empourpré et la chevauchée jusqu'à l'abbaye de Scone avait ébouriffé la crinière qui lui tenait lieu de chevelure.

Robert n'avait jamais vu son grand-père s'emporter à ce point. Cela le surprit, car jusqu'ici le vieil homme avait paru relativement calme, malgré les désastreux événements du mois précédent.

La famille Bruce était en chemin pour Scone lorsque la nouvelle de la mort de l'enfant lui était parvenue. La rumeur disait que le drakkar qui avait amené la fillette à Orkney avait fait demi-tour et traversait de nouveau la mer du Nord pour remporter sa dépouille chez elle, le vaisseau de mariage étant devenu un bateau funéraire. Les Bruce s'étaient aussitôt séparés : le lord avait galopé vers Annandale pour prendre les dispositions nécessaires à la défense de ses forteresses d'Annan et Lochmaben tandis que le père de Robert retournait à Carrick pour fortifier Turnberry et alerter ses vassaux. L'atmosphère pleine d'optimisme qui avait régné en Écosse durant l'été, le peuple se préparant au couronnement, n'était plus de mise. La succession au trône était de nouveau ouverte.

Robert était allé avec son grand-père à Lochmaben, où des nouvelles encore plus sombres les attendaient, cette fois du Galloway. Même alors, son grand-père était resté calme. Il avait attendu le retour de son fils avant de partir à bride abattue avec la compagnie, renforcée par des chevaliers, vers Scone où les seigneurs se réunissaient.

Mais la placidité du lord prenait fin à cet instant.

— Répondez-moi, est-ce vrai ? gronda-t-il encore, ses yeux balayant la foule silencieuse. Jean de Balliol s'est-il proclamé roi ?

— Oui, dit une voix.

Robert la reconnut immédiatement et se dégagea du groupe des chevaliers pour voir James Stewart s'avancer.

— Mais nous ne l'avons pas encore tous reconnu.

— Reconnu ? s'exclama John Comyn de sa voix sévère. Grand chambellan, à vous entendre, on croirait que c'est un comité qui règle la succession au trône. Elle est héréditaire !

— Lord de Galloway n'est pas le seul à avoir du sang royal, répondit sobrement James. Comment décider autrement que par un vote qui peut prétendre à la couronne ?

— C'est à Jean de Balliol qu'elle revient, trancha Comyn. Nous le savons tous. La primogéniture...

— Notre royaume observe des lois plus anciennes que la primogéniture, l'interrompit le comte de Carrick. Selon ces anciennes coutumes, c'est mon père qui doit s'asseoir sur le trône.

Il s'adressa à tous d'une voix qui résonna sous les hautes voûtes :

171

— La lignée d'Alexandre s'étant éteinte, la succession remonte à son arrière-arrière-grand-père, le roi David, dernier fils de Malcolm Canmore. Lui-même eut un fils, le comte de Huntingdon. Ayant eu pour mère l'une des trois filles du comte de Huntingdon, mon père est le plus proche par le sang de la lignée royale de la Maison des Canmore.

— Mais sa mère était la *deuxième* fille du comte, précisa Comyn. Jean de Balliol est le petit-fils de la première-née de Huntingdon, il doit être roi. Selon la loi de primogéniture, la ligne des aînés est toujours privilégiée.

— Nous sommes l'une des familles les plus influentes de ce royaume depuis deux siècles. Mon père a été désigné héritier du trône par le roi Alexandre II, parbleu !

L'abbé de Scone fit une grimace en entendant le dernier mot du comte. Il voulut protester mais John Comyn ne lui en laissa pas le temps.

— Cette histoire est tombée dans l'oubli, comme le pouvoir de votre famille dans ce royaume, répliqua Comyn. Ce serment avait été prononcé alors que le roi n'avait pas d'héritier. La naissance de son fils l'a rendu caduc. Qui a eu la plus grande influence à la cour ces dernières décennies ? lança-t-il à la cantonade. Les Comyn. S'il faut prendre en compte le pouvoir et l'influence pour déterminer le nouveau roi, alors c'est ma famille qui a l'avantage.

La colère déforma les traits du comte, qui s'apprêtait à hausser le ton lorsque lord d'Annandale intervint.

— L'heure est grave, et la question délicate, dit-il d'une voix bourrue qui résonna dans l'église. Nous avions déjà perdu un roi, nous venons de perdre l'espoir d'avoir une reine. Ce royaume a par-dessus tout besoin de force et d'unité. Choisissez Balliol et vous n'aurez qu'un homme sans volonté qui se laisse guider par d'autres.

— Et s'ils vous choisissent ? rétorqua Comyn en se tournant vers les seigneurs. N'oubliez pas que cet homme qui entre avec ses armes dans la maison du Seigneur est aussi celui qui, en pleine crise, a envahi le Galloway. Il ose parler d'unité ? La tombe du roi Alexandre était à peine refermée que les Bruce ont attaqué leur voisin ! Voulez-vous d'un tyran au lieu d'un roi ?

À ces invectives, Robert, qui écoutait la discussion en silence, fit un pas en avant et agrippa le pommeau de son épée. Dans sa main, les bandes de cuir qui ceignaient la poignée étaient chaudes. D'autres chevaliers de son grand-père l'imitèrent, outrés par l'insulte faite à leur maître. Plusieurs seigneurs reculèrent, apeurés, mais Comyn ne bougea pas, défiant lord d'Annandale de son regard belliqueux. Robert dégaina légèrement son épée devant l'air menaçant adopté par Comyn.

— Je vous en prie, messeigneurs ! lança l'abbé en cherchant du soutien auprès des autres nobles. Ce n'est pas le lieu pour un tel conflit !

— J'ai le droit d'être entendu, proclama le vieux Bruce en bousculant James Stewart, qui s'était posté devant lui. On ne peut pas ignorer ma revendication !

— Arrêtez, mon ami, disait James.

— Il n'y a pas de revendication, Bruce, répondit Comyn. C'est fini.

— Par Dieu, je ne laisserai pas faire cela ! fulmina le comte de Carrick qui fendit la foule et fonça à travers l'allée, les yeux brillants.

Robert comprit que son père se dirigeait vers l'autel, sur lequel reposait un gros bloc de pierre. Elle avait une teinte gris clair, la lumière des torches faisait scintiller des sortes de cristaux de sable sur sa surface. Deux anneaux en acier étaient fixés à chacun de ses bords et elle était posée sur une soie dorée où il distinguait les pattes et la tête d'un lion rouge. Robert reconnut d'emblée la Pierre du Destin, l'antique siège qui serait transporté en haut de Moot Hill pour le couronnement du nouveau roi. Le premier roi d'Écosse, Kenneth mac Alpin, l'avait amené à Scone quatre cents ans plus tôt, mais ses origines se perdaient dans la nuit des temps. C'était le siège sur lequel Macbeth s'était assis avant d'être renversé par Malcolm Canmore.

— Je vais prendre de force ce qui appartient à ma famille !

Lord d'Annandale essaya de rappeler son fils, qui arrivait près la Pierre. D'autres nobles protestaient à grands cris. Dans la confusion, Comyn s'approcha du lord.

Robert vit Comyn se saisir du couteau de table qui pendait à sa ceinture, près de sa bourse. Son sang ne fit qu'un tour. Tirant sa lame de son fourreau, il allongea. Il y eut un bruit de métal contre du cuir, et l'éclair de l'acier. Tous les hommes se tournèrent vers le jeune homme au regard furieux qui se tenait entre lord d'Annandale et lord de Badenoch, son épée pointée sur la gorge de Comyn. Le comte de Carrick s'était immobilisé au milieu des rangées d'angelots et regardait son fils avec incrédulité.

Le cœur tambourinant, Robert soutint le regard de Comym. Sa lame n'était qu'à quelques centimètres de son cou. Il avait envie de dire à tout le monde que le lord n'avait pas le droit de provoquer son grand-père, qui s'était battu à raison contre Comyn dont les intrigues visaient à placer Balliol sur le trône, au mépris des souhaits d'Alexandre. Il avait envie de leur hurler que son grand-père était un homme bien meilleur que n'importe lequel d'entre eux, bien plus sage aussi, et qu'ils s'honoreraient de l'avoir pour roi. Mais avant qu'il ait pu prononcer un mot, une main se posa sur son épaule.

— Baisse ton épée, Robert, lui dit son grand-père d'une voix calme, mais implacable.

Robert obéit lentement, en réalisant qu'il était le point de mire de l'assistance. Il remarqua que son frère, sorti des rangs des chevaliers de Carrick, le dévisageait avec étonnement.

— Rien ne sera conclu ici ce soir, dit James Stewart en balayant du regard l'assemblée redevenue silencieuse. Je suggère que nous nous réunissions quand les esprits se seront refroidis et que tout le monde sera là pour faire entendre sa voix.

— Je suis d'accord, l'approuva Robert Wishart.

Son assentiment mit un terme à la discussion.

L'assemblée prit le chemin de la sortie, parcourue de murmures nerveux. Le comte de Carrick remonta le bas-côté, toujours hors de lui. Alors que lord d'Annandale s'apprêtait à partir, John Comyn l'agrippa par le bras et approcha son visage du sien. À côté d'eux, Robert pouvait sentir la forte odeur de la fourrure de loup qui bordait la cape de Comyn.

— Mon père aurait dû vous tuer dans cette cellule à Lewes quand il en avait l'occasion.

Lord d'Annandale se dégagea d'un geste sec. Puis, poussant Robert devant lui, il se dirigea à grands pas vers les portes de l'église, où l'évêque de St Andrews disait d'une voix inquiète à Wishart :

— Si cette affaire ne se règle pas rapidement, le sang va couler.

Chapitre 16

Quand ils sortirent dans la nuit, Robert entendit son père l'appeler par son nom. Sans se retourner, derrière lui, il s'efforça de suivre la foulée décidée de son grand-père.

— De quoi parlait Comyn ? À propos de Lewes ?

Son front se plissa.

— Grand-père !

Le lord s'arrêta d'un coup.

— N'élève pas la voix avec moi, mon garçon.

Il prit le menton de Robert sans ménagement entre ses mains.

— Et tu n'aurais pas dû tirer ton épée contre lui de cette façon. Tu m'entends ? L'heure est à nous défendre par la parole, pas par la violence.

— Je croyais que Comyn allait vous agresser, dit Robert en se dégageant. Et que peut vous faire que je le menace de mon épée alors que vous avez envahi ses châteaux ? Vous le détestez !

— Oui ! répondit le vieux lord en hurlant pratiquement. Mais cette haine a le pouvoir de réduire ce royaume en miettes !

Il s'interrompit quand il vit le comte arriver vers eux. Délaissant Robert, il alla chercher leurs chevaux.

Robert s'obstina à le suivre, il avait davantage besoin de réponse qu'il ne craignait le courroux du vieux lion.

— Vous m'avez appris à monter à cheval et à chasser, vous m'avez entraîné à me battre. Vous m'avez emmené à Salisbury et Birgham et vous m'avez présenté aux hommes les plus puissants de ce royaume. Vous ne cessez de me répéter à quel point je suis important pour l'avenir de cette famille. Pourtant, vous ne m'avez pratiquement pas parlé de votre haine pour les Comyn. Ce n'est pas faute de vous avoir posé la question. Je veux la vérité, grand-père !

— Tu es trop jeune.

Robert s'arrêta.

— Si vous devenez roi, je deviendrai héritier du trône. Ce droit n'est pas déterminé par l'âge. Quelle serait la vérité, alors ?

Lord d'Annadale tourna son visage ridé vers lui. Robert n'y lisait plus de la colère, mais de la surprise. Au bout d'un moment, le lord revint vers lui et le prit par l'épaule.

— Viens.

Il jeta un coup d'œil alentour, le père de Robert arrivait avec ses chevaliers et Édouard.

— Prenez les chevaux, nous vous rejoindrons.

Avant que le comte ait pu répondre, le lord attira Robert à l'écart de la cour.

Lorsqu'ils sortirent de l'ombre des bâtiments, Robert comprit que son grand-père l'emmenait à Foot Hill. Ensemble, ils montèrent jusqu'au sommet désolé. Le soleil s'était couché et l'obscurité prenait possession des lieux. Au-dessus du bourg royal de Scone, par-delà le domaine de l'abbaye, le vent emportait la fumée qui sortait des cheminées. Ce serait bientôt la Toussaint. Leur respiration formait des nuages devant eux quand ils arrivèrent en haut. Au centre du cercle d'arbres, un socle en pierre s'élevait du sol. Robert comprit qu'on devait y installer la Pierre du

Destin lors des cérémonies. Il le fixa longuement, bouleversé par l'importance presque sacrée de l'endroit où il se trouvait.

Même avec tout ce que la mort de la Pucelle entraînait, il se rendit compte qu'il considérait toujours irréelles et lointaines les prétentions au trône de son grand-père. Mais là, dans la pénombre de ce lieu où, depuis des temps immémoriaux, les rois d'Écosse étaient sacrés, il sentit le poids de cette vérité peser sur ses épaules : ce n'étaient pas que des mots – c'était aussi réel et solide que la Pierre elle-même. Il songea à l'arbre dont son grand-père lui avait parlé avec tant de sérieux lorsqu'il était arrivé à Lochmaben ; l'arbre dont les racines s'enfoncent loin dans le passé. Les hommes dont le sang coulait dans ses veines étaient montés ici même, sur cette colline. Il marchait sur les traces de ses ancêtres. Tout autour de lui, dans les ombres du crépuscule, Robert pouvait presque les entendre, les voir, les toucher : les fantômes de l'histoire. Les rois des temps anciens.

Dans la lumière mourante, son grand-père se tourna vers lui.

LEWES, ANGLETERRE

1264

Le conseil s'était terminé par l'échange des lettres de déclaration de guerre. Plus aucun mot ne serait prononcé. Désormais, seules les épées s'exprimeraient et c'est dans la chair des ennemis qu'elles le feraient.

Une par une, les trois divisions de l'armée royale quittèrent le havre des murs de la ville en chevauchant derrière leurs commandants. Les nuages blancs filaient les uns derrière les autres dans le ciel matinal en projetant leur ombre sur les collines qui entouraient la ville de Lewes. La campagne en fleur du mois de mai environnait les hommes de la cavalerie et leurs chevaux, ainsi que les soldats qui les suivaient à pied. La lumière du soleil filtrait à travers les feuillages et faisait scintiller fers de lance et cottes de mailles. Gravissant une côte, les bannières hissées, ils laissèrent la ville derrière eux. Le donjon du château, juché sur une butte qui précédait la vallée traversée par une rivière, demeura visible encore un moment. Au-devant d'eux, de plus en plus proches, les attendaient les hommes à la rencontre desquels ils se portaient.

L'ennemi était disposé à flanc de colline, en trois contingents qui s'étiraient sur une distance de plus de cinq cents pas. *Ils avaient l'avantage de la hauteur. Dans leur dos, le terrain était parsemé d'arbres. Devant l'une des compagnies était dressée une bannière, divisée en deux moitiés, l'une blanche, l'autre rouge. C'était une image qui convenait parfaitement à la division au sein du royaume qui avait conduit ces hommes, autrefois alliés et compagnons, sur ces collines anglaises écrasées par les nuages. Les chevaliers de l'armée royale, qui venaient de quitter Lewes, avaient les yeux braqués sur cette bannière comme sur une cible, toute leur attention concentrée sur l'étendard lointain et ondulant qui cristallisait leur haine et symbolisait la raison de leur présence ici : les armes de Simon de Montfort, comte de Leicester.*

Sir Robert Bruce, lord d'Annandale, prévôt du Cumberland et gouverneur de Carlisle, regardait les lignes immobiles de l'ennemi se rapprocher à chaque foulée de son cheval. Ses hommes chevauchaient autour de lui, onze lances en tout, plus le banneret qui portait ses armes. Ses oreilles étaient pleines du bruit des trois mille hommes en marche à côté de lui. Au-delà de son cercle de chevaliers, il y avait ses compatriotes qui, comme lui, avaient traversé la frontière à l'appel du roi d'Angleterre. Parmi eux se trouvaient Jean de Balliol, lord de Barnard Castle, et John Comyn de Badenoch. Les deux seigneurs avaient une cinquantaine d'années, soit dix ans de plus que lui, les cheveux grisonnants et de surcroît le ventre replet, mais ils étaient prêts pour la bataille, de même que les hommes qui les entouraient. La division entre les deux armées s'étendait même aux familles, car si John Comyn était venu servir le roi, une autre branche de la famille, les Comyn de Kilbride, étaient du côté des rebelles. Combattant auprès de Simon de Montfort, ils espéraient sans nul doute avoir leur part de la gloire déjà acquise par les branches les plus influentes des Rouges et des Noirs.

Bruce n'avait jamais été aussi proche de Comyn depuis son arrivée en Angleterre. Jusqu'à maintenant, les deux hommes s'étaient tenus à l'écart l'un de l'autre, une animosité invisible mais palpable les séparant. Sept ans plus tôt, les Comyn avaient enlevé le roi Alexandre afin de prendre le contrôle de l'Écosse. Même si Alexandre avait depuis récupéré son trône et que la paix négociée n'avait pas été rompue, il ne s'était pas écoulé assez de temps pour que Bruce pardonne cette trahison envers le jeune roi, sur lequel il veillait comme un fils. Et les Comyn Rouges n'avaient pas non plus oublié que Bruce avait soutenu leur ennemi au cours de cette crise et qu'il avait été l'un des artisans de la restauration d'Alexandre, un épisode qui avait failli détruire leur famille.

C'était donc avec une forme d'inquiétude que lord d'Annandale chevauchait sur les collines, conscient que l'ennemi qui se trouvait à ses côtés était peut-être plus dangereux que celui qui l'attendait en face. Une flèche dans le dos. Un raté malheureux. Une chose pareille irait contre le code de la chevalerie, car un noble n'avait pas le droit de tuer intentionnellement un autre noble, même pendant une bataille, mais les Comyn avaient peu de sang noble en eux, bien que leur influence fût grande.

Entendant une corne, Bruce chercha des yeux la bannière du roi Henry qui indiquait sa position à l'avant-garde du flanc gauche de l'armée royale. Les lignes de front de la compagnie du roi ralentissaient. Bruce tira sur les rênes de son cheval et ses hommes se rassemblèrent autour de lui. À travers la forêt de lances, il vit deux autres contingents se déployer sur la colline. Celui du milieu était commandé par le frère de Henry, le comte de Cornouailles, et celui de droite par le fils du roi. Même d'aussi loin, on reconnaissait Édouard avec ses couleurs rouge écarlate et jaune. L'année précédente, il était revenu de France à la tête d'une grande compagnie de nobles français avec l'intention de libérer ses terres du pays de Galles de la férule de Llywelyn ap Gruffudd. Au lieu de cela, il s'était retrouvé plongé dans le conflit entre son père et son grand-père, conflit qui s'était envenimé au point d'aboutir à l'inenvisageable : la guerre civile.

Cela faisait six mois qu'Édouard pourchassait Simon de Montfort et ses partisans à travers le royaume, et jusque

181

dans le pays de Galles où les montagnes et la menace de Llywelyn gênaient son activité. *Bruce, qui se trouvait au service du roi depuis le début de l'année et avait contribué à une victoire contre les forces de Montfort à Northampton, avait beaucoup entendu parler des exploits d'Édouard. En dépit de ses réserves concernant le tempérament impétueux et agressif du jeune homme, Bruce était impressionné. Il n'avait jamais vu un homme abordant les batailles avec une telle confiance. Le roi Henry avait ordonné à l'un de ses barons de mener l'aile gauche à la charge, et le comte de Cornouailles avait choisi son fils pour diriger l'attaque au milieu. Mais à droite, Édouard mènerait lui-même ses hommes. Le comte de Leicester avait peut-être l'avantage de la hauteur du terrain, mais c'était tout. L'armée royale, forte de dix mille hommes, était deux fois plus importante que celle des rebelles. Montfort était âgé d'une quarantaine d'années et il n'avait jamais connu le champ de bataille. Édouard avait vingt-cinq ans, il était déterminé et plein du sentiment juvénile de son immortalité, sentiment qu'il avait étrenné l'été précédent en France, dans le sang des tournois.*

Des deux côtés, on resserrait les attaches des boucliers, on baissait les heaumes sur les coiffes matelassées, on ajustait les étriers, on vérifiait les sangles. Les écuyers donnaient leur lance aux chevaliers, qui l'empoignaient fermement par la hampe. Aujourd'hui, les fers n'étaient pas émoussés. C'étaient des lances de guerre. Derrière les lignes de front de la cavalerie royale, les hommes des plus petits contingents, dont celui de Bruce, se tenaient prêts, mais n'avaient pas encore enfilé leur heaume. Ils formeraient la deuxième vague. À l'arrière, les hommes de l'infanterie couvraient les pentes d'un foisonnement de lances et d'épées. Eux aussi auraient un rôle à jouer. Après les chevaliers.

La corne retentit de nouveau dans les rangs de Henry, et l'ennemi lui aussi fit sonner la charge ; deux bêtes rugissant l'une contre l'autre de part et d'autre des collines verdoyantes. Les chevaliers de l'armée royale s'élancèrent. Ils progressèrent d'abord au pas, genoux contre genoux. Les hommes de Montfort restèrent immobiles, s'efforçant de garder le contrôle de leurs chevaux. Ces hommes arboraient la croix blanche des croisés, signe que leur cause était sacrée, comme l'avait proclamé leur chef. Les royalistes se penchèrent en avant sur leur selle pour aider leurs destriers à gravir la côte. Le pas se mua bientôt en trot, et les cloches des caparaçons se mirent à tinter. Quand ils approchèrent de l'ennemi, les trois compagnies se distinguèrent plus facilement, l'aile gauche de Henry se dirigeant sur l'aile droite de Montfort et les deux compagnies au milieu s'apprêtant à s'affronter. Mais Montfort attendait encore. Des cris de guerre à s'en déchirer la gorge se firent entendre du côté des royalistes ; des cris sauvages lancés par des hommes qui savaient que cette charge pouvait être leur dernière. Puis ils abandonnèrent le trot pour le galop et la terre commença de vibrer. Au dernier moment, dans le but de préserver l'énergie des hommes et des chevaux pour le combat, Monfort libéra sa cavalerie. Ses chevaliers éperonnèrent leurs destriers, qui se ruèrent à la rencontre de l'ennemi. Les chevaux laissaient des plaies blanches au sol, leurs fers arrachant l'herbe et dévoilant la craie qui se trouvait en dessous. Les lances se dressèrent vers l'ennemi tandis que des centaines de tonnes d'acier et de muscles se précipitaient les unes contre les autres.

Quand les armées se rencontrèrent, lord d'Annandale, qui observait en compagnie des hommes restés en retrait, découvrit l'effrayante puissance d'une charge de la cavalerie lourde anglaise. Les lances se brisaient, les chevaux se cabraient et les hommes chutaient de leur selle. Le sang jaillit, la chair ne pouvant rien quand les lames et les points d'acier transperçaient le matelassage et les mailles. On cherchait avant tout à faire tomber les hommes de leur cheval, à les blesser et à les capturer, car les cadavres ne rapportaient pas de rançon, mais dans le chaos de la charge, la mort se comportait comme une prostituée se fichant bien de savoir qui elle entraînait dans les ténèbres, vénérable chevalier ou jeune homme à peine déniaisé.

La compagnie d'Édouard s'abattit sur le flanc gauche des rebelles tel un poing sur un parchemin, creusant de grandes brèches entre ses lignes. Quand les rangs se resserrèrent, les hommes se débarrassèrent des lances devenues inutiles et dégainèrent les épées pour occire autant d'ennemis que possible. Le cognement sourd de l'acier sur les boucliers et les hurlements des hommes et des chevaux s'unirent en une clameur démentielle. Il y avait de moins de moins de chevaliers à cheval, ceux qui étaient à terre essayaient de désarçonner les autres et de les attirer dans la mêlée. Au sol, quand leur épée leur avait été arrachée des mains, c'est avec leur dague que les hommes poursuivaient le combat. Toute notion de chevalerie était balayée par la sauvagerie de la bataille. Les armes fendaient l'air, cherchant l'ouverture dans les défenses adverses. Sous leurs sabots, les chevaux écrasaient des jambes, des doigts, des colonnes vertébrales.

L'odeur du sang enflait au-dessus du champ de bataille tandis que la compagnie d'Édouard réduisait les rebelles. La moitié de ses hommes était engagée dans la bagarre, l'autre les encerclait pour les isoler. Les partisans de Montfort se défendaient avec acharnement, mais ils furent bientôt cernés. Ceux qui avaient réussi à rester en selle voyaient leurs chevaux s'écrouler sous eux après avoir reçu un coup d'épée dans les pattes arrière. Les hommes d'Édouard firent entendre leur cri de ralliement ; un cri qui avait fait venir tant d'ambitieux sous sa bannière, depuis les tournois en France et la campagne au pays de Galles. Lentement mais sûrement, les lignes ennemies cédèrent sous les assauts des forces d'Édouard. Les cornes retentissaient, encourageant le jeune prince et ses chevaliers à porter le fer dans l'aile gauche chancelante de l'armée de Montfort.

Les deux autres contingents des forces royales étaient engagés dans des batailles plus sobres, plus traditionnelles, contre l'aile droite et le centre. Les rebelles avaient perdu moins d'énergie dans la charge initiale et avaient laissé les troupes du roi se fatiguer dans la montée. Montfort lui-même, ainsi que ses chevaliers les plus expérimentés, occupait le centre, face au comte de Cornouailles. Le fils de

Cornouailles n'avait pas très bien mené la charge, ses hommes s'étaient éloignés les uns des autres à l'approche cruciale du point d'impact. À l'inverse, Montfort avait maintenu la cohésion de ses lignes et formé une barrière invincible contre laquelle les chevaliers de Cornouailles s'étaient écrasés, telles des vagues contre les rochers. Depuis, la bataille du centre s'était étendue sur tout le flanc de la colline. À plusieurs reprises, les royalistes avaient tenté de déborder les rebelles, mais les cornes de Montfort avaient appelé les archers pour qu'ils déversent sur eux une pluie de flèches, qui les avait aveuglés et désorientés.

De l'autre côté de la colline, au milieu de l'aile gauche chaotique de Montfort, les hommes d'Édouard hissèrent la bannière rouge au dragon de feu, signal qu'ils entendaient se montrer impitoyables. Les nobles qui survivraient à la bataille seraient faits prisonniers pour en tirer une rançon, mais les soldats d'infanterie qui attendaient derrière ne devaient pas s'attendre à la même clémence. Comme il s'agissait pour l'essentiel de paysans de Londres, ils n'étaient pas monnayables. Ils ne représentaient qu'une occasion d'assouvir sa soif de sang et de donner à manger aux vers. Les chevaliers d'Édouard, contournant les débris de la cavalerie ennemie, foncèrent droit sur eux. N'ayant pas les moyens de résister à cette force brute, les soldats se mirent à courir en direction des bois, poursuivis par les hommes d'Édouard qui se ruèrent en haut de la colline avant de disparaître de l'autre côté.

L'aile droite de Monfort continuait avec opiniâtreté à repousser les troupes du roi Henry. Lord d'Annandale agrippa sa lance et la tint droit devant tandis que son cheval se faisait bousculer. Son heaume réduisait sa vision à deux fentes où il ne distinguait que chaos et son genou était écrasé entre sa selle et le destrier d'un autre homme. La chaleur étouffante dans son heaume et l'odeur de sa propre transpiration le faisaient suffoquer. De temps à autre, quand il apercevait une ouverture, Bruce hurlait un ordre à ses hommes, toujours pressés autour de lui, et tous ensemble ils avançaient pour la bloquer en tombant comme des diables sur tous ceux qui essayaient d'y passer. La compagnie d'Édouard était partie depuis longtemps, comme les soldats qu'ils poursuivaient. Seuls restaient l'aile droite et le centre de l'armée de Montfort, mais bien qu'inférieurs en nombre leur détermination était sans faille. La disparition d'Édouard avait laissé la compagnie de Cornouailles vulnérable sur un côté et Monfort se servait de cet avantage en faisant déborder les forces du comte par ses chevaliers.

Une nouvelle brèche s'ouvrit devant Bruce et un rebelle en profita pour s'immiscer. Il était couvert de sang, son bouclier gondolé et fendu au milieu. Il fonça sur Bruce, combattant anonyme dans son armure en acier, seules les armoiries du surcot et des ailettes offrant un indice sur son identité. Bruce ne les connaissait pas. Il lui assena un coup de lance et toucha le côté du heaume. La pointe en fer crissa contre la joue de métal avant de poursuivre sa route. Sous l'impact, l'homme fut projeté en arrière, ce qui ne l'empêcha pas de faire tournoyer son épée. Il atteignit Bruce au crâne, et celui-ci eut l'impression qu'on venait de lui écraser un marteau sur la tête. Le coup résonna un moment puis, écumant de rage, lord d'Annandale surmonta la douleur et lança un nouveau coup. Mais le chevalier n'était déjà plus là, l'un des hommes de Bruce l'avait fait tomber à bas de son destrier et des sabots le piétinaient au milieu de la boue et du sang. Autour de Bruce, les cris des hommes et des chevaux étaient partout. Les hommes de Montfort étaient toujours plus nombreux à transpercer les lignes de Henry.

Un cheval se cabra à côté de Bruce, et son cavalier tomba sur lui en perdant sa lance. Tirant sur les rênes pour maîtriser son cheval qui paniquait, refusant de le laisser se tourner, Bruce reprit son équilibre et arracha son épée de son fourreau. Un autre rebelle arrivait sur lui. Alors que son cheval faisait tout pour le désarçonner, il parvint à abattre sa lame sur la nuque de l'homme, les mailles craquant sous la force de son coup. L'épée s'enfonça dans la *chair avant que le lord ne la libère dans une gerbe de sang. Quelque part, une corne hurlait.*

Le comte de Cornouailles s'était fait déborder par les forces de Montfort. Se retrouvant pris dans une mer de soldats ennemis, ses chevaliers étant incapables de le rejoindre, le frère du roi livrait un combat désespéré pour se dégager. Éperonnant son cheval, il réussit à sortir de la mêlée et à filer à travers champs. Comme les troupes de sa maison le suivirent, leur corne sonnant la retraite, la bataille pour le centre se délita. Le reste des forces de Cornouailles, privées de chef et prises de panique, commença à se disperser. Exaltés par ce revirement, les rebelles leur donnèrent la chasse. Voir les troupes royales en proie à la confusion la plus totale encouragea les hommes de Montfort à attaquer avec encore plus de détermination, et sur tout le front de la bataille, les brèches commencèrent à se multiplier dans les lignes du roi Henry. Simon de Montfort avait clamé qu'il s'agissait d'une guerre sainte contre le roi. Et pour l'heure, à ce qu'il semblait, Dieu était dans son camp.

Un cri s'éleva. Faites retraite ! Faites retraite !

Le roi Henry et ses chevaliers fuirent en premier, la bannière rouge flottant au vent tandis qu'ils lançaient leurs destriers au grand galop pour rentrer à Lewes. La retraite tourna à la débandade. Lord d'Annandale fut balayé, emporté dans le tumulte. Un homme s'écrasa au sol avec son cheval en soulevant un nuage de poussière. Bruce planta les talons dans les flancs de sa monture, il se pencha en avant et sauta, les sabots heurtèrent durement le sol de craie en retombant. Son banneret était à ses côtés, et quelques-uns de ses hommes se trouvaient juste derrière lui. Il arrivait tout juste à les apercevoir par les fentes de son heaume. Tout le reste n'était que confusion, les soldats d'infanterie couraient dans tous les sens à travers la colline, devançant les chevaliers.

Tout autour de la ville de Lewes, des torches brûlaient. Les flammes s'élevaient dans la nuit en dégageant une fumée âcre qui dérivait au-dessus des toits. Près d'un édifice, à quelque distance du château, les torches formaient une constellation au milieu des ténèbres.

Dans une cellule du prieuré de Lewes, quatre hommes attendaient. Le premier était assis sur la seule paillasse disponible, la tête enfouie dans les mains, le deuxième adossé au mur près de la porte, et le troisième assis par terre, les genoux remontés contre la poitrine. Quant au quatrième, debout près de la fenêtre, il regardait les hommes attroupés allumer des feux entre les dépendances du prieuré.

Bruce entendait des chevaux hennir désespérément. Trop grièvement blessés pour être sauvés, on les achevait. Par-dessus leurs cris désolants s'élevaient des rires rauques et des chansons. Les hommes de Montfort n'avaient pas mis longtemps à célébrer leur victoire. Bruce les voyait à travers la fenêtre couverte de toiles d'araignée de la cellule. Entendant l'un des hommes renifler, il jeta un coup d'œil dans son dos. John Comyn, près de la porte, gardait les yeux fermés et Balliol se tenait toujours la tête à deux mains. Bruce supposa que cela devait venir de leur compagnon d'infortune recroquevillé à même le sol. L'écuyer ne devait pas avoir plus de dix-huit ans ; à peine plus jeune que son fils aîné, qui se trouvait en Écosse. Ses yeux se perdaient dans la nuit. Bruce grogna en jetant un coup d'œil à Balliol, qui aurait dû s'occuper de lui, puisqu'il était son maître. Au bout d'un moment, il se retourna. Il n'avait aucune envie d'offrir quelques mots de réconfort à un inconnu. D'ailleurs, il n'aurait su quoi lui dire, car comment apaiser qui que ce soit après une telle défaite ?

Quelques heures plus tôt, lorsque la bataille avait viré à la débâcle, les troupes du roi Henry avaient fui vers l'abri de l'enceinte du monastère, où le roi avait établi son campement depuis son arrivée à Lewes. D'autres chevaliers étaient allés se terrer en ville. L'infanterie n'avait pas eu autant de chance. Ne pouvant battre en retraite à la même vitesse que les chevaliers, ils avaient dû être des cibles faciles pour leurs poursuivants. Leur mort, quoique brutale, avait au moins été rapide. Pour Bruce, l'humiliation

188

de l'emprisonnement et le fait de devoir attendre qu'un autre homme décide de son futur étaient un sort bien pire. Pendant la bataille, un homme avait le choix, il décidait comment combattre, comment mourir. Il était toujours libre. Ici, tout choix était interdit. Il détestait cette mort insidieuse, qui lui ôtait le contrôle de ses actes, plus qu'il ne craignait la mort physique.

Juste après que le roi et ses hommes se furent barricadés dans le prieuré, les rebelles avaient pris la ville d'assaut. Le prieuré avait été encerclé et Montfort avait fait défiler devant l'édifice quelques-uns des hommes capturés sur le champ de bataille, dont le comte de Cornouailles. À l'évidence, Montfort prenait plaisir à faire savoir à Henry que son couard de frère avait fui la bataille et s'était caché dans un moulin à vent. Il avait alors menacé d'exécuter le comte devant le prieuré si le roi refusait d'accepter les termes de sa reddition. Une telle menace paraissait impossible, car aucun comte n'avait été exécuté en Angleterre depuis presque deux siècles, et que cela allait contre les codes de guerre. Mais Montfort n'était pas engagé dans une bataille normale : il avait déclaré la guerre à son roi et tentait de s'emparer du royaume. Henry devait se livrer à lui et laisser un conseil de barons gouverner à sa place ; telles étaient les exigences de Montfort. Il resterait roi, il en porterait le titre, mais n'aurait pratiquement plus aucune autorité.

Bruce était dans le réfectoire avec ses chevaliers quand cinq hommes avaient fait irruption. L'un d'eux, mal en point, était soutenu par deux de ses camarades. Tous étaient maculés de sang et de poussière, et une odeur pestilentielle les accompagnait. À leur tête se trouvait le prince Édouard. Comme les autres, Bruce écouta le jeune homme raconter à l'un des barons comment il avait anéanti l'infanterie en fuite de Montfort, qu'il avait poursuivie sur une longue distance, avant de revenir et de s'apercevoir que la bataille était finie. Sa compagnie avait été attaquée alors qu'elle essayait de rentrer en ville. Il avait pu s'échapper et, ayant deviné que son père s'était réfugié au *prieuré, il avait traversé à la nage un fossé éloigné des troupes de Montfort.*

Peu après, le roi était arrivé et s'était frayé un chemin dans la salle bondée. L'inquiétude et le soulagement qui se lisaient sur son visage avaient rapidement cédé la place à la colère. Apostrophant son fils, il avait exigé de savoir pourquoi celui-ci avait déserté le champ de bataille. Édouard avait fait face sans se démonter. D'une voix impérieuse, il avait répondu qu'il pensait son père capable de défendre son aile. Un silence avait suivi, Henry avait paru sur le point de s'effondrer, sa colère et sa détermination semblaient l'abandonner et il avait déclaré à son fils qu'ils n'avaient d'autre choix que de se rendre. Édouard protesta, disant qu'ils avaient des vivres, qu'ils pouvaient tenir des semaines. Mais cette fois, c'est le roi qui ne voulut rien entendre. Montfort avait menacé d'exécuter son frère. C'était terminé.

— Vous avez précipité notre perte en quittant la bataille, avait conclu Henry. Vous porterez le poids de cette reddition.

Henry se tourna ensuite vers l'assemblée et, d'une voix forte, il annonça :

— Écoutez-moi tous. Ma décision est prise.

Les négociations entre royalistes et rebelles se poursuivirent, mais ce n'étaient plus que des formalités. Sur ordre de Montfort, les hommes à l'intérieur du prieuré furent séparés en fonction de leur rang et de leur région, et ils durent rendre leurs armes. Le prieuré, leur sanctuaire, devint la prison où ils attendirent que Montfort décide de leur sort. Il était prévu qu'Édouard serve d'otage. Henry, lui, serait escorté à Londres, où il n'aurait pas plus de liberté que son fils en captivité.

La mâchoire de Bruce se crispa en entendant une nouvelle fois l'écuyer renifler. Il était légitime de penser que des quatre hommes dans la cellule, il était celui qui y laisserait le moins de plumes. Il n'était pas simple fantassin, donc à moins que Montfort ait l'intention d'exécuter l'ensemble de la noblesse, il pourrait acheter sa liberté contre une somme négligeable. Pour lord d'Annandale, la perspective d'une rançon était terrible. Il était l'un des seigneurs les plus puissants d'Écosse, et il avait de l'influence à la cour de Henry. Montfort ne le laisserait pas partir pour rien. Il pouvait ruiner sa famille pour des générations. Fermant les yeux, il pensa à saint Malachie et à sa malédiction qui, depuis ses aïeux jusqu'à ses fils, concourait à la chute de sa lignée, à son malheur.

Le loquet tourna et tous quatre levèrent les yeux. Balliol lutta pour se remettre debout, une grimace tordant son visage. La porte s'ouvrit et un homme apparut, une torche à la main. Bruce le reconnut. Il l'avait déjà vu à Édimbourg. C'était William Comyn, chef des Comyn de Kilbride.

John Comyn rompit le silence.

— Pour une fois, on dirait que vous avez choisi le bon camp, cousin.

William Comyn sourit d'un air sombre.

— Les Rouges ont eu longtemps le pouvoir, et ils ont dirigé notre famille d'une main de fer. C'est peut-être notre tour à présent.

— Si vous êtes venu pavoiser, vous pouvez garder votre salive, répliqua John. Quoi que Montfort me fasse, les Comyn Rouges continueront comme avant. Je peux compter sur mon fils et héritier pour cela.

Une menace voilée sourdait dans ses paroles. Le sourire de William Comyn s'effaça.

— Au contraire, cousin. Je suis venu vous relâcher.

Balliol eut un rire dédaigneux. Son écuyer, lui, s'était levé, plein d'espoir.

— Je ne savais que le comte de Leicester prenait ses ordres d'un Écossais, railla-t-il.

— Sir Simon récompense ceux qui se montrent loyaux. J'ai demandé la libération de mon parent et il m'a accordé la sortie de trois prisonniers contre mes services.

— Pourquoi faites-vous cela ? demanda John avec méfiance.

— Nous ne sommes peut-être pas toujours d'accord, cousin, mais nous restons des Comyn, au-delà de nos ambitions *personnelles. Cela ne servirait à rien, ni pour les Comyn de Kilbride ni pour moi, de vous ruiner à cause d'une rançon. En échange de votre libération, ce que je veux, c'est une plus grande part du pouvoir et de l'influence qu'exerce notre famille.*

Malgré ses explications, John ne paraissait pas convaincu.

— Ma rançon ferait de Montfort un homme riche. Pourquoi laisse-t-il trois hommes partir ?

— Les cellules sont pleines de nobles, dont le prince Édouard, de quoi largement remplir ses coffres. Et d'ailleurs, l'argent n'est pas sa motivation. Il sait que vous remplissiez simplement vos devoirs auprès du roi. Il préfère vous laisser libres de devenir des alliés coopératifs, ajouta William en regardant Bruce et Balliol, plutôt que de vous garder prisonniers.

Balliol avait retrouvé de l'énergie.

— Eh bien, il peut compter sur ma coopération. Et les Comyn de Kilbride également. La famille Balliol aura une dette envers vous, sir William.

— Sir ? l'appela timidement l'écuyer tandis que Balliol sortait de la cellule.

Balliol lui jeta un coup d'œil.

— Nous nous occupons de votre rançon, lui dit-il d'un air indifférent.

— Sir, je vous en supplie, l'implora l'écuyer.

— Venez, insista William Comyn auprès de lord d'Annandale.

Alors que Bruce se décidait à bouger, John Comyn lui barra la route.

— Pas lui, dit-il en croisant le regard de lord d'Annandale. Ses yeux noirs luisaient dans la lumière tremblotante des torches.

— Pardon ? s'étonna Sir William.

— Bruce reste, déclara John Comyn sans le quitter des yeux.

— Sir Simon de Montfort m'a autorisé à libérer trois hommes.

— A-t-il précisé lesquels ?

— Non, mais...

— Alors voilà votre troisième, l'interrompit John en désignant l'écuyer, dont le soulagement fut instantané.

— La rançon d'un écuyer est presque nulle, cousin. Il n'en vaut pas la peine.

— Faites-moi ce plaisir, répondit John Comyn.

Le coin de sa bouche se releva en une moue dédaigneuse.

— Vous souvenez-vous, sir Robert, quand ma famille est venue vous voir à l'époque où sir Alexandre, un enfant, s'est assis sur le trône ? Nous vous avons demandé votre soutien. Je suis sûr que vous ne l'avez pas oublié, c'était une sombre époque et aucune famille n'a été autant éprouvée que la mienne. Plusieurs décennies de travail obstiné au service de la couronne nous avaient permis d'amasser une fortune et d'accroître notre influence, mais tout cela menaçait de nous glisser entre les doigts. Vous auriez pu nous aider, garantir l'équilibre des pouvoirs jusqu'à ce que le roi soit en âge de régner, vous auriez pu éviter que nous ayons besoin de recourir à des extrémités pour assurer notre survie.

— Pour assurer votre survie ? s'insurgea Bruce en avançant d'un pas. Vous avez détenu votre roi contre sa volonté !

— Mais vous rappelez-vous votre réponse ? reprit John Comyn. Vous avez dit que vous préféreriez servir le diable lui-même qu'une famille de basse extraction comme la nôtre. Je vous avais dit qu'un jour, je vous ferais payer cette décision qui menaçait d'entraîner la ruine de ma famille. Ce jour est venu.

Lorsque William Comyn fut sorti, suivi de Jean de Balliol et de l'écuyer, John Comyn ferma la porte de la cellule derrière lui. La dernière chose que vit lord d'Annandale, ce fut le visage de John Comyn éclairé par les torches.

Chapitre 17

La ville de Lincoln était noyée sous la pluie. Les nuages bouchaient le ciel et un déluge incessant s'abattait sur la multitude réunie devant la cathédrale. Mères et enfants, marchands des guildes et fermiers, aubergistes et mendiants, pieux ou curieux, tous se pressaient pour apercevoir la procession royale qui s'était engouffrée une heure plus tôt à l'intérieur de la cathédrale, par la porte surmontée d'un arc en plein cintre. Tout là-haut, la cloche sonnait sans interruption. Son carillon se répercutait au-dessus de la foule muette, du marché détrempé et jusqu'aux rues désertes.

Dans la cathédrale, caverneuse et obscure, la congrégation priait debout, remplissant les allées jusqu'au chœur des Anges. Les seigneurs et leurs dames, les barons et les chevaliers, les caméristes et les officiers royaux étaient tous habillés de noir, le visage caché sous les capuches et les voiles. Les boucliers des chevaliers étaient recouverts de tissus qui cachaient leurs couleurs et leurs armes, et les rendaient anonymes dans la douleur. La cathédrale elle aussi avait pris le deuil, des soieries noires arachnéennes étaient suspendues aux voûtes. Une lumière blême s'infiltrait par les trèfles à trois et quatre feuilles de l'étage, illuminant les volutes fantomatiques qui s'élevaient des bâtons d'encens et des cierges. La pluie cognait contre les grands vitraux de la façade et battait à un rythme constant souligné par la cloche.

Pour Édouard, qui se tenait debout devant le grand autel dans un habit de velours noir d'encre, cette cloche ressemblait aux battements d'un cœur. Dans son dos se trouvait le jubé, derrière lequel les arcades de marbre veiné se succédaient le long de la nef en une imitation grotesque de cage thoracique. Devant le roi, placé sur un catafalque et éclairé par le halo lumineux des cierges, était posé un cercueil. Il était recouvert d'un drap mortuaire de soie vénitienne, brodé de centaines de petites fleurs en or, de sorte qu'on ne distinguait qu'une forme en dessous : une silhouette anguleuse, noire, de taille humaine. Dans ce cercueil se trouvait sa femme.

Édouard demeurait stupéfait de la rapidité avec laquelle le Seigneur avait réclamé son âme. Quelques jours à peine après la terrible nouvelle de la mort de Marguerite de Norvège, la future épouse de son fils, Éléonore était retombée malade. En Gascogne dejà, elle avait souffert d'une maladie dont elle ne s'était pas vraiment remise et le médecin soupçonnait qu'elle était cause de la fièvre qui l'avait consumée avec une telle voracité. Édouard avait fait venir Éléonore à Lincoln pour qu'elle soit près du sanctuaire de St Hugues d'Avalon, mais rien, aucune prière, aucun médecin, aucun miracle, n'avait pu la sauver.

Cela faisait trente-six ans qu'Éléonore, sa reine espagnole, était à ses côtés. Quand ils s'étaient mariés en Castille, il avait quinze ans, et elle juste douze. Et tout ce temps, elle l'avait passé près de lui. Elle l'avait rejoint pendant les croisades, l'avait soutenu pendant les campagnes au pays de Galles et lors de la rébellion sanglante de Simon de Montfort. Elle avait été à son côté dans la maladie et la défaite, dans l'exil et dans la gloire, et elle lui avait donné seize enfants, dont sept étaient morts. Elle avait été sa raison d'être, son reflet, sa compassion et sa sagesse. Voilà qu'elle n'était plus qu'une dépouille dans une boîte en bois, et ses organes lui avaient été enlevés pour être consacrés à Lincoln tandis que son corps était convoyé à Londres avec toute la pompe royale dont Édouard était capable. Il avait payé les hérauts pour qu'ils annoncent sa mort à travers le royaume et, bientôt, dans toutes les villes d'Angleterre, la cloche funèbre sonnerait, de Winchester à Exeter, de Warwick à York.

Tandis que l'évêque entonnait un psaume du bréviaire, le roi entendit qu'on pleurait derrière lui. Il se retourna à demi et vit son fils, Édouard de Caernarfon, au milieu de ses quatre sœurs aînées. Le garçon pleurait, la tête enfouie dans les mains, le corps parcouru de sanglots. Le roi fit volte-face sans un mot. Sa propre peine nichait en lui, elle infiltrait chacun de ses muscles et de ses tendons, elle lui liait les tripes et menaçait de faire exploser sa poitrine. S'il l'avait laissée éclater, il se serait effondré. Et il n'avait aucune intention de s'effondrer. Il avait peut-être perdu la femme qu'il aimait. Mais il ne perdrait pas ses nerfs.

Quand l'évêque eut prononcé les dernières paroles de la messe de requiem, la congrégation revint à la vie. Pendant que les acolytes aspergeaient le cercueil d'eau bénite avec des brins d'hysope, dans le chœur les seigneurs et les évêques se levaient, pressés de présenter leurs respects à sa défunte épouse et à lui-même. Édouard ne voulait ni de leur sympathie, ni de leur pitié, qui, pour certains d'entre eux, seraient insincères. Plusieurs barons récalcitrants s'étaient montrés mécontents de son long séjour en France et avaient fait part de leur frustration au parlement le mois précédent. Pour Édouard, la tristesse qu'ils affichaient n'était qu'un masque et il ne supportait pas plus de contempler leur hypocrisie que ce cercueil. Faisant signe à John de Warenne au premier rang, le roi sortit par une porte du transept et emprunta un couloir qui menait au cloître. Le comte de Surrey le suivit quelques instants plus tard.

La pluie tombait toujours avec la même intensité sur le carré d'herbe qui occupait le centre du cloître. Édouard ferma les yeux et inspira l'air glacial de novembre, qui le revigora après l'enivrante odeur de l'encens. Il se tourna au moment où John de Warenne se matérialisait derrière lui. En vieillissant, le comte, qui faisait une tête de moins que lui, avait pris du ventre. Les muscles qu'il avait développés grâce à des années d'entraînement et de combat, se ramollissaient et rendaient plus épaisse sa silhouette carrée. Le roi fut frappé par le changement physique de celui qu'il considérait comme le plus capable et le plus loyal des hommes. Il se demanda si c'était une métaphore de son règne. Lui aussi devenait-il plus mou ? Plus flasque ? Était-ce la raison pour laquelle tout allait de travers ? Cette idée le crispa.

— Répétez-moi ce que disait le message de l'évêque de St Andrews.

John de Warenne sembla prendre le temps de réfléchir à sa réponse.

— Alors ?

Le comte s'éclaircit la voix.

— Pardonnez-moi, Sire, mais cette discussion est-elle opportune en ce moment ? Ne préférez-vous pas attendre et...

— Au contraire, le coupa froidement Édouard. Je veux commencer à planifier mes prochaines actions avant que les Écossais resserrent les rangs et nous éliminent de cette affaire.

— L'évêque disait que sir Jean s'est déclaré roi suite à la mort de Marguerite, mais que sir Robert Bruce d'Annandale a lui aussi des vues sur le trône. Les hommes du royaume sont divisés entre ces deux prétendants et l'évêque craint que cette division provoque une guerre. Il vous implore de venir dans le nord pour contribuer à restaurer la paix. Il pense que les seigneurs écossais vous écouteront. Il veut que vous soyez impliqué dans le choix du successeur.

Édouard considérait l'herbe détrempée et l'eau qui dégoulinait le long des piliers.

— La situation n'est-elle pas identique à celle que mon père a connue à l'époque du couronnement d'Alexandre ?

John de Warenne paraissait sceptique.

— Il y a des similitudes, mais je ne dirais pas qu'elle est identique, Sire.

— Mais les Écossais avaient demandé l'intervention de mon père parce que Alexandre était encore un enfant lorsqu'il est monté sur le trône, s'impatienta Édouard. Et par son intervention, mon père avait réussi à arranger un mariage entre ma sœur et le roi.

Le comte acquiesça.

— Oui, mais ce mariage n'avait pas permis à votre père de s'assurer un véritable contrôle sur le trône d'Écosse. Son emprise sur le royaume était faible, si vous me permettez.

— Mon père n'a jamais su tirer avantage des situations, répondit Édouard. Et pour Balliol et Bruce ? Quel roi feraient-ils, selon vous ?

— Eh bien, comme il est marié à ma fille, je connais mieux sir Jean que Bruce, dit Warenne avec circonspection. Balliol est quelqu'un de malléable. Il n'a pas de poigne. Il préfère recevoir des ordres qu'en donner. Bruce, de son côté, est un homme fin, et il a un fort caractère, même s'il a toujours été un allié loyal et que les terres qu'il possède en Angleterre font de lui votre sujet comme il était celui d'Alexandre.

Les rides qui marquaient le front d'Édouard se creusèrent.

— Lorsque Alexandre a évoqué la possibilité d'un mariage entre nos maisons, je croyais avoir trouvé un moyen d'assouvir mon ambition sans grandes dépenses, ou sans perdre d'hommes. Vous savez comme moi que les guerres au pays de Galles ont grevé mes finances. Je ne peux pas me permettre une campagne militaire aussi coûteuse. Pas maintenant, alors que les barons essayent de profiter de ma longue absence.

Édouard se tourna vers Warenne.

— Mais je me suis trop battu pour rester les bras ballants. Je ne veux pas avoir fait tout cela en vain. Mon père a peut-être été aveugle lorsque les Écossais lui ont offert une opportunité, je ne le suis pas. Dès que ma femme aura rejoint son dernier lieu de repos, je partirai au nord terminer ce que j'ai commencé il y a six ans. Je ne crois pas qu'une guerre sera nécessaire pour que la prophétie s'accomplisse.

Affraig serra sa cape autour d'elle pour se protéger du froid de ce soir de décembre. Le vent lui mordait la peau et lui arrachait des larmes. Le ciel était blafard, la colline morne et nue. Seules quelques feuilles s'accrochaient encore aux branches du chêne. Autour du tronc, le sol était recouvert de brindilles posées sur un tapis de feuilles rousses. Affraig s'aperçut que deux autres destins étaient tombés au cours de la nuit. Le vent qui avait fait rage toute la journée dans la vallée et ébranlait sa maison les avait jetés à bas de l'arbre. Elle les ramasserait plus tard, elle brûlerait les brindilles et la corde qui les liait, puis elle enterrerait les objets. Elle les confierait à la terre.

Elle s'accroupit, posa le pilon et le mortier qu'elle portait et fit courir ses doigts sur le sol. Il était dur comme de la pierre. Prenant le pilon à deux mains, elle l'enfonça dans la terre noire, qu'elle retourna. Elle laboura et l'effort réchauffa son corps. De temps à autre, elle s'arrêtait pour ramener en arrière les cheveux qui lui tombaient devant les yeux. L'odeur de moisi fut de plus en plus sensible à mesure que les mottes de terre s'amassaient à ses pieds. Elle déposa le pilon dans le mortier et prit une poche attachée à sa ceinture. Déjà elle voyait un ver bien gras sortant d'une des mottes, fouillant aveuglément la terre. Elle le pinça entre ses doigts, il se tortilla, et elle le glissa dans la poche. Elle retourna les mottes entre ses mains pour en trouver d'autres. Et elle continua jusqu'à ce qu'elle eût entassé sept vers de terre. Alors, après avoir refermé la poche, elle ramassa le pilon et le mortier.

Quand elle entra dans la maison, les chiens levèrent les yeux vers elle, pleins d'espoir. Sans leur accorder la moindre attention, elle alla vers le coin de la pièce où étaient entreposées ses herbes. La femme ne tarderait plus à venir. Après avoir mis une poignée d'orge dans le mortier, Affraig sortit les vers un à un et les déposa sur les grains. Les lombrics se tortillèrent les uns sur les autres, leurs corps annelés scintillant dans la lumière que dispensait une bougie. Affraig posa la main à plat sur le mortier, puis inséra le pilon entre son pouce et son index. Les premiers mouvements ne réussirent qu'à glisser entre les vers, mais leurs corps éclatèrent bientôt et elle mania son instrument de plus en plus rapidement. Fermant les yeux, elle murmura des incantations avant de retirer le pilon et de le cogner contre le mortier, qui contenait désormais une bouillie visqueuse. Elle hésita un instant à saupoudrer des têtes de lavande sèches, mais y renonça. La femme ne la payait pas assez cher pour cela.

Affraig nettoyait le mortier quand les chiens se dressèrent et se mirent à aboyer. Elle siffla en traversant la pièce, ce qui les fit taire. Elle ouvrit la porte et vit deux femmes qui descendaient la colline, leurs capes de laine claquant au vent. Elle entendit la plus grande des deux éclater d'un rire aigu. Cela eut le don de l'agacer. À une époque, on venait chez elle en silence, avec révérence même, plein de crainte et d'effroi. Aujourd'hui, les femmes plaisantaient entre elles en se présentant à sa porte pour obtenir des potions d'amour et des sortilèges. D'une certaine façon, elle se demandait si elles y croyaient vraiment, même si cela leur coûtait quelques pièces. Elles le faisaient au cas où, par exemple, Dieu n'aurait pas écouté leurs prières. Elles avaient oublié ces jours anciens, quand les femmes des guerriers lançaient des malédictions au ciel, espérant que la foudre frappe l'ennemi ; ces jours anciens où, quand les druides arpentaient la terre de Bretagne, chacun baissait la tête, car il était interdit de poser les yeux sur ces hommes saints. La vieille magie disparaissait. Cela faisait déjà longtemps.

Les deux femmes entrèrent dans la maison, l'une appuyée sur l'autre, en surveillant les chiens du regard. Affraig alla au comptoir prendre la poche en lin fermée par une ficelle dans laquelle elle avait versé tout à l'heure son mélange de vers et d'orge, puis elle s'approcha de la plus grande des femmes.

— C'est fait.

— Et pour la suite ? demanda la femme en prenant lestement la poche dans ses doigts boudinés.

— Mettez-le dans sa nourriture la nuit prochaine, la lune sera pleine. Vous devez vous assurer qu'il mange tout. Quand ce sera le cas, il vous aimera.

La femme passa la langue sur ses lèvres en couvant la poche des yeux.

— Et il me demandera de l'épouser ?

— Il ne désirera plus que vous, c'est tout ce que je peux vous dire.

— Comment vas-tu le mettre dans son plat ? demanda l'autre femme par-dessus l'épaule dodue de son amie.

— Je vais m'arranger pour aller en cuisine avant que le repas soit servi dans la salle des gardes.

— Tu as intérêt à être certaine que ce soit bien lui qui le mange, ricana l'autre. Sinon, c'est ce vieux benêt de Yothre qui te courtisera !

La femme jeta un coup d'œil à son amie, puis se tourna anxieuse vers Affraig.

— Et s'il ne le mange pas pendant la pleine lune ?

— Cela ne marchera pas. Le sortilège n'aura aucun effet.

La femme regarda son amie avec inquiétude.

— Il est à Annandale avec sir Robert. Est-ce qu'il sera revenu à temps ?

— On les attend d'un jour à l'autre, d'après ce que dit lady Marjorie.

— Le comte de Carrick est à Annandale ? s'enquit Affraig.

— Oui, répondit sa cliente, visiblement jamais avare de commérages. Vous n'êtes pas au courant ? Comme la pauvre petite Marguerite est morte, un grand conseil doit avoir lieu. Lady Marjorie dit que le roi d'Angleterre va venir au printemps pour aider à choisir le nouveau roi. Le comte Robert va bientôt revenir à Turnberry pour préparer sa plaidoirie. Il veut revendiquer le trône.

— Revendiquer le trône ? répéta Affraig avec étonnement. Mais ce n'est pas lui qui en a le droit, c'est son père, lord d'Annandale, qui peut prétendre au trône.

La femme n'avait pas l'air convaincue.

— Son père est aussi vieux que ces collines. Il ne portera pas la couronne bien longtemps. Et c'est le comte qui lui succédera.

Elle eut un sourire satisfait.

— Ses chevaliers bénéficieront grandement de son élévation.

— Et toi aussi, si tu en épouses un, murmura son amie en lui pinçant le bras, ce qui la fit glousser.

La femme tendit la main vers Affraig.

— Voilà votre dû.

Affraig sentit les pièces chaudes tomber dans sa paume. Résistant à l'envie de les jeter au visage de la femme, elle serra le métal poisseux dans ses doigts froids et alla vers la porte, qu'elle ouvrit sans un mot, le visage fermé.

Les deux femmes sortirent aussitôt dans le vent glacial. Affraig les regarda remonter la colline, la plus grande des deux tenant la poche devant elle en chantant d'une voix enfantine tandis que l'autre riait. Puis elle leva les yeux vers le chêne dont les branches se dressaient au-dessus d'elle comme des bois de cerf contre le ciel. Son regard erra jusqu'à une cage, tout en haut, qui oscillait au bout de sa ficelle. Elle se revit la fabriquer en récitant une invocation contre la malédiction de saint Malachie. Elle se rappelait la main du vieux Bruce qui s'était posée sur son épaule, le crépitement du feu, son souffle dans son cou et, dehors, la pluie d'étoiles filantes. Elle se tourna vers l'ouest, vers Turnberry. Sa mémoire était occupée par le comte, mais en pensant à son fils, elle reprit ses esprits. Il y avait aussi des étoiles filantes le jour où il était né. Elle se rappelait avoir vu la planète Mars rouge et renflée, bille de sang en suspension dans les ténèbres du ciel.

Chapitre 18

La Tweed sinuait entre des prairies et des champs de céréales. La rive sud marquait la fin du royaume d'Angleterre. De l'autre côté de la rivière balayée par le vent, au nord, commençait le royaume d'Écosse.

Le petit bourg de Norham était situé dans une grande boucle paresseuse de la rivière, du côté anglais. C'était l'été. La ville, qui somnolait dans la chaleur épaisse de l'après-midi, était dominée par un château, l'une des principales forteresses d'Anthony Bek, l'évêque de Durham. Les grands remparts chaulés, qui se reflétaient dans la surface lisse de la rivière, étaient percés de meurtrières tournées vers la rive nord, où abondaient les roseaux. La bannière suspendue à la plus grande des tourelles arborait trois lions dorés.

À l'intérieur de la grande salle du château, une foule d'hommes s'était réunie. Des poutres s'entrecroisaient au-dessus de la pièce d'une dimension vertigineuse, et les murs étaient ornés de tapisseries. Sur une moitié de la salle, elles alignaient des scènes de salut. Sur l'autre, c'est le jugement qui était à l'honneur. Au bout de la salle, un vitrail montrait l'archange Michel qui portait les âmes des hommes, son visage sombre composé de centaines d'éclats de verre rouge rubis. Sous le vitrail, un trône occupait le centre du dais. Le roi d'Angleterre y avait pris place. Édouard était entouré de ses principaux conseillers, parmi lesquels le comte de Surrey et l'évêque Bek. Treize autres hommes les rejoignirent sur l'estrade.

Robert, debout à côté de son frère au milieu de la foule des seigneurs écossais, regarda avec le reste de l'assemblée les treize hommes s'agenouiller un à un devant le roi. Il régnait un silence étrange dans la salle. L'occasion était censée être d'une importance capitale, et en fait elle l'était, mais pas comme les Écossais l'avaient envisagé. Robert remarqua que les seuls à paraître satisfaits de cette cérémonie dans l'assistance étaient les Anglais. Et ils pouvaient l'être, car leur roi était désormais le maître de l'Écosse.

Le mois dernier encore, les Écossais attendaient avec une vive impatience l'arrivée d'Édouard. Certes, il y avait de la défiance chez certains et l'évêque de Glasgow n'avait pas fait mystère de l'inquiétude que faisait naître en lui cette intervention étrangère, mais dans l'ensemble l'espoir était de mise. Après cinq années mouvementées, on allait enfin régler la question de la succession d'Alexandre. Les gardiens et le royaume étaient restés divisés entre Balliol et Bruce, malgré les conseils tendus qui avaient été tenus à Scone, de sorte que le roi Édouard venait arbitrer entre eux deux.

Fin avril, les seigneurs commencèrent à se rassembler au bourg royal de Berwick, sur la rive nord de la Tweed, afin d'accueillir le roi. Mais lorsqu'il arriva finalement, le roi Édouard n'avait pas l'air d'un frère ou d'un ami, mais d'un conquérant escorté par une armée de juristes et de conseillers, sans compter la flotte de navires de guerre qui remontait la côte et les six cents arbalétriers et cinq cents chevaliers qui arrivaient par voie de terre. Là, au château de Norham, Édouard leur avait annoncé qu'il choisirait bien leur roi, mais que d'abord ils devaient le reconnaître comme leur suzerain. Il dit qu'il avait amené avec lui la preuve qu'il était dans son droit en prétendant à cette position, et ses juristes s'empressèrent de brandir des liasses de documents. Emmenés par l'évêque Wishart, les gardiens protestèrent avec véhémence contre sa demande, mais tout au long du conseil qui s'ensuivit, le roi demeura inflexible. Et pendant ce temps, son armée s'installait sur les rives de la Tweed.

Au bout du compte, malgré leurs protestations, les seigneurs écossais furent forcés de plier tant ils avaient besoin de mettre un terme à l'incertitude qui pesait sur le royaume. Les prévôts abandonnèrent les châteaux royaux et les gardiens durent se dépouiller de leur autorité, après quoi Édouard les réinstaura dans leur fonction en désignant un gardien anglais supplémentaire. Cependant, il y avait une condition sur laquelle les gardiens avaient refusé de céder. Afin d'assurer l'indépendance de l'Écosse à l'avenir, Édouard ne resterait suzerain que jusqu'à la désignation du nouveau roi. Dans les deux mois qui suivraient son couronnement, il devrait restituer les châteaux royaux, perdre toute autorité et ne plus rien exiger. Édouard accepta, apposant son sceau sur l'accord, avant de déclarer aux seigneurs écossais qu'il était un homme juste, ce qui signifiait que tous les prétendants au trône seraient entendus pour faire valoir leur droit.

Robert vit un homme vêtu avec faste traverser l'estrade et s'agenouiller devant le roi d'Angleterre. Il était arrivé à Berwick la semaine précédente, accompagné d'une suite nombreuse.

La voix de l'évêque Bek retentit une nouvelle fois dans la salle du château de Norham.

— Sir Florence, lord de Hollande, accepterez-vous le jugement de l'illustre roi Édouard d'Angleterre, duc de Gascogne, souverain d'Irlande, conquérant du pays de Galles et suzerain d'Écosse ? Et devant l'assemblée présente, jurez-vous que nul autre n'est mieux à même d'examiner votre droit à accéder au trône de ce royaume ?

Le fantasque comte s'inclina bas devant le trône et, comme les neuf autres l'avaient fait avant lui, il répondit par l'affirmative. Il ne restait plus que trois hommes maintenant du côté gauche du dais.

C'était à John Comyn maintenant de monter sur la plate-forme. Quand lord de Badenoch s'agenouilla, Robert remarqua qu'il ne baissait pas la tête avec la même déférence que les autres. En fait, son corps rigide ne parut pratiquement pas se pencher. Robert sentit un coup de coude et il jeta un coup d'œil à son frère. D'un signe de tête, Édouard lui indiqua les rangs de devant, et plus précisément un jeune homme pâle aux cheveux noirs. C'était le fils aîné de John Comyn, qui portait le même nom que son père. Robert l'avait vu plusieurs fois depuis l'assemblée de Birgham l'année précédente, quoiqu'ils ne se soient jamais parlé. Le jeune homme semblait transfiguré par la scène qui se jouait devant ses yeux. Et lorsque son père s'agenouilla, il fut tellement rempli d'orgueil que le rouge lui monta aux joues.

— Il croit vraiment que son père a une chance d'être choisi ? murmura Édouard.

— Il doit savoir que non, lui répondit Robert sur le même ton. Comyn ne cherche pas à être roi. Il veut que Balliol monte sur le trône. Grand-père pense qu'il veut juste que sa revendication soit inscrite dans les registres, comme une formalité.

Le jeune Comyn examina l'assemblée, et sa fierté fit place à l'hostilité lorsqu'il croisa le regard des frères Bruce.

L'attention de Robert se porta sur les hommes debout à la droite du roi, au nombre desquels figuraient maintenant le comte de Hollande et John Comyn. La plupart, à l'instar de ce dernier, n'espéraient pas réellement s'asseoir sur le trône. Bien que le roi se soit déclaré prêt à écouter tous les prétendants, chacun savait qu'en réalité il n'y avait que deux hommes en compétition. Ces deux hommes furent les derniers à s'avancer et à se soumettre à l'autorité du roi. D'abord vint Jean de Balliol, plein d'enthousiasme et souriant.

— S'il s'incline plus bas, il va tomber, susurra Édouard.

Puis lord d'Annandale monta sur l'estrade et ce fut au tour de Robert d'être envahi par l'orgueil. Son grand-père s'inclina lentement, avec une expression de douleur, son corps protestant contre la contorsion qu'on lui imposait. Mais même dans cette position, le lord ne perdit pas une once de son autorité naturelle.

Robert scruta le roi Édouard pendant que l'évêque Bek s'adressait à son grand-père. Il ne discernait aucune émotion dans ses yeux gris, sauf peut-être une lointaine tristesse, mais c'était peut-être son imagination, même si la nouvelle de la mort d'Éléonore avait précédé l'arrivée du roi. Ils savaient tous qu'Édouard avait ordonné aux maçons d'ériger des croix gigantesques pour marquer les endroits où le corps de sa femme s'était arrêté lors de sa procession de Lincoln à Londres. Robert avait essayé de se représenter ces monuments élevés au chagrin et à la perte alignés dans la campagne anglaise. Il avait entendu beaucoup de choses à propos du roi : sa valeur lors des croisades, son habileté et son intrépidité sur les champs de bataille, son intelligence des rapports de forces, sa passion pour la chasse et les joutes. Il avait été surpris par la froideur et le cynisme de son comportement, tant il était aux antipodes de l'homme dont son père lui avait toujours parlé avec admiration.

Son grand-père se releva, le dos voûté, et rejoignit les autres prétendants. Lorsque l'évêque Bek prit la parole devant l'assemblée, Robert sentit son impatience grandir. Depuis le jour où son grand-père l'avait emmené en haut de Moot Hill, le combat du vieil homme s'était infiltré dans son sang. Si Édouard choisissait son aïeul, lui-même deviendrait héritier, second dans la lignée après son père. Néanmoins, Robert essaya de contenir son impatience, sachant que les audiences ne se termineraient sans doute pas avant au moins plusieurs mois. Demain, quand son grand-père aurait prononcé sa plaidoirie, les Bruce retourneraient chez eux, comme tout le monde, afin d'attendre le verdict du nouveau suzerain d'Écosse.

Chapitre 19

— Elle te regarde.

Robert avala une gorgée du vin couleur prune tandis qu'Édouard se penchait contre lui, hilare.

— Vraiment ?

Robert s'adossa nonchalamment contre le mur, mais son regard vola furtivement au-dessus des têtes des danseurs de l'autre côté de la salle. Son frère le considérait en riant.

— En fait, non.

— Imbécile, ronchonna Robert.

Il chercha dans la foule le voile rouge qu'il avait repéré quelques minutes plus tôt. La salle était pleine du son des cornemuses, des tambours et des pas des danseurs. Les tables à tréteaux, sur lesquelles on avait festoyé un peu plus tôt, étaient poussées contre les murs pour faire de la place. Une rangée de femmes enjouées traversa la piste à la rencontre des hommes, bouchant la vue de Robert. Il tourna la tête et aperçut alors le voile rouge, sur l'estrade. C'était elle.

Elle s'appelait Eva et elle était la fille du comte Donald de Mar, l'un des plus fidèles alliés de son grand-père. Robert l'avait rencontrée à plusieurs occasions au cours de l'année passée, son père étant venu à Annandale soutenir le lord pendant les audiences. Ce n'était pas la première femme qu'il remarquait : une ou deux filles de Lochmaben avaient retenu son attention quand il s'y trouvait, comme la nièce d'un vassal de son grand-père, qui avait fait de lui un homme dans une grange en lisière du bois. Mais Eva était différente. Elle était de son rang et c'était une jeune dame instruite qui avait bien plus confiance en elle que les filles du village. Robert avait peur qu'elle ne soit pas aussi facile à impressionner.

Tandis qu'il la dévorait des yeux, Eva alla vers son père et passa son bras autour de ses épaules. Son voile rouge en soie, maintenu en place par sa couronne de tresses, se plissa légèrement, découvrant son visage. Quelques mèches de cheveux blonds flottaient devant ses joues, auxquelles la chaleur et le vin avaient donné des couleurs. Le vieux comte se pencha vers elle. Elle lui sourit et lui glissa un mot à l'oreille. Robert quitta sa place d'un pas résolu et, sans voir le sourire narquois de son frère, se fraya un chemin dans la cohue. Une femme tourbillonna devant lui en riant, un peu essoufflée, avant de se retrouver dans les bras de son cavalier. Robert porta sa coupe à ses lèvres et vida les dernières gorgées de vin, puis il la tendit à un serviteur qui passait. Ce soir, il n'était pas un simple écuyer. Ce soir, il était le petit-fils d'un homme qui serait peut-être bientôt roi.

Un an s'était écoulé depuis que les treize hommes s'étaient agenouillés au château de Norham et que le roi avait pris le contrôle de l'Écosse. L'audience s'était ouverte l'été précédent au bourg royal de Berwick par les pétitions écrites de chacun des prétendants, complétées des rouleaux détaillant leur généalogie. On avait composé une cour de cent un hommes, dont quatre-vingts avaient été choisis par les deux principaux prétendants, lord d'Annandale et Balliol, et les autres par Édouard lui-même. Les rouleaux avaient été expédiés en France pour que les savants de la

Sorbonne les étudient. L'attente touchait à sa fin. On attendait le verdict du roi d'un jour à l'autre et lord d'Annandale avait organisé la fête de ce soir pour remercier les seigneurs qui l'avaient appuyé. Le vieux Bruce, qui avait maintenant soixante-dix ans, avait confiance, non sans raison. Seul Balliol pouvait rivaliser avec lui sur la question du sang. Et puis il était un vassal loyal du roi d'Angleterre, il avait servi sous les ordres d'Édouard en Terre sainte et s'était battu aux côtés de Henry contre Simon de Montfort. Encore plus crucial, il avait obtenu le soutien de sept des treize comtes d'Écosse, qui selon l'ancienne coutume avaient le pouvoir de choisir le roi.

Robert approchait du dais, les yeux rivés sur Eva, lorsqu'il entendit qu'on l'appelait par son nom. Il se tourna, c'était sa mère. Les cheveux de Marjorie, d'un noir de jais, dégringolaient sous un filet de soie bleu assorti à sa robe. Pour Robert, elle avait l'air d'une reine, droite et belle. Ce n'est qu'en allant à sa rencontre qu'il vit les cernes sous ses yeux et la peau tendue sur ses os. Il comprit alors que ces audiences n'avaient pas seulement éreinté son grand-père et il eut honte de n'avoir pas pensé à elle ces derniers mois. Robert jeta un coup d'œil à son père, qui se trouvait sur l'estrade. Le comte avait une coupe à la main et, bien que la circonstance commandât la gaieté, il semblait scruter le monde avec une mauvaise humeur inaltérable. Robert se dit qu'il n'avait pas dû être facile à vivre.

— Mon fils, dit la comtesse en contemplant Robert, qui était vêtu de chausses noires et d'une tunique boutonnée. Comme tu es beau.

Robert entendit quelqu'un rire nerveusement, et il s'aperçut que l'une de ses sœurs l'observait à la dérobée, cachée derrière les jupes de la comtesse. C'était la plus jeune, Matilda. Pouffant toujours, elle courut rejoindre ses autres sœurs qui étaient assises avec la nourrice. Il n'arrivait pas à croire qu'elles avaient changé à ce point depuis la dernière fois qu'il les avait vues. Mary était une turbulente petite fille de sept ans qui se mettait toujours dans l'embarras, comme Édouard. Christiane, neuf ans et des cheveux bouclés, paraissait sensible et sérieuse, tandis qu'Isabel avait l'air d'une belle jeune femme. Il aurait aimé que ses autres frères soient à la fête ce soir, mais Niall et Thomas étaient à Antrim, suivant le même chemin que lui, et Alexandre devait entrer dans les ordres. On disait qu'il irait à Cambridge étudier la théologie.

— Je ne t'ai pas encore vu danser, reprit la comtesse en posant sa main froide sur sa joue.

— Il est encore tôt, répondit Robert, dont les yeux allèrent presque involontairement jusqu'à l'estrade.

Lady Marjorie lui adressa un regard complice.

— Demande-lui, murmura-t-elle avant d'aller se mêler à la foule.

Robert, que la perspicacité de sa mère avait mis mal à l'aise, monta sur l'estrade, d'où l'on dominait l'assemblée. Puis il alla vers la table sur laquelle étaient éparpillés les restes du festin et, passant devant son père plongé dans ses pensées, se dirigea vers son grand-père et le comte de Mar. Le comte d'Atholl, sir John, était là avec sa femme, elle aussi fille du comte Donald, et vêtue d'une robe rouge comme sa sœur. Robert s'approcha d'eux en essayant de ne pas prêter attention à la robe rouge qui l'obnubilait. Il ouvrit la bouche, espérant que quelqu'un de courtois lui adresserait la parole en premier, et alors, comme par magie, son grand-père leva les yeux vers lui.

— Ah, Robert, nous parlions justement de toi.

Le lord paraissait en excellente forme, malgré les veines rouges qui sillonnaient le bout de son nez.

— C'est vrai, dit John d'Atholl. Votre grand-père nous racontait vos exploits à la chasse aujourd'hui.

Le jeune homme au regard ardent se pencha vers Robert avec un sourire chaleureux, ses cheveux frisés retombant sur ses yeux.

— On me dit que c'est vous qui avez donné le coup de grâce. J'aurais bien voulu voir cela.

— Un cerf à seize cors, précisa lord d'Annandale en se renfonçant dans un siège avec un grognement satisfait avant de prendre sa coupe. Le meilleur de la saison, et le dernier.

Robert n'y tenait plus. Il jeta un coup d'œil en coin à la tache rouge qui se trouvait en périphérie de son champ de vision. Eva croisa son regard. Elle aussi souriait, mais c'était un sourire moins chaleureux, plus détaché que celui des hommes, comme si, le jaugeant, elle ne s'estimait pas réellement impressionnée. Elle avait les yeux d'un bleu plus pâle que les siens. La couleur d'un ciel de printemps, décida-t-il.

— Eva.

Une petite fille, l'une de ses sœurs, montait les marches d'un pas hésitant.

— Oui, Isobel ?

— Tu veux bien danser avec moi ?

Eva serra une dernière fois l'épaule de son père et descendit légèrement de l'estrade en prenant sa sœur par la main. Avant de disparaître dans la foule, laissant derrière une traînée rouge, elle jeta un bref regard en arrière vers Robert.

Le comte d'Atholl se leva et enlaça sa jolie femme.

— Je crois que je vais les rejoindre, annonça-t-il avant de se tourner vers Robert avec un grand sourire. Faites attention, Robert, toutes les sœurs seront bientôt prises.

Le jeune homme adressa un clin d'œil au comte de Mar et à lord d'Annandale, qui rirent tous deux d'une façon qui laissait à penser qu'ils n'avaient pas seulement parlé de ses talents de chasseur. Il avait dix-huit ans ; la question de son mariage ne devait sans doute pas être très éloignée de leur esprit, surtout eu égard aux circonstances. On choisirait bientôt pour lui une épouse de haut rang, avec une dot appropriée. Eh bien, se dit-il à la vue des sourires entendus des hommes, ce n'est pas encore fait. Désireux de changer de sujet, il laissa ses yeux errer sur la feuille de palmier accrochée au manteau de son grand-père.

— Pensez-vous que le roi Édouard va répondre à l'appel du pape, qui veut une nouvelle croisade ?

Leur expression s'assombrit aussitôt et Robert se maudit d'avoir lancé un sujet de conversation aussi sinistre. Cela faisait six mois qu'ils avaient appris la chute d'Acre, dernière forteresse des croisés en Terre sainte. Les rumeurs parlaient d'hommes et de femmes se jetant à la mer pour échapper aux lames des Sarrasins, au chaos et au feu, de rues pleines de sang et de bateaux pleins à ras bord de réfugiés errant d'un port de la Chrétienté à l'autre. Ce qui avait conduit le pape à préconiser une nouvelle croisade. Mais rien n'était fait.

— Quand notre trône sera occupé, peut-être pourrons-nous répondre à cet appel, répondit son grand-père d'une voix grave avant de vider sa coupe.

Le comte Donald hocha la tête.

— Nous avons besoin de sang neuf pour la guerre sainte, dit-il en se penchant vers Robert. Si un jeune et puissant seigneur prenait la Croix, d'autres le suivraient.

Un grondement rauque s'éleva au bout de la table. Les yeux injectés de sang, les paupières lourdes, le comte de Carrick les regardait du haut de son mépris.

— Un puissant seigneur ! éructa-t-il en se levant.

La chaise recula derrière lui dans un grincement, et il tendit le bras vers Robert, renversant du vin sur la table.

— S'il incarne l'espoir pour la Terre sainte, alors que Dieu nous vienne en aide !

Il n'articulait presque plus, mais Robert comprenait distinctement le moindre mot.

— Assez, intima lord d'Annandale.

— Je ne dis que la vérité. Il ne connaît pas la guerre. Il n'a jamais tué que des *bêtes*, et non des hommes.

Du sang neuf ? poursuivit-il avec une moue. Le sang qui coule dans les veines de nos fils n'est pas comme le nôtre. On croirait du vin coupé à l'eau. Comment voulez-vous faire des croisés de ces avortons ?

Le comte poursuivit sa diatribe, mais Robert n'était plus là pour l'entendre.

Tournant les talons, il descendit quatre à quatre les marches de l'estrade et s'enfonça dans la foule. Il ignora les protestations des gens qu'il poussait, partit en trombe vers les portes et sortit dans la nuit, où le bruit de la musique et des danseurs s'effaça, englouti dans l'obscurité. Il laissa derrière lui la chapelle et les cuisines, les écuries et le chenil dont la silhouette se découpait dans la lueur blanche de la demi-lune, et il alla vers l'enceinte. Devant lui, au-dessus des toits, s'élevait la masse noire de la butte argileuse, avec ses pentes abruptes. À son sommet, protégé par des murs, une tour ronde se dressait tel un doigt pointant les lointaines étoiles. Au lieu d'escalader la butte jusqu'au donjon, où il partageait l'habitation de son grand-père, Robert se dirigea vers la muraille qui ceignait le domaine. Il avait presque atteint la porte lorsqu'il entendit crier son nom. Il se retourna et vit Eva qui courait après lui. Au clair de lune, son voile était si sombre qu'il paraissait noir.

— Vous quittez la fête ?

— J'avais besoin d'air.

Ne voulant pas rester un instant de plus au château, même pour elle, Robert continua son chemin. Eva le suivit sans hésiter, les jupons de sa robe bruissant sur le sol verglacé. C'était la fin de l'automne et la silhouette nue des arbres se découpait contre le ciel. Les gardes saluèrent Robert et, tandis qu'ils ouvraient la porte, leurs regards s'attardèrent sur Eva.

— Prenez garde, maître Robert, lui dirent-ils avec un petit sourire entendu. Le sol est détrempé près du loch, ce soir.

Robert suivit le chemin au milieu des arbres qui menait à Kirk Loch. Ils ne parlaient pas. Étrangement, Robert était d'un calme souverain, entre la colère et l'espoir. Au bout d'un moment, les arbres s'espacèrent et le petit plan d'eau se présenta à eux, resplendissant sous la lune, cerné par la forêt. Le château de son grand-père, siège de la famille depuis plus d'un siècle, avait été construit près de ce plan d'eau, mais contrairement à la forteresse de ses ancêtres près d'Annan, la butte et le donjon avaient été érigés à bonne distance de l'étang. La famille Bruce avait appris à se méfier de la malédiction de saint Malachie.

Robert s'arrêta et contempla l'étendue d'eau.

À côté de lui, Eva frissonna dans l'air glacial et se rapprocha en se frottant les bras.

Robert savait ce qu'il devait faire, il savait même qu'elle désirait qu'il le fasse, mais le visage de son père, déformé par le dédain, ne laissait pas son esprit en paix. Ses paroles s'infiltraient en lui comme un poison. Bientôt, Eva posa sa main sur la sienne et enlaça ses doigts aux siens. Quelque part dans les bois, une chouette hulula. La respiration de Robert s'accéléra, des nuages de buée se formèrent devant lui. L'image de son père reflua, vaincue par le contact de cette main sur la sienne. Il sentait son pouls, aussi rapide que le sien. Il se tourna vers elle avec l'envie de chasser la moindre de ses pensées et pressa ses lèvres contre les siennes. Elle se crispa, surprise par sa ferveur, puis se laissa aller contre lui. Elle avait un goût de vin.

Robert entendit un bruit lointain, et supposa d'abord que c'était le sang qui battait à ses tempes, mais le son ne fit qu'augmenter et il comprit qu'il s'agissait de sabots cognant contre le sol. Trois, peut-être quatre chevaux. Il se détacha d'Eva.

— D'autres invités ? murmura-t-elle.

Il vit ses lèvres humides et son estomac se noua.

— Non, répondit-il d'une petite voix avant de se racler la gorge. Tout le monde est là.

Robert hésita. Il avait envie de rester dehors avec elle, mais cette intrusion l'avait distrait. Il était bien tard pour voyager.

— Viens.

Il la prit par la main et ils rebroussèrent chemin à travers bois, laissant le loch inerte et silencieux derrière eux.

En arrivant près des remparts, Robert s'aperçut que les cornemuses ne jouaient plus. Ayant franchi la porte, il entendit des éclats de voix venus de la salle. Il y avait des chevaux dans la cour. Robert se précipita dans la salle, dont les portes étaient grandes ouvertes. Le brouhaha était à son comble. Soudain, Édouard émergea au milieu de la foule. Apercevant Robert, il vint le rejoindre. Robert n'avait jamais vu son jeune frère avec un visage aussi morose.

— Que se passe-t-il ?

— On vient de nous annoncer que John Balliol sera roi.

Chapitre 20

Tête baissée, les pouces passés sous sa ceinture, Robert suivait le triste sentier qui traversait les bois. Le vent balançait les branches nues des arbres et faisait voler les feuilles mortes autour de lui. Uathach, issue de la dernière portée de Scáthach, courait autour de lui en décrivant des cercles et en essayant d'attraper les feuilles au vol dans sa gueule ouverte. D'ordinaire, les bouffonneries de la petite chienne l'amusaient, mais il la remarquait à peine aujourd'hui. D'humeur aussi sinistre que cet après-midi de novembre, Robert retournait dans son esprit les questions qui le préoccupaient.

Une semaine avait passé depuis la fête et l'ambiance à Lochmaben n'aurait pas pu être plus différente de celle qui avait régné avant l'annonce. La plupart de ceux qui avaient soutenu son grand-père s'étaient excusés avant de partir, préférant prendre leurs distances, comme si sa famille avait contracté quelque maladie contagieuse. Robert savait que ce n'était pas totalement juste, car les comtes de Mar, d'Atholl et de Dunbar avaient à l'évidence été surpris et affligés par la décision du roi. Mais le château était inhabituellement calme depuis sept jours, et il était impossible de ne pas comprendre qu'ennemie du nouveau roi d'Écosse, la famille Bruce avait de grandes chances de voir son statut dans le royaume remis en question.

Le père et la mère de Robert étaient restés à Lochmaben, quoique le caractère colérique du comte ne contribuât pas vraiment à dissiper la tension. Le vieux lord avait passé presque toute la semaine seul, dans ses chambres qu'il ne quittait que pour prier. Deux nuits plus tôt, Robert avait découvert son grand-père agenouillé devant les cierges qui brûlaient sur l'autel, répétant sans cesse la même litanie, l'haleine chargée de vin, les épaules voûtées. *La malédiction*, avait-il marmonné tandis que Robert l'aidait à se relever. *Nous devons nous amender.*

Robert s'était isolé, lui aussi. Il passait ses journées à courir les bois en évitant même son frère. Maintenant que la saison de la chasse était terminée, la campagne autour de Lochmaben avait retrouvé sa tranquillité. Les pluies d'automne avaient effacé les sentiers improvisés par les chevaux et les hommes. La forêt reprenait ses droits sur son territoire. Au cours des douze derniers mois, sa vie s'était accélérée, pour son plus grand bonheur. L'apprentissage à Antrim, l'entraînement à Turnberry, le chemin vers la chevalerie qu'il avait emprunté sous l'aile protectrice de son grand-père, tout cela avait finalement porté ses fruits, et convergé vers un destin grandiose – bien plus grandiose qu'il n'aurait pu l'imaginer : le trône d'Écosse.

Maintenant, il savait que ce destin n'était qu'un mirage, une chimère trompeuse ; devant lui, il n'y avait plus que ténèbres et incertitude. Bien sûr il était toujours l'héritier de la fortune familiale, mais que deviendrait-elle avec un ennemi sur le trône et les Comyn promus aux plus hautes fonctions ? Annandale et Carrick seraient-ils à l'abri, ou Balliol chercherait-il à se venger des hommes qui avaient envahi ses terres six ans plus tôt ? Ils avaient appris que sir Jean avait récemment fait de Dungal MacDouall le capitaine de l'armée du Galloway. C'est son père qui avait tué celui de MacDouall lors de l'attaque contre Buittle et il ne faisait pas de doute que les hommes du Galloway nourrissaient depuis longtemps le désir de se venger. Certes, sa famille possédait de riches domaines en Angleterre, mais c'était un bien maigre réconfort en regard de la décision prise par le roi Édouard. Peut-être pourraient-ils se retirer sur leurs terres en Irlande ? Cependant, cela ressemblerait par trop à une défaite et Robert écarta cette pensée en sortant des bois.

Devant lui, le château de Lochmaben, avec son donjon juché sur la butte au-dessus des remparts et de la ville, dominait le paysage. Stratégiquement situé entre deux lochs, il constituait le point de passage obligé vers l'ouest de l'Écosse. La fumée s'élevait des toits telles des hardes arrachées par le vent. La journée était avancée et l'odeur de cuisine qui venait de la ville fit gargouiller l'estomac de Robert. Il siffla Uathach, qui coursait des corbeaux croassant, et partit en direction de la porte sud des remparts de la ville. Il était plus rapide de traverser le village que de le contourner. Les gardes le saluèrent, mais s'abstinrent de leurs plaisanteries habituelles et de leur babillage. Tandis qu'il s'éloignait, Robert sentit leurs regards inquiets dans son dos.

Il approchait de la place, où le marché se terminait, quand il aperçut une silhouette familière sur les marches de l'église. C'était son grand-père. Un couvre-chef cachait ses cheveux blancs et il avait les épaules voûtées, comme si elles étaient trop lourdes à porter. Le lord parlait à quelqu'un qui attira l'attention de Robert. C'était une vieille femme vêtue d'une cape brune élimée, qui s'appuyait sur une canne noueuse. Elle était à bonne distance, mais il la reconnut.

Affraig.

Ce fut un choc pour lui de la revoir, comme si une part de son enfance se manifestait en plein cœur de sa vie d'adulte, la remplissant de souvenirs et d'émotions depuis longtemps oubliés. Robert était bien trop loin pour entendre ce qu'ils disaient, mais leur discussion semblait tendue. Ils donnaient l'impression de se quereller. Le vent rabattit la capuche d'Affraig et il vit que désormais ses cheveux avaient blanchi. Robert se faufila entre les marchands qui rassemblaient leurs affaires, passa au milieu des chevaux et des charrettes. Il vit son grand-père renverser sa tête en arrière et lever les yeux au ciel. Puis le vieil homme parut acquiescer. Affraig leva la main et lui toucha la joue en un geste familier et affectueux qui surprit et choqua Robert, puis elle s'en alla en s'aidant de sa canne. Quelques instants plus tard, elle disparaissait au coin de l'église. Robert décida de rejoindre son grand-père. Celui-ci se dirigeait vers la porte qui menait au château. Avant qu'il ait pu le rattraper, quelqu'un l'interpella. C'était un vassal de lord d'Annandale, un chevalier d'un domaine voisin.

— Maître Robert, le salua l'homme. Cela fait plusieurs jours que j'essaie d'obtenir une audience auprès de sir Robert. J'aimerais lui présenter mes regrets après ce terrible revers. Je prie pour qu'il ne me reproche pas d'avoir tardé, mais avec les récentes tempêtes, j'ai été occupé nuit et jour par...

— Je lui ferai part de vos regrets, l'interrompit Robert avant de le planter là.

Arrivé de l'autre côté de la place, il se rendit compte que son grand-père avait disparu et il repartit à toutes jambes vers l'église. Il contourna l'édifice, et entra dans un dédale de rues, à la recherche d'Affraig. Mais après plusieurs minutes, il renonça à sa quête et décida de rentrer au château.

Robert franchissait l'enceinte quand il entendit des éclats de voix venant des logements des invités, à l'étage. Reconnaissant la voix de son grand-père, puis la réponse pratiquement aboyée par son père, il s'approcha de la porte. Au moment où il y arrivait, elle s'ouvrit et deux servantes sortirent en portant des paniers de linge. Elles se rangèrent sur le côté en le saluant poliment. Robert sentit une odeur forte et vit ce qui ressemblait à une tache de sang sur l'un des draps, puis il entra et monta à l'étage. Dans le couloir de la chambre de ses parents, il s'arrêta. Il entendait son père et son grand-père parler à l'intérieur.

— Je n'arrive pas à croire que vous écoutiez cette vieille chouette ! tonitruait le comte. Une relique du passé, qui croit encore aux malédictions et à la magie comme une vieillarde, voilà ce que vous êtes ! Pas étonnant que le roi Édouard ait choisi cet idiot de Jean de Balliol plutôt que vous !

— Vous aussi, vous y croyiez autrefois, rappelez-vous.

— J'étais ivre quand je suis allé voir cette vieille sorcière, rétorqua le comte. Ivre du sang que j'avais vu verser dans ces satanées montagnes galloises, ivre des morts que j'avais laissés derrière moi. Je n'avais plus toute ma tête.

La voix de son grand-père se brisa soudain, sous le coup d'une subite émotion.

— C'est parce que vous aviez honte que vous avez envoyé quelqu'un vous en prendre à elle ? Vous vouliez la punir parce qu'elle avait fait ce que vous lui aviez demandé ?

— Je n'ai rien à voir là-dedans, marmonna le comte.

— Mais vous ne lui avez pas non plus rendu justice, comme elle y avait droit.

— Justice ? répéta-t-il en éclatant d'un rire cruel. Une femme qui vit seule et qui dupe les hommes pour gagner son pain doit tôt ou tard avoir ce qu'elle mérite.

Le silence qui suivit dura un long moment. Quand le vieux lord reprit la parole, sa voix était aussi froide et dure que du marbre.

— La seule chose qui compte aujourd'hui, c'est que notre ambition soit préservée.

— Vous n'êtes plus prétendant à rien, à la fin ! s'emporta le comte.

Le grand-père de Robert poursuivit, comme s'il n'avait pas entendu son fils.

— C'est à vous aujourd'hui de devenir le prétendant officiel. Je vais préparer les documents

Robert fronça les sourcils.

— Je n'ai pas l'intention de vous suivre dans cette folie !

Des bruits de pas s'approchèrent de la porte.

— Vous allez m'écouter ! vociféra lord d'Annandale. Ou bien je jure devant Dieu que je vous dépouillerai de tout !

Les pas s'arrêtèrent net.

— Je sais que vous m'avez trompé et que vous avez informé le roi Édouard de notre attaque sur le Galloway. Je sais que vous êtes toujours resté en contact après cela, que vous l'avez tenu au courant de nos plans.

Robert fut choqué, à la fois par cette révélation, et par la colère presque aveugle qui semblait s'être emparée de son grand-père.

— Il y a des hommes à Carrick qui me restent loyaux, reprit le lord. Cela me rend malade d'être obligé d'espionner mon propre fils, mais vous ne m'avez jamais donné aucune raison de vous faire confiance. Je ne vous ai jamais parlé de votre trahison. J'ai préféré fermer les yeux, comme je l'ai si souvent fait avec vous, mais cela m'a au moins prouvé que s'il reste un espoir dans cette famille, il ne repose pas sur vous.

— Sur vous, alors ? Vous porterez un linceul avant une couronne ! C'est moi qui ai assuré la puissance de cette famille en épousant Marjorie.

— Comme vous oubliez vite qu'en vous mariant avec Marjorie sans le consentement du roi, vous avez provoqué sa colère. Vous avez failli tout perdre ! Ce n'est qu'en raison de mon influence que le roi vous a pardonné et a redonné Carrick à votre épouse.

— Et vous me haïssez toujours à cause de cela. Je n'abandonnerai pas ce qui me revient de droit !

— Si vous ne le faites pas, vous n'hériterez pas d'Annandale. Et vous n'aurez pas non plus mes domaines en Angleterre, ni ma fortune. Quand je mourrai, vous n'aurez rien.

— Vous n'oseriez pas. C'est moi qui vous ai sauvé de cette cellule, à Lewes. J'ai payé votre rançon. Sans moi, vous n'auriez pas d'héritage à transmettre.

L'escalier craqua dans le dos de Robert et il se retourna en sursaut. C'était sa mère. Son visage, éclairé par la chandelle qu'elle tenait à la main, avait un teint cireux.

— Que faites-vous, Robert ?

De l'autre côté de la porte, les voix se turent aussitôt. Il entendit quelques bruits de pas, puis la poignée tourna. La porte s'entrebâilla et Robert croisa le regard de son grand-père.

Le vieux lord ouvrit grande la porte.

— Entre, mon garçon.

Robert jeta un coup d'œil à sa mère, puis il obtempéra. Son grand-père ne l'avait pas appelé « Mon garçon » depuis des années. Cela le renvoyait à sa jeunesse, ce qui le rendit nerveux. Son père se tenait au milieu de la chambre, le visage livide. Derrière lui, un lit occupait une grande partie de l'espace. Il n'y avait plus de draps. Robert repensa aux taches de sang dans le panier de linge, puis son grand-père reprit la parole.

— Ton père a quelque chose à te dire.

Le comte alla à grandes enjambées vers la porte. Arrivé là, il se retourna vers son père :

— J'aurais mieux fait de vous laisser croupir à Lewes, lança-t-il au vieil homme avant de quitter la chambre.

Le lord parut tétanisé par cette réplique. Il s'apprêtait à parler, mais y renonça et il alla s'affaler sur le lit. Robert l'observait en silence. Il avait l'air si fragile. Ses mains tremblaient, calées entre ses genoux, et sa peau était aussi fine qu'un parchemin. Les rides se creusaient de plus en plus autour de ses yeux et de sa bouche. Robert avait entendu un jour un poète déclarer qu'il valait mieux pour les hommes mourir jeunes sur un champ de bataille que de se faire dérober leur force et leur jeunesse par le grand voleur, le Temps. Il baissa les yeux sur ses propres mains, dont la peau souple était parcourue de veines saillantes.

— Je ne sais pas exactement ce que tu as entendu, dit le lord, mais il faut que tu saches que je vais abandonner à ton père le droit de prétendre au trône. C'est le droit de notre famille et il ne peut être ignoré, quoi qu'ait décrété le roi Édouard. Je veux qu'il survive par quelqu'un qui s'en montrera digne.

Il se leva lentement et s'approcha de Robert.

— L'heure venue, ton père te transmettra ce droit, en même temps que le comté de Carrick, reprit-il en le prenant par les épaules. Demain, tu seras fait chevalier et adoubé comme l'un des treize comtes d'Écosse.

Les yeux de faucon du vieux comte transperçaient Robert.

— Promets-moi que tu respecteras ce droit de notre famille et que tu le feras valoir avec dignité dans les années à venir, quels que soient les prétendants qui s'assiéront sur ce trône au mépris de notre droit.

— Je le jure, sir, murmura Robert.

Sa voix sonnait de façon étrange à ses propres oreilles, comme si quelqu'un d'autre parlait à sa place. Son esprit tournait à vide. L'inquiétude envahit le visage de son grand-père.

— Je suis désolé que tu écopes de ce fardeau, Robert. Sache simplement que je ne te le passerais pas si je ne te croyais pas capable de le porter.

— Ce n'est pas un fardeau, grand-père. C'est un honneur.

Pour toute réponse, son grand-père se contenta de serrer un peu plus fort ses épaules.

La procession montait lentement Moot Hill sous la pluie. Les femmes tenaient leurs jupons pour ne pas les salir dans la boue et les chevaliers prenaient garde aux flaques. Les arbres oscillaient et laissaient tomber de grosses gouttes sur la foule qui se rassemblait sur la butte, derrière l'abbaye. Deux hommes sortirent du rang en portant une grosse barre d'acier à laquelle était suspendu, par deux anneaux, un bloc de pierre massif. Au milieu du cercle délimité par les arbres, les visages des deux hommes rougirent sous l'effort colossal qu'ils devaient faire pour hisser la pierre sur son socle. Les moines de l'abbaye de Scone les regardèrent avec anxiété déposer la pierre, puis la recouvrir d'un carré de soie doré décoré de trois lions rouges. Le reste de l'assistance se concentra sur le grand homme qui apparut alors et marcha vers la pierre. Il était vêtu d'une robe rouge écarlate et portait à la ceinture une épée sans fourreau.

James Stewart, l'évêque de St Andrews et l'abbé de Scone le suivaient. Jean de Balliol, les cheveux plaqués par la pluie sur son front dégarni, s'assit sans les attendre sur la Pierre du Destin et fit face à la foule. L'intendant s'avança, un sceptre incrusté de joyaux à la main. En silence, il tendit le symbole de l'autorité à Balliol, dont le visage se tordit dans un sourire. Puis le frêle évêque de St Andrews drapa les épaules de Balliol d'un manteau et d'une étole d'hermine d'une blancheur immaculée. Les trois hommes vinrent se placer derrière le trône pendant qu'on lisait à voix haute à la foule la liste des aïeux de Jean de Balliol.

Debout à la droite de la Pierre, à l'abri d'un dais que ses pages tenaient pour lui, le roi Édouard écouta le clerc entonner les noms des rois passés. Le vent souleva un pan du carré de soie sur lequel Balliol était assis, et il distingua brièvement un morceau de pierre pâle.

John de Warenne se pencha vers l'oreille royale.

— Quand voulez-vous agir, Sire ?

— Bientôt, répondit Édouard sans quitter Balliol des yeux.

TROISIÈME PARTIE

1293-1295

... Alors apparut une comète d'une magnitude et d'un éclat merveilleux. Une lumière émanait d'elle, au bout de laquelle il y avait un globe de feu en forme de dragon.

Or donc, de cette époque, on l'appela Uther Pendragon, ce qui en langue bretonne signifie la tête de dragon ; l'occasion de cette appellation étant la prédiction de Merlin, après l'apparition d'un dragon, qu'il deviendrait roi.

Geoffroy de Monmouth,
Histoire des rois de Bretagne.

Chapitre 21

Les semaines qui suivirent l'élévation de Robert au rang de chevalier furent sombres pour la famille Bruce, fuie par ses alliés et menacée par ses ennemis. Depuis l'époque de saint Malachie, ils n'avaient jamais autant vécu sous le signe du désastre, et le vieux lord passait une bonne partie de ses nuits à genoux dans la chapelle de Lochmaben, à prier le saint de retirer sa malédiction vengeresse. Robert se joignait parfois à lui, inquiet de son humeur erratique et hanté par les fantômes d'Affraig et de son arbre à destins. La cage contenant le nœud coulant était-elle jamais tombée, ou subissait-elle toujours l'érosion du temps, aussi obstinée que le saint qui avait maudit leur lignée ? Alors qu'il était déchiré entre deux possibilités, se retirer à Carrick qui était maintenant son comté, ou rester à Lochmaben avec le vieil homme, la décision avait été prise pour lui par la froide main de la mort.

Peu après le couronnement de Jean de Balliol, tandis que leurs soutiens se dispersaient, n'ayant pas l'envie ou le courage de défendre les ennemis jurés du nouveau roi d'Écosse, lady Marjorie était tombée malade. La comtesse était mal en point depuis longtemps, elle n'avait jamais semblé se remettre de la naissance de Matilda, mais son état empira progressivement, les accès de fièvre devenant de plus en plus fréquents, jusqu'à cette nuit maudite où elle trépassa. Quand la nouvelle de son décès était arrivée à Lochmaben, Robert était aussitôt parti pour Carrick, pour assister à ses funérailles et affronter le silence hostile de son père. Sa mort fit éclater la famille. Comme si elle était la corde qui les avait liés les uns aux autres et que, elle partie, plus rien ne les rattachait.

Quelques semaines plus tard à peine, son père avait emmené sa fille aînée, Isabel, et avait fait voile pour la Norvège, où ils séjournaient en qualité d'invités du roi Éric. Après son départ, resté seul pour régler les affaires de sa mère et celles, plus complexes encore, du comté, Robert fut heureux de recevoir en mars de la nouvelle année un message de son grand-père, qui lui demandait de venir à Lochmaben. Confiant Carrick à l'un de ses vassaux, un chevalier du nom de Andrew Boyd, Robert partit avec Édouard pour le château de leur grand-père.

À l'arrivée des deux frères, le vieux Bruce avait fait appeler Robert dans sa chambre, au donjon. Bien qu'il ne se fût écoulé que quelques mois depuis leur dernière rencontre, lorsque le page le fit entrer, Robert fut bouleversé de voir à quel point il avait changé. Il avait laissé un homme bien bâti que sa musculature faisait toujours paraître plus jeune qu'il n'était, il retrouvait un vieillard rabougri et voûté, prostré dans sa chaise près du feu, aux cheveux blancs épars.

Il se leva avec difficulté tandis que Robert traversait la pièce, le page refermant la porte dans son dos. Robert prit le vieil homme dans ses bras et il sentit son corps osseux contre le sien.

— C'est bon de vous voir, grand-père.

— Toi aussi, mon garçon, répondit le lord d'une voix rauque avant de lui désigner un tabouret près du feu. Assieds-toi, je t'en prie.

Tout en s'installant, Robert regarda autour de lui les tapisseries qui évoquaient des scènes familières, comme celle près du grand lit où l'on voyait un groupe de chevaliers sur des coursiers noirs poursuivant un cerf blanc. Cela lui rappela les chasses auxquelles son grand-père l'avait emmené dans les bois d'Annandale et il éprouva soudain une bouffée de nostalgie. Il avait été obligé d'endosser rapidement le costume de comte, et les joies de la jeunesse lui semblaient de lointains souvenirs.

— Comment vont les choses à Carrick ? l'interrogea sir Robert en l'examinant.

— Je prends mes repères, répondit posément Robert après un moment de réflexion. Sir Andrew Boyd m'est d'une grande aide. Je lui ai confié la charge de la garnison de Turnberry en mon absence.

— Et tes vassaux ?

— J'ai accepté les hommages de ceux qui vivent à côté de Turnberry. Mais entre le mauvais temps et les naissances des agneaux, je n'ai pas encore eu le temps de tous les faire venir.

— C'est le début, dit le vieux lord en hochant la tête. Tu as le temps d'apprendre à connaître tes sujets.

Ses yeux noirs scintillèrent à la lueur du feu.

— La fortune n'a pas beaucoup souri à notre famille l'année dernière, Robert, mais nous ne devons pas laisser l'adversité effacer deux cents ans d'influence sur ce royaume. Je pensais ce que je t'ai dit le jour où tu as été adoubé – je veux que tu revendiques le trône au nom de notre famille.

Il soupira en contemplant ses mains ridées.

— Je suis fatigué. Fatigué dans mes os et dans mon cœur. Ton père est à l'étranger, il essaie de bâtir des alliances avec la Norvège et je ne sais absolument pas quand il sera de retour. L'heure est venue pour toi d'endosser le manteau que nous avons porté si longtemps. Mais je ne crois pas que tu puisses y arriver en Écosse, poursuivit-il en plantant ses yeux dans ceux

233

de Robert. Ici, le souvenir de notre défaite et de la victoire de Balliol est encore trop frais dans la mémoire du peuple. Je ne veux pas que tu pâtisses de mon échec. Robert voulut protester, mais le vieux lord leva la main.

— J'y ai longuement réfléchi et j'ai le sentiment que tu servirais mieux les intérêts de notre famille en étant ailleurs, pour l'instant. C'est pourquoi je veux que tu te rendes en Angleterre. Les domaines que nous y possédons forment une partie de ton héritage, il est important que tu prennes le temps de comprendre leur valeur et de rencontrer les hommes qui un jour te jureront fidélité. Après cela, tu iras présenter tes respects au roi Édouard à Londres.

— Il a installé notre ennemi sur le trône, répondit Robert avec perplexité. Pourquoi irais-je lui présenter mes respects devant sa cour ?

Robert secoua la tête. Il aurait pu s'attendre à une telle proposition de la part de son père, mais pas de son grand-père, qui avait toujours fait en sorte de garder ses distances avec le roi d'Angleterre. Cependant, le vieux Bruce se montra catégorique.

— Notre position en Écosse est gravement affaiblie. Nous devons la renforcer ailleurs si nous voulons que notre famille retrouve son autorité. Tu emmèneras ton frère, continua le lord en prenant la coupe de vin posée sur la table, à côté de lui. Et un petit groupe d'hommes que j'ai choisis pour toi. J'ai peur que cette escorte ne convienne pas vraiment à un homme de ton rang, mais avec ton père à l'étranger et un ennemi sur le trône, je dois garder autant d'hommes ici que possible.

Il leva sa coupe et la tendit vers Robert, qui écoutait en silence.

— Je compte sur toi, Robert.

Le cheval rejeta sa tête sur le côté, et le blanc de ses yeux apparut à travers les fentes du caparaçon noir qui couvrait sa silhouette massive. Comme le chevalier se penchait pour saisir la lance que lui tendait son écuyer, son surcot s'écarta et découvrit le scintillement d'écaille de sa cotte de mailles. Pour calmer le fougueux destrier, il ramena les rênes dans sa main gauche, derrière le bouclier fixé à son bras. Plat en haut et pointu à sa base, près de son genou, ce bouclier était noir, avec une harpe rouge en son centre. Les ailettes en bois sur ses épaules portaient les mêmes armes, seul signe permettant de l'identifier dans son armure encombrante et son heaume.

Les acclamations de la foule qui assistait au tournoi de Smithfield redoublèrent lorsqu'un deuxième chevalier, de l'autre côté du terrain, prit sa lance. Celui-là portait un surcot bleu avec une rayure blanche qui passait en diagonale au milieu de six lions jaunes. Son bouclier arborait un dessin étrange. D'un rouge sanglant, son centre était frappé d'un dragon jaune.

Une corne retentit. Les chevaliers enfoncèrent leurs talons dans les flancs des chevaux, qui s'élancèrent immédiatement au galop, malgré la boue et les éclats de bois des lances précédemment utilisées. Le chevalier au dragon faillit perdre le contrôle de son cheval, sur le point de sortir de sa ligne, mais d'un coup sec sur les rênes, il le redressa à temps pour lever sa lance. Autour du champ, on se tordait le cou pour voir l'affrontement. La pointe en acier vint percuter le bouclier et la hampe de la lance se brisa net. L'impact fut brutal. Le chevalier à la harpe rouge fut projeté en arrière, sa propre lance décrivant un arc de cercle, et il bascula par-dessus la selle haute tandis que son cheval continuait sa course. Il retomba au sol dans un grand fracas de métal et d'éclaboussures. La foule hurlait.

Le chevalier au dragon passa au petit galop en arrivant à l'extrémité du champ, et l'assistance s'écarta pour ouvrir un passage à la bête en armure. Au dernier moment, cependant, il fit demi-tour et relança son cheval vers l'endroit où son adversaire gisait. Là il s'arrêta, prêt à mettre pied à terre et à se battre. Mais le chevalier au sol demeurait inerte. La corne retentit de nouveau et trois écuyers arborant la harpe rouge se précipitèrent à son secours, l'un se pressant de prendre les rênes de sa monture pendant que les deux autres s'occupaient de leur maître à terre. Le chevalier au dragon se contenta de les observer sans rien faire, sauf maîtriser le destrier qui piaffait. La foule s'était calmée, elle attendait la suite. L'homme était-il seulement inconscient, ou avaient-ils assisté à sa mort en cette belle matinée de mai ? C'était un spectacle assez commun lors des tournois, même si désormais les lances étaient équipées de pointes émoussées et que les épées étaient faites de fanons de baleine pour réduire la force des coups.

L'homme bougeait encore à terre, on aperçut à travers les jambes des écuyers un bras qui se levait, des doigts qui remuaient. Les écuyers reculèrent et l'homme se remit sur ses pieds, son bouclier cabossé pendant au bout de sa sangle. Debout, vacillant, il retira son heaume, indiquant par là qu'il ne continuerait pas le combat. Le chevalier au dragon relança son cheval au galop en décrivant de grands cercles avec son épée, accueillis par la clameur du public.

Assis avec son frère dans la tribune royale, Robert applaudit avec enthousiasme tandis qu'on emmenait le chevalier blessé et que deux nouveaux combattants se présentaient sur leur destrier. Ce n'était que la troisième joute de la journée, mais il n'avait jamais vu de chevaliers aussi doués et puissants que sur ce terrain. Pourtant, il avait assisté à quelques tournois en Écosse, mais cela n'avait rien à voir avec la somptuosité de ce qui se déroulait devant ses yeux. Tout était plus grandiose, à Londres ; les chevaux étaient plus grands, les tenues des chevaliers plus élégantes, qu'il s'agisse des flammes en soie accrochées aux hampes des lances ou des plumes qui décoraient les heaumes. Les foules, elles aussi, étaient plus importantes. Robert constata qu'il y avait encore des gens qui faisaient la queue pour franchir l'entrée entre les deux tentes rayées. Les chevaliers de la maison royale les fouillaient pour leur retirer leurs armes, interdites lors des tournois. Cela était dû à une loi relativement ancienne, promulguée après qu'un tournoi se fut encore terminé en émeute, avec des dizaines de morts. Depuis, les joutes étaient devenues plus populaires que les violentes mêlées et les tournois avaient acquis un certain raffinement, avec des juges, des récompenses, où seuls des chevaliers de haut rang étaient autorisés à participer, contre une somme princière. Malgré tout, les chevaliers du roi semblaient amasser une pleine charrette de dagues et de couteaux.

Alors que Robert reportait son attention sur le terrain, son regard tomba sur l'hôte du tournoi. Le roi Édouard, plusieurs rangées devant lui, se tenait droit dans son trône matelassé, trois lions brodés à l'avant et à l'arrière de son surcot, ses cheveux blanc cendré impeccablement bouclés. Autour de lui, la loge royale était pleine de barons et de seigneurs venus de toute l'Angleterre, ainsi que de dames qui arboraient des robes incrustées de joyaux et des coiffures délicates et complexes d'où des morceaux de soie voletaient au vent. Les pages en tunique turquoise s'agitaient alentour tels des colibris, se tenant prêt à tout moment à satisfaire telle ou telle requête.

Robert étudia le roi un moment. Peu après Noël, obéissant à son grand-père, il avait écrit à Édouard depuis le domaine de l'Essex où il se trouvait pour lui expliquer qu'il représentait les intérêts de sa famille en Angleterre et qu'il désirait présenter ses respects à la cour. Au début de la nouvelle année, un message portant le sceau royal lui était parvenu, l'invitant au printemps au parlement afin de discuter avec le roi de ses projets de croisade. Alors qu'il était arrivé depuis une semaine à Londres, Robert attendait toujours l'audience royale, rebuffade que son frère commentait déjà avec scepticisme. De son côté, il en concevait cependant un certain soulagement, car lui-même éprouvait encore du ressentiment à l'égard d'Édouard et il savait qu'il ne lui vaudrait rien de le laisser paraître. Pas ici, à Londres, au milieu de cette munificence, avec cette cour où les loups étaient si nombreux.

Robert oublia le roi pour regarder les deux adversaires qui trottaient sur le terrain, suivis par leurs écuyers qui leur tendaient leur lance. Il ressentit un soupçon de jalousie à les voir ainsi parader sur les plus beaux chevaux que l'argent pouvait acheter, adorés et admirés par la foule. Les difficultés liées aux fiefs anglais – les plaintes des fermiers, disputes infimes qu'il fallait résoudre – avaient lourdement pesé sur ses épaules au cours de l'année écoulée. Mais le frisson des tournois et la grande scène de Londres avaient réveillé en lui des désirs qui allaient bien au-delà du fardeau des responsabilités. Il y avait dans ce spectacle tout qui lui avait fait rêver de chevalerie, quand il était encore un enfant : l'euphorie, la gloire. La reconnaissance.

Il acclama comme le reste de la foule les chevaliers qui faisaient le tour du terrain, levant le poing en l'air pour s'attirer le soutien des spectateurs. Le premier portait comme blason un lion d'argent, le deuxième un aigle vert. Robert cessa d'applaudir lorsqu'il vit que le chevalier à l'aigle vert avait un bouclier rouge sang avec un dragon jaune en son centre.

— Tu as vu son bouclier ? demanda-t-il tout bas à son frère au milieu du vacarme. C'est le même que le précédent vainqueur.

— Ils viennent peut-être de la même maison, répondit Édouard tandis que le chevalier arrivé à la hauteur de la tribune royale s'inclinait devant le roi.

— Pourquoi un blason différent sur leur surcot, dans ce cas ?

Édouard haussa les épaules. Les chevaliers rejoignaient leur place de chaque côté du terrain. Sur le côté, il avisa d'autres hommes qui attendaient avec leurs écuyers.

— Regarde. Il y en a d'autres là-bas.

En tout, Robert compta treize chevaliers qui se distinguaient par leurs armes alors qu'ils avaient le même écusson décoré d'un dragon. Il n'avait jamais vu une chose pareille. En général, le bouclier d'un chevalier portait les armes de sa maison. Il eut l'intention de demander à l'un des seigneurs dans la tribune, mais ils se levaient tous pour assister à la joute. Ne voulant pas manquer l'action, Robert les imita au moment où les chevaliers, lancés au galop, levaient leur lance.

La procession royale avançait le long du chemin poussiéreux, les tambours annonçant son approche. Le roi Édouard était à sa tête avec ses conseillers, dont le comte de Surrey, John de Warenne, et Anthony Bek, l'évêque de Durham. Derrière suivaient les chevaliers du tournoi, qui, pour la plupart, avaient échangé les heaumes et les cottes de mailles pour des chemises en lin et des manteaux brodés. Ils chevauchaient comme des triomphateurs, les joues encore rougies par l'événement. Certains avaient gardé les favoris que les dames leur avaient jetés pendant la joute, morceaux de voile ou de manches, soie d'araignée aussi douce que des ailes de papillon. La bonne humeur qui régnait changeait agréablement du silence maussade qui avait prévalu ces derniers jours, car la cour était préoccupée par les tensions en France où le frère d'Édouard, Edmond, était empêtré dans des négociations difficiles à cause d'une bataille maritime, l'été précédent, entre des navires marchands anglais et la flotte française.

Derrière les chevaliers, les écuyers ramenaient les déchets du tournoi : les lances et les épées brisées, les boucliers fracassés, et un homme sur une litière, couvert de sang et à demi conscient. Aux chevaux de bât était confié le reste. Dans les rues boueuses derrière

Smithfield, des enfants au visage crasseux avaient un moment couru à côté d'eux, quémandant quelques pièces. Mais maintenant, la procession traversait de calmes vergers où la brise faisait tomber des fleurs d'une blancheur de neige.

Robert, qui montait près de son frère, parmi les écuyers, baissa les yeux sur les pétales écrabouillés par les sabots de ceux qui allaient devant eux. Avec ses hommes, il était relégué à l'arrière de la procession, avec d'autres seigneurs étrangers et, peut-être, ceux qui avaient autrefois été plus proches du roi mais avaient perdu ses faveurs. Robert avait grandi avec ce système de rangs et de favoritisme, où les tables d'honneur et les loges servaient à appâter les vassaux récalcitrants, ou à récompenser les plus fidèles. Mais ici à Londres, où la noblesse était si nombreuse, entre les puissants comtes du royaume et les plus rapaces des chevaliers, prêts à tout pour des miettes de terre et de fortune, ces symboles étaient régis par une étiquette nébuleuse que Robert n'était pas sûr de jamais comprendre. En Écosse, il s'était naturellement retrouvé incorporé à l'élite. En comparaison, il avait l'impression très nette de ne pas être à sa place. Mentalement, il se répéta les mots de son grand-père qui lui rappelait son illustre ascendance et il se redressa sur sa selle.

Une acclamation s'éleva quand un homme, vêtu d'un surcot bleu avec une longue rayure blanche, sortit de la colonne des chevaliers. C'était le vainqueur du tournoi, qui, après avoir désarçonné son premier adversaire, en avait mis à terre quatorze autres. Il brandit son trophée en l'air, une dague d'une beauté époustouflante, et une autre acclamation suivit. Robert avait été surpris lorsque, à la fin du tournoi, le chevalier avait ôté son heaume et s'était présenté devant la loge royale pour recevoir son prix, car il n'était sans doute pas plus vieux que lui. Le rubis incrusté dans la poignée de la dague rutilait de mille feux. Le chevalier victorieux rentra dans le rang. Alors que la procession sortait du couvert du verger, la tour de Londres apparut sur la gauche. L'enceinte massive de la citadelle du roi Édouard semblait s'élever jusqu'au ciel. Construite par le Conquérant, la Tour avait connu de nombreuses modifications au fil des siècles et des rois, mais aucun, d'après ce que Robert s'était laissé dire, n'en avait fait autant qu'Édouard en vingt ans de règne.

La tête de la compagnie était déjà sur la chaussée qui longeait les douves et, bientôt, Robert et Édouard franchirent les premières défenses menant à l'intérieur de la forteresse royale. Une fois sur la chaussée, ils pénétrèrent dans une barbacane semi-circulaire entourée d'eau et gardée par des soldats. Ensuite, ce fut la première porte, qu'on atteignait par des ponts-levis au-dessus desquels étaient suspendues des herses entourées de meurtrières. En dessous, la surface verdâtre de l'eau était agitée par les ombres mouvantes des poissons. Au-delà des quais royaux qui faisaient le tour des douves, la Tamise coulait lentement le long des remparts sud, du côté des appartements du roi, lesquels, coincés entre des tours aussi graciles que des flûtes, surplombaient le fleuve.

Après la deuxième porte, ils traversèrent la section extérieure située entre deux enceintes. La procession ralentit pour s'engouffrer sous une arcade, le bruit des tambours résonnant contre les tours. Robert et Édouard suivirent le reste de la compagnie dans ce qui apparaissait comme un dédale, et passèrent devant la barge royale amarrée en contrebas des quartiers du roi. Puis ils se retrouvèrent au pied d'une dernière porte, la plus impressionnante, qui donnait accès au cœur de la forteresse. Quand ils eurent dépassé ce long passage ombragé et qu'ils retrouvèrent la lumière du soleil, la tour blanche se dressa devant eux. Le joyau de la Couronne.

Une large avenue flanquée de murs les conduisit à l'immense tour, qui les ébahit par sa grandeur, digne de Dieu, et près de laquelle ils paraissaient si petits.

Robert pensa à la butte et au donjon de son grand-père à Lochmaben, un château d'enfant en comparaison. Une porte de plus, décorée de bannières celle-là, et ils débouchèrent dans le saint des saints, où un gigantesque escalier de pierre menait à l'entrée de la tour. Les chevaliers et les seigneurs mirent pied à terre, et les palefreniers emmenèrent les chevaux aux écuries pendant que les serviteurs guidaient la noblesse vers la tour.

Robert tendit les rênes de son cheval à son écuyer, Nes. Parmi les six écuyers, les deux serviteurs, l'intendant et le cuisinier qui les accompagnaient, Édouard et lui, depuis leur départ d'Écosse, c'est avec le jeune et calme Nes, fils d'un chevalier d'Annandale vassal de son grand-père, qu'il avait noué la relation la plus intime. Pendant que les écuyers emmenaient les chevaux, les deux frères gravirent l'impressionnant escalier. Le vacarme des tambours avait cessé et le son plus agréable des cornemuses et des lyres leur parvenait. Tandis que les énormes portes se rapprochaient, ils entendirent les murmures étonnés des gens devant eux. Ils entrèrent. D'innombrables piliers en marbre flanquaient la vaste pièce dont tous les murs étaient décorés de tapisseries. Cependant ce n'est pas l'architecture qui stupéfia le plus les deux Bruce, mais l'abondance de plantes et d'arbres qui donnaient l'impression que la forêt avait poussé à l'intérieur. Des lauriers serpentaient à la base des piliers et l'air était parfumé par le tapis de pétales qui recouvrait les dalles du sol. Édouard siffla d'un air appréciateur en voyant des donzelles en robe éthérée se faufiler entre des arbres devant eux. Des hommes qui portaient des masques grotesques les pourchassaient.

La musique était plus forte. Un escalier en bois s'élevait de la forêt enchantée et gagnait l'étage supérieur. Robert était si pressé de découvrir ce qui les attendait là-haut qu'il ne vit pas ce qui montait la garde au pied de l'escalier avant qu'Édouard ne le tire par la manche. Entravée par trois pages, une bête massive à la crinière sombre en broussaille leur barrait la route. De grosses chaînes étaient attachées au collier de la créature, mais même ainsi les pages avaient à l'évidence du mal à la retenir. Elle se débattait et grognait à la vue de la foule. Les muscles roulaient sous son pelage ocre, parcouru de traces pâles, sans doute dues à un fouet. Robert n'avait jamais contemplé que des images de cette créature, sur des boucliers et des surcots. Le lion était bien plus menaçant qu'il ne l'avait imaginé. Son rugissement était pareil à un coup de tonnerre, il semblait se répercuter dans sa poitrine et dans sa gueule, et sa bestialité le mettait sur les nerfs. En haut de l'escalier, après que Robert eut jeté un dernier coup d'œil à la bête qui grondait, ils entrèrent dans la grande salle.

Chapitre 22

Pendant que le roi et ses conseillers montaient sur l'estrade recouverte d'un dais, les huissiers indiquaient leur place aux invités. Les sièges les plus proches de la plate-forme étaient réservés aux chevaliers du tournoi. Robert et son frère se retrouvèrent au milieu de la salle, à bonne distance de la table royale.

Les tables étaient encombrées de carafes en verre et de coupes, ainsi que de bassins en argent remplis d'eau et de pétales de roses, afin que les invités se lavent les mains. Tandis que les seigneurs et leurs dames prenaient place, les serviteurs amenaient les cygnes rôtis à la peau croquante, des saumons d'Irlande accompagnés de citrons d'Espagne, des coupelles de beurre, du fromage de Brie et des figues toutes ridées. Quand tout le monde fut assis, l'évêque Bek bénit le repas. Le goûteur du roi s'adonna à son office, en quête de poison, et les serviteurs entreprirent de servir le vin.

— Êtes-vous sir Robert Bruce ?

Robert regarda aimablement l'homme d'une grande élégance qui s'était adressé à lui par-dessus la table, d'une voix forte, pour se faire entendre malgré le bruit des couteaux. Il inclina la tête.

Sans se donner la peine de se présenter, l'homme se pencha pour prendre un morceau de fromage, puis il se tourna vers une dame plantureuse qui portait une robe trop serrée dont le tissu semblait prêt à se déchirer.

— Ils viennent d'Écosse, lui dit-il.

— Vraiment ? fit la femme en posant son regard sur Robert. J'ai entendu dire que c'est un endroit vraiment sauvage. Des terres désolées, pauvres, harcelées par le froid et les pluies continuelles.

Robert n'eut pas le temps de répondre car Édouard acquiesçait déjà tristement.

— C'est vrai, madame. Il fait si froid, d'ailleurs, que nous ne pouvons nous baigner que trois jours de l'année, en juin, quand la glace qui couvre les lochs fond.

L'élégant fronça les sourcils, sceptique, tout en coupant des petites tranches de fromage. La femme hocha la tête.

— Comme vous devez savourer le fait d'être en Angleterre.

Édouard lui fit un grand sourire.

— Eh bien, cela m'évite de puer comme un porc.

La femme eut un rire nerveux et préféra se concentrer sur la tranche de bœuf qui refroidissait dans son assiette. L'homme détourna le regard avec une moue dédaigneuse. Quand le couple entama une conversation avec un autre convive, Robert murmura à son frère :

— Tu ne risques pas de te faire d'amis en te comportant de cette façon.

Le sourire d'Édouard disparut.

— Tu entends comment ils parlent de notre royaume ? La seule différence avec les Gallois ou les Irlandais, c'est qu'ils considèrent que nous sommes *civilisés* alors qu'ils les prennent pour des barbares.

— Peux-tu leur en vouloir de penser que tout ce qui n'est pas aussi grandiose qu'ici est inférieur ?

Robert prit sa coupe et du bras désigna la grande salle et la foule opulente.

— Ne me dis pas que tu n'es pas impressionné.

— Je le suis peut-être, mais ça ne veut pas dire que je compte me laisser traiter comme un paysan, répondit Édouard en plissant les yeux. Le roi ne t'a même pas encore salué, Robert. Nous sommes ici depuis une semaine. Tu devrais être accueilli comme un invité de marque.

— Je ne pense pas que le roi ait eu l'occasion de parler avec la plupart des gens qui se trouvent ici, rétorqua Robert, piqué par ces propos de bon sens.

Il s'était sans doute senti soulagé de ne pas affronter le roi immédiatement, mais l'attente se prolongeant, le répit se transformait en insulte. Il ne pouvait guère faire ce que son grand-père attendait de lui pour restaurer le prestige de la famille en Angleterre si le roi ne daignait même pas le recevoir.

— J'imagine que les problèmes en France l'auront occupé...

— La France ?

La voix bourrue le prit par surprise. Il se retourna et il découvrit un homme âgé portant un manteau brodé maintenu au cou par un fermoir orné d'une pierre précieuse.

— Ainsi donc, même nos lointains voisins écossais ont eu vent de nos problèmes ?

Robert avait entendu parler de la bataille qui avait provoqué le conflit juste après qu'elle avait eu lieu, l'été précédent. La flotte française avait attaqué plusieurs navires marchands au large des côtes britanniques, apparemment sans provocation de leurs équipages anglais et gascons, et c'étaient les Anglais qui étaient sortis vainqueurs de l'escarmouche, au cours de laquelle ils avaient capturé trois vaisseaux et obligé les autres à fuir. Mais il n'eut pas le temps d'expliquer qu'il était en Angleterre depuis un an.

— Écoutez bien ce que je vous dis, reprit le vieil homme à voix basse en faisant de grands gestes avec son couteau, si bien qu'un morceau de viande tomba sur la table, les tournois et les banquets ne suffiront pas longtemps à regonfler le moral des barons. Leur moral coulera comme une pierre dès que le parlement se réunira.

La mention du parlement réveilla l'intérêt de Robert. Malgré ses réserves, il avait hâte de connaître les plans du roi pour une nouvelle croisade, et les opportunités qu'elles offriraient, car l'une des meilleures manières pour lui de renouer avec le lustre d'antan aurait été de prendre la Croix sous la bannière d'Édouard. Il entendait encore les mots acerbes de son père la nuit où ils avaient appris que le trône reviendrait à Balliol, aussi clairement que s'ils avaient été prononcés à l'instant même.

Le sang qui coule dans les veines de nos fils n'est pas comme le nôtre. On croirait du vin coupé à l'eau. Comment voulez-vous faire des croisés de ces avortons ?

Ces paroles l'avaient longtemps fait souffrir, et cette souffrance le poursuivait maintenant que son père était parti pour la Norvège. Une partie de lui les avait combattues – sa rage et son ivresse étaient seules responsables, c'était un pur déversement de bile, sans substance. Mais une autre partie de lui, plus lucide, lui répétait que le comte parlait vrai. Il n'était pas à la hauteur des croisés partis avant lui. Il avait grandi à une époque de paix sans autre cible à frapper qu'une quintaine sur une plage déserte. C'était peut-être sa chance de prouver à son père qu'il avait eu tort. Robert se voyait rentrer chez lui avec de nouveaux fiefs accordés par le roi, des sacs pleins de bel or sarrasin et une réputation aussi flamboyante que celle de son grand-père, à qui il ramènerait une nouvelle feuille de palmier tout exprès de Jérusalem.

Le vieil homme, néanmoins, ne pensait pas précisément aux croisades.

— La session va être difficile pour le roi, dit-il à Robert en hochant la tête avec enthousiasme. Oh oui !

De l'autre côté de la table, l'élégant se racla la gorge en lui lançant des regards appuyés.

— Vous savez que j'ai raison, s'écria le vieil homme. Le roi Édouard n'aurait jamais dû envoyer son frère traiter en son nom avec Philippe. S'il y était allé lui-même, il ne risquerait pas aujourd'hui de voir la fin la domination anglaise en Gascogne.

— D'après ce que j'ai entendu, dit Robert en s'adressant tour à tour aux deux hommes, la reddition des terres du roi en Gascogne est temporaire, jusqu'à ce qu'un accord de paix soit trouvé avec le roi Philippe. Ce n'est qu'un geste pour prouver sa bonne foi.

— C'est exact, reprit l'élégant avec superbe. Le roi Édouard devait rendre les vaisseaux capturés et céder le duché. Quand il ira en France faire la paix avec Philippe, la Gascogne lui sera restituée. Tels sont les termes acceptés par le comte Edmond à Paris.

— Bah ! balaya le vieux noble. D'abord, est-ce que vous n'êtes pas surpris que deux ou trois navires marchands réussissent à battre la flotte française ?

L'homme en face de lui fronça les sourcils.

— Que voulez-vous dire ?

— Je dis que c'était un piège et que notre roi est tombé dedans ! Philippe a déclaré dès le début de son règne qu'il ne voulait pas qu'un roi anglais domine une partie de la France. Il a demandé aux capitaines de ses vaisseaux de se laisser capturer afin d'avoir une raison d'exiger la reddition de la Gascogne.

— C'est grotesque, s'exclama l'autre.

Mais son air démentait ses propos.

— Et je sais aussi pourquoi le roi Édouard a accepté sans barguigner les conditions de Philippe, poursuivit le vieil homme en pointant son couteau vers le dais sous lequel le roi était assis avec ses conseillers.

Il se pencha en avant, comme pour une confidence :

— C'est l'attrait de la chair.

Robert attendait la suite avec impatience. Il avait entendu des rumeurs à propos de l'accord de mariage qui aurait été conclu pendant les négociations concernant la Gascogne, mais rien n'avait été confirmé.

— La sœur du roi Philippe, la princesse Marguerite, murmura le vieillard en détachant chaque mot. Pas avant ses treize ans, vous verrez.

Il piqua son couteau dans un morceau de bœuf saignant qu'il avala d'une seule bouchée.

— Notre roi a échangé ses vastes terres françaises contre un petit trou français.

Là-dessus, il lécha le jus sur son couteau et repoussa son plat. Ignorant les regards de ceux qui avaient entendu sa sortie, il se leva de table et disparut dans la foule.

Robert regarda son frère.

— C'est bien ce que je te disais, murmura-t-il. Le roi était occupé.

Édouard se carra sur son siège et se cura les dents.

— Je continue à penser qu'il aurait dû t'accueillir convenablement, aussi occupé soit-il. Tu es comte, Robert. Et il n'y a pas si longtemps, notre grand-père se battait pour le trône.

Robert piocha dans sa viande en silence.

Au départ, la colère d'avoir perdu le trône avait été quelque peu étouffée par le chagrin qu'avait provoqué la mort de sa mère, mais au fil du temps elle était revenue le hanter. Son seul réconfort, c'était de savoir que le règne du nouveau roi était tout sauf heureux.

Après son couronnement, les juristes anglais avaient obligé Jean de Balliol à accepter docilement que, même sur le trône d'Écosse, il demeurât le sujet d'Édouard. La promesse faite par Édouard aux Écossais, selon laquelle sa suzeraineté ne serait que temporaire, avait été oubliée – sous la pression d'Édouard, qui avait contraint Balliol à décréter cette garantie nulle et non avenue. Le roi d'Angleterre avait alors entrepris de démontrer sa supériorité en s'ingérant dans les affaires écossaises.

Des hommes qui auraient dû être jugés en Écosse le furent à Westminster. Quand les Écossais protestèrent, emmenés par Comyn, Balliol fut convoqué devant les juges d'Édouard. Endeuillé par la perte récente de son épouse, la reine, Balliol s'était laissé humilier par le roi et, pour son outrage, avait été condamné à perdre trois villes et châteaux royaux.

Le frère de Robert estimait que Balliol devait boire un amer calice, mais Robert ne pouvait s'empêcher de penser que son grand-père aurait été capable de tenir tête au roi. Ces pensées l'avaient d'ailleurs conduit à soupçonner que c'était la raison pour laquelle il n'avait pas été choisi. Ces derniers mois, Robert s'était plus d'une fois souvenu des paroles prononcées par l'évêque Wishart de Glasgow et le fougueux comte d'Atholl : le roi Édouard voulait seulement étendre son empire aux dépens de ses voisins. Son grand-père l'avait chargé de soutenir leur droit au trône, quel que soit celui qui l'usurpait aujourd'hui. Cependant, il avait l'impression que la lutte pour le trône était déjà bien engagée et qu'il n'était pas dans la course.

Robert vida son vin et repoussa son plat, les serviteurs débarrassant les tables. Les ménestrels se mirent à jouer un air enlevé et une rangée d'hommes et de femmes se forma au milieu de la salle. Les gens frappaient dans leurs mains en se tenant enlacés. Édouard parlait de nouveau à la grosse dame, à qui il racontait des histoires de bêtes monstrueuses qui rôdaient dans les collines d'Écosse et dévoraient les enfants des villages.

— Sir, êtes-vous le comte de Carrick ?

À cette question, Robert se crispa. Il jaugea son interlocuteur, peu enclin à faire la conversation, et découvrit un homme portant une cape bleue avec une rayure blanche. De près, le chevalier paraissait encore plus jeune qu'au tournoi. Ses cheveux bruns lui tombaient sur les yeux et il dégageait d'emblée une certaine chaleur. L'irritation de Robert se dissipa.

— C'est moi. Vous êtes sir Humphrey de Bohum, comte de Hereford et d'Essex ?

Humphrey sourit, ce qui fit naître des fossettes sur ses joues.

— Pas encore. C'est mon père qui est comte. Mais puisque je suis son héritier, ce titre n'est pas vraiment faux non plus.

— Laissez-moi vous présenter...

Robert était sur le point de nommer Édouard, mais celui-ci s'était levé et conduisait la grosse femme au centre de la salle, où les danseurs faisaient signe aux invités de les rejoindre.

— Félicitations pour votre victoire. C'était amplement mérité.

Il avait presque envie d'ajouter que c'était la première fois qu'il voyait une telle démonstration, mais il se ravisa, ne voulant pas passer pour un imbécile.

— C'est moi qui devrais vous féliciter, sir Robert. Vous avez résolu cette querelle entre les fermiers de nos pères dans l'Essex de façon admirable.

Robert secoua la tête, embarrassé par ses compliments.

— C'était le moins que je pusse faire. Nos hommes étaient clairement dans leur tort. Ils n'auraient jamais dû chasser dans le parc de votre père, pour commencer. J'espère que les travaux que je leur ai commandés pour le comte vous ont satisfait ?

— Plus que je ne saurais le dire. Mon père m'a chargé de vous remercier. Il m'a demandé des nouvelles de votre famille.

— Eh bien, mon frère Alexandre étudie la théologie à Cambridge et ma sœur Christiane va bientôt se marier avec l'héritier du comte de Mar.

Robert pensa à Mary et à Matilda à Lochmaben, ainsi qu'à Niall et Thomas à Antrim, mais il supposa que le chevalier se montrait seulement poli.

— Et je crois que mon père va bien, conclut-il plus froidement. Il est en Norvège, à la cour du roi Éric.

251

— Ah oui, votre nouveau beau-frère.

Robert fut pris de court. Quelques mois plus tôt, il avait reçu un message qui lui annonçait la nouvelle inattendue du mariage de sa sœur avec le roi norvégien. La lettre était brève, une simple information, sans un mot personnel de son père. Robert avait envoyé une broche en argent en forme de rose pour Isabel, en espérant que ce cadeau convenait à une dame qui allait devenir reine, mais il n'avait plus eu de nouvelles depuis. Il n'aurait pas pensé que les fiançailles soient déjà connues.

Humphrey rit de son air décontenancé.

— Vous ne devriez pas être surpris, sir Robert. Le noble nom de votre famille est bien connu par ici et vous n'allez pas tarder à découvrir que tout le monde se mêle des affaires des autres à la cour.

— Je l'ignorais.

— Vous vous y ferez. Gardez les yeux ouverts et surveillez vos arrières, dit le jeune homme avec un sourire aimable qui jurait avec son avertissement. Je vous souhaite une bonne soirée.

Robert se leva.

— Peut-être pourrions-nous reparler plus tard ? demanda-t-il. J'aimerais m'engager dans un tournoi.

— C'est vrai ?

Humphrey parut intéressé, mais il hocha finalement la tête avec regret.

— Une autre fois. Malheureusement, je suis attendu ailleurs.

— Bien sûr, dit Robert en essayant de cacher sa déception.

Les manières avenantes de Humphrey étaient rafraîchissantes après l'arrogance et la réserve de la plupart des nobles qu'il avait rencontrés jusque-là. Tandis que le chevalier s'éloignait, il joua avec sa coupe en regardant son frère tournoyer avec la femme à une vitesse qui devait être éreintante. Si tous les espoirs de la famille n'avaient pas reposé sur ses épaules, peut-être aurait-il pu lui aussi se montrer plus insouciant. Étant l'aîné, Robert avait toujours su que son heure sonnerait, mais elle était venue plus tôt qu'il ne s'y attendait. Il n'avait que dix-neuf ans. Cependant, il ne pouvait prendre sa jeunesse comme excuse car à son âge, son grand-père avait déjà été designé héritier du trône et il avait épousé la fille d'un comte anglais, obtenant autant de terres au sud de la frontière qu'en Écosse.

Tout à coup, il aperçut Humphrey de Bohun qui revenait vers lui. Le jeune chevalier parut hésiter, mais il l'aborda en souriant.

— Voulez-vous vous joindre à moi ?

Après un instant, Robert se leva. Il avait le sentiment qu'accepter en silence était plus digne que de le remercier pour sa proposition. Tout en suivant Humphrey dans la salle bondée, il essaya de croiser le regard de son frère, mais Édouard était trop pris par la danse pour remarquer son départ. Ils se frayèrent un chemin dans la foule et sortirent par une porte qui donnait sur un couloir.

Humphrey le fit passer devant des gardes vigilants, puis ils empruntèrent une allée qui longeait les murs de l'enceinte intérieure. La nuit était tombée, des nuages arrivaient de l'est. Un vent frais agitait leurs capes. Au bout de l'allée, ils descendirent quelques marches en pierre menant à une grande tour ronde.

— Ce sont les anciens appartements du roi Henry, dit Humphrey en passant devant d'autres gardes à l'entrée de la tour. Le roi Édouard nous laisse les utiliser, de temps à autre.

Robert hocha la tête sans rien dire. Il se demandait qui était ce *nous*, légèrement excité par la situation. En montant des escaliers en spirale derrière Humphrey, il entendit des voix et des rires. En haut, Humphrey ouvrit une porte et précéda Robert dans une chambre spacieuse avec un haut plafond voûté et des murs d'un vert sombre, parsemés ici et là d'étoiles jaunes. Des couches confortables étaient disposées de part et d'autre d'un âtre gigantesque. Il y avait dix hommes dans la chambre. Robert en reconnut certains pour les avoir vus au tournoi. Mais avant d'avoir pu mettre des noms sur des visages, son attention fut attirée par une grande bannière qui pendait au mur. Elle était usée, mais elle était indubitablement rouge, et les motifs brodés, eux aussi en piteux état, formaient un dragon jaune au milieu du feu. Robert avait envie de demander à Humphrey la signification de ce symbole, qui ornait aussi leurs boucliers, mais les hommes dans la chambre le regardaient tous en silence, à présent.

— Qu'est-ce que c'est ?

L'homme qui avait parlé était d'une taille imposante, musclé, avec des cheveux noirs sur un visage anguleux. Il désigna Robert de la main tendue qui tenait sa coupe.

— Qui est-ce ?

— Vous avez oublié vos manières au tournoi ? lui demanda Humphrey d'un ton badin, mais prudent. C'est un invité.

— C'est une réunion *privée*, fit l'homme sans détacher son regard de Robert.

Sans tenir compte de sa remarque, Humphrey s'adressa aux autres :

— Permettez-moi de vous présenter sir Robert Bruce, comte de Carrick.

— Mais bien sûr, dit un chevalier en saluant Robert de la couche où il était affalé.

Il était trapu, avec d'épais cheveux blonds et un sourire paresseux en contradiction avec ses yeux bleu pâle.

— Votre famille a des terres à côté de la mienne dans le Yorkshire, sir Robert. Mon père connaît bien le vôtre. Je suis Henry Percy, lord d'Alnwick.

Il avait prononcé son nom avec cette pointe d'orgueil à laquelle Robert avait appris à se familiariser. Il connaissait ce nom, et comprit que le jeune homme était le petit-fils du comte John de Warenne.

Un autre, qui n'avait pas vingt sans et arborait un grand sourire, leva la main pour le saluer.

— Bienvenue, sir Robert. Je suis Thomas.

Robert s'inclina. Quelques-uns hochèrent la tête tandis que les autres reprenaient leur conversation. Au bout d'un moment, l'homme aux cheveux noirs finit par s'intéresser à autre chose.

— Ne faites pas attention à Aymer, murmura Humphrey en guidant Robert vers un domestique qui leur servit deux coupes de vin. Il est seulement vexé que je l'aie battu aujourd'hui.

— Aymer ?

Humphrey but une gorgée.

— Aymer de Valence, dit-il en se tournant discrètement vers le chevalier aux cheveux noirs. Fils et héritier de sir William de Valence, comte de Pembroke. Vous avez dû entendre parler de lui.

Robert était en effet au courant. Son grand-père s'était battu aux côtés de William de Valence lors de la bataille de Lewes et son père avait fait l'une des campagnes du pays de Galles avec lui. Il était le demi-frère du roi Henry. Né dans le Poitou, Valence était arrivé en Angleterre dans sa jeunesse et avait été l'une des principales causes de la guerre entre le roi et Simon de Montfort. Si Aymer était le fils de William, cela faisait de lui le cousin du roi Édouard.

— Je connais les Valence de réputation, dit-il prudemment.

Humphrey rit doucement, semblant le comprendre à demi-mot, puis il montra le garçon qui s'était présenté sous le nom de Thomas.

— Lui, c'est Thomas de Lancastre. Son père est le comte Edmond, le frère du roi.

— Je ne crois pas l'avoir vu à la joute aujourd'hui.

— Vous ne l'avez pas vu au tournoi, il n'a que seize ans, dit Humphrey avec un regard appréciateur sur le garçon. Mais il participera dès le jour de son adoubement. Je n'ai jamais vu quelqu'un d'aussi doué à son âge.

Humphrey termina son verre et le tendit au serviteur avant de continuer à décliner l'identité de tout le monde à Robert. Tout en buvant le vin qui le grisait, ce dernier écouta l'impressionnante litanie des titres. Malgré leur jeunesse, ces hommes étaient les seigneurs des plus grands fiefs du royaume, ou du moins ils en hériteraient. Comme lui-même portait déjà le titre de comte, il leur était momentanément supérieur, mais ces jeunes gens qui se détendaient dans les anciens appartements du roi posséderaient bientôt un immense pouvoir. Il avait le sentiment d'être à des milliers de miles du château battu par la mer de Turnberry.

Néanmoins, Humphrey n'eut pas le temps de terminer les présentations car un garçon entra en trombe. Claquant la porte derrière lui, il se jeta derrière l'une des couches. Quelques instants plus tard, la porte s'ouvrit de nouveau et un vieil homme apparut sur le seuil.

— Messeigneurs, salua-t-il l'assemblée, pantelant. Auriez-vous vu le jeune maître ?

— Il est venu et reparti, répondit Thomas de Lancastre en indiquant une porte de l'autre côté de la chambre.

— Merci, maître Thomas, dit l'homme en soufflant avant de se dépêcher. Bonne soirée à vous, messeigneurs.

Lorsque le vieil homme eut disparu et que le bruit de ses pas se fut éloigné, le garçon vint s'asseoir sur la couche entre Henry Percy et Thomas, qui lui souriait. Il était assez maigre et avait un visage familier. Robert se rendit compte qu'il le dévisageait quand Humphrey se pencha vers lui.

— Il ressemble beaucoup à son père, n'est-ce pas ?

Robert comprit alors d'où venait cet air familier. Il ressemblait trait pour trait au roi. Il devait s'agir de son fils, Édouard de Caernarfon, l'héritier du trône d'Angleterre. Robert se rappelait du conseil à Birgham, il y avait des années de cela, où les hommes se disputaient à propos du mariage de ce garçon avec la reine d'Écosse. Il était étrange aujourd'hui de se trouver en sa présence.

Thomas de Lancastre claqua des doigts pour appeler le serviteur, qui lui reversa du vin.

— Si vous le dites à votre père, je nierai, l'avertit-il lorsque le serviteur tendit une coupe à Édouard. Le vin, ce n'est pas pour les enfants et les ânes, chantonna-t-il comme s'il récitait la leçon de morale d'un adulte. C'est pour les hommes.

Le garçon leva un sourcil, prit son gobelet et le but d'une traite. Le vin lui tacha les lèvres.

— Mon père ne se soucie pas de ce que je fais tant qu'il n'est pas là pour le voir, dit-il en haussant les épaules. Pas depuis que mère est morte.

Apercevant soudain Robert, il se rembrunit.

— Qui est-ce ?

Humphrey allait répondre pour Robert, mais du bruit se fit encore entendre dehors.

— Combien de gouverneurs avez-vous aux trousses ce soir, monseigneur ?

La porte s'ouvrit et un homme se présenta, en manteau jaune orné d'un aigle vert. Robert reconnut les armoiries qu'il avait vues à la joute. L'homme balaya rapidement la pièce du regard et se dirigea vers Humphrey. Le sourire de ce dernier disparut quand il découvrit l'air préoccupé de l'homme.

— Que se passe-t-il, Ralph ?

— Le comte Edmond est revenu de France.

Thomas de Lancastre se leva.

— Le roi Philippe n'a pas honoré sa parole, il a confisqué la Gascogne. Il a retiré l'invitation faite au roi Édouard de venir signer l'accord de paix et a envahi le duché avec son armée.

L'homme regarda un à un les jeunes gens installés sur les couches.

— C'est une déclaration de guerre.

Chapitre 23

Il n'y avait plus de danseurs ni de musique, plus de plateaux de friandises ni de carafes de vin. La gaieté s'était enfuie. Ne restait du festin qu'une forte odeur de viande brûlée et quelques pétales de roses écrasés que les balais des serviteurs avaient oubliés. La grande salle n'avait pas désemplie, mais nul n'était plus d'humeur à chanter ou à danser. La colère dominait les hommes. Le parlement de printemps que le roi avait convoqué pour discuter de ses projets de libération de la Terre sainte était tout entier consacré à la question de la France. Le roi Philippe avait récemment fait part de son soutien pour une nouvelle croisade et construit une flotte pour partir en Orient. Mais il semblait aujourd'hui que ses vaisseaux fussent tournés vers l'Angleterre.

Le roi Édouard était sur l'estrade surmontée du dais, en surplomb de l'assemblée des nobles, les mains sur les bras de son trône. Il faisait ses cinquante-cinq ans ce matin, la lumière maussade qui filtrait par les hautes fenêtres rendait encore plus visible sa paupière tombante, légère malformation héritée de son père. John de Warenne et Anthony Bek, ainsi que plusieurs clercs en robe noire, avaient rejoint le roi sur

259

la plate-forme. Les lords, eux, s'entassaient sur des bancs face au trône, le visage tourné vers le sénéchal de Gascogne, qui avait pris la parole.

— Après avoir reçu l'ordre d'Angleterre de rendre temporairement les villes, nous avons attendu que les hommes du roi Philippe arrivent pour nous relever de nos fonctions, disait le sénéchal en regardant Édouard. Cependant, ce ne sont pas seulement des administrateurs qui sont arrivés, Sire, mais toute une armée. Ils nous ont annoncé que le roi Philippe avait décrété la confiscation du duché, dont il serait désormais le souverain. Les chevaliers, qui sont allés à Bordeaux, dans l'Agenais, à Bayonne et à Blaye, ont répété la même chose à nos hommes. Ils nous ont dit que la Gascogne n'était plus un territoire anglais et que si jamais nous revenions, le sang anglais coulerait.

— Comment cela a-t-il pu arriver ? s'exclama le comte d'Arundel en se levant. Sire, aucun d'entre nous n'aurait pu deviner que le roi Philippe n'avait pas l'intention de vous rendre la Gascogne, ni que l'accord de paix et le mariage n'étaient que des ruses destinées à vous faire rendre le duché sans bataille. Mais ce que je n'arrive pas à comprendre, c'est comment ses mensonges ont-ils été aussi facilement acceptés ?

Il balaya la salle du regard.

— Et pourquoi aucun d'entre nous n'a été consulté sur ce qu'a avalisé le comte Edmond à Paris. Je crois exprimer une opinion partagée par nombre d'entre nous en disant que nous aurions instamment demandé de ne pas céder le duché avant d'avoir conclu l'accord de paix.

Au fond de la salle, Robert se tordit le cou pour apercevoir le comte de Lancastre, assis en silence sur l'un des bancs. Au début, il avait été surpris de voir le frère du roi parmi les barons et les chevaliers plutôt que sur l'estrade royale, mais c'était sans doute une sorte de punition pour la façon dont il avait mené les négociations de Paris, qui s'étaient soldées par un désastre. Cependant, si l'intention d'Édouard avait été de faire un exemple avec son frère, cela ne semblait pas avoir fonctionné, car la plupart des hommes présents ne blâmaient pas tant le comte de Lancastre que le roi lui-même.

— Le roi a consulté ses conseillers, répondit John de Warenne.

Warenne, avec ses cheveux gris coupés court et son regard belliqueux, semblait plus agressif que jamais. Robert se demanda si le changement de caractère du comte pouvait être dû au décès récent de sa fille, la femme de Jean de Balliol.

Le comte de Gloucester, un homme robuste aux cheveux auburn, se mit debout. À côté de lui était assis le vieil homme qui avait critiqué le roi la veille, lors du festin.

— Il les a peut-être consultés, dit Gloucester d'une voix stridente, mais d'après ce que je sais, Sa Majesté n'a retenu l'opinion que de ceux qui lui sont le plus proches. Le chancelier lui a conseillé de refuser les conditions de Paris, comme nous autres l'aurions fait si on nous l'avait demandé.

Il posa un regard plein d'animosité sur le roi.

— La question, Sire, c'est : pourquoi ? Sauf que je connais déjà la réponse.

Tandis que les propos comminatoires du comte résonnaient dans la salle, Robert ne quittait pas le roi des yeux. Il n'avait jamais imaginé que cet homme assis sur le trône, si puissant et privilégié, et qui ne se soumettait qu'à Dieu, puisse paraître vulnérable, mais c'était bien le cas en cet instant : fragile et seul, on eût dit un mât rigide dressé au-dessus d'une mer de visages accusateurs. Reconnaissant une expression parfois entrevue sur les visages de son père et de son grand-père, Robert comprit ce qu'était l'isolement qu'engendre le pouvoir. Peut-être les Comyn avaient-ils raison : être assez près du trône pour le contrôler, mais ne pas s'y asseoir afin de ne pas s'attirer le mécontentement des hommes.

— Comte Gilbert, surveillez votre langage, rugit John de Warenne.

— Pourquoi donc ? s'exclama Gloucester. Alors que c'est à mon épée que l'on va faire appel pour reconquérir le duché ? À mes hommes que l'on va demander de combattre ? Si nous avions tous été trahis par la France, nous serions unis à notre roi dans la colère. Mais on ne nous a pas donné la possibilité de refuser les conditions de Philippe. Pas plus qu'on ne nous a fait miroiter une jeune vierge française au bout d'un hameçon. Pourquoi donc devrions-nous risquer nos vies ?

Tandis qu'éclatait un concert de protestations, Robert observa le comte de Gloucester, dont l'antagonisme de longue date avec le roi était bien connu. Gloucester s'était récemment marié avec l'une des filles du roi – une surprise étant donné sa réputation ! – mais en attirant ce puissant au cœur de la famille royale, le roi Édouard avait sans doute voulu s'éviter à l'avenir ce genre d'altercation. Se souvenant des histoires de son grand-père à propos de la guerre entre Simon de Montfort et le roi Henry, Robert se dit qu'Édouard avait eu l'occasion d'apprendre qu'un baron mécontent pouvait devenir dangereux.

Des comtes se levaient en approuvant bruyamment les accusations de Gloucester. D'autres volaient au secours du roi. Robert vit que l'homme assis à côté de Humphrey de Bohun s'était levé pour haranguer le comte de Gloucester. Les manières aimables du jeune chevalier avaient disparu et il regardait d'un air solennel l'homme qui parlait et dont le visage ressemblait tellement au sien qu'il devait s'agir de son père, le comte de Hereford et d'Essex, prévôt d'Angleterre. Hereford n'était pas le seul à défendre le roi. Anthony Bek levait également la voix. Il demandait à ce que le comte de Gloucester soit méprisé pour avoir manqué de respect au roi, lequel avait été trompé non à cause de son désir d'une nouvelle épouse, mais par la fourberie et l'iniquité de son cousin qui, tel un loup déguisé en agneau, avait promis la paix et endormi ses soupçons. C'était la France, et non leur roi, qui méritait leur colère, fulminait-il en brandissant le poing.

— Assez ! s'emporta Édouard en se levant.

Cet ordre fit taire tout le monde. Un à un, les hommes se rassirent sur leur banc. Pendant un long moment, le roi ne dit rien et se contenta de rester debout devant eux, immobile. Puis, d'un coup, toute sa tension sembla s'évacuer et il baissa la tête.

— Le comte Gilbert a raison.

Les hommes échangèrent des regards et certains tournèrent la tête vers Gloucester, qui dévisageait Édouard, mal à l'aise, stupéfait de ce qu'il entendait.

Édouard leva les yeux.

— J'ai été stupide de faire confiance à Philippe.

Un instant, Robert crut voir la colère de nouveau inonder le visage du roi, mais elle disparut et une expression de remords se peignit sur ses traits.

— Je reconnais que ce mariage m'a paru une bénédiction. La plupart de mes enfants sont morts. Je n'ai qu'un héritier mâle, ce n'est pas suffisant.

Robert hocha la tête en songeant au roi Alexandre.

— Mon devoir envers ce royaume et mes sujets et non mon désir m'a guidé dans mes choix. Je me suis montré aussi mal avisé qu'imprudent.

Le silence était total. Gloucester était incapable de croiser le regard du roi. Édouard s'éloigna du trône et descendit les marches de l'estrade. Il s'arrêta un moment puis s'agenouilla devant les rangées de bancs. Robert se redressa pour mieux voir le monarque à genoux. Avec ses cheveux argentés et sa robe noire, dans la lumière matinale, Édouard avait l'air plus royal que jamais.

— J'implore votre pardon, dit le souverain d'une voix puissante. Non comme votre roi, mais comme un homme, aussi faillible que tous les hommes qui descendent d'Adam. Et de même que je vous demande de me pardonner les folies commises pour le bien de ce royaume, je vous demande votre aide pour reconquérir ce qu'on nous a volé. Nobles d'Angleterre, rangez-vous derrière moi et jamais plus vous ne me verrez pris en défaut.

Le comte de Hereford se leva.

— Je vous suivrai, Sire. Dans la vie comme dans la mort.

Humphrey de Bohun se leva à son tour, la tête haute et le visage empreint de fierté. Peu à peu, les autres l'imitèrent.

— Chevaliers du royaume, lança Anthony Bek depuis l'estrade royale, enfourchez vos destriers ! Prenez vos lances ! Nous allons reconquérir les terres de notre roi !

Près de Robert se levèrent les comtes de Norfolk et d'Arundel, ainsi que d'autres qui s'étaient opposés au roi, soit que le discours d'Édouard les eût sincèrement émus, soit qu'ils fussent trop mal à l'aise pour rester parmi les rares nobles qui n'avaient pas bougé. Lui-même demeura assis un long moment, puis finit par se mettre debout. Ce n'était peut-être pas une croisade, mais une guerre contre la France présentait aussi des opportunités : des domaines confisqués, des prisonniers à échanger contre des rançons, la reconnaissance du roi. Tandis que le comte de Gloucester à son tour se dressait, la mine sombre et défaite, Robert, au milieu des barons anglais, ressentit une subite excitation. Voilà pourquoi il s'était entraîné pendant des mois en Irlande, des années à Carrick et Annandale. Enfin il allait avoir l'occasion de faire ses preuves en servant dans l'une des plus formidables armées du monde.

Chapitre 24

Le linceul bleu du crépuscule recouvrait les montagnes. Au-dessus des pentes rocailleuses du mont
Snowdon, des étoiles parsemaient la voûte céleste.
Dans l'ombre des hauts sommets, un ruisseau coulait
en suivant une crête parmi les épineux et les buissons.
Le long du cours d'eau, deux hommes sautaient de
rocher en rocher, dérapant parfois sur les galets. L'eau
était glaciale bien qu'on fût en août et que les champs
de Gwynedd, tout en bas, fussent brûlés par le soleil.
En entendant le cri d'un oiseau se répercuter dans le
ciel, l'un des deux hommes leva la tête. Les jambes
immergées dans l'eau gelée, il lui fallut un moment
pour reprendre sa respiration. Puis son compagnon
lui jeta un coup d'œil et il se remit en route en
s'aidant de sa lance qu'il plantait au fond du ruisseau.

Arrivés à une borne en pierre érodée qui émergeait
au milieu des eaux, les deux hommes rejoignirent la
rive et s'enfoncèrent dans l'épaisseur des arbres. Ils
baignaient dans l'odeur de la terre et des herbes sauvages, et des papillons de nuit voletaient doucement
autour d'eux. Au bout d'un moment, celui qui marchait en tête s'immobilisa subitement et étendit le
bras pour arrêter son compagnon. Presque sans un

bruit, plusieurs hommes sortirent alors des broussailles où ils se tenaient cachés.

— Qui va là ?

— Rhys et Hywel de Caernarfon, répondit l'un des
deux hommes. Nous devons voir Madog.

Après un silence, les hommes s'écartèrent pour laisser passer les nouveaux venus.

La forêt s'éclaircit et après avoir escaladé une butte
il atteignirent un plateau herbeux dominé par la masse
du mont Snowdon. Éclairée par la lune, la forteresse
qui s'élevait au milieu de ce paysage minéral avec des
reflets argentés avait l'air presque immaculée. Rhys et
Hywel savaient que, de jour, ses cicatrices étaient
pourtant bien visibles, que les traces des incendies et
les trous causés par les bombardes étaient autant de
témoignages de son passé violent. Pendant les huit
années qui avaient suivi sa chute, la forteresse était
restée une ruine, habitée seulement par des araignées
industrieuses et des faucons pèlerins. Sa restauration
avait été le fruit d'un dur labeur et il y avait encore
des échafaudages dressés en équilibre précaire sur les
rochers. Il avait fallu récupérer une à une les pierres
tombées au pied de l'édifice et les réassembler.

Grimpant lestement le long de la piste qui sinuait
entre les rochers, les deux hommes arrivèrent aux portes
du château. En haut des parapets, des silhouettes se
dessinaient dans les halos des torches. Après avoir
répondu à quelques questions, ils traversèrent la cour
où s'ébattaient des oies et des moutons. Des hommes
en cape de laine buvaient de la bière. Des cabanons
en terre et en bois étaient alignés au pied des remparts, et les odeurs de cuisine se mélangeaient avec
celles, nauséabondes, des latrines. En haut de l'escalier extérieur du donjon, après avoir dépassé d'autres
gardes, les deux hommes entrèrent dans une salle
sombre dont le sol et les murs étaient couverts de
lichen verdâtre. Un feu crépitait dans un âtre au centre
et la fumée montait au plafond, criblé de trous. Les

fumerolles s'immisçaient par ces ouvertures jusqu'à l'étage supérieur, puis jusqu'au toit dont il manquait une moitié, ouverte sur le ciel étoilé. Plusieurs hommes étaient assis sur des bûches près du feu. Lorsque Rhys et Hywel entrèrent, ils tournèrent la tête. Le plus jeune d'entre eux, qui avait un regard perçant sous une mèche de cheveux noirs, se leva.

— Vous ne deviez pas quitter votre poste avant deux mois.

Hywel s'avança.

— Où est lord Madog, Dafydd ?

— Ici.

Un homme d'une carrure peu ordinaire descendait de l'étage par une volée de marches en bois. Il avait les cheveux en bataille, comme s'il se réveillait, et portait une barbe de quelques jours. Il arriva au pied de l'escalier et traversa la salle dans leur direction en resserrant sa cape bordée de fourrure autour de ses épaules musculeuses. Il jeta un coup d'œil au jeune homme près du feu.

— Assieds-toi, mon frère, lui dit-il avant de reporter son attention sur les nouveaux arrivants. Pourquoi êtes-vous venus ?

— Les Anglais s'en vont, Madog, répondit Hywel.

Il avait encore le souffle coupé par la pénible montée jusqu'au château, mais ses yeux brillaient. Il prit le temps de s'éclaircir la voix. Madog fit signe à l'un des hommes près du feu.

— Donne-leur à boire.

— Cela a commencé il y a une semaine, expliqua Hywel en accueillant avec gratitude la coupe de bière qu'on lui tendait, qu'il porta à ses lèvres avant de la passer à Rhys. Nous avons eu vent que le roi de France s'était emparé du duché de Gascogne et que le roi Édouard lui avait déclaré la guerre. La garnison de Caernarfon a rejoint l'armée.

— Il s'est passé la même chose à Conwy et Rhuddlan, d'après nos camarades sur place, précisa Rhys.

Dans tout le Gwynedd – et même dans tout le pays de Galles –, les soldats anglais partent. Ils n'en laissent qu'une poignée dans les châteaux. C'est une occasion unique pour nous, Madog.

— Mais les villes sont toujours pleines de colons anglais, dit Dafydd qui vint se poster à côté de son grand frère.

— Sans soldats pour les protéger, ce ne sont que des agneaux incapables de se défendre contre le loup.

Madog avait prononcé ces mots en levant la tête, et il fixa un long moment le ciel à travers les ouvertures du plafond.

— Il y a autre chose, dit Hywel. Le roi Édouard a pris des mesures que les hérauts anglais proclament dans tout le Gwynedd. Les Gallois doivent se battre. Nous devons tous rejoindre son armée pour combattre les Français.

Le visage de Madog se durcit dans la semi-obscurité.

— Rassemblez les hommes, ordonna-t-il avant de se tourner vers Dafydd. Et apporte-moi le coffre de mon cousin.

Tous les hommes autour du feu, ses chefs, s'étaient levés. Lisant sur leur visage la question qu'ils n'osaient poser, il hocha la tête :

— L'heure est venue.

Les torches brûlaient haut dans la cour, des étincelles tourbillonnaient dans la nuit avant de s'enfoncer dans le néant. Drapé dans sa cape, Madog se tenait sur les marches du donjon, et la tour martyrisée se dressait dans son dos. À côté de lui se trouvaient ses chefs, dont son jeune frère Dafydd qui avait à ses pieds un coffre sur lequel étaient gravés, en argent, des mots anglais. Devant eux, en contrebas, les faces de leurs hommes rougeoyaient parmi les flammes. Tous attendaient en silence. Madog étudia tous ces visages tournés vers lui, et sur lesquels il distinguait de la peur et de l'espoir, de l'envie et de l'excitation.

Certains d'entre eux vivaient avec lui au milieu de nulle part depuis des années, c'est-à-dire depuis la mort de Llywelyn ap Gruffudd. Pendant longtemps ils étaient restés cachés et avaient léché les plaies que leur avaient infligées les Anglais au cours de leur conquête, dix ans plus tôt, quand l'espoir d'un pays de Galles libéré avait été piétiné par les sabots ferrés de la cavalerie anglaise. Au fil des ans, d'autres hommes, qui ne voulaient pas vivre sous le joug anglais, avec ses lois étrangères, l'avaient suivi dans les collines, à mesure que les colons établissaient de nouvelles villes qu'ils remplissaient avec leurs propres hommes, obligeant les Gallois à s'adapter aux coutumes anglaises et à se soumettre à leur domination.

Madog commença son discours.

— En bas, dans les villes et les châteaux fortifiés, pendant les banquets où se bâfrent les Anglais, on dit de nous que nous sommes des bandits. Mais ce n'est pas le cas, car nous n'observons pas les lois anglaises, mais celles du royaume de Gwynedd. Certains d'entre vous se croient prisonniers parce qu'ils vivent reclus dans les montagnes. Je dis que nous ne sommes ni des bandits, ni des prisonniers. Ici, grâce à notre liberté, nous sommes des rois !

Quelques cris enthousiastes accueillirent ces paroles, et un ou deux hommes rirent. Madog poursuivit :

— Longtemps, nous avons attendu l'occasion de reconquérir nos terres. Aujourd'hui, nous en avons la possibilité. Les villes d'Édouard ne sont pas défendues, les soldats ont été appelés à la guerre. Nous aussi, on nous demande de nous battre aux côtés de ce roi dont les émissaires ont tellement imposé notre peuple qu'ils l'ont réduit à la misère. Mais nous ne brandirons pas nos lances pour ce tyran.

L'enthousiasme décupla.

— Nous les brandirons contre lui !

Des clameurs s'élevèrent, les hommes criaient en tapant la hampe de leur lance contre le sol. La voix de Madog s'éleva au-dessus du tumulte.

— Nous avons des alliés dans les montagnes au sud et à l'ouest, des hommes qui se rallieront à notre cause. Nous avons des armes. Et nous avons la volonté !

Les acclamations se faisaient de plus en plus fortes.

— Depuis des siècles, notre peuple parle du *mab darogan*, le guerrier qui nous conduira à la victoire contre les envahisseurs étrangers, l'homme qui nous fera entrer dans une nouvelle ère. Les prophètes disent que sa venue sera annoncée par des signes et des présages.

Madog se tourna vers son frère.

— Je dis que ceci est le signe que nous attendions ! C'est le présage !

Dafydd s'accroupit devant le coffre gravé pour l'ouvrir. Avec précaution, révérence même, il en sortit une petite couronne d'or, dont la surface était dentelée. Quand il la passa à son frère, le silence revint dans l'assemblée.

Madog se tenait devant eux, ses cheveux noirs balayés par le vent.

— Cette couronne, un homme dont je partage le sang l'a portée autrefois. Avant que le puissant Llywelyn ne meure en pleine bataille, il me l'a transmise. Je l'ai cachée lorsque le roi Édouard est venu la chercher, car il désirait s'en approprier le pouvoir.

Le cœur battant, Madog leva la couronne. Les dix dernières années de sa vie convergeaient tout entières vers cet instant.

— Aujourd'hui, il est temps de sortir de ces montagnes protectrices, il est temps de brandir nos lances contre l'ennemi. Et je vous conduirai, non en tant que Madog ap Llywelyn, mais comme votre prince, car je tiens entre mes mains la Couronne d'Arthur et, selon une prophétie immémoriale, quiconque porte ce diadème devient prince du pays de Galles.

CAERNARFON, PAYS DE GALLES

1284

Dehors, les oiseaux piaillaient. Ils appelaient l'aube, tels des messagers divins ayant entendu en premier Son commandement de se réveiller. Mouettes, oies, hérons et cormorans ; les soldats anglais qui, pour la plupart, n'avaient jamais vu la mer les appelaient les petits dragons.

Allongé, Édouard écoutait leurs cris étouffés tout en fixant le mur par l'interstice entre les rideaux du lit. Un carré de lumière y grossissait depuis une heure. Le drap en lin qu'il serrait contre lui était trempé. Il n'avait pas dû dormir plus de deux heures cette nuit, mais il n'était pas fatigué. Une nouvelle plainte se joignit au chœur des oiseaux et lui parvint à travers le couloir et la porte de sa chambre. Édouard regarda sa femme, étendue contre lui, toute chaude, ses cheveux noirs étalés sur l'oreiller de soie. Elle ne bougea pas. Au bout d'un moment il s'assit, et la couverture de fourrure glissa sur ses hanches. Ses pieds se posèrent sur le tapis. Éléonore avait insisté pour qu'on en amène plusieurs, avec le lit et les divers meubles qui les suivaient toujours. Ce lit et ce tapis avaient voyagé à travers tous les comtés d'Angleterre, ils avaient franchi la frontière jusqu'au cœur montagneux de la région de Snowdonia.

Quand il traversa la chambre, il eut la chair de poule à cause de l'humidité. Il enfila ses braies et noua la cordelette à sa taille pour les faire tenir en place. En se penchant pour prendre sa chemise, il aperçut son reflet dans le miroir. Sa silhouette se détachait dans le noir, de longues jambes musclées, un torse puissant et des bras aux contours nets malgré l'obscurité. La campagne l'avait endurci, elle avait affûté son corps et il avait retrouvé le tranchant et la force de sa jeunesse. Néanmoins, elle ne pouvait rien contre le grisonnement de cheveux ou contre les rides sur son front, qui s'accentuaient toujours plus. Il avait célébré son quarante-cinquième anniversaire deux mois plus tôt et le poids des ans était perceptible dans ses yeux ou sa peau rugueuse, tannée par le soleil et le vent. Édouard se détourna du miroir et enfila sa chemise, puis une robe attachée par une ceinture et, enfin, une paire de bottes au cuir abîmé et poussiéreux, malgré les vigoureux coups de brosse de son page. Une fois prêt, il sortit de la chambre et traversa le couloir.

La plainte se faisait plus forte, et s'y mêlait maintenant un chant murmuré. Édouard s'arrêta près de la porte fermée, les oreilles assaillies par ces cris aigus qui traversaient le bois et semblaient lui perforer l'esprit. Il entendit les bruits de pas de la nourrice pendant un court instant, que le bébé mit à profit pour remplir ses poumons d'air avant de continuer à pleurer. Édouard ferma les yeux et posa la main sur la poignée, laissant ces cris l'envahir. Une semaine plus tôt, des messages étaient arrivés de Londres pour l'avertir que son fils aîné était mort à Westminster, subitement, comme tant de ses enfants au fil des ans.

Son premier était mort dans le ventre de sa mère, sans même voir le jour. La deuxième, la douce Katherine, était née en Gascogne et morte six mois après la bataille de Lewes, à l'âge de trois ans. Joan n'avait pas survécu au huitième mois. John avait atteint l'âge de cinq ans, et Henry de six. Dix d'entre eux étaient morts ainsi, les uns après les autres, et maintenant Alfonso, le fils si beau dont il était persuadé qu'il vivrait et qu'il lui succéderait, avait rejoint leurs rangs. L'enfant en pleurs de l'autre côté de la porte, son seizième, né en pleine guerre et baptisé comme lui-même, était désormais son seul fils et l'unique héritier d'Angleterre. Ses cris puissants étaient un réconfort pour Édouard, qui s'attarda encore quelques instants avant de descendre les escaliers des appartements royaux et de sortir.

Au-dessus des lointaines montagnes, le ciel était nimbé d'une lumière rose et dorée tandis que du côté de la Menai et de la petite excroissance de l'île d'Anglesey, il était d'un bleu cobalt encore auréolé du blanc laiteux de la lune. Derrière les murs sud du château, des oiseaux tournoyaient au-dessus des rives de l'estuaire. Édouard pouvait sentir les embruns par-dessus l'odeur plus douceâtre de bois scié qui se dégageait du bâtiment qu'il venait de quitter. On avait construit les appartements pour leur arrivée au printemps. C'est ici qu'Éléonore avait donné naissance à leur fils, comme il l'avait souhaité ; une façon de montrer à la nation conquise que cette terre lui appartenait désormais, ainsi qu'à ses héritiers. Le château en pierre qui s'élevait peu à peu derrière le bâtiment de bois n'était qu'à peine édifié, mais déjà on entrevoyait la structure massive qu'il deviendrait.

La douve avait été creusée, de même que les fondations des tours et des remparts, et les pierres étaient extraites d'Anglesey, d'où elles arrivaient par bateau à travers le bras de mer. Les murailles du château et de la ville au-delà commençaient à s'élever, pierre après pierre, et le moindre espace du gigantesque chantier croulait sous les échafaudages dans l'air empoussiéré. Les portes ouvraient sur du vide, des poternes formaient des trous dans des murs incomplets, des escaliers montaient en spirale vers nulle part. Seule une tour, la plus large, qui se dressait devant lui et surplombait l'estuaire, avait déjà un étage. Édouard avait vu les plans dessinés par son maître maçon, Jacques de Saint-George, et il était capable de voir se matérialiser sous ses yeux la future tour de trois étages surmontée de trois tourelles angulaires, en haut desquelles des aigles sculptées à taille réelle prendraient leur envol.

Construit à l'endroit même où mille ans plus tôt, un fort romain toisait la forteresse des druides de l'autre côté de l'estuaire, sur l'île d'Anglesey, Caernarfon serait le plus grand des châteaux qu'il avait bâtis le long de la côte et dont les pierres imposaient sa présence. Rome s'était écroulée et la mousse l'avait recouverte, mais Édouard n'ignorait pas sa force, son histoire, et sa forteresse, conçue sur le modèle des murailles romaines de Constantinople, ferait vibrer le sentiment d'une puissance impériale au plus profond des cœurs conquis des Gallois.

En marchant vers la tour inachevée, il croisa des gens qui s'activaient dans le petit jour : palefreniers soignant les chevaux, serviteurs portant des paniers de provisions, écuyers ravivant les braises des feux de camp. Des femmes, des paniers de linge calés sur l'épaule, partaient vers la rivière. Quelques hommes s'inclinaient, d'autres poursuivaient ce qu'ils faisaient sans même se rendre compte que le roi passait à côté d'eux, silhouette solitaire dans la pénombre, plus grande que la plupart d'entre eux, les yeux creusés par le manque de sommeil. En s'avançant entre les rangées de tentes de ses chevaliers, dont la toile était trempée par la rosée, Édouard remarqua des barriques de bière disséminées et une forte odeur de vomi. Apparemment, les célébrations qu'il avait organisées au village de Nefyn, à quarante lieues au sud de Caernarfon, se poursuivaient ici. Il était bien obligé de laisser libre cours à leur débauche car cette campagne, la quatrième dans cet impitoyable pays, avait été dure. La rébellion avait été difficile à mater et il lui avait fallu assommer ses sujets d'impôts.

Édouard s'était imaginé, il y avait sept ans de cela, qu'il avait réglé le cas de Llywelyn ap Gruffudd une fois pour toutes. Après être revenu de Terre sainte pour s'asseoir sur le trône d'Angleterre, il ne lui avait pas fallu beaucoup de temps pour venir à bout de celui qui s'était autoproclamé prince de Galles. Il avait conduit une armée gigantesque au pays de Galles et récupéré les terres conquises par Llywelyn avant de le confiner avec ses hommes dans la région aride de Snowdonia. Mais les événements lui avaient rapidement prouvé que cette campagne ne suffirait pas. Deux ans plus tôt, le prince s'était de nouveau dressé contre lui et tout le pays de Galles s'était soulevé. Dans les lettres qu'il lui avait adressées pour le défier, Llywelyn déclarait que le pays de Galles appartenait uniquement aux Gallois et qu'il lui revenait d'y régner, en tant que descendant de Brutus, fondateur de la Bretagne. Cette référence à l'histoire écrite par Geoffroy de Monmouth avait profondément énervé Édouard, presque autant que la couronne que le prince portait sur sa tête. Il avait donc une fois de plus envahi le pays de Galles, décidé cette fois à obtenir un triomphe incontestable.

Ici, dans le Gwynedd, Édouard avait connu l'un des pires désastres de sa vie. Ses meilleurs commandants, envoyés en mission de reconnaissance, avaient lancé une attaque irréfléchie contre la côte nord, comptant sur une victoire rapide face à des Gallois inférieurs en nombre. Pris de court sur un terrain qui leur était inconnu, ils s'étaient fait écraser par les hommes de Llywelyn et des centaines d'Anglais avaient péri. Ce succès des rebelles, qui faisait écho aux chansons des Gallois relatant comment son armée avait été anéantie par Llywelyn plusieurs décennies plus tôt, avait ravivé son humiliation. Résolu à en finir, puisque sa réputation était menacée, il s'était enfoncé dans l'hiver gallois, harcelé par les orages et les ruses de l'adversaire. Pendant que les Gallois s'enfuyaient vers les collines, il avait recruté des centaines de bûcherons pour ouvrir de larges chemins à travers les forêts inhospitalières, ce qui lui avait permis d'amener ses troupes ainsi que les ouvriers qui bâtissaient les énormes forteresses. Il s'appuierait sur ces forteresses pour en terminer avec les rebelles.

Édouard atteignit le pied de la Tour aux Aigles, et franchit un enchevêtrement de poteaux d'échafaudages, passa devant deux gardes qui le saluèrent, et il entra dans le vestibule, où il emprunta l'escalier menant au premier étage. Un nuage de poussière flottait dans la somptueuse chambre en décagone qui s'ouvrait devant lui. C'était ici que l'essentiel de ses affaires était entreposé et un grand nombre de coffres et de meubles étaient alignés contre les murs. *Au centre se trouvait une table ronde, au bois clair.*

Édouard s'en approcha, ses yeux suivant les inscriptions latines qui faisaient le tour du plateau. D'une main experte, le charpentier avait gravé des noms dans le chêne. Keu, Galahad, Gauvain, Mordred, Bohort, Perceval. Vingt-quatre noms pour vingt-quatre chevaliers. Il l'avait fait réaliser pour les célébrations de Nefyn, afin de marquer la fin de la guerre et le début d'un nouvel ordre, l'ordre de ceux qui l'avaient suivi en enfer et dont la loyauté s'attachait à lui dans le cercle sans fin de la Table. Au mur était fixée la bannière au dragon qu'il avait brandie lors des tournois en Gascogne, vingt ans plus tôt. Alors, il n'était Arthur que de nom, c'était un simple masque pour inspirer la crainte à ses adversaires et le respect à ses hommes. Aujourd'hui, il avait la réputation d'Arthur. Il avait étendu son empire et il régnait pratiquement sur toute la Bretagne. Après deux années éprouvantes, il avait accompli ce que tant de rois anglais avaient désiré avant lui, sans pouvoir l'obtenir : la conquête et l'asservissement du pays de Galles.

On avait enfin mis la main sur Llywelyn, dont les troupes s'étaient retranchées dans les collines au-dessus de la Wye, d'où elles continuaient à mener des attaques contre les positions du roi. C'est un de ses hommes qui l'avait trahi, finalement. Par un matin glacial et sombre, une compagnie anglaise s'était lancée dans les collines, dirigée par l'informateur, et elle avait pris le prince et ses hommes par surprise. Dans le combat sanglant qui s'était ensuivi, Llywelyn avait été transpercé par une lance anglaise. Après la mort du prince, la résistance galloise s'était éteinte.

Tandis que les premiers rayons du soleil venaient frapper les fenêtres de la tour inachevée, Édouard apprécia l'ironie de sa victoire.

La tête tranchée de Llywelyn ornait maintenant les remparts de la tour de Londres. Le reste de sa lignée avait été détruit, ses hommes capturés et tués. Les bardes inventaient des chants désespérés dans lesquels ils imploraient le

Seigneur que la mer recouvre leur pays. De nouvelles villes se créaient et les Anglais s'installaient, réduisant les Gallois à presque rien. On rédigeait des lois pour les prévôts et les baillis anglais qui gouverneraient sous l'égide d'un Justicier, et la plupart des forteresses d'Édouard étaient en chantier le long de la côte. Mais pour lui, il manquait toujours une chose vitale.

S'approchant d'un coffre poussé contre le mur, Édouard se pencha pour y récupérer un objet enroulé de soie noire. Puis il retourna à la table, le déposa sur le plateau et déplia le tissu. C'était un livre. Dans la lumière matinale, le titre scintilla.

La Dernière Prophétie de Merlin

Tout en tournant délicatement les pages, il sentait l'odeur de l'encre, fabriquée à partir de pierres précieuses réduites en poudre, qu'on avait mélangée à de l'œuf et du vin. Les couleurs en étaient toujours vives, glorieuses. Autour des lignes, des bêtes fabuleuses se mêlaient à des fleurs et des oiseaux. Édouard l'avait présenté à ses chevaliers, à Nefyn, l'endroit où l'on avait découvert les prophéties de Merlin, que Geoffroy de Monmouth avait traduites pour le monde. Sur une page, on voyait l'image d'un homme debout devant une grande forteresse, avec en fond des montagnes vertes. Dans ses mains, il tenait une couronne d'or toute simple. C'était cette image qu'Édouard voyait sans cesse depuis des mois, surtout quand il s'allongeait pour dormir et que son esprit se vidait des distractions du jour. Il avait interrogé les hommes de Llywelyn qu'il avait capturés, puis il les avait torturés, mais soit ils ne savaient pas, soit ils étaient prêts à mourir plutôt que de lui révéler où trouver ce qu'il s'était juré de découvrir vingt ans plus tôt : la Couronne d'Arthur.

Chapitre 25

Le garde tisonna les braises et le feu repartit. Se frottant les yeux que la chaleur rendait douloureux, il prit deux bûches et les jeta dans le foyer. Les flammes se propagèrent le long du bois et les insectes sortirent de l'écorce, affolés, pour brûler en un instant.

— Hugh.

Le garde se tourna et vit Simon qui lui tendait une coupe de bière. Le plus vieux, Ulf, était assis sur une barrique, sa jambe cassée tendue devant lui. Sa canne était appuyée contre le mur et il tenait une coupe entre ses mains.

— Une pour chacun ? demanda Hugh, qui se leva en grimaçant et essuya la suie sur son gambison. On ne partage pas ?

— Pourquoi partager ? voulut savoir Simon en agitant la coupe devant lui. Maintenant que les autres sont partis, il y a davantage de rations.

Il sourit, révélant des rangées de chicots marron, et Hugh saisit la coupe.

— Il ne faudrait pas que le commandant s'en aperçoive, prévint Hugh en reprenant sa place sur un tabouret près de l'âtre.

— Est-ce qu'il peut nous voir à une lieue d'ici ?

l'interrogea Simon avant d'engloutir sa bière, un dépôt d'écume blanche sur la lèvre supérieure.

Hugh but à son tour, lentement. Faire partie de ceux qui étaient restés derrière comportait peut-être des avantages, après tout. Simon se pencha en avant, émit un rot et posa ses mains sur ses hanches.

— Tu crois que nous aurions été mieux rétribués en allant en France ?

— À notre âge ? grogna Hugh. Le roi Édouard voulait des destriers, pas de vieux canassons.

— J'ai dix ans de moins que toi, s'insurgea Simon.

Sans faire attention à leur bavardage, Hugh termina sa bière.

— Je ferais mieux d'aller faire un dernier tour.

— Bientôt au lit, marmonna Ulf en renversant sa tête contre le mur. Je jure devant Dieu que ces gardes sont chaque nuit plus longues.

— C'est l'automne, dit Hugh en sortant.

Il passa devant les épées, les arcs et les boucliers soigneusement rangés le long du mur et se pencha pour franchir la porte cintrée qui permettait de rejoindre le sommet du corps de garde. Un vent glacial soufflait dans l'escalier et Hugh frissonna en sentant le froid pénétrer lentement en lui. Alors qu'il arrivait pratiquement en haut, de la poussière lui tomba dans les yeux et il dut baisser la tête. Cela faisait plusieurs années que les deux corps de garde jumeaux qui faisaient saillie sur les murailles de la ville étaient achevés, pourtant l'air était tout le temps rempli de résidus de sable et de pierre. Hugh avait longtemps distingué l'odeur du vinaigre qu'on avait répandu sur la chaux pour fabriquer le mortier. L'un des apprentis maçons lui avait dit que cela servait à protéger les murs des projectiles enflammés catapultés par les engins de siège, mais Hugh n'avait pas été vraiment convaincu par cette explication.

Parvenu sur le toit venteux, il tira son bonnet sur ses oreilles. Sa respiration formait de petits volutes devant lui. Il contempla la ville de Caernarfon qui s'étalait devant lui. Le ciel nocturne était bouché par des nuages presque statiques, mais les quelques trouées lui permettaient de dinstinguer un bleu qui annonçait l'aube. Encore une heure et il pourrait dormir. Du regard, il balaya les rues silencieuses, les vergers plongés dans l'obscurité, et les jardins qui ne contenaient presque plus de légumes, ceux-ci ayant été récoltés et entreposés pour l'hiver. Çà et là, quelques lueurs indiquait la présence de lève-tôt qui ranimaient les feux ou allumaient des bougies, mais ils étaient rares. La ville était calme depuis un mois que l'essentiel de la garnison et beaucoup de jeunes gens étaient partis pour la Gascogne.

Hugh posa les yeux sur les remparts au sud-ouest qui longeaient l'estuaire de la Menai, les feux en haut des tours des gardes, la faible garnison éparpillée autour des remparts de la ville et du château, dont la forme anguleuse se détachait dans l'obscurité. Du côté de la mer, les tours étaient achevées, mais les échafaudages étaient toujours nombreux vers la ville, où les murs, par endroits, ne mesuraient que deux fois la taille d'un homme. Le fossé et la barricade en bois qui protégeaient le site depuis le début des travaux, dix ans plus tôt, étaient toujours là, mais ils avaient perdu de leur utilité maintenant que les murs étaient clos. Bientôt, ce serait la Toussaint et la plupart des ouvriers retourneraient chez eux. Il faudrait attendre le printemps pour que le travail reprenne. Tout en contemplant le château et en se demandant quelle sensation cela pouvait procurer de décider d'un mot de construire un ensemble aussi gigantesque, Hugh pensa un court instant à sa propre maison, loin dans le Sussex. Il y avait quelque chose de divin dans la création d'un tel monument, pourtant Édouard n'avait pas revu Caernarfon depuis les premières étapes de la construction.

Des moutons qui bêlaient tirèrent Hugh de sa rêverie. Il traversa le toit et, par-delà la douve qui faisait le tour de la ville, il observa le paysage lugubre d'arbres rabougris et de champs voilés par la brume qui s'élevait peu à peu vers les lointaines montagnes. Les appels perçants des moutons reprirent de plus belle. Hugh plissa les yeux pour essayer de distinguer ce qui les dérangeait. L'année n'était pas encore assez avancée pour les loups. C'étaient peut-être des voleurs, même si, en général, les bergers et leur chien suffisaient à les mettre en fuite. Il voyait le troupeau qui s'éloignait sur une grande prairie. Un autre mouvement, plus loin, attira son attention. Des formes sombres se déplaçaient à vive allure le long d'une rangée d'arbres. Hugh se concentra et en distingua d'autres, de l'autre côté, des centaines. Tout son être se tendit. Faisant volte-face, il repartit vers l'escalier qu'il dévala en criant :

— Hissez le pont-levis !

Il trébucha et faillit dégringoler, ne réussissant à rester debout qu'en s'écorchant les doigts contre les murs. Après avoir repris son équilibre, il reprit sa course en continuant à crier. En bas, il fut à deux doigts de se cogner à Simon, qui se précipitait à sa rencontre.

— *Hissez le pont-levis !* lui hurla Hugh en plein visage.

Dans la salle de garde, Ulf était debout, ses yeux bouffis.

— On nous attaque ?

— Tiens, lui dit Hugh en s'emparant de deux épées et en lui en lançant une.

Simon était blême, mais il prit un bouclier et une épée dans la réserve d'armes.

— Combien ?

— Des centaines, répondit rageusement Hugh, peut-être plus.

— Mon Dieu, souffla Ulf, tout à fait réveillé désormais.

Ils s'engagèrent tous les trois dans le passage voûté qui menait, par un étroit escalier en spirale, à l'étage inférieur de la tour où une petite pièce, nichée dans l'épaisseur des murs, abritait le treuil du pont-levis, lequel, lorsqu'il était descendu, venait se coller au reste du pont de bois qui surplombait la douve.

Au début des travaux, juste après la guerre, alors que les murailles de la ville et du château sortaient peu à peu de terre, le pont-levis était toujours hissé la nuit. Mais ces dernières années, étant donné les incessantes allées et venues des ouvriers, ils avaient préféré compter sur la herse pour barrer l'entrée aux voleurs et aux mendiants.

Ils étaient parvenus en bas. Hugh se retourna vers Ulf, qui les suivait avec difficulté à cause de sa jambe.

— Fais sonner l'alarme, lui dit-il. On s'occupe du treuil.

Des bruits sourds leur parvenaient du dehors : les pas de centaines d'hommes sur le sol gelé.

Hugh et Simon entrèrent dans la pièce tandis que Ulf descendait les dernières marches et arrivait sous la voûte entre les deux tours, derrière la herse. Une torche brûlait, accrochée à un mur. Ulf s'arrêta dans son halo et essaya d'apercevoir à travers les barreaux d'acier de la herse, de l'autre côté du pont, les berges boueuses de la douve. Depuis le bois, une marée humaine déferlait sur eux. Les yeux d'Ulf s'arrondirent. Certains portaient des échelles et les armes qu'ils brandissaient au bout de leur poing n'étaient ni des lances, ni des épées, mais des haches, des marteaux et des pioches. Ils donnaient l'impression d'une horde d'ouvriers fous courant pour commencer leur journée de travail. Alors que les cordages du pont-levis se tendaient et que les planches du pont tremblaient, Ulf entendit Hugh et Simon ahaner sous l'effort. Inutilisé depuis si longtemps, le treuil grinçait. La première vague d'assaillants s'engageait déjà sur le pont.

Figé dans le halo de la torche, Ulf ne vit pas l'homme sur la berge prendre une flèche dans le carquois fixé à sa ceinture, pas plus qu'il ne le vit armer son arc, viser et lâcher. La flèche fusa dans les ténèbres, invisible jusqu'à la dernière seconde, alors que Ulf se tournait vers la tour de la cloche. Trop tard. Le projectile perfora son gambison, se ficha en lui et il bascula à la renverse. Il n'eut même pas le temps de pousser un cri, la pointe d'acier le tua net. De l'autre côté de la herse, le pont-levis se soulevait à peine et déjà les assaillants sautaient sur ses planches, l'empêchant de se hisser.

— Ulf ! Pour l'amour de Dieu ! cria Hugh en se démenant contre le treuil. La cloche !

Il n'entendit rien d'autre que les bruits de leurs agresseurs, et laissa Simon s'occuper du treuil puis sortit en courant. Une flèche fila devant lui et il se rejeta en arrière, à l'abri. Ulf était à terre devant lui, il pouvait presque le toucher. Hugh poussa un juron et s'accroupit en jetant de petits coups d'œil au coin du mur. Il y avait beaucoup d'hommes de l'autre côté qui discutaient à voix basse avec animation. Les Gallois ne venaient à Caernarfon que de jour, pour faire leurs affaires. La plupart d'entre eux avaient été bannis quand Édouard avait choisi cet endroit comme le futur siège de son pouvoir. On avait démoli leurs maisons pour poser les fondations de la ville, les poutres avaient resservi ici et là. Hugh ne comprenait pas leur langue. Dans cette ville anglaise au cœur du pays de Galles, il n'en avait jusque-là jamais eu besoin.

De plus en plus d'hommes se pressaient sur le pont-levis. Ils avaient posé une échelle qui permettait de remonter la berge boueuse du côté des remparts. Hugh entendait les hommes sauter dans la douve pour la rejoindre. Simon luttait avec le treuil et l'appelait à la rescousse, mais ça ne servait à rien. Ils n'arriveraient jamais à le lever maintenant. Leur seul espoir consistait à alerter le reste de la garnison. Hugh se précipita au pied de l'escalier.

— Arrête, Simon. Ils sont trop nombreux. Ulf est mort.

Simon resta un moment agrippé au treuil, puis il finit par le lâcher et les cordages se détendirent d'un coup. Il regarda Hugh soulever son bouclier.

— Qu'est-ce que tu fais ?

— Il faut que j'aille jusqu'à la cloche.

Hugh s'arrêta sur le seuil et fixa l'espace éclairé par la torche qui s'étendait jusqu'à la tour d'en face. Il se pencha, brandit le bouclier de manière à protéger son flanc gauche et sa tête et prit une profonde inspiration, en évitant de regarder le cadavre prostré d'Ulf avec sa jambe cassée étalée devant lui. Ses lèvres marmonnèrent une courte prière, puis il s'élança dans le passage voûté entre les tours. De l'autre côté de la herse, des cris se firent entendre, et, un instant plus tard, il sentit un choc dans son bras gauche. L'impact du projectile contre son bouclier le fit trébucher, puis il fut touché au mollet et une douleur atroce le saisit. Il tomba en criant et plaqua le bouclier contre lui. À peine était-il à terre qu'une autre flèche lui déchirait la cuisse. Sous le rebord du bouclier, les yeux à demi clos, il vit que les hommes sautaient de plus en plus nombreux du pont pour rejoindre la berge. Son regard alla se poser sur un homme parmi eux, aux cheveux noirs et d'une taille hors du commun, qui portait une cape bordée de fourrure. Il tenait à deux mains un marteau extraordinaire, et une sorte de couronne dorée et dentelée était posée sur sa tête. Il avait l'air d'un roi guerrier sorti d'une scène lointaine et obscure du passé. Hugh sentit qu'on le prenait sous les aisselles et il tourna la tête. Serrant les dents, Simon réussit à éviter les flèches et à le ramener à l'abri, dans la tour.

Hugh reposa la tête sur le sol en pierre, sentant la sueur inonder son corps. Il gelait, sauf au mollet et à la cuisse qui le brûlaient.

— En haut, parvint-il à dire dans un souffle. Alerte...
le château.

Simon hésita un instant, les yeux rivés sur lui, puis
il disparut dans l'escalier. Hugh, étendu, écouta le
bruit de ses pas décroître.

Arrivé à la salle de garde, Simon s'arrêta en regardant partout autour de lui. Donner l'alerte, oui, mais
comment ? Il pouvait crier, mais il doutait qu'on
l'entende. Alors qu'il était au désespoir, ses yeux tombèrent sur le feu. Il s'en approcha en fixant les flammes
et avisa alors la canne d'Ulf, toujours appuyée contre
le mur. Les mains tremblantes, il défit sa ceinture,
retira son gambison couvert de paille, puis son maillot.
Il enroula le maillot au bout de la canne et déchira le
gambison. Puis il s'accroupit près du tas de bûches et
fourra de la paille et du petit bois dans les replis du
tissu. Lorsqu'il tendit le bout de la canne dans le feu,
le maillot s'embrasa aussitôt en produisant de grandes
flammes jaunes. Il courut ensuite vers l'escalier menant
au toit, qu'il grimpa quatre à quatre en maudissant le
vent qui ramenait les flammes vers lui. En haut, il se
jeta à genoux et agita lentement sa balise improvisée
d'avant en arrière, pendant que la paille et les morceaux de bois calcinés lui tombaient sur les épaules.

Chapitre 26

Dans l'enceinte de la Tour, un groupe de jeunes gens étaient rassemblés avec leurs chevaux sur un bout de terrain près des vergers. Leurs capes d'hiver étaient serrées contre eux et ils portaient de longues bottes maculées de boue. Le froid leur rougissait le visage. Quelques-uns avaient des oiseaux de proie sur leurs mains gantées, des faucons sacres tachetés pour les chevaliers, des laniers aux ailes grises pour les écuyers. Plusieurs filles déambulaient parmi eux, l'ourlet de leur robe trempé. Le vent faisait bouffer les manteaux et voler les tas de feuilles rousses que les serviteurs essayaient vainement de balayer dans les vergers. Le ciel bas et lourd menaçait de crever au-dessus de Londres.

Les belles journées de septembre avaient, sans crier gare, laissé place à l'automne, et des vents violents avaient précédé une longue semaine de déluge. La Tamise avait quitté son lit, inondant plusieurs abattoirs et drainant dans les rues une vase mêlée de sang. Les ouvriers de la Tour s'activaient à réparer une fuite dans la chambre à coucher du roi, l'eau qui s'infiltrait abîmant un tapis qui avait appartenu à Éléonore. Mais le roi ne s'intéressait pas le moins du monde à ce tapis, car les orages avaient frappé la côte sud au moment précis où l'avant-garde de sa flotte prenait la mer pour rejoindre la Gascogne. Le vent avait ramené la moitié des bateaux à Portsmouth et obligé les autres à s'abriter plus loin sur la côte, à Plymouth. Néanmoins, le mauvais temps n'était pas le seul responsable des difficultés du roi à aller en France combattre son belliqueux cousin. Après le parlement de printemps, le roi s'était tourné vers l'Église afin qu'elle finance sa campagne, mais il avait dû déchanter : le clergé n'avait aucune intention d'ouvrir ses coffres pour soutenir sa cause. Édouard avait alors menacé le doyen de Saint-Paul de les déclarer tous hors-la-loi, si bien que ce dernier avait fini par obtempérer, mais le retard pris avait permis à Philippe de renforcer son emprise sur la Gascogne.

Robert vérifiait que la longueur de ses étriers était bien ajustée. Entendant un rire derrière lui, il tourna la tête. Deux filles regardaient un serviteur pourchasser des feuilles avec un balai. La première, à peine sortie de l'enfance, portait une robe gris perle sous un manteau dont la fourrure en hermine s'enroulait autour de son cou. Élisabeth, la plus jeune fille du roi, avait hérité des longs bras de son père et des cheveux noirs de sa mère, dont quelques mèches flottaient librement sous sa coiffe. Comme Robert l'observait, elle en ramena nerveusement une derrière son oreille et se pencha pour glisser quelque chose à l'oreille de sa compagne, Helena, une fille plus âgée qui avait des cheveux auburn ondulés et un teint d'albâtre rehaussé sur ses joues et ses lèvres par un rouge provocant. Le faucon émerillon posé sur sa main gantée était tout ébouriffé par le vent. La fille du comte de Warwick et sa chevelure flamboyante étaient promises à un chevalier de haut rang de la maison du roi, mais Robert avait toujours du mal à détacher ses yeux d'elle, en dépit des avertissements répétés de Humphrey. Du coin de l'œil, il remarqua un jeune homme qui le dévisageait.

Ce chevalier roux et élancé, qui le jaugeait d'un œil noir, était le frère d'Helena, Guy de Beauchamp, l'héritier de Warwick. Robert se retourna vers son cheval et raccourcit l'étrier d'un geste sec.

— Êtes-vous prêt, sir Robert ? lui lança Humphrey en approchant.

Le chevalier, qui portait une outre de vin à la main, lui désigna le grand terrain boueux où avaient été dressés deux poteaux. Une corde était tendue entre eux, et un petit anneau de fer, invisible à cette distance, pendait en se balançant au milieu.

— Vous avez deux chances, souvenez-vous-en.

Robert lui rendit son sourire bravache.

— Cela fait une de moins que vous, sir Humphrey.

Humphrey, qui n'avait pas réussi à viser l'anneau lors de ses deux tentatives, dut en outre subir les rires des autres chevaliers.

Debout avec les écuyers, Édouard Bruce donna l'accolade à Robert alors que celui-ci s'apprêtait à monter en selle.

— Montre à ces Anglais de quoi les Écossais sont capables, mon frère, murmura-t-il.

Robert se cala dans la selle et s'empara des rênes pendant que Nes serrait les sangles. Le cheval, un magnifique chargeur aubère baptisé Chasseur, était l'un des plus vifs et des plus fougueux que Robert eût jamais possédés, un véritable bonheur à monter. Mais ce bon tempérament lui avait coûté, car des bêtes de cet acabit n'étaient pas bon marché. Convaincu de la nécessité d'avoir un bon cheval pour aller à la guerre en France, il avait ignoré les insinuations de son frère selon lesquelles les coursiers et les palefrois des écuries de leur grand-père lui faisaient honte en comparaison des puissants destriers français et espagnols des chevaliers anglais. Après cela, il avait encore un peu plus pioché dans sa bourse pour s'acheter, ainsi qu'à son frère, des vêtements en accord avec la mode de Londres. Peu après le parlement de printemps, le roi lui avait accordé sa première audience, au cours de laquelle il avait exprimé le vœu de le servir à la guerre, comme son père et son grand-père avant lui. Après cela, Robert avait été invité à des conseils royaux et à des fêtes. Puisqu'il évoluait dans les plus hauts cercles de la cour, il lui semblait normal de faire des efforts pour se mêler aux autres barons.

Nes tendit sa lance à Robert. Le cuir de son gant était encore souple de n'avoir pas trop été porté, et il lui fallait serrer la hampe avec d'autant plus de force.

— Attendez, sir Robert !

La princesse Élisabeth, que certains appelaient parfois Bess par affection, brandissait un morceau de soie blanche. On eût dit qu'il avait fait partie d'un voile. Tandis qu'il la regardait, la jeune princesse fourra le tissu dans la main d'Helena avec un sourire fugace. Les joues d'Helena s'empourprèrent aussitôt et elle adressa à la princesse un regard meurtrier, mais elle sortit tout de même du rang. Robert sentit son cœur s'affoler tandis qu'elle lui tendait le tissu et croisait son regard. L'émerillon déploya ses ailes, comme s'il s'attendait à voler. Bess frappait dans ses mains en riant. Robert se pencha pour prendre le présent, et effleura les doigts d'Helena. Pendant qu'il se maudissait d'avoir gardé ses gants, elle repartit vivement vers la foule, la tête basse. Il enroula alors le ruban de soie autour de la pointe de sa lance, sans prêter attention aux regards furieux que Guy de Beauchamp ne devait pas manquer de lui décocher. Puis il se concentra sur les poteaux au loin et enfonça ses talons dans les flancs de Chasseur.

Les serviteurs s'arrêtèrent de balayer les allées pour regarder Robert filer au petit galop à travers champ, la lance levée, puis au galop, la lance à plat. La boue volait autour de lui, salissant ses bottes neuves. L'anneau de fer arrivait vite et il ne le lâcha plus des yeux. Ses doigts raffermirent leur prise sur la hampe tandis qu'il se précipitait vers sa cible, le ruban de soie flottant devant lui. Son esprit fut envahi par l'image d'Helena, le bras levé, sa manche qui glissait, dévoilant la peau de son bras. Elle ne traversa ses pensées qu'un infime instant, mais cela suffit à le distraire. Il allongea une seconde trop tard. La pointe de la lance cogna contre l'anneau de fer, mais n'y entra pas. Pendant que l'anneau oscillait follement dans son dos, il poursuivit sa route jusqu'au poteau en poussant des jurons. Ralentissant Chasseur, il décrivit un demicercle et retraversa le champ vers la compagnie.

Humphrey leva son outre de vin.

— Un de raté ! lança-t-il en riant à Robert lorsqu'il arriva.

— Je parie qu'il réussira le deuxième, dit Édouard en se tournant vers les chevaliers, les yeux brillants.

Humphrey rit sans se départir de sa bonne humeur mais Henry Percy, le petit-fils du comte de Surrey, fit un signe d'approbation à Édouard.

— J'accepte votre pari, dit le lord grassouillet au sourire paresseux.

Au poignet, il avait un busard dont les serres étaient plantées dans un gant épais. Henry désigna Robert, qui avait arrêté Chasseur.

— Dix livres qu'il ne la met pas dans l'anneau.

Robert entendit cette somme, regarda son frère et lui fit discrètement signe qu'il ne devait pas parier. Agissant comme le seul maître de leurs domaines d'Angleterre en l'absence de son père, il avait fait venir trois chevaliers et cinq écuyers d'Essex pour le servir au cours de la guerre en France, en plus de son frère et de leur entourage écossais. Il était de son devoir de veiller à ce qu'ils ne manquent de rien pendant la campagne et des paris risqués étaient la dernière chose dont il avait besoin.

Cependant, Édouard choisit de l'ignorer.

— J'accepte, répondit-il à Henry Percy.

Plusieurs chevaliers applaudirent. Depuis des mois qu'ils attendaient, ils n'avaient fait que s'entraîner, et ce pari épicerait quelque peu la journée.

Robert ne pouvait dédire son frère maintenant que le pari était engagé. Il fit tourner son cheval et se remit en position en serrant les dents. Puis, l'esprit vide, il attendit l'instant où tout – le cheval, la lance et son regard rivé à l'anneau lointain – serait en ordre. Quand ce moment arriva, il se sentit comme poussé en avant. Il enfonça ses talons et Chasseur se dirigea en ligne droite vers les poteaux. Le vent lui piquait les joues, mais Robert ne détourna pas son regard. Lance en avant, il se pencha sur sa monture. Soudain, quelque chose de blanc se mit en travers de son chemin. La tête de Chasseur partit sur le côté, sa patte avant glissa dans la boue et il chuta. En même temps que le destrier lancé à toute vitesse s'écroulait dans la boue, Robert était catapulté à plusieurs mètres. Il roula et roula sur lui-même, les cris de douleur de Chasseur dans les oreilles, et s'arrêta finalement.

Après un bon moment, Robert prit appui sur ses deux mains pour se relever. Il avait du sang et de la boue plein la bouche. Il vit que son cheval avait toutes les peines du monde à se remettre debout. Édouard courait vers eux. Son visage n'exprimait pas l'inquiétude, mais la colère. Une colère dirigée contre deux hommes et une femme qui étaient apparus au bord du terrain. Le plus grand des deux avait un visage anguleux encadré par des cheveux noirs et gras. Au poignet d'Aymer de Valence, un faucon sacre avalait un morceau de viande. Robert se rendit compte que c'était le mouvement d'ailes de l'oiseau qui avait déstabilisé Chasseur.

— À quoi jouez-vous, Aymer ? demanda Humphrey en s'approchant tandis que Robert essuyait le sang qui coulait de sa lèvre fendue.

— Je croyais que nous devions faire voler nos oiseaux aujourd'hui.

Aymer parlait d'un ton badin, mais ses yeux scrutaient Robert avec une lueur d'amusement.

— Toutes mes excuses, sir Robert. Je n'avais pas l'intention de vous distraire.

Près de lui, sa sœur, Joan de Valence, arborait un petit sourire, qu'elle tentait de dissimuler derrière sa main. Robert la dévisagea un instant, ainsi que le jeune homme à ses côtés, qui avait le teint pâle et des cheveux noirs et filasse. C'était son nouveau mari, John Comyn. Lui ne cherchait même pas à cacher son hilarité.

Le fils de lord de Badenoch était arrivé à Londres deux mois plus tôt avec son père et d'autres seigneurs écossais, convoqués par le roi Édouard pour combattre en France. On disait que Comyn avait déclaré au roi qu'aucun d'entre eux ne le servirait dans une guerre étrangère, à moins qu'il s'en tienne aux clauses prévues à Birgham et qu'il laisse Balliol administrer son royaume sans que les Anglais s'en mêlent. Robert et les autres chevaliers ignoraient si le roi avait accepté ces conditions. Ce qu'ils savaient, en revanche, c'est que, peu après, un mariage avait été célébré en toute hâte à la Tour, entre l'héritier des Comyn, qui avait dix-huit ans, et la cousine d'Édouard, Joan, fille du comte de Pembroke. Si les rapports entre Robert et Aymer n'avaient jamais été cordiaux, la relation privilégiée entre les deux beaux-frères les avait rendus totalement glacials. Il avait le sentiment que le chevalier lui en voulait de l'amitié naissante entre Humphrey et lui, mais jusqu'à présent Aymer s'était contenté de signaler sa désapprobation par des commentaires narquois et des rebuffades qu'il avait été assez facile d'ignorer.

Édouard marcha vers eux, furieux que leur astuce lui ait fait perdre son pari et ait causé la blessure de son frère.

— Vous avez lancé cet oiseau exprès, Valence. Tout le monde l'a bien vu.

Ses yeux se posèrent sur John :

— Et ôtez ce sourire de votre visage, Comyn.

John Comyn se renfrogna aussitôt, mais, avant qu'il ait pu répondre, Henry Percy arriva en caressant le plumage de son busard.

— Je dis que cela fait partie du jeu, décréta-t-il, son regard passant de Aymer à Robert. Nous nous entraînons pour la guerre. Vous croyez qu'il n'y a pas de distractions sur un champ de bataille ?

Quelques hommes firent part de leur assentiment, mais Humphrey ne semblait pas prêt à s'en laisser conter.

— Nous ne sommes pas sur un champ de bataille. Il y a des règles.

Robert prit l'outre de vin qu'un des écuyers lui tendait et versa le liquide sur sa lèvre ensanglantée. C'est alors qu'il entendit Nes l'appeler. L'écuyer tenait Chasseur par la main et essayait d'aider l'animal, qui souffrait visiblement.

— Il boite, sir.

Robert dévisagea Nes, pensant immédiatement à tout l'argent qu'il avait dépensé pour ce somptueux cheval, sa meilleure arme pour le combat à venir. Pris de colère, il se tourna vers Aymer. Il porta la main à sa poignée, déterminé à défier le chevalier français et à récupérer son honneur en même temps que ses pertes, mais un cri retentit avant qu'il en vienne au fait.

Thomas de Lancastre courait à leur rencontre à travers le pré.

— Il y a une rébellion au pays de Galles ! annonça-t-il, pantelant, quand il fut parvenu près d'eux. Des messagers sont arrivés il y a une heure. Le roi réunit les lords pour un conseil d'urgence.

— Une rébellion ? s'enquit vivement Humphrey. Menée par qui ?

— Un certain Madog. Mon père dit que c'est le cousin de Llywelyn ap Gruffudd.

— Toute la lignée des Llywelyn a été capturée lors de la dernière guerre, dit Henry Percy. Le roi Édouard s'en était assuré.

Thomas haussa les épaules.

— En tout cas, ça a l'air grave. Caernarfon est tombé et d'autres châteaux sont attaqués. Le roi va réagir sur-le-champ.

Il s'interrompit pour reprendre sa respiration, et Humphrey lut de l'excitation dans ses yeux.

— Les rebelles ont la Couronne d'Arthur.

Chapitre 27

Robert savourait la chaleur du vin qui coulait dans sa gorge. Ils étaient montés si haut au nord-ouest que l'hiver et le froid se faisaient très rudes. À travers les feuillages des arbres, il apercevait un pan de ciel bleu. L'air limpide, si différent de celui de Londres, empuanti par la multitude, lui rappelait Carrick.

Après avoir rattaché son outre à sa sacoche, Robert s'assit confortablement sur la selle. Il laissait à Chasseur le soin de trouver son chemin sur ce terrain. Les branches des chênes et des bouleaux argentés étaient presque nues et le sol était jonché de feuilles qui pourrissaient. Autour de lui, les hommes, les chevaux et les charrettes cheminaient entre les arbres en suivant les profondes ornières creusées par tous ceux qui les devançaient.

Cela faisait six jours qu'ils avaient quitté Chester et Robert était surpris par le calme et la grandeur de la région traversée. Son père lui avait parlé de montagnes sauvages, de plaines rocheuses accidentées, de collines battues par le vent et de côtes toujours pluvieuses et il s'était imaginé autre chose que ce paysage verdoyant qui s'ouvrait régulièrement devant eux. Pas de pics désolés, pas de falaises abruptes, seulement des collines moutonnantes parsemées de bois et de forêts. Il ne se plaignait pas, car même si Chasseur se remettait bien de sa blessure et se révélait plus fort qu'il ne l'avait cru, il faisait toujours attention à ne pas trop le pousser. Malgré la guérison de Chasseur, sa colère à l'encontre d'Aymer de Valence pour le tour qu'il lui avait joué sur le terrain d'entraînement n'avait pas diminué, mais il n'avait pas eu l'occasion de la laisser éclater, la nouvelle de la révolte galloise ayant bouleversé la cour.

La motivation du roi pour calmer les ardeurs galloises ne faisait pas de doute, comme le prouvait le fait qu'il ait aussitôt fait rebrousser chemin à la plupart des commandants, des soldats et des fournitures basées à Portsmouth et destinées à la France. Laissant au sénéchal de Gascogne le soin de conduire une plus petite flotte en France afin d'y organiser une base arrière, le roi avait choisi lui-même les endroits d'où se déploieraient les troupes : Cardiff, Brecon et Chester. Une attaque sur trois fronts conçue pour frapper les rebelles de tous côtés. Selon les rapports qui n'avaient pas tardé à arriver, tous plus désespérés les uns que les autres, les châteaux anglais étaient assiégés, les villes brûlaient et les émissaires royaux étaient tués un peu partout à travers le royaume. Le soulèvement initié par Madog ap Llywelyn dans le nord avait mis le feu à tout le pays, de Conwy à Caernarfon en passant par le Gwent et le Glamorgan.

Robert, qui ne s'était pas laissé démonter par ce brusque changement d'ennemi, avait été placé dans la division du roi avec les trois chevaliers et les cinq écuyers qu'il avait levés dans l'Essex, ainsi que son entourage écossais. À sa grande satisfaction, ni Aymer de Valence, ni John Comyn n'étaient là. William de Valence, qui avait participé à nombre de campagnes d'Édouard, commandait la division de Cardiff et son fils l'accompagnait. Quant à John Comyn, il avait reçu l'ordre d'aller en France, avec plusieurs autres seigneurs écossais. Depuis leur départ de Westminster, le frère de Robert se délectait à imaginer les divers coups du sort qui pouvaient frapper le jeune chevalier sur les champs de bataille étrangers.

À Chester, la compagnie du roi, composée de plus de six cents lances, s'était vue augmentée d'une armée de fantassins du Shropshire et du Gloucestershire. Ils furent suivis par soixante-dix archers et d'autres fantassins du Lancashire que commandait un clerc royal obèse et pompeux du nom de Hugh de Cressingham. Il avait déjà été forcé de changer trois fois de cheval, car ils s'épuisaient sous son poids. De là, cette armée forte de plusieurs milliers d'hommes avait franchi la frontière et était entrée dans le pays de Galles, et la masse des hommes s'était étirée en une longue file qui avançait lentement.

La compagnie était divisée en plus petits contingents qui, tous, se déplaçaient à l'allure qui leur convenait et s'étaient donc éparpillés sur la route. Robert et ses hommes avaient été placés sous le commandement conjoint de John de Warenne et du comte de Lincoln, lequel avait vu de ses propres yeux les prémices de la guerre puisque les Gallois avaient fait irruption dans sa région de Denbigh, l'obligeant à fuir en Angleterre. Henry Percy était lui aussi de la compagnie, ainsi que Humphrey de Bohun. Cela avait surpris Robert, étant donné que son père dirigeait les troupes de Brecon, mais, lors de leur marche, Humphrey lui avait avoué que son père et le roi voulaient qu'il prouve sa valeur lors de cette campagne.

Entendant la voix hautaine de Percy devant lui, Robert leva la tête et vit le lord à cheval se porter à la hauteur de Humphrey.

— Mon grand-père va ordonner qu'on fasse halte. Le terrain devient plus difficile après.

Robert fit doucement claquer les rênes pour que Chasseur accélère le pas. Son frère, resté en retrait, le regarda, interrogateur. En le voyant arriver auprès d'eux, les chevaliers tournèrent la tête vers lui.

— Nous nous arrêtons en haut de cette colline, lui annonça Humphrey en désignant un sentier qui grimpait entre les arbres.

— Vous avez dit que le terrain devient plus dur ?

— D'après mon grand-père, répondit Henry.

— Comment va-t-il ? demanda Humphrey en baissant le regard sur Chasseur.

— Je pense qu'il pourrait encore continuer deux ou trois heures.

Tout en lui frottant la nuque, Robert s'aperçut que Henry détournait les yeux, visiblement peu intéressé par la condition de son cheval. Maintenant qu'il avait reçu ses dix livres, il n'avait guère de raison de s'en soucier. Robert en voulait encore à son frère. Autant l'audace d'Édouard l'amusait quand ils étaient enfants, autant elle le conduisait maintenant à adopter une conduite imprudente.

Le terrain devenait escarpé et les chevaux étaient à la peine. Les chênes noueux cédèrent la place aux bouleaux et aux frênes.

— À ce compte-là, nous arriverons à Conwy pour Noël, dit Humphrey en reniflant dans l'air glacial.

— Et si Dieu le veut, nous serons de retour à Westminster avec la Couronne à Pâques, ajouta Henry avec un sourire hostile.

Humphrey lui jeta un coup d'œil en coin, mais le lord ne parut pas s'en apercevoir.

— Le roi Édouard espère que cette couronne sera en possession des rebelles ? demanda Robert qui prit l'air détaché. A-t-elle une grande valeur ?

Devant eux, des voix se firent entendre. Les troupes de tête étaient arrivées au sommet.

— On fait halte, dit Humphrey.

Robert réprima son envie de poser d'autres questions. Au cours de ce voyage interminable, il avait eu de nombreuses fois l'occasion de discuter et il avait été fait mention à quelques reprises de la Couronne d'Arthur. Il avait interrogé Humphrey à ce sujet, mais le chevalier avait détourné la conversation, poliment mais fermement. Robert avait alors songé à la réunion privée dans les anciens appartements du roi Henry, lors du festin plusieurs mois plus tôt. Il avait eu le sentiment à l'époque qu'un lien particulier attachait ces hommes, au-delà de leur rang et de leur fortune, un secret dont il devinait qu'il ne concernait pas tous les jeunes nobles de la cour d'Édouard – un secret peut-être en rapport avec les boucliers ornés du dragon, qu'il n'avait pas revus depuis le tournoi. Au fil du temps, la Couronne avait commencé à l'obséder et à acquérir une signification autre, plus grande. Son père avait parfois évoqué les campagnes qu'il avait faites dans le pays de Galles. Ses discours étaient toujours décousus : les blizzards et le froid brutal capable de tuer un homme la nuit, les loups qui venaient festoyer après les batailles, sans même attendre que les vainqueurs s'en aillent, mordant dans la chair avant qu'elle ne gèle. Il avait le sentiment qu'il ne s'agissait pas seulement de mater une rébellion, qu'une affaire personnelle poussait le roi et les chevaliers à affronter de telles conditions. Une affaire qui rendait les plus âgés silencieux et pensifs, et les plus jeunes impatients.

Entendant des murmures de surprise devant lui, Robert se détourna de Humphrey pour en chercher la cause. Devant eux, la colline plongeait dans une vallée où les arbres formaient un impénétrable écran, un enchevêtrement de branches de frênes et de saules, d'if et de houx surplombé par des pins. Robert trouvait que cela ressemblait à la forêt de Selkirk, dont l'immensité s'étendait des frontières écossaises à Carrick à l'ouest, et Édimbourg à l'est. La vallée était bordée de chaque côté par deux collines elles aussi couvertes d'arbres pratiquement jusqu'à leur sommet. La vision de cette forêt dense qui formait comme un nuage vert était déjà à couper le souffle, mais le plus frappant était l'immense chemin qui avait été tracé au beau milieu. C'était une cicatrice grise et morte qui suivait les contours du terrain, et qui, dans sa désolation, convenait parfaitement aux bois verdoyants qui l'entouraient. Robert avait entendu son père faire allusion à la cohorte de bûcherons et de charretiers dont le roi avait eu besoin, au cours de sa conquête du pays de Galles, afin de dégager le passage dans ces forêts impénétrables qui recouvraient l'essentiel du royaume de Gwynedd. Devant ses yeux s'étalait la preuve de cette formidable entreprise.

— Peut-être pas pour Pâques, marmonna Henry en plissant les yeux.

Les hommes mirent pied à terre et se rangèrent de côté pour faire de la place à ceux qui arrivaient. Les serviteurs sortirent la nourriture et la boisson des chevaliers pendant que les palefreniers s'occupaient des chevaux. Laissant Chasseur à la charge de Nes, Robert se dégourdit les jambes et avala une coupe de bière. À côté de lui, il vit John de Warenne et le comte de Lincoln plongés dans une discussion animée avec deux hommes dont les gambisons étaient moitié rouge, moitié jaune. Lorsque Robert remarqua la rangée de croix dorées brodées sur leur poitrine, son intérêt fut accru. Ces hommes portaient les couleurs du comte de Warwick, dont la compagnie était partie de Chester avant celle de Warenne. C'est dans cette compagnie que se trouvaient la femme et les fils de Warwick, ainsi que sa fille, Helena.

Il n'était pas inhabituel que les nobles de haut rang amènent avec eux leur famille, personne ne sachant jamais combien de temps une campagne allait durer. Les seigneurs ne devaient normalement que quarante jours de service à Édouard, mais aucun baron n'aurait abandonné à la légère son souverain en pleine bataille, quels que soient ses droits. Les femmes et les enfants seraient barricadés à Conwy avec les cuisiniers, les tailleurs, les médecins et les prêtres. Bien qu'ils ne fussent pas conviés, d'autres suivaient également l'armée sans qu'on s'offusque de leur présence : les ménestrels et les putains, pour qui l'occasion était trop belle de gagner de l'argent.

John de Warenne s'arrêta de parler et regarda autour de lui. Apercevant son petit-fils, il lui fit signe, ainsi qu'à Robert et Humphrey.

— Que se passe-t-il, sir ? demanda Henry en s'approchant avec les deux autres.

— L'arrière-garde de Warwick a vu de la fumée dans les bois devant nous. La compagnie était trop avancée pour faire demi-tour, ses éclaireurs nous ont donc attendus. Je veux que vous alliez jeter un coup d'œil, Henry.

Warenne se tourna vers Humphrey et Robert.

— Allez-y avec lui. Ce ne sont probablement que des braconniers ou des brigands. Mais nous ne sommes pas si loin de Denbigh, où Lincoln a été attaqué.

Le comte de Lincoln hocha tristement la tête.

— Ces rebelles m'ont fait perdre beaucoup d'hommes. Ils avaient des troupes en grand nombre, mais pour la plupart équipés de petites lances, même si certains avaient des arcs.

— Soyons au moins reconnaissants pour cela, marmonna Warenne. Pembroke doit faire face aux hommes du Gwent et à leurs archers. Dieu sait qu'il n'y a pas d'armes plus mortelles.

Il se retourna vers son petit-fils.

— Vous viendrez me faire votre rapport, Henry. Si l'ennemi est là, nous engagerons le combat. Nous ne voulons pas que le chemin du retour soit barré.

Après que les éclaireurs de Warwick leur eurent expliqué où ils avaient aperçu de la fumée, les trois jeunes gens retournèrent vers leurs hommes. Édouard grommela en écoutant Robert lui expliquer la mission, mais il avala sa coupe de vin et monta en selle avec les trois chevaliers et les onze écuyers qu'avait

301

embauchés Robert. Nes déroula la bannière de Robert alors que les quarante-huit hommes du détachement quittaient le camp et rejoignaient le chemin des bûcherons, longue bande brune qui se déroulait au cœur de la vallée luxuriante.

Chapitre 28

Éblouis par le soleil hivernal, ils progressaient sur la route dégagée, trois bannières flottant dans la brise. Le lion bleu sur fond jaune de Henry Percy était à l'avant, suivi par le drapeau bleu rayé de blanc et orné de six lions de Humphrey. Les chevrons rouges sur blanc de Robert fermaient la marche. Robert laissait Chasseur se débrouiller entre les racines et les souches, et comme le terrain avait été récemment aplani par des centaines de pieds et de sabots, le chemin était relativement facile à négocier. Même s'il était fatigué après avoir marché toute la matinée, il appréciait le changement d'allure. En petit groupe, ils pouvaient avancer plus vite qu'avec le reste de l'armée, ralentie par les charrettes et l'infanterie. Jetant un coup d'œil à Humphrey, qui lui adressa un sourire en retour, il vit que tous partageaient son soulagement. Jusqu'ici, il ne s'était pas vraiment rendu compte à quel point leur laborieuse marche les avait rendus apathiques.

Au bout d'un moment, quand ils arrivèrent dans la vallée et que le sol fut de nouveau plat, ils tombèrent sur une piste qui partait entre les arbres, de chaque côté de la route. Un morceau de tissu rouge et jaune était noué à une branche. Les éclaireurs de Warwick leur indiquaient le chemin.

— C'est ici, dit Humphrey en se dressant pour tenter de voir par-delà l'épaisseur du feuillage. Ils ont aperçu de la fumée derrière cette colline, apparemment.

— Ça doit mener à un hameau, répondit Henry en observant la piste. Ce sentier ne date pas d'hier.

— Mais il n'est pas très utilisé, commenta Robert.

Le sol était recouvert de feuilles marron et la piste étroite ne laissait passer qu'un cheval à la fois. En outre, des branches basses rendaient le passage difficile. Henry fit signe à deux de ses chevaliers :

— Prenez la tête.

Les hommes s'engagèrent à la file dans le boyau obscur. Ils devaient sans cesse repousser des branches et des toiles d'araignée se prenaient dans leurs cheveux. Le terrain s'éleva rapidement, des oiseaux pépiaient là-haut, sans doute mécontents de leur intrusion. Les hommes étaient sans cesse perturbés par des mouvements imprévisibles dans le sous-bois, et Robert crut un moment apercevoir un cerf qui s'enfuyait entre les arbres. Ils étaient comme ensevelis sous le feuillage, le ciel obscurci laissait croire à un crépuscule vert. S'il y avait des gens par ici, il doutait qu'ils fussent capables de les surprendre. Désorientés, ne sachant plus dans quelle direction ils allaient, ils continuaient de grimper dans cette ambiance accablante, espérant seulement revoir le ciel et la lumière. Leurs souhaits furent bientôt exaucés. En haut, les arbres s'espacèrent progressivement et la piste s'élargit, permettant aux chevaliers de progresser à deux de front, au trot, sur la mousse qui étouffait le bruit des sabots.

Robert se trouvait presque devant avec Humphrey quand l'un des chevaliers de Henry lança un avertissement. Arrêtant son cheval, Robert vit le chevalier pointer du doigt entre les arbres deux grands cerfs attachés aux branches d'un chêne. La tête pendait mollement au bout du cou, on les avait vidés de leurs entrailles et par de grandes plaies béantes suintait une graisse jaunâtre. Une odeur âcre de sang flottait dans l'air.

— Nous devrions peut-être continuer à pied ? proposa Robert.

Le soulagement que cette sortie lui avait procuré au début n'était plus qu'un souvenir. Il sentait les autres s'agiter sur leur selle, et certains avaient même posé la main sur le pommeau de leur épée.

— Non, dit Henry. N'importe qui peut les avoir tués. Je ne veux pas perdre de temps dans cette forêt à cause de quelques braconniers. Nous continuons encore un peu, et après nous rentrons. Pour que les éclaireurs l'aient vue, la fumée ne devait pas venir de beaucoup plus loin.

Sans attendre de réponse, Henry éperonna son cheval, bientôt imité par ses hommes.

Ils ne s'étaient remis en marche que depuis quelques minutes quand ils la sentirent : l'odeur piquante d'un feu de bois. Un peu plus loin, entre les arbres, les bois s'ouvraient sur une clairière en pente que le soleil, en cette fin d'après-midi, nimbait d'une lumière ambrée. Au centre de cette trouée, il y avait les restes d'un village. Des murs éboulés et des poutres calcinées dessinaient encore, ça et là, la forme vague d'une porte. De grandes fougères recouvraient presque tout le reste, comme si elles cherchaient à dissimuler sous une profusion végétale orange et marron les preuves des anciennes habitations humaines. On aurait pu croire que personne n'avait vécu là depuis des décennies s'il n'y avait eu des signes évidents d'activité. Au centre des bâtiments en ruine, un feu flambait dans une grande fosse en produisant une fumée noirâtre qui s'étirait dans le ciel. Des abris temporaires construits avec des branchages et de l'herbe s'appuyaient contre des murs à demi effondrés. Il y avait assez de place pour plusieurs hommes à l'intérieur. Derrière le campement, les bois recommençaient, formant une autre vallée d'ombres.

Les chevaliers se regroupèrent en silence, la plupart ayant les yeux braqués sur le camp, mais quelques-uns scrutant avec inquiétude la forêt obscure qui les enveloppait.

— Je ne vois personne, murmura Humphrey.

— Moi non plus, mais ce feu brûle trop haut pour qu'ils soient loin, répondit Henry en s'apprêtant à lancer son cheval.

— Que faites-vous ?

— Il faut que nous allions y voir de plus près.

— Étant donné la taille du campement, il est plus que probable qu'il s'agisse de la compagnie qui a attaqué le comte de Lincoln. Nous devons informer sir John avant qu'on nous surprenne.

— Pourquoi perdre une heure de plus alors que nous pouvons nous occuper tout de suite de ces manants ? Nous ne pourrons pas revenir avec des renforts avant la nuit tombée et si nous attendons demain, ils seront peut-être partis.

— On dirait qu'ils sont ici depuis un moment, intervint Robert en s'avançant. Je ne crois pas qu'ils vont partir.

Henry lui jeta un regard irrité.

— Vous n'en savez rien, cracha-t-il avant de se tourner vers Humphrey. Vous vouliez prouver votre valeur durant cette campagne. Eh bien, vous en avez l'occasion. *Nous* en avons l'occasion. Nos pères et nos grands-pères se sont couverts de gloire en servant le roi Édouard. Nous devons leur montrer que nous sommes dignes de leur succéder. Vous connaissez son but, Humphrey, continua-t-il, de plus en plus passionné. Que diriez-vous d'une place à la table du roi quand la prophétie sera accomplie ? Que diriez-vous d'une partie de ce nouveau royaume ?

— Prudence, murmura Humphrey occupé à tout observer autour de lui.

Il croisa le regard de Robert, qui plissa le front d'un air interrogateur, mais Humphrey ne releva pas.

— Vous gâchez une occasion, reprit Henry, inflexible, peut-être la seule que nous aurons au cours de cette campagne.

— Le comte de Lincoln a dit que le groupe qui l'avait attaqué comptait au moins cent hommes. S'il s'agit d'eux, ils sont deux fois plus nombreux que nous.

— Lincoln s'est laissé prendre par surprise. Cette fois, nous avons l'avantage.

Humphrey sembla évaluer un instant leurs chances. Pour finir, on le vit tirer son épée. Une lueur sauvage dans les yeux, Henry sourit.

— Allons exterminer cette vermine, gronda-t-il en éperonnant son cheval.

— Humphrey, l'appela Robert alors que le chevalier suivait son exemple. Ce ne sont pas les ordres.

Le visage d'Humphrey se ferma.

— Nous y allons, se contenta-t-il de répondre en enfonçant ses talons dans les flancs de son destrier.

Robert regarda ses chevaliers par-dessus son épaule. Édouard fronçait les sourcils. Les plus jeunes écuyers, dont Nes, semblaient nerveux, bien qu'ils eussent déjà tiré leur épée. De quoi aurait-il l'air s'il refusait de les embarquer dans cette aventure, si Henry et Humphrey revenaient triomphants vers Warenne en ayant écrasé les rebelles pendant qu'il se terrait dans la forêt ? Si pour eux l'occasion de prouver leur valeur au roi se présentait ainsi, il tenait, lui, celle de prouver son courage à tous. Jusqu'ici tous ces jeunes gens, héritiers des comtés du royaume, l'avaient tenu à distance, même Humphrey, mais il avait vu leur pouvoir et leur influence et il désirait les obtenir pour lui-même. Son père et son grand-père avaient servi les rois d'Angleterre pendant différentes guerres et ils avaient reçu des fiefs en récompense. Lui était venu en Angleterre pour restaurer l'autorité que son nom avait perdue après le couronnement de Balliol, mais pour l'instant, au lieu d'améliorer la fortune de sa famille, il n'avait guère fait que la dépenser.

Il fit signe à Édouard et ses hommes de le suivre, puis il éperonna Chasseur.

Plutôt que de faire halte à la lisière de la forêt, Henry avait poursuivi au galop dans la clairière baignée par la lumière du soleil. L'effet de surprise sur lequel ils auraient pu compter s'était désormais évanoui et les autres l'imitèrent en brandissant leur épée. Henry cavala au milieu des abris et des ruines, Humphrey et Robert sur ses talons. Le grand feu au centre du camp dégageait des vagues de chaleur. Les chevaliers s'éparpillèrent sur le terrain, couvert de fougères séchées qui avaient dû être coupées sur la colline et ramenées là. Plusieurs troncs, pour s'asseoir sans doute, étaient disposés près de l'immense âtre où des os d'animaux noircis se mêlaient aux cendres. Quelques lances étaient fichées dans la boue derrière les abris, à côté de barriques et de piles de cageots abîmés. À ces quelques exceptions près, l'endroit semblait abandonné.

Henry arrêta son cheval près d'un abri et en frappa le toit du plat de son épée. Celui-ci s'effondra dans une pluie de fougères et de feuilles. À l'intérieur, une peau de cerf miteuse tapissait le sol de terre. En se penchant, il ramassa de la pointe de l'épée une cape en loques qu'il brandit un instant avant de la rejeter.

Humphrey mit pied à terre et s'approcha du feu. Plusieurs bols en bois étaient posés sur l'herbe à côté d'une souche d'arbre où trônait une grosse marmite en fer. Il s'accroupit, porta un bol à ses narines et renifla. Avec une grimace, il le laissa retomber.

— Ils ont dû nous entendre arriver, dit-il à Henry en se levant. Robert avait raison. Nous aurions dû continuer à pied quand nous avons croisé les cerfs.

Robert, resté en selle, scrutait les alentours. S'il n'y avait eu ce feu, il aurait affirmé que personne n'était venu là depuis longtemps.

— Cela ne ressemble pas beaucoup à un camp.

Humphrey se tourna vers lui, mais au même moment l'un de ses chevaliers attira son attention.

— Sir, peut-être pourrions-nous les pourchasser dans les bois ?

Parmi les hommes de Henry, quelques-uns étaient descendus de cheval et avaient entrepris de retourner les abris en quête du moindre objet de valeur. Humphrey étudia les arbres qui les cernaient.

— Nous pourrions chercher des jours sans jamais les trouver.

Robert fit avancer Chasseur jusqu'aux lances plantées dans la boue, derrière les abris. Leurs pointes étaient émoussées, le bois usé à l'endroit où les hommes les agrippaient. Il en saisit une et l'extirpa du sol en se demandant pourquoi son propriétaire l'avait abandonnée. Il y avait de nombreux trous à proximité, laissés par d'autres lances, et des empreintes de pas dans le sol, bien que celui-ci fût presque entièrement recouvert de fougères. Soudain, Robert s'aperçut que les feuilles luisaient. En y regardant de plus près, il constata qu'elles étaient maculées d'une substance brillante. Des traînées grises et visqueuses s'étendaient dans la broussaille. Robert y enfonça la pointe de son épée, puis la ramena vers sa main libre pour l'examiner. Il prit la substance entre son pouce et son index. Elle était poisseuse et sentait la graisse animale. Il se détourna. L'ennemi s'était-il servi des fougères pour nettoyer la graisse des marmites ? Quelques-uns de ses compagnons faisaient la même découverte que lui. Il vit un chevalier renifler ses doigts, un autre s'essuyer les mains sur son gambison et un écuyer soulever une cape qui semblait imbibée de graisse. Robert sentit un frisson le parcourir. Des souvenirs de chasse avec son grand-père lui revinrent : il se rappela comment ils posaient des pièges et des appâts, en laissant des traces de sang ou des carcasses de mouton attachées aux arbres pour attirer les loups.

Brandissant son épée à la pointe maculée de graisse, il fit faire volte-face à Chasseur.

— Humphrey !

Le chevalier pivota en entendant son appel, mais au même instant des boules de feu, parties des bois, traversèrent le ciel. Elles continuèrent leur trajectoire ascendante un moment, puis elles décrivirent une molle courbe avant de retomber vers le camp à une vitesse folle. Les hommes avaient eu le temps de comprendre qu'il s'agissait de flèches enflammées avant que les projectiles ne frappent le sol partout autour d'eux. Les chevaliers et les écuyers levèrent leurs boucliers ou se jetèrent derrière les abris pour se protéger, mais ils n'étaient pas directement visés. Quand les pointes s'enfonçaient dans les fougères, l'étoupe en feu menaçait de s'éteindre un instant avant de projeter de grandes flammèches. Où qu'elles tombent, la substance graisseuse au sol s'embrasait aussitôt et l'incendie se propageait. Les chevaux se cabraient, affolés par la chaleur subite.

D'autres flèches s'abattirent sur les chevaliers qui hurlaient et ceux qui avaient mis pied à terre tentaient de rejoindre en courant leur monture paniquée. Édouard Bruce leva son bouclier en voyant une flèche lui foncer dessus. Le projectile se ficha dans le bois. Cerné par la fumée, le destrier d'Humphrey hennit, terrorisé, et partit au galop vers les bois. Humphrey tenta de l'appeler mais il dut se plaquer au sol pour éviter une nouvelle salve. L'un des écuyers de Henry, en reculant pour ne pas être pris sous la pluie de flèches, tomba dans la fosse. Sa cape prit aussitôt feu et il eut beau se débattre pour la retirer, il fut bientôt la proie des flammes.

L'un des chevaliers de Humphrey s'efforçait de remonter sur son cheval quand une flèche le frappa dans le dos. La pointe ne perfora pas complètement son gambison, mais elle s'enfonça dans le rembourrage. Il battit désespérément des bras pour la faire tomber mais les flammes lui léchaient déjà la nuque, et lorsque ses cheveux s'embrasèrent comme une torche, son cheval prit la fuite, alors même qu'il avait le pied à l'étrier. Le chevalier chuta sur le dos et la pointe de la flèche perça le gambison, puis ses poumons. Il se convulsa, un filet de sang à la bouche, tandis que le cheval le traînait hors de la clairière.

Tout en surveillant l'éventuelle arrivée de flèches dans sa direction, Robert luttait pour garder le contrôle de Chasseur. Il criait des ordres à son frère et à ses hommes pour qu'ils restent à côté de lui. Édouard et les écuyers n'étaient pas loin. Il y avait un trou et une lézarde dans le bouclier d'Édouard, qui était noirci sur les bords. Les hommes de l'Essex s'étaient dispersés à travers le camp dès le début de l'attaque, mais ils essayaient maintenant de revenir vers lui en cherchant à traverser les foyers d'incendie. Robert entendit alors un grand rugissement, tourna la tête et vit des centaines d'hommes dévaler la colline dans leur direction, des lances à la main. Henry criait pour appeler ses chevaliers, mais leurs chevaux étaient trop paniqués pour qu'ils puissent obéir à son commandement.

Chasseur se cabrait à son tour. Pendant un instant, Robert fut suspendu en plein chaos, déchiré entre les deux choix qui s'offraient à lui : fuir ou combattre. Il tenait toujours la lance qu'il avait ramassée par terre dans sa main et il avait furieusement envie d'éperonner sa monture et d'aller à la rencontre des hordes qui couraient là-haut. Mais en même temps, il comprenait toute la futilité de ce geste. Ils n'étaient pas en mesure de se regrouper et de charger, le feu les avait divisés. Jetant la lance, Robert fit faire demi-tour à Chasseur, dont les sabots firent voler des cendres rougeoyantes dans son sillage.

— En arrière ! hurla-t-il, le doigt tendu vers les arbres.

Le visage rougi par la chaleur et la colère, Henry entendit son ordre. Une moue de frustration traversa fugitivement son visage, mais il fit tourner son cheval et imita Robert. Les uns après les autres, ils se hâtèrent de quitter la clairière que les rebelles abordaient au même moment, lançant leurs lances au milieu des flammes. Un écuyer, touché au flanc, tomba à terre. Une autre pointe alla se planter dans la croupe d'un cheval, qui rua violemment et désarçonna son cavalier. Le chevalier atterrit sur le toit en feu d'un abri, qui s'écroula sous lui avec une gerbe d'étincelles.

Robert était presque arrivé aux bois, avec son frère et ses hommes devant lui, lorsqu'il entendit un cri plus fort et distinct que ceux des rebelles. Regardant par-dessus son épaule, il vit Humphrey qui courait sur l'herbe, au milieu d'un incendie infernal. Le chevalier courait pour sauver sa vie. Il avait derrière lui une meute d'hommes qui s'apprêtaient à le tuer avec jubilation. Robert fit pivoter Chasseur. Il entendit son frère qui l'appelait, mais ne s'y arrêta pas. Plantant farouchement ses talons dans les flancs de sa monture, il galopa vers le chevalier et s'arrêta net près de lui. Humphrey s'agrippa à l'arrière de la selle et le cheval fléchit un instant sous ce nouveau poids. Robert le hissa en le tirant par son gambison. Humphrey enroula ses deux bras autour de sa taille jusqu'à être de biais sur la selle. Robert allait éperonner Chasseur lorsqu'il vit un autre homme courir vers eux. C'était l'un de ses écuyers de l'Essex. Derrière eux venaient les rebelles. Le jeune homme hurla, au désespoir.

— Foncez ! cria Humphrey.

Un instant, Robert hésita. Il lisait l'espoir sur le visage du jeune homme, qui courait plus vite que jamais. Plusieurs rebelles s'arrêtèrent pour le viser. Robert chercha à le prévenir que des lances arrivaient sur lui mais l'écuyer ne l'entendit pas et l'un des projectiles plongea dans son dos. Lorsque la pointe effilée le toucha, son torse fut projeté en avant.

— *Robert !* s'exclama Humphrey.

Au moment où l'écuyer s'effondrait, Robert lança Chasseur au galop. D'autres rebelles prenaient le temps de les ajuster, mais les lances frappaient le sol autour d'eux tandis que les deux hommes se ruaient vers les arbres, laissant le campement incendié derrière eux.

Chapitre 29

En haut des remparts, Robert contemplait l'estuaire où se reflétait le clair de lune. De l'autre côté du canal, un énorme rocher se dressait, telle une bête faisant le gros dos dans la lumière spectrale. Les eaux de l'estuaire, auxquelles se mêlaient de longues traînées boueuses, scintillaient comme des éclats de verre.

Il était tard, mais les rues de Conwy, sous le château, étaient encore éclairées par les nombreuses torches des soldats que l'on conduisait à leurs baraquements. De l'autre côté de la rivière, près des murailles nord-est du château, des taches lumineuses éparses indiquaient où s'étaient installées les compagnies qui n'avaient pu embarquer avant que la nuit tombe. Il en viendrait bien d'autres encore, pendant des jours.

Les troupes de Warenne étaient arrivées sur ces rivages depuis plusieurs heures, au soleil couchant. La silhouette du château de Conwy, qui se découpait sur le ciel lie-de-vin en haut d'un promontoire rocheux, était apparue aux soldats comme dans un rêve, avec ses murs chaulés aussi blancs que de la neige. Les eaux profondes de la rivière leur renvoyaient son reflet, ponctué des mille feux des torches. Le roi était déjà là et ses bannières rouges ornées des trois lions pendaient aux tourelles nord-est. Ces mêmes armoiries étaient reprises ici et là sur les murailles, mais d'autres emblèmes et d'autres couleurs, visibles sur certaines tours, signalaient que tel baron ou tel comte y logeait. Par-delà l'enceinte du château et de la ville, jalonnée par pas moins de vingt et une tours, les collines se succédaient harmonieusement, l'une derrière l'autre, jusqu'aux hauteurs lugubres du mont Snowdon, masse noire obscurcie par les nuages et les ténèbres grandissantes.

À la vue du château, les troupes de Warenne avaient ressenti un intense soulagement, les hommes avaient souri et échangé des paroles pour la première fois depuis des jours. L'attaque subie dans la clairière avait prouvé que l'immense forêt abritait un ennemi qui non seulement connaissait bien le terrain, mais qui avait assez de ruse pour s'en servir, si bien que la tension et l'inquiétude avaient gagné les hommes. Quand le bateau les avait déposés au quai d'où partait le chemin sinueux menant à l'enceinte, certains avaient même entonné une chanson.

Robert, lui, était grave, et il n'avait pas non plus participé aux conversations le cœur léger. Pendant la remontée de la rivière, il s'était retrouvé assis face à l'un des chevaliers de l'Essex – le père de l'écuyer mort dans l'embuscade. Le chevalier ne lui avait pas dit un mot depuis la mort de son fils, il obéissait à ses ordres dans un silence obstiné. Pendant tout le voyage, les yeux braqués sur le vieil homme au visage fermé, Robert n'avait cessé de revoir le jeune écuyer courant désespérément vers lui pendant que les rebelles le visaient. Il aurait voulu dire quelque chose au père, mais les mots ne venaient pas.

Après avoir fui le camp en feu, ils avaient galopé le long de la piste embroussaillée, Humphrey accroché à Robert. Pendant un temps, ils avaient entendu qu'on les poursuivait, mais les cris des rebelles s'étaient évanouis bien avant qu'ils rejoignent la route dégagée et le reste de la compagnie. Là, Humphrey, Henry et Robert durent expliquer le piège dans lequel ils étaient tombés à un John de Warenne furieux. Le lendemain matin, Warenne et Lincoln avaient emmené les chevaliers les plus aguerris dans les collines pendant que les jeunes gens recevaient ordre de rester derrière. La nuit avait passé avant que les hommes reviennent, couverts de sang et satisfaits. Ils avaient traqué les rebelles de la clairière incendiée où les chevaliers avaient été attirés jusqu'à leur véritable camp dans les bois, plusieurs lieues au nord. Là, les Gallois avaient payé jusqu'au dernier leur audace : ç'avait été une boucherie absolue. Néanmoins, Warenne ne voyait pas là de victoire et préférait dénoncer les trois jeunes commandants dont l'excessive témérité avait coûté la vie à deux chevaliers, quatre écuyers et six chevaux. Humphrey avait reconnu que Robert s'y était opposé, mais le comte semblait l'avoir à peine entendu.

S'éloignant du parapet, Robert traversa le chemin de ronde qui surplombait la cour intérieure, par-dessus les toits et les cheminées de plomb qui crachaient de la fumée. La cour étroite, où s'alignaient divers bâtiments en pierre et en bois, était livrée au chaos. À la lumière des torches, les écuyers portant des paquets sur les épaules, les chevaliers et les serviteurs aux bras chargés de piles de draps, se dirigeaient tous vers les logements. Robert dévala plusieurs volées de marches successives, et, s'approchant de la tour où ses hommes et lui étaient cantonnés, il entendit quelqu'un crier son nom. C'était Humphrey.

— Je vous ai appelé trois fois, dit le chevalier.

— Je n'ai pas entendu.

Robert regarda le chevalier, puis la cour animée. Les deux hommes ne s'étaient pas parlé depuis l'attaque, sauf la fois où Humphrey, sans effusion, l'avait remercié de lui avoir sauvé la vie. Quant à Henry, il l'avait délibérément évité, ce qui n'avait pas été difficile. Tous trois préféraient rester sur leur quant-à-soi, chacun se sentant accusé en présence des deux autres.

— Vous vouliez quelque chose ?

— Que vous veniez avec moi.

Robert fronça les sourcils. Humphrey avait l'air différent ce soir, en quelque sorte. Son visage était tendu, non par la crainte, mais par une impatience qu'il ne parvenait pas à dissimuler.

— Il faudrait que j'aille voir mes hommes.

Humphrey le prit par le bras.

— Je vous en prie, Robert.

— Où donc vous rendez-vous ?

Robert avait parlé d'une voix plus dure qu'il ne le voulait. Humphrey tressaillit, puis il planta son regard dans le sien.

— Avez-vous confiance en moi ?

Robert ne répondit pas tout de suite. Il lui faisait confiance, oui, mais la façon dont le chevalier avait fait irruption dans le campement désert, en faisant fi de toutes les objections, en préférant s'entêter plutôt que d'écouter la raison, l'avait quelque peu refroidi. Jusque-là, il ne connaissait pas cette facette de son compagnon et elle l'avait surpris. Mais il aimait toujours le jeune homme, cela n'avait pas changé, et à dire vrai, Humphrey lui avait manqué ces derniers jours.

— Oui, je vous fais confiance.

Le chevalier l'entraîna dans une allée qui contournait les tours du secteur nord-est, près des vergers et des jardins, puis ils laissèrent derrière eux le sentier qui descendait jusqu'au quai, où l'on déchargeait les marchandises des derniers bateaux du jour. Les gardes, penchés en avant pour se protéger du vent, les laissèrent passer sans mot dire. Après quelques minutes de marche, ils parvinrent à une tour d'où l'on pouvait voir, par-delà les toits de la ville, les collines baignant dans la lumière de lune. Lorsque Humphrey ouvrit la porte, Robert remarqua la bannière bleue du chevalier qui pendait à une haute fenêtre.

La salle circulaire dans laquelle ils entrèrent ressemblait à ses propres logements. À l'exception d'un grand âtre et de quelques coussins aux couleurs passées entassés sous la fenêtre, à même le banc en pierre encadré de meneaux, la pièce était vide. Les verres au plomb de la fenêtre reflétaient les flammes qui crépitaient. Contre les murs s'accumulaient des sacs et des coffres que personne n'avait encore ouverts. La seule différence entre sa chambre et celle de Humphrey était que cette dernière était bondée.

Du côté de la fenêtre, avec son surcot jaune décoré d'un aigle vert, se tenait Ralph de Monthermer, un chevalier de la maison du roi. À ses côtés était assis le jeune Thomas de Lancastre, qui avait rejoint l'armée en qualité d'écuyer du comte Edmond. Dans le halo rouge du feu se trouvait Henry Percy, qui toisait Robert. Près de lui se dessinait la silhouette massive de Guy de Beauchamp, le frère d'Helena. Il y avait encore un autre chevalier royal, un personnage discret et courtois du nom de Robert Clifford, et trois autres hommes. L'assemblée regarda en silence Humphrey fermer la porte. Robert vit qu'ils portaient tous un blason sur le bouclier posé à leurs pieds. Le rouge était presque noir dans la demi-obscurité, mais les flammes faisaient rutiler le jaune doré des dragons qui semblaient presque vivants. Il remarqua également qu'un bouclier solitaire se trouvait au milieu de la pièce et une bouffée d'excitation l'envahit.

— Nous voulons que vous vous joigniez à nous.

Robert se tourna vers Humphrey : les flammes lui donnaient un air austère. Le chevalier fit signe aux autres, qui saisirent alors leur bouclier et se placèrent autour de celui qui n'était pas attribué. Après la joute de Smithfield au printemps, Robert avait supposé que ces boucliers faisaient partie d'une sorte de déguisement de tournoi, quelque chose auquel on avait droit à force de victoires, ou seulement de participations. Mais dans les mois qui avaient suivi, en observant ce petit cercle d'hommes, dont Humphrey semblait être le pivot, évoluer au sein de la cour, il avait commencé à soupçonner qu'ils avaient un but. Au cours de leur marche vers le pays de Galles, ce soupçon s'était mué en certitude en raison des discussions voilées autour de la Couronne d'Arthur et de certaines prophéties. Robert voulait entrer dans ce cercle, pas seulement par curiosité, mais parce qu'il avait vu dans quelle estime la cour et le roi tenaient ces jeunes gens. Pendant des années, les Bruce avaient fréquenté les plus hautes sphères du pouvoir, ils étaient les favoris des rois, respectés de leurs pairs. Ce n'était plus le cas. Le roi Édouard avait provoqué leur disgrâce en choisissant Balliol et Robert en était encore meurtri, mais ce ressentiment envers le souverain s'estompa quand il mesura la chance qu'on lui offrait en cet instant.

Sans un mot, il s'avança au milieu des chevaliers et Humphrey referma le cercle derrière lui.

— Prenez le bouclier, ordonna Humphrey.

Alors que Robert se penchait, il leva une main pour l'arrêter.

— Mais seulement si vous êtes prêts à ne faire plus qu'un avec nous, à intégrer ce cercle loyal au roi et à sa cause.

Robert comprit qu'il devait d'abord écouter et se redressa.

— Il y a dix ans, après avoir vaincu Llywelyn ap Gruffudd, le roi Édouard a créé un ordre de chevaliers à qui il a confié une mission capable de changer la face du monde. Quelques mois après la défaite de Llywelyn, notre roi se trouvait à Nefyn, un village tout proche d'ici, où les prophéties de Merlin ont été découvertes et traduites par Geoffroy de Monmouth. Là, dans l'ancienne forteresse de Llywelyn, le roi Édouard a mis la main sur la dernière de ses prophéties. Monmouth ne l'a pas traduite, et pendant des siècles elle est restée le secret des princes gallois de Gwynedd.

Robert connaissait les écrits de Monmouth. Son frère, Alexandre, possédait un exemplaire de l'*Histoire des rois de Bretagne* qu'il lui était arrivé de feuilleter. Cependant, il n'avait pas lu les *Prophéties* et ignorait totalement qu'on en avait découvert une récemment.

— Le roi Édouard a fait traduire *La Dernière Prophétie* par un Gallois qui lui était fidèle et l'a offerte à ses chevaliers, qui ont fait le vœu de l'aider à remplir ses instructions. Comme un symbole de leur but commun, le roi a fait fabriquer une Table ronde similaire à celle de la Cour d'Arthur. Ces chevaliers étaient nos pères, nos grands-pères et nos frères, poursuivit Humphrey en balayant du regard les hommes présents. Aujourd'hui, nous marchons dans leurs pas. Nous voulons montrer que nous sommes dignes de servir notre roi comme ils l'ont fait et, un jour, de prendre notre place autour de sa table pour partager sa gloire.

— Nous sommes les Chevaliers du Dragon, dit Henry Percy d'une voix puissante, en référence au dragon apparu en rêve à Uther Pendragon, rêve d'après lequel Merlin a prophétisé qu'Uther deviendrait roi et qu'Arthur, son fils, régnerait sur toute la Bretagne.

Henry s'étant tu, Thomas de Lancastre lui succéda, d'une voix juvénile.

— Geoffroy de Monmouth nous raconte l'effondrement de la Bretagne après la mort d'Arthur, à cause des invasions des Saxons. Il dit qu'à son époque, Dieu envoya une voix angélique annoncer aux Bretons qu'ils ne régneraient plus sur leur royaume. Mais qu'un jour, à une époque prédite par Merlin, si les reliques de la Bretagne étaient retrouvées, le royaume pourrait de nouveau être uni, dans la paix et l'abondance.

— Dans *La Dernière Prophétie* découverte à Nefyn il y a dix ans, intervint alors Ralph de Monthermer, ces

320

reliques sont énumérées : un trône, une épée, un sceptre et une couronne. Tels sont les insignes de la Bretagne que portait le fondateur du royaume, Brutus de Troye. À sa mort, les quatre reliques et le royaume furent divisés entre ses héritiers. C'est cette division qui a provoqué le long déclin de la Bretagne, qui s'est fini par la guerre, la famine et la pauvreté. *La Dernière Prophétie* nous annonce que notre royaume connaîtra la destruction finale, à moins que nous ne rassemblions ces quatre reliques entre les mains d'un même souverain à l'époque décrétée par Dieu.

Humphrey reprit la parole.

— La couronne de la prophétie est le diadème porté par Brutus lui-même, puis par tous les rois bretons. C'est la couronne portée par Arthur, qui la transmit à son cousin à Camblam, après quoi elle disparut de la surface de la terre jusqu'à ce que Llywelyn ap Gruffudd unisse le pays de Galles grâce à son pouvoir. C'est cette couronne que nous devons maintenant découvrir. Si vous souhaitez faire le serment de vous consacrer à cette quête et vous montrer digne d'être admis un jour autour de la Table ronde, prenez ce bouclier.

Humphrey se tut, et Robert sut qu'il lui revenait d'agir. Les souvenirs de chasses au trésor et de quêtes chevaleresques se bousculaient dans son esprit. Du fond de sa mémoire lui revinrent les souvenirs de son père de tutelle, à Antrim, qui lui parlait de Fionn mac Cumhaill et de sa bande de guerriers. Il écoutait avec crainte et respect, en se demandant si sa propre vie de chevalier serait aussi aventureuse, mais en grandissant il avait pris conscience qu'il était question de politique et de devoirs davantage que de grandes épopées, de tournois et de gloire, et ces histoires avaient fini par être enfouies sous la routine du quotidien. Les paroles des chevaliers paraissaient peut-être irréelles, mais leurs visages solennels disaient bien que pour eux la vérité était là, et leur gravité lui donnait le frisson, ravivant l'éclat de ces vieux contes. Il hésita un moment, conscient qu'il prononçait là un vœu, aussi sacré que n'importe quel hommage ou serment de fidélité, un vœu de loyauté envers le roi. Les paroles de Humphrey résonnaient dans sa tête... *prendre notre place autour de sa table pour partager sa gloire.* Robert s'accroupit et souleva le bouclier au dragon.

L'atmosphère se décontracta aussitôt. Les hommes hochaient la tête en souriant.

Humphrey s'approcha de lui.

— Bienvenue, dit-il en l'étreignant.

Robert hésita. Il ne voulait pas rendre l'instant moins solennel, mais il fallait qu'il sache.

— Tout le monde m'a donc accepté ?

Aymer de Valence était un des membres de cet ordre, il le savait.

— Nous le dirons aux autres plus tard, dit Humphrey avec une légèreté destinée à le rassurer. Quoi qu'il en soit, ils ne peuvent pas vous refuser. Le roi a donné son autorisation.

— Le roi est au courant ?

— J'ai parlé à sir John de Warenne, qui a adressé personnellement la requête au roi pour votre admission.

Robert hocha la tête, secrètement ravi par cette preuve qu'il avait fait bonne impression au roi, malgré le désastre de l'expédition.

Ralph de Monthermer arriva près d'eux avec deux coupes de vin qu'il leur tendit. Robert en prit une.

— Si la Couronne d'Arthur est l'une des reliques, quelles sont les trois autres ?

— On considère en général qu'il y a Curtana, répondit Ralph. On l'appelle aussi l'Épée de la Clémence. C'était la lame de saint Édouard le Confesseur, mais sa véritable origine est demeurée inconnue, jusqu'à la prophétie. Le roi la garde à Westminster.

— Le sceptre, et le trône ? Sont-ils en sa possession ?

— Pas encore, répondit Humphrey en levant sa coupe. Maintenant, buvez, frère !

Robert porta la coupe à ses lèvres et but, le regard scrutateur de Humphrey posé sur lui.

Chapitre 30

— Où étais-tu hier soir ?

Son frère Édouard était accroupi, les bras enserrant ses genoux, le dos au mur de l'armurerie qui jouxtait l'enceinte extérieure du château de Conwy. Un son désagréable provenait de la barrique pleine de sable que Nes roulait d'avant en arrière. Il avait au préalable placé la cotte de mailles de Robert à l'intérieur, ce qui devait normalement la débarrasser de toute trace de rouille. D'autres hommes, à côté d'eux, réparaient les anneaux des mailles ou nettoyaient leur épée. Des bourrasques de vent glacé soufflaient dans la cour et leur envoyaient de la poussière dans les yeux. La semaine précédente, juste après Noël, il était tombé un peu de neige, mais elle n'avait pas tenu. À en croire le ciel sombre, ils ne devraient pas tarder à en voir d'autre.

— La nuit dernière ? J'étais avec Humphrey, dit Robert d'un air dégagé.

— Je t'ai à peine vu ces dix derniers jours. Qu'est-ce que tu fabriques ?

Robert haussa les épaules.

— Je m'entraîne.

Ce n'était pas vraiment un mensonge. Depuis dix

jours que l'armée du roi était stationnée à Conwy, il n'y avait guère d'autre chose à faire qu'attendre pendant que les équipes d'éclaireurs rassemblaient des informations sur les positions ennemies. Jusqu'ici, à part l'attaque des rebelles dans la forêt, ils n'avaient rencontré personne à l'exception de quelques paysans dans les champs. Le pays était d'un calme presque inquiétant. L'entraînement les tenait occupés. Mais ce n'était pas l'unique cause des absences de Robert.

Édouard se leva, outré. Le bruit de la barrique sur le sol n'empêcha pas Robert de saisir les mots qu'il murmurait :

— J'ai vu ton nouveau bouclier, frère.

En s'apercevant qu'Édouard n'avait pas percé l'essentiel du secret, Robert se sentit soulagé. Pour autant, une certaine culpabilité le taraudait. Humphrey avait insisté pour que l'histoire de la prophétie ne sorte pas de l'ordre, mais il lui avait indiqué qu'il était libre de se déclarer Chevalier du Dragon et d'arborer le bouclier lors des tournois ou même sur les champs de bataille. Cependant, Robert s'était tu sur son entrée dans l'ordre. Il rechignait à se confier à Édouard. Au fond de lui, il savait que son frère n'approuverait pas le vœu qu'il avait prononcé devant ces hommes. Il cacha ces sentiments sous un accès de colère.

— Tu as fouillé dans mes affaires ? Tu n'en as pas le droit !

— J'étais dans ta chambre. Je l'ai vu, c'est tout.

— Il est sous mon lit. Enroulé dans une toile à sac.

Nes leur jetait un coup d'œil en coin, aussi Robert s'éloigna en faisant signe à son frère de le suivre. Quand ils furent hors de portée de voix, il se tourna vers lui.

— Ce que je fais ne te concerne pas toujours.

Édouard serra les dents.

— Je suis un de tes hommes. N'as-tu pas le devoir de m'informer de tes intentions dans cette campagne ?

— Si tu es l'un de mes hommes, tu dois m'obéir sans poser de questions, répliqua Robert, comme n'importe quel écuyer.

Il regarda ailleurs, conscient que son frère allait se sentir humilié.

— Écoute...

— J'ai bien compris, le coupa Édouard. Je ne te vaux pas, maintenant ? Je ne suis pas aussi digne d'intérêt que ces chevaliers qui sont tes nouveaux camarades ?

Robert s'adossa au mur de l'armurerie et poussa un profond soupir. Il avait senti venir cette dispute. Les premiers changements étaient intervenus chez son frère après son adoubement. Sur le chemin qui les avait menés en Angleterre, livrés à eux-mêmes dans un pays qui leur était inconnu, tous deux s'étaient rapprochés et le ressentiment d'Édouard avait semblé diminuer. Mais au cours de l'été à Londres, alors que son amitié avec Humphrey se renforçait, il avait resurgi. Robert s'était demandé si c'était la raison du comportement de plus en plus indocile d'Édouard : sa manière de tenir tête aux chevaliers comme s'il était leur égal, sa façon désobligeante de parler de certains barons, ses paris et ses défis incessants, que ce soit à table lors d'un festin ou sur le terrain d'entraînement. Quel qu'en soit le motif, Robert s'agaçait de plus en plus de ses frasques et était de moins en moins enclin à lui accorder ce qu'il voulait.

— Pourquoi ne m'adoubes-tu pas ?

Voilà la question que Robert sentait arriver.

— J'ai dit que nous en discuterions quand nous rentrerions à la maison.

— C'était avant la guerre. Nous sommes partis d'Écosse depuis dix-huit mois déjà et tu ne sais pas combien de temps cette campagne va durer.

Édouard se planta devant Robert.

— Frère, j'aurai dix-neuf ans l'année prochaine.

— C'est encore jeune pour être adoubé. Sois patient.

Robert posa ses mains sur les épaules d'Édouard.

— Finissons-en avec ce que nous sommes venus faire ici et alors, je te le promets, je te ferai chevalier.

Édouard parut prêt à répliquer, des émotions contradictoires se faisaient jour sur son visage, mais finalement il hocha la tête.

Robert le lâcha au moment où une cloche se mettait à sonner en ville, appelant les fidèles à l'office de l'après-midi. Le carillon lui noua instantanément l'estomac, comme lorsqu'il éperonnait Chasseur en visant une cible.

— Je dois y aller, dit-il à son frère avant de se tourner vers son écuyer. Vérifie que Chasseur va bien, Nes, quand tu auras terminé.

— Bien sûr, sir.

— Bon entraînement, lança Édouard dans son dos d'une voix sarcastique.

Robert poursuivit son chemin sans répondre et traversa la cour vers un escalier menant aux remparts. Quand il y parvint, la cloche avait cessé de sonner. Tandis qu'il se hâtait sur le chemin de ronde en direction de la tour nord-est, une petite voix intérieure se moquait de lui : un instant plus tôt, il réprimandait son frère pour ses négligences, et voilà qu'il se comportait comme un enfant casse-cou qui se pend aux branches des arbres sans se soucier de ce qu'il y a en dessous, ni d'une éventuelle chute. Robert repoussa cette petite voix et laissa le frisson s'emparer de lui et le porter là où la raison et la prudence n'étaient pas les bienvenus.

En longeant la tour qui surplombait l'entrée principale, il vit une compagnie de plusieurs centaines d'hommes remonter vers le château. La plupart étaient à cheval et des bannières aux couleurs criardes flottaient dans la lumière terne de l'estuaire. Des hommes arrivaient depuis une quinzaine de jours, venus des divisions envoyées au sud au secours des châteaux assiégés par les rebelles. Cependant, cette compagnie était plus importante que les autres. Robert se demanda si ces hommes apporteraient des nouvelles quant à la situation de l'ennemi. À bien des égards, quitter l'espace confiné du château serait un soulagement. Mais une chose lui manquerait.

Robert parvint à une tour qui dominait tout l'estuaire. L'odeur infecte des évacuations des latrines, creusées dans la roche en contrebas, montait jusqu'à lui. Des mouettes sautillaient d'un rocher luisant à l'autre en se disputant les déchets. Ouvrant la porte de la tour, Robert entra dans la pièce plongée dans la pénombre. L'espace était occupé par un escalier en spirale qui descendait. À l'étage inférieur, il avança avec prudence dans une grande pièce ronde uniquement éclairée par des meurtrières. Il s'arrêta dans l'obscurité, scrutant la poussière où des empreintes de pas allaient vers des sacs de grain entassés. Il y avait beaucoup moins de sacs aujourd'hui qu'au début de la semaine, quand il avait découvert cet endroit. Là, le sol était parsemé de grains et il vit d'autres empreintes, plus nombreuses. Les cris des mouettes résonnaient à l'intérieur. Entre deux cris, il entendit murmurer son nom.

Robert se fraya un chemin dans le tas de sacs. Il poussa des épaules, à gauche et à droite, les grains roulant contre lui comme des muscles sous la peau. L'odeur lui rappelait la période des moissons à Carrick. Soudain il fut de l'autre côté. Deux bancs se faisaient face dans cette alcôve de fortune, devant une meurtrière. Debout dans le contre-jour, Helena de Beauchamp, dont les cheveux remontés en chignon semblaient embrasés par le feu du jour.

À Lochmaben, les filles étaient douces et se laissaient faire, mais au bout du compte ce n'était pas satisfaisant. Cela revenait au même que de frapper une quintaine à l'arrêt, il manquait l'ivresse de la course. Eva, qu'il avait embrassée près du loch la nuit où sa famille avait perdu le trône, avait quelque chose de différent, et son souvenir l'avait longtemps tourmenté, mais les événements n'avaient pas permis qu'ils vivent leur histoire. À seize ans, Helena, fille d'un comte anglais, était déjà promise à un autre homme, ce qui faisait de sa séduction une entreprise encore plus risquée, mais cette situation avait justement le don d'exacerber le désir de Robert. Elle s'était offerte à lui. Comment aurait-il pu ne pas céder ?

Helena portait une robe bleu marine serrée à la taille par une ceinture tressée, et qui retombait sur ses jambes en de multiples plis. Dans cette robe sombre, avec sa silhouette élancée, elle avait presque un côté garçon, mais Robert savait que le corps malléable et doux sous ses vêtements n'avait rien de masculin. Elle sourit sans dire un mot. Ils ne parlaient jamais lorsqu'ils se retrouvaient. Robert s'en accommodait très bien. Seule une envie puissante les conduisait dans ce cul-de-sac qui sentait le grain et la poussière. Une envie jusqu'à présent toujours contrariée, et que, chaque après-midi, Robert cherchait plus ardemment à assouvir.

Robert prit le visage d'Helena entre ses mains, frémit au contact de sa peau marbrée et posa ses lèvres sur les siennes. Il huma son parfum d'huile d'olive, devenu familier, qui venait du savon qu'elle se faisait envoyer d'Espagne. Ses lèvres étaient chaudes, comme son souffle qui se mêlait au sien. Ses mains remontèrent timidement le long de son cou et ses doigts s'enfoncèrent dans ses cheveux. Il délaissa ses joues pour lui caresser les épaules, puis la nuque. Il poursuivit le voyage plus bas, vers la courbe gracile où son corps mince devenait soudain souple et plein, et Helena se rejeta en arrière, bloquant sa respiration. Robert se tendit, luttant contre la frustration qui menaçait d'emporter son sens des convenances. Il y était. Le défi commençait. Ils allaient en rester là un moment, lui enserrant les reins, pendant qu'elle restait alanguie dans ses bras. La passion monterait, il bougerait légèrement les mains, les abaisserait peut-être lentement, et elle reculerait, puis il faudrait recommencer depuis le début.

Robert avait trouvé une position agréable, quelques minutes plus tard, lorsque la porte de la pièce s'ouvrit. En entendant des voix et des bruits de pas, Robert et Helena se séparèrent aussitôt. Apercevant du mouvement par le trou entre les sacs, Robert empêcha la jeune fille de bouger. Elle regardait par-dessus son épaule, les joues empourprées. Le cœur de Robert cognait dans sa poitrine et il avait l'impression d'entendre celui d'Helena lui faire écho. Derrière les sacs, deux hommes parlaient.

— Cela devrait convenir à vos hommes, sir. Vous pouvez prendre la chambre du dessus. J'ai peur que vous ne nous ayez pris de court. Le roi ne vous attendait pas avant longtemps. Nous allons faire enlever ces sacs immédiatement.

— N'y manquez pas. Mes hommes sont fatigués.

Robert fronça les sourcils. Cette voix rauque et son fort accent, il les avait tout de suite reconnus : le vieux comte de Pembroke, William de Valence.

— Certainement, sir.

Les bruits de pas s'éloignèrent et la porte se referma en claquant. Robert attendit un moment que les voix aient diminué, puis il se tourna vers Helena.

— Nous allons nous en aller mais pas ensemble. Je pars en premier, je vais m'assurer que la voie est libre.

Alors qu'il allait s'éloigner, Helena le retint par le bras.

— Où nous reverrons-nous maintenant, sir Robert ? demanda-t-elle dans un souffle.

— Je trouverai un endroit.

Robert se pencha pour l'embrasser tendrement puis il sortit de leur cachette, Helena sur ses talons. Il colla son oreille à la porte. Tout était silencieux. L'escalier était désert. Il se tourna pour lui adresser un sourire rassurant et sortit en laissant la porte entrebâillée. Il montait l'escalier en remerciant le Seigneur pour ces piles de sacs lorsqu'il entendit deux hommes descendre. Il faillit faire demi-tour, mais il n'en avait plus le temps et il devait donner une chance à Helena de s'enfuir. Les voix lui feraient comprendre qu'il lui fallait descendre et non monter.

Les bottes apparurent en premier, couvertes de poussière. Un surcot rayé bleu et blanc, taché et décoré de petits oiseaux rouges, venait ensuite. L'espace d'un instant, à la vue du blason, Robert crut avoir affaire au comte de Pembroke lui-même, mais c'est le visage dur et anguleux de son fils qui lui fit face.

Aymer de Valence s'arrêta net. Une barbe naissante couvrait son menton d'un chaume noir et on lui avait récemment recousu une plaie à la joue. Un écuyer se tenait derrière lui, un sac passé par-dessus l'épaule et les bras chargés de linges sanglants. Le surcot d'Aymer était également maculé de sang, au point qu'il cachait presque les oiseaux rouges.

— On m'a dit que nous logions ici, dit Aymer d'une voix sèche à son écuyer.

— C'est exact, sir, répondit l'homme avec un regard circonspect sur Robert.

Il y avait un recoin quelques marches plus haut, là où une meurtrière donnait sur l'estuaire. Robert s'y enfonça pour les laisser passer.

— Je vous en prie, allez-y, dit-il sans baisser les yeux.

Aymer hésita, puis il reprit sa descente avec l'écuyer, dans l'âcre odeur de sang. Robert escalada les marches sans se retourner et ne souffla qu'après avoir poussé la porte de la tour et être sorti dans le vent cinglant.

Chapitre 31

De retour dans sa chambre, Robert se lava les mains dans la bassine près de sa fenêtre. Il se pencha pour s'asperger le visage, puis posa ses deux mains à plat sur la planche de bois tout en laissant son regard errer par-dessus les remparts. Il faisait presque nuit, des nuages bas dérivaient au milieu des tourelles du château. La chambre, avec sa paillasse, était plongée dans la pénombre que ne parvenait pas à réduire la seule bougie allumée. En bas, Robert entendait les voix de son frère et de ses hommes qui partageaient un repas. La lumière du feu filtrait par les interstices entre les lattes du plancher. Édouard racontait une histoire qui faisait s'esclaffer les autres. D'ordinaire, Robert se joignait à eux, mais il ne se sentait pas d'attaque ce soir.

On frappa à la porte. Robert traversa la chambre, ouvrit et tomba nez à nez avec Humphrey, dont le visage était à peine éclairé par le faible halo de la bougie. Il n'avait pas le sourire.

— Que se passe-t-il ?

L'air austère de son camarade donnait à penser à Robert que les éclaireurs avaient communiqué les positions de l'ennemi.

— Prenez votre épée.

Cela semblait corroborer son idée, mais il y avait quelque chose chez Humphrey qui éveilla sa suspicion. Néanmoins, il alla chercher son épée.

— A-t-on enfin découvert l'ennemi ? demanda-t-il en attachant à sa taille la ceinture à laquelle était fixé son fourreau. Est-ce qu'ils nous attaquent ?

Alors que Robert s'apprêtait à enfiler son gambison, Humphrey secoua la tête.

— Pas la peine, dit-il sobrement, seulement votre épée.

Il se mit en route dans le corridor, s'attendant de toute évidence à ce que Robert le suive. Ce que ce dernier fit après un instant d'hésitation.

— Qu'y a-t-il, Humphrey ?

Sans répondre, le chevalier grimpa quelques marches, jusqu'à une porte qui donnait sur les remparts.

Robert grimaça en sortant dans l'air glacial. Il ne portait que ses chausses noires et un maillot en lin blanc, ouvert sur le cou. La bruine lui fouetta le visage. Tandis que Humphrey le guidait vers les tours du secteur nord-est, Robert guettait des signes d'une attaque imminente, mais tout était calme au château, les torches brûlaient dans la cour au milieu des groupes des gardes. Derrière les murailles, les ténèbres avaient pris possession des rues de Conwy. Au bout d'un moment, alors que Humphrey continuait en silence devant lui, Robert, qui trouvait curieuse cette attitude, s'arrêta.

Humphrey tourna la tête.

— Venez.

— Pas avant que vous m'ayez dit où nous allons. Vous n'avez même pas d'épée.

La colère envahit le visage de Humphrey. Il s'avança jusqu'à coller son visage à celui de Robert.

— Pourquoi l'avez-vous fait ? Je vous avais dit de vous retenir.

— Fait quoi ? demanda Robert, confus et lui aussi quelque peu outré.

— Helena.

Robert fut pris de court, et le nom de la jeune fille flotta un instant entre eux.

— Comment le savez-vous ?

Sa voix était pâteuse.

— Aymer, dit Humphrey d'un ton caustique. Il l'a vue quitter la tour.

— Elle lui a raconté ? murmura Robert, incrédule.

Helena pouvait avoir autant de problèmes que lui s'ils se faisaient prendre.

— Aymer s'est douté de quelque chose. Il lui a fait avouer.

— Il lui a fait avouer ? répéta Robert, sur ses gardes.

— Il a menacé d'aller voir son père si elle ne lui disait pas la vérité. Est-ce une sorte de jeu imprudent, Robert, comme ceux auxquels joue votre frère ? C'est comme cela que se passent les choses dans votre famille ? En Écosse ?

Robert soutint son regard. Depuis plusieurs mois qu'il fréquentait Humphrey, jamais il n'avait eu l'impression qu'il pouvait dénigrer son pays natal, au contraire de beaucoup d'autres. Le rouge lui monta aux joues.

Humphrey dut sentir qu'il était allé trop loin car sa voix perdit de sa véhémence.

— Vous n'avez donc pas pensé que vous pouviez vous faire prendre ?

— Aymer en a-t-il parlé au père d'Helena ?

Le premier choc passé, il regardait froidement la réalité. Le comte de Warwick avait la confiance du roi. Il avait peut-être mis en péril sa situation ici, qu'il venait tout juste d'assurer en entrant dans l'ordre. Bien sûr, ce n'était pas une découverte ; il le savait depuis le tout début de sa passion pour Helena, mais après son initiation il s'était convaincu que personne ne découvrirait son secret et qu'il était en quelque sorte invincible. Ce que disaient les poètes et les prêtres était donc vrai : une femme pouvait détruire un homme mieux que n'importe quelle épée. Il pensa à Ève et à sa pomme puis à son père, qui avait épousé sa mère sans la permission du roi – son amour avait failli lui coûter ses terres.

— Non, répondit Humphrey, plus doucement. Il en a parlé à son frère.

Sentant le poids de l'épée contre lui, Robert comprit où l'emmenait Humphrey.

— Je n'ai pas pu l'en empêcher, dit Humphrey en lisant sur son visage. J'ai essayé, mais les autres... Guy fait partie de notre ordre depuis quatre ans et son père a sa place autour de la Table ronde. Il voulait que justice soit faite sans que sa sœur ait à en subir les conséquences. Tout le monde a accepté sa requête.

Robert sentit le poids de la culpabilité lui écraser la poitrine, mais il serra fermement la poignée de son épée et allongea sa foulée, de plus en plus déterminé. Il avait fauté, oui. Mais il ne paierait pas sa faute de sa vie. Pas de son plein gré.

Humphrey le conduisit à la tour d'angle, puis dans les jardins en terrasse entre les enceintes intérieure et extérieure du château, cette dernière se dressant au-dessus des rochers qui dégringolaient vers la rivière. Passant devant quatre gardes, dont l'un salua discrètement Humphrey, ils franchirent la porte et empruntèrent la rampe creusée dans les rochers jusqu'au quai en bois. L'espace d'un instant, Robert crut qu'ils allaient embarquer sur un bateau, mais après une saillie rocheuse, il aperçut de la lumière sur le quai, où un groupe s'était rassemblé. L'un, au centre, s'échauffait en faisant décrire des petits cercles à son épée. Robert regarda derrière lui et vit qu'en dehors des quatre gardes de faction à la porte et d'une petite partie du chemin de ronde tout là-haut, le quai était presque totalement hors de vue. Ce n'était pas de cette façon dont se déroulaient normalement les duels, sans arbitre ni jugement.

Le vent agitait la surface de la rivière. Robert souffla dans ses mains pour se réchauffer les doigts. Guy avait déjà eu le temps de faire ses assouplissements, alors que ses muscles à lui étaient raides. Humphrey l'escorta jusqu'au quai, le bruit de ses bottes sur le bois résonnant dans le calme souverain de l'estuaire. À l'autre extrémité, un bateau tanguait en se cognant contre l'appontement. Les hommes se retournèrent à leur approche. Guy cessa de faire tournoyer son épée et se tint tranquille. Ses cheveux, aussi roux que ceux de sa sœur, paraissaient bruns à la lumière des torches disposées le long du quai. Il le lorgnait, impassible, contenant sa colère pour le combat. Thomas et Henry se trouvaient là eux aussi, avec Ralph et les autres. Robert croisa les yeux d'Aymer de Valence. Il comprit alors qu'il l'exécrait réellement. Aymer semblait attendre avec impatience ce qui allait se dérouler.

Humphrey se plaça devant lui.

— Sir Guy, êtes-vous prêt ?

Guy hocha la tête tout en dévisageant Robert. Il était vêtu d'un maillot noir qui descendait jusqu'à ses cuisses et sous lequel il portait des chausses de laine et des bottes en peau et en cuir. Sa ceinture faisait deux fois le tour de sa taille et il avait enfilé des gants en cuir.

Humphrey s'adressa aux deux hommes.

— Vous combattrez jusqu'à ce que du sang coule, déclara-t-il d'une voix forte, de façon à ce que tous entendent. Le vainqueur décidera alors des conditions de la reddition de son adversaire.

Puis il retira ses gants et les tendit à Robert :

— Tenez, lui dit-il à mi-voix, ça devrait aider.

Le chevalier royal Robert Clifford s'avança en portant deux rondaches pendant que Robert enfilait les gants, encore chauds d'avoir été au contact de Humphrey. Il prit un des petits boucliers bombés que

Clifford lui présentait par la poignée au centre du disque. Robert n'avait pas utilisé de rondache depuis l'époque où il s'entraînait avec Yothre. Par rapport aux grands boucliers pointus qu'il utilisait pour monter, il paraissait presque minuscule, laissant la plus grande partie du corps exposé aux coups. Il se rappelait Yothre lui aboyant dessus après qu'il fut tombé à la renverse sur la plage de Turnberry, la rondache par terre dans le sable. Il hurlait que même ses sœurs auraient mieux tenu le bouclier. Combien de fois son instructeur avait-il réussi à percer sa défense ? Il repoussa cette pensée et fit face à Guy. La pluie se faisait plus forte et leurs vêtements commençaient à être trempés.

Robert tira son épée. La longue lame était équilibrée par un pommeau de bronze, devenu turquoise au fil du temps, et l'habillage de cuir sur la poignée en os était usé. L'arme lui avait été offerte le jour de son adoubement par son grand-père, qui s'en était servi sur les champs de bataille de Terre sainte. L'acier venait de Damas, où l'on fabriquait les lames les plus résistantes au monde, et son grand-père lui avait expliqué qu'il l'avait baptisé dans le sang des Sarrasins. Sa main droite assurait une bonne prise sur l'épée, et la gauche tenait le bouclier. Robert fit quelques mouvements en se servant de son pouce comme d'un levier, la faisant d'abord tournoyer dans un sens, puis dans l'autre, le poignet souple. Il allongea plusieurs fois en essayant de prendre ses marques sur le quai en bois et en étirant ses muscles. Puis il se redressa et demeura immobile, les yeux braqués sur Guy.

La voix de Humphrey retentit.

— Que le duel commence.

Guy, tout de suite, fut sur lui, abattant son épée en arc de cercle vers le cou de Robert. Celui-ci leva vivement sa lame pour bloquer et les armes s'entrechoquèrent dans un fracas métallique. Il repoussa Guy de toutes ses forces pour ne pas être acculé. Le chevalier recula de quelques pas, mais repartit aussitôt à l'attaque, sans laisser à Robert le temps de s'organiser. Les deux épées se cognèrent une nouvelle fois et Robert dévia le coup sur le côté.

La lutte dura ainsi quelques minutes, avec des attaques rageuses et vives de Guy, et Robert ne pouvait faire mieux que se défendre. Les torches illuminaient les visages des hommes qui suivaient le combat. Aymer ne se départait pas d'un grand sourire tandis que Guy se démenait. Robert et Guy n'étaient concentrés que sur leur corps-à-corps, sur les parades, les allonges, les feintes qu'ils enchaînaient sous la pluie. Humphrey avait parlé d'arrêter à la première goutte de sang, mais s'ils avaient porté, les coups de Guy auraient été bien plus dévastateurs.

Robert rejeta sa mèche en arrière, la pluie dégoulinant dans ses yeux. Les planches du quai devenaient glissantes. Guy allongea vers sa poitrine. Robert se protègea de son bouclier et un craquement sourd se fit entendre. À cet instant, Robert ressentit une soudaine bouffée de haine qui rompit toutes les vannes en lui, ainsi que sa volonté de respecter les instructions d'Humphrey. Il avait déjà éprouvé le même sentiment à l'entraînement : un accès de férocité aveugle, engendré par le désir de vaincre. Son honneur était en jeu, sa réputation et peut-être même sa vie. Guy était en colère, mais la colère vous fait perdre votre sang-froid. Il allait vite se fatiguer, chaque coup l'obligeant à une débauche d'énergie. Si Robert parvenait à le manœuvrer, il l'emporterait. Il gagnerait.

Retrouvant de l'aplomb, il lança une attaque qui obligea Guy à contrer. Le chevalier grogna entre ses dents serrées. Robert afficha soudain un sourire destiné à provoquer son adversaire, lequel finit par pousser des jurons. Des étincelles jaillirent de leurs épées, petits éclats rougis par les impacts. Robert entendit Humphrey qui tentait de leur rappeler les règles, mais il l'ignora. L'euphorie et la détermination le submergeaient, il ne désirait plus que la victoire, dût-il pour cela tuer l'homme en face de lui.

Il feinta à gauche, Guy se pencha de côté pour le suivre, Robert se redressa et contre-attaqua. Au moment où il allongeait, son pied dérapa sur le sol et il perdit l'équilibre. Voyant l'ouverture, Guy imprima un mouvement latéral à son épée. Les deux lames se heurtèrent dans un crissement. Guy poussa avec tout son poids pour forcer Robert à baisser son épée, et en même temps il jeta sa rondache en avant. Robert eut le temps de voir arriver le disque d'acier vers son visage, il esquiva le coup et leva son propre bouclier pour écraser la main ennemie. Le bord de sa rondache frappa Guy au poignet, son bras partit en arrière et il hurla de douleur. Il recula alors de plusieurs pas, obligeant les spectateurs à se replier. Puis, remettant son épée et son bouclier en position, il se rua à l'attaque, avec l'envie de démolir Robert.

Robert leva son épée au-dessus de sa tête pour parer un nouveau coup et les deux lames formèrent une croix suspendue dans le ciel. Guy rugit et poussa de toutes ses forces. Robert esquiva subitement et, profitant du léger déséquilibre de son adversaire, il pivota sur lui-même pour lui assener un violent coup de bouclier dans l'estomac. Guy se plia en deux, le souffle coupé, et tomba à genoux en lâchant l'épée. Il leva son bouclier devant sa tête, mais Robert ne le frappa pas. Il recula d'un pas, lécha le sel sur ses lèvres et repoussa une mèche tombée devant ses yeux. Les hommes autour d'eux gardaient le silence. Humphrey s'avança, prêt, visiblement, à mettre un terme au duel, mais Henry Percy le retint par le bras. Après un instant, Guy récupéra son épée et se releva en grimaçant sous l'effort. Les deux hommes étaient trempés, leurs visages couverts de pluie et de sueur mêlées.

Silencieux désormais, malgré sa respiration hachée, Guy s'approcha. Il donna trois coups rapides, brutaux, pour forcer la défense de Robert. Mais celui-ci l'attendait de pied ferme. Avec toutes les raclées et les railleries qu'il lui avait infligées sur la plage de Turnberry, Yothre l'avait bien entraîné, de même que son grand-père. Dans les yeux de son adversaire, il lisait la défaite, le terrible épuisement et la douleur lancinante dans son bras et son poignet. Robert était lui aussi éprouvé, mais il avait dépensé beaucoup moins d'énergie que Guy dans la première série d'attaques. Ses coups plus lents, plus raisonnés, lui avaient laissé assez de nerfs pour en finir. Au quatrième assaut, il coinça la lame de Guy entre son épée et son bouclier et tira sur le côté, entraînant Guy dans le mouvement. Alors que tous se penchaient, il donna un coup de pied qui toucha le chevalier juste au-dessus du genou. Sa jambe céda et Guy s'effondra. Cette fois, Robert lui écrasa les doigts avec son épée avant de pointer la lame sous sa gorge. Guy leva la tête et ferma les yeux.

Robert recula, leva son visage vers le ciel pluvieux et inspira profondément.

— C'est terminé, dit Humphrey.

Il avait la gorge serrée, mais Robert nota du respect dans son expression.

— Sir Robert l'emporte. Vous devez maintenant décider des conditions de la reddition de sir Guy.

Robert secoua la tête en s'efforçant de reprendre sa respiration.

— Je n'attends rien de lui.

Plusieurs chevaliers échangèrent des regards surpris. Guy fixait Robert comme s'il voulait reprendre le combat, même s'il tenait à peine debout.

— Vous avez gagné ce duel, Robert, dit Humphrey. C'est votre droit.

— Il ne me doit rien. Mais tout cela, c'est du passé, fit Robert en se tournant vers Guy.

Dans son esprit, il s'agissait autant de leur duel que de son histoire secrète avec Helena.

Guy continua de le dévisager, puis il hocha la tête, semblant acquiescer. Aymer de Valence s'approcha de lui mais Guy le repoussa avec colère et se releva en tendant sa rondache à Clifford. Quand Aymer tourna les yeux dans sa direction, Robert réalisa que c'était lui qui avait eu l'idée du duel. Croisant le regard hostile du chevalier, Robert lui adressa un sourire triomphant.

Chapitre 32

Les hommes avançaient lentement, à la file, à travers les collines désolées. Sur leur droite, des champs bruns couverts d'herbe givrée descendaient doucement vers la mer, tandis qu'à gauche le terrain s'élevait rapidement vers des sommets arborés. Le roi Édouard montait son destrier d'un pas assuré, presque à l'avant du cortège. Bayard, son préféré, était un cheval énorme, musculeux, une nécessité vu la charge qu'il portait. Le caparaçon de l'animal allait de la tête à la queue et cachait le jupon de mailles qui tombait raide sur ses jambes. Par-dessus la housse, si lourde qu'il fallait deux palefreniers pour la hisser sur la monture, était installée la selle en bois sur laquelle le roi voyageait à son aise, le cheval devant en outre supporter le poids de son armure : un haubert à manches longues par-dessus lequel il portait une cotte de mailles plates rivetées dans le dos. Des gantelets, en cuir eux aussi, couverts de plaques d'acier protégeaient ses mains et il avait des chausses de mailles aux pieds. Les hommes de rang élevé de l'armée d'Édouard, qui l'escortaient à l'avant-garde, étaient tous pareillement accoutrés, tandis que l'infanterie devait se contenter de tuniques de cuir bouilli ou de gambisons rembourrés de paille. Mais tous, grands ou petits, portaient une armure, car ils progressaient dans une région dominée par Madog et ses hommes, qui les observaient peut-être depuis les collines alentour.

Quatre jours plus tôt, les éclaireurs d'Édouard lui avaient apporté les nouvelles qu'il attendait avec tant d'impatience. On avait aperçu des troupes ennemies au sud de Caernarfon, non loin du village de Nefyn. Rassemblant ses chevaliers autour de sa table, il avait annoncé sa décision d'aller à leur rencontre. Quelques-uns avaient émis des réserves, craignant que le temps ne s'aggrave subitement et que la neige, qui menaçait depuis des semaines de tomber, choisisse ce moment fatal. D'autres étaient partisans d'attendre que les compagnies expédiées au sud les rejoignent pour attaquer avec toute la force possible. Le comte de Pembroke, auréolé du succès de son attaque sur le groupe de rebelles qui assiégeait une forteresse anglaise près de Cardiff, avait ajouté ses hommes à ceux déjà présents, mais plusieurs divisions arriveraient encore.

Édouard n'avait que mépris pour l'idée selon laquelle son armée, essentiellement composée de cavalerie lourde, ne saurait peut-être pas tenir tête à des insurgés armés de lances et d'arcs. La réticence de ses commandants l'ulcérait, car il leur avait fait part de ses propres craintes dix ans plus tôt, autour de la même table sur laquelle étaient gravés les noms des chevaliers du roi Arthur. Il leur avait expliqué la nécessité de mettre la main sur la couronne qui avait permis d'unifier le pays de Galles. Aujourd'hui, les événements lui donnaient raison. Un autre s'était approprié la Couronne d'Arthur et le pays était en proie à la rébellion. Il fallait arrêter Madog, oui. Mais surtout, il fallait s'emparer de la couronne.

Le lendemain, les troupes du roi avaient quitté Conwy et longé la bande côtière coincée entre Snowdonia et la mer. La première ville qu'ils avaient croisée était Caernarfon.

Édouard savait que ses plus grandes forteresses avaient été attaquées : tous les rapports le lui avaient appris. Il s'était armé de courage, s'attendant aux dégâts causés, mais il n'était pas prêt pour la scène de dévastation absolue qu'ils étaient en train de contempler. La ville était visible à plusieurs lieues de distance, et avant même d'y parvenir, ils avaient pris la mesure de l'élan destructeur qui l'avait ravagée. Stupéfaits, les hommes restaient muets. Les remparts de Caernarfon n'étaient plus que décombres par endroits, la ligne de fortification semblait avoir été avalée par la gueule de quelque bête gigantesque. La ville était méconnaissable. Les maisons étaient des ruines noircies, les arbres dans les vergers des souches calcinées. L'odeur piquante de la fumée flottait encore dans l'air.

Édouard avait déambulé au milieu des gravats, les yeux rivés sur son château, lieu de naissance de son fils et héritier. Il y avait des tas de cadavres dans la douve au pied des remparts, la chair déchirée par les charognards. Les corbeaux tournoyaient autour des murailles, telles des ombres de la mort dans le ciel hivernal. Deux formes squelettiques, qui portaient en guise de surcot des hardes aux couleurs du prévôt, étaient attachées à une des tours. Des rapaces épiaient les hommes fatigués du haut des parapets, espérant un nouveau festin.

À l'intérieur du château, le sol était jonché de débris : murs écroulés, flèches, cadavres d'hommes et de chevaux. Des tas de poutres noircies, tombées des toits effondrés, gênaient la progression. Édouard avait eu l'impression d'être venu là dans une autre vie. À l'époque, son entrée avait été saluée par des fanfares de trompettes et de tambours et par les chants victorieux de ses hommes. Le pays était ensoleillé, c'était l'été, et sa femme était à ses côtés, son parfum embaumant l'air. Son garçon, Alfonso, était encore en vie à Londres et ses pensées étaient tournées vers l'avenir ; le charpentier gravait déjà la Table ronde.

Aujourd'hui, le château lui donnait l'impression de symboliser la ruine de son règne. Il était resté moins d'une heure avant de tourner le dos à cette vision d'horreur et de partir au sud vers Nefyn, d'humeur à tuer.

Un rire arracha le roi à ses sombres pensées. Tournant la tête pour en connaître la cause, il vit Humphrey de Bohun et Henry Percy derrière lui, à la tête d'une compagnie de jeunes chevaliers. Humphrey parlait, un sourire éclairant son visage. À les voir l'esprit léger en dépit de la gravité des circonstances, Édouard éprouva une vive nostalgie. Le crépuscule approchait pour ses fidèles les plus proches et pour lui-même. Eux étaient au zénith, un sang jeune irriguait leurs veines, et ils prendraient bientôt place autour de sa table, ou de la table de son fils. Sur leurs visages encore vierges des rides de l'âge ou du deuil, Édouard voyait l'avenir et le passé : son passé, leur avenir. C'étaient des chevaliers vaillants, loyaux et fervents, mais ils n'avaient pas encore connu l'épreuve des champs de bataille. Tel le métal fondu dont on fait les épées, ils étaient tout feu tout flamme, mais pas encore complètement formés, pas encore froids et tranchants comme l'acier.

Le regard calculateur d'Édouard se posa sur Robert Bruce, qui chevauchait à côté de Humphrey. Le comte semblait inséparable du fils de Hereford. Le roi avait hésité à le faire entrer dans l'ordre quand John de Warenne le lui avait proposé, car Bruce semblait réticent à Londres. Mais le père du jeune homme s'était toujours montré conciliant et ses alliés écossais lui seraient sans doute nécessaires dans les mois à venir. Après toutes les difficultés qui avaient suivi la mort du roi Alexandre – la grossesse de Yolande, la mort de Margaret et les audiences prolongées destinées à choisir le successeur –, la situation avait l'air de prendre bonne tournure au nord. Comyn semblait apaisé depuis le mariage de son fils avec la fille de

Pembroke et Balliol ne faisait pas le poids face à ses juristes. Édouard avait forcé le roi d'Écosse à lui céder tant de prérogatives et de libertés que son autorité de suzerain devenait impossible à contester. Bientôt, Balliol perdrait le peu de crédibilité qui lui restait. Quand il serait vraiment à terre, Édouard contrôlerait entièrement le royaume.

— Sire.

John de Warenne remontait à sa hauteur.

— Nous devrions arriver à Nefyn avant la nuit, mais les chariots de victuailles se trouvent plusieurs lieues en arrière, dit Warenne. (Il désigna trois collines devant eux.) La montée jusqu'au village va encore les ralentir. Souhaitez-vous que nous trouvions un endroit plus proche où camper ce soir ?

Il ne s'agissait pas seulement des affaires personnelles d'Édouard, mais des tentes, du foin, des barriques de bière et des sacs de grain pour nourrir les hommes. Il n'y avait pratiquement aucune opportunité de mettre la main sur de la nourriture et ils avaient dû emmener de Conwy tout ce qui était nécessaire au quotidien. Ils auraient faim cette nuit si les chariots arrivaient tard à Nefyn, mais son appétit comptait moins pour le roi que son impatience. Nefyn était le premier lieu habité sur leur chemin et constituerait une bonne base pour envoyer des éclaireurs dénicher l'ennemi.

— Nous serions trop exposés en restant ici. Continuons.

La longue file des hommes poursuivit donc sa marche sur le terrain qui s'élevait en pente douce. Les nuages étaient bas et la neige paraissait à chaque instant sur le point de tomber. Quand ils commencèrent à escalader les contreforts des collines, la mer disparut de leur champ de vision. Derrière eux, le mont Snowdon scintillait au loin sous un ciel vert gros de menaces. Si la progression était laborieuse pour l'armée d'Édouard, elle l'était encore plus pour les chariots de victuailles.

Les charretiers devaient sans cesse jouer du fouet pour obliger les chevaux de trait épuisés à avancer. Dans les ténèbres qui s'épaississaient, l'avant-garde s'enfonça dans une succession de gorges étroites, bordées d'à-pics rocailleux. Puis, subitement, la mer s'ouvrit devant eux en une vaste baie où les vagues déversaient leur écume blanche sur le rivage.

Quand il eut mis pied à terre à Nefyn, Robert examina les lieux en essayant de se représenter ce village isolé comme le berceau de la prophétie. Quelques maisons délabrées étaient regroupées autour d'une église dans une sorte de tranchée entre des pentes boisées à l'est et au sud. Du côté où ils étaient arrivés, par-delà les falaises abruptes et le ressac de la mer, une ligne tremblotante de feux de torches signalait l'approche du reste de la compagnie. On eût dit qu'un collier de feu se refermait autour des collines.

Les hommes de l'avant-garde se dispersèrent. Certains allèrent fouiller les maisons désertes, d'autres étaient en quête d'eau fraîche pour les chevaux. Le plus gros contingent descendit ramasser du bois au bord de l'eau pour faire le feu. Dans le crépuscule bleu du soir, plusieurs bateaux étaient échoués sur la plage. Les villageois les avaient abandonnés lorsqu'ils avaient fui, dès le commencement de la guerre, poussant devant eux leur bétail dans les forêts. Ils avaient laissé derrière eux un paysage figé dans le silence de l'hiver. Les chevaliers s'activaient avec morosité, les doigts gourds maniant les sangles, les boucles, les sacs, les muscles courbaturés par la marche et des nuages de fumée sortant de leur bouche.

— Où allons-nous coucher ?

Robert tourna la tête vers son frère. Malgré la lourde cape qu'il portait par-dessus sa cotte de mailles et son surcot, Édouard avait le visage violacé et les lèvres gercées. L'air était aussi coupant que de la glace.

— Près de ces arbres, ça ira, dit Robert en désignant un bosquet de vieux chênes à côté d'une maison écroulée. Dis aux écuyers de faire du feu.

Une demi-heure plus tard, adossé à un tronc, il contemplait les effets de lumière sur le feuillage. Son corps se dégelait lentement grâce à la chaleur et il écoutait d'une oreille distraite les conversations ponctuées de hennissements. Les hommes creusaient des trous et ramassaient du bois mort pour le feu. Nes et quelques autres écuyers étaient partis en chercher plus loin, tandis que ses serviteurs et l'intendant préparaient le repas. Voyant les chevaliers boire les dernières gouttes de leurs outres et avaler avec difficulté du pain rassis, Robert sentit son estomac grogner. Il faudrait plusieurs heures au moins aux chariots pour arriver avec le ravitaillement. Humphrey se trouvait à côté, ainsi que tous ceux qui avaient fait le voyage en tête.

Depuis le duel, Robert se tenait à distance, en partie parce qu'il ne voulait pas que l'animosité qui demeurait entre Guy et lui soit connue en dehors de leur cercle, mais aussi parce que la fin de sa liaison avec Helena n'était pas véritablement son choix. Le duel ne semblait pas avoir nui à sa situation au sein de l'ordre ; à vrai dire, Humphrey, Thomas et Ralph le respectaient encore davantage, mais les divisions qui existaient auparavant étaient d'autant plus nettement marquées, immuables. L'inimitié entre Aymer et lui, limitée jusque-là à des attitudes puérilement agressives, était devenue concrète et dangereuse.

— Est-ce que tu lui fais confiance ?

Son frère, assis de l'autre côté du feu, l'avait surpris à observer Humphrey. Ils étaient seuls depuis un moment, les chevaliers de l'Essex s'occupant des chevaux et les serviteurs fouillant les paquetages à la recherche de nourriture. Robert ne répondit pas, Édouard continua, d'une voix à peine audible au-dessus du crépitement du feu :

— Je sais que tu ne me diras rien à propos de cet ordre, de ce que tu as dû accepter pour y entrer, mais je me demande si tu as pris le temps de t'interroger sur la nature de l'organisation à laquelle tu appartiens désormais.

Édouard ramassa un tison tombé du feu, qui refroidissait doucement sur l'herbe, et le rejeta au milieu des flammes. Il avait l'air de préparer soigneusement ses propos.

— Ces chevaliers servent l'homme qui a volé le trône à notre famille. Ne l'oublie pas.

— Je ne l'oublie pas, répondit vivement Robert en croisant le regard de son frère. Notre grand-père m'a envoyé ici pour retrouver notre prestige. Il savait que je ne pouvais rien faire en Écosse pour améliorer notre situation, pas avec Balliol sur le trône, mais il pensait que je pouvais me rendre utile ici. C'est ce que j'essaie de faire.

Édouard se pencha en avant.

— Ah oui ? De mon point de vue, cela n'a rien à voir avec notre famille, c'est uniquement pour toi que tu agis. Je crois que tu t'es laissé séduire par les éblouissantes promesses du roi Édouard, frère, exactement comme notre père. Ces hommes, avec leurs divagations sur le roi Arthur, t'ont détourné de la vérité. En rejoignant leurs rangs, en prononçant leur serment, tu as trahi la charge que t'a confiée notre grand-père. Comment aiderais-tu notre famille en servant les ambitions du roi qui nous a privés du trône ?

Édouard secoua la tête d'un air obstiné avant de conclure :

— Bientôt tu auras oublié saint André et tu te prosterneras devant saint Georges.

Robert refréna sa colère avec difficulté.

— Si quelqu'un menace les intérêts de notre famille, c'est toi. Tu dis que tu n'aimes pas qu'on te traite comme un paysan ? Alors arrête de te comporter comme tel.

Derrière Édouard, il voulait voir Nes et les autres arriver avec les bras chargés de bois. Il toisa son frère.

— Ce n'est pas sur toi que repose notre avenir, Édouard. Si c'était le cas, peut-être ne serais-tu pas aussi péremptoire dans tes jugements.

Lorsque tout le monde se rassembla autour du feu, il se réfugia dans le silence. Édouard accepta l'outre de vin qu'un des serviteurs lui tendait, le regard braqué sur Robert qui se calait confortablement contre le tronc, les yeux clos.

Quelque temps après, Robert fut tiré des brumes d'un rêve perturbant par des éclats de voix. Il se redressa, l'esprit confus, la nuque raide. Debout, son frère et les chevaliers de l'Essex scrutaient l'obscurité. Les glapissements reprirent, plus forts et plus aigus. Robert aperçut alors la grande silhouette de John de Warenne se diriger vers l'église où le roi couchait. Robert s'approcha de ses hommes.

— Qu'y a-t-il ?

— Regarde, murmura Édouard.

La crête des collines par lesquelles ils étaient arrivés s'illuminait d'une vague lueur orangée. Il y avait un grand feu à quelques lieues. Deux silhouettes émergeant des ténèbres devant eux attirèrent son attention. Entre elles se trouvait un troisième homme qui pressait un morceau de tissu contre son cou. Lorsqu'ils furent à leur hauteur, Robert comprit qu'il saignait.

— Réveillez les autres, ordonna-t-il aux chevaliers en se penchant pour prendre sa cotte de mailles.

Il enfilait son camail lorsque Humphrey le rejoignit, vêtu de son armure au complet. Son bouclier n'arborait pas ses armoiries, mais le dragon jaune. Robert s'enquit de ce qui se passait.

— Le convoi de ravitaillement a été attaqué. Nous sortons.

— Nes, selle Chasseur pour moi, lança Robert à son écuyer qui s'exécuta aussitôt. Les hommes de Madog ?

— Nous n'en savons rien. Tout s'est passé très rapidement.

Humphrey regarda Robert qui saisissait son épée.

— Prenez votre bouclier. Seulement vous, Robert, ajouta-t-il en jetant un coup d'œil à Édouard et aux chevaliers de l'Essex. Il faut que le gros des troupes reste ici, au cas où l'attaque serait une diversion avant un assaut plus important. Le comte de Warwick est aux commandes ici.

Tandis que Humphrey repartait à travers le camp où régnait une animation fébrile, Robert s'accroupit près du sac qui contenait son bouclier. Il hésita un instant, puis le sortit, sentant sa gorge se nouer en voyant le rouge s'embraser à la lumière du feu. En se levant, il croisa le regard d'Édouard.

Nes l'appelait.

— Chasseur est prêt, sir.

Robert entoura ses épaules de sa cape et suivit l'écuyer.

— Frère... dit Édouard en le retenant par le bras.

— Suis les ordres de Warwick, fit Robert sans s'arrêter.

Le roi Édouard, déjà en selle, était entouré d'un nombre d'hommes considérable. Les torches que tenaient certains chevaliers se reflétaient sur les dragons des boucliers. Le visage du roi était empreint de colère, une colère froide et dévastatrice qui ne s'apaiserait que dans un bain de sang. L'ennemi n'avait pas attaqué franchement sur un champ de bataille, mais sans prévenir, de nuit, en exploitant leur faiblesse.

Lorsque le roi éperonna Bayard, la compagnie sortit d'un pas déterminé de Nefyn. Robert, qui chevauchait à l'arrière auprès de Humphrey, vit son frère, isolé, prendre sa ceinture et son épée. Serrant son bouclier, il lança Chasseur et s'inséra dans la foule des chevaliers qui, tous, oubliaient en cet instant leurs différences, leurs inimitiés, et qui dirigeaient leurs forces vers l'ennemi invisible tapi dans les collines. Pour la première fois dans cette campagne déjà longue, Robert ressentit une certaine excitation. Il faisait partie de la compagnie du roi maintenant, on l'avait choisi, on lui faisait confiance. Son frère ne pouvait pas comprendre.

Ils grimpèrent en haut des falaises, accompagnés par le bruit des vagues qui s'écrasaient en contrebas. Robert remarqua que les parois abruptes plongeaient vers le rivage à peine discernable dans la lumière grise qui commençait à poindre à l'est. Dans une heure environ, ce serait l'aurore. La caresse qu'il sentait contre son visage était celle de la neige.

Après avoir parcouru plusieurs lieues, alors que l'horizon s'éclaircissait peu à peu, ils contournèrent une pente raide et l'incendie qui faisait rage dans une vallée rocailleuse entre deux collines fut devant eux. Il neigeait de plus en plus. La compagnie ralentit. Prudents, les chevaliers guettaient de tous côtés une éventuelle attaque. Peu à peu, à mesure qu'ils s'approchaient du convoi en flammes, ils découvraient une scène de désolation totale. Les corps éparpillés sur le sol étaient recouverts d'un fin manteau neigeux. Des flèches étaient fichées dans certains cadavres, alors que d'autres, qui avaient pris part à des combats rapprochés avec des ennemis visiblement équipés d'armes sauvages, des haches et des piques, montraient des plaies profondes et monstrueuses. Il y avait là des cous arrachés, des têtes fendues en deux, des crânes enfoncés, des membres tranchés. La plupart des morts étaient des charretiers ou des écuyers. Leurs armures avaient été impuissantes face à la brutalité avec laquelle on s'en était pris à eux.

Les chevaliers de la compagnie du roi descendirent de cheval et donnèrent des coups de pied aux cadavres des quelques Gallois, dont les pauvres vêtements de laine étaient gorgés de sang. L'odeur poisseuse de la mort était recouverte par l'épaisse fumée qui tourbillonnait au-dessus des chariots en feu. Les chevaux de trait morts se mêlaient aux hommes. L'un d'eux, seulement blessé, poussa des gémissements pathétiques lorsque les chevaliers s'approchèrent. Il tenta de se lever, ses entrailles pendant de son abdomen ouvert, et tituba avec ses intestins qui tombaient derrière lui, jusqu'à ce qu'il s'effondre à genoux.

Le roi Édouard observait le désastre en silence depuis la selle de son destrier. Sur ordre de John de Warenne, plusieurs chevaliers s'étaient déployés sur les collines pour chercher des traces de l'ennemi, même s'il était clair qu'il était reparti se terrer à l'abri dans les ténèbres. Quelques barriques étaient éparpillées dans la vallée, et d'autres brûlaient, mais le plus gros des victuailles avait disparu.

— Les canailles, murmura Humphrey.

Robert voyait de la neige et des cendres se déposer sur les épaules du chevalier.

— Il y a un homme en vie, Sire !

Le roi se retourna vivement. Deux de ses hommes redressaient un Gallois coincé entre deux barriques de bière. Vêtu d'une cape de laine marron, couvert de sang, il se laissa traîner vers le roi en grognant.

Édouard, d'une voix tranchante s'adressa à lui en anglais .

— Où est Madog ?

Comme l'homme gardait le silence, l'un des chevaliers le bourra de coups de poing dans les côtes.

— Réponds à ton roi, lui ordonna-t-il

L'homme tituba entre les chevaliers, des filets de sueur dégoulinant sur son visage. Il s'humecta les lèvres et leva les yeux vers Édouard. Il lâcha des mots en gallois accompagnés d'une grimace avant de détourner le regard.

Édouard le fixa un instant.

— Jetez-le au feu.

Alors que les chevaliers le poussaient vers les chariots, l'homme se mit à hurler et à se débattre. De ses plaies, le sang s'écoula de nouveau.

— Non ! Je vais parler ! *Je vais parler !*

Son anglais était teinté d'un fort accent.

— Où est Madog ? répéta Édouard en levant les mains pour arrêter les chevaux.

— Snowdon, cracha le rebelle en tournant la tête vers les sommets déchiquetés au loin. La montagne.

— Où à Snowdon ? l'interrogea l'un des chevaliers.

— Je ne sais pas. *Dinas tomen...*

L'homme secoua la tête avec l'énergie du désespoir et se lança dans une litanie en gallois.

— Je ne sais pas ! conclut-il en anglais.

— Il a parlé d'une forteresse, dit l'un des chevaliers. Une forteresse en ruine sur les contreforts de Snowdon. Je ne crois pas qu'il y soit allé.

— Il y a plusieurs forteresses près de Snowdon, mais seulement deux en ruine.

Édouard était revenu au français et s'exprimait avec plus de calme. L'homme s'efforça d'afficher un air soumis.

— Pitié, roi, dit-il presque timidement.

— Brûlez-moi ce misérable, répondit le roi sans le lâcher des yeux.

Les chevaliers se saisirent de l'homme, l'un par les chevilles, l'autre par les poignets. Quelques hommes qui assistaient à la scène poussèrent des acclamations tandis qu'on l'emmenait vers le feu. L'homme cria en essayant de se libérer mais ses blessures l'en empêchèrent. Les chevaliers se mirent à le balancer au-dessus des flammes, d'avant en arrière, le corps du prisonnier montant chaque fois plus haut.

Cela rappela à Robert un jeu auquel il jouait avec ses frères, quand il était plus jeune. Un été à Turnberry, ils s'étaient amusés à se lancer de cette façon dans les flots. Mais au milieu des chariots incendiés et des cadavres, avec cet homme qui criait, du sang plein la bouche, cela devenait obscène.

Pour finir, les chevaliers le jetèrent et l'homme atterrit au milieu du brasier. Il s'agita et cria un moment, poupée désarticulée se tortillant dans les flammes, jusqu'à ce que ses cheveux et ses vêtements s'embrasent et que sa peau cloque et fonde.

— Je veux qu'on trouve Madog, dit Édouard à John de Warenne au milieu des hurlements terrifiés de l'agonisant.

— Comme nous tous, Sire, répondit sombrement Warenne.

Le comte plissa les yeux car les flocons se faisaient de plus en plus denses.

— Mais nous ne pourrons pas tenir ici avec ce temps sans ravitaillement.

Pendant que les hommes du roi retournaient à Nefyn retrouver le reste de l'armée, la neige recouvrit d'un manteau blanc les corps des morts et les chariots brûlés.

Chapitre 33

Sur la Menai, les bateaux emplissaient l'étroit che-
nal par lequel les eaux se déversaient dans la marée
montante. Les hommes maniaient leurs rames avec
énergie pendant que les vaisseaux tanguaient. Le bruit
des tambours emplissait l'air. Au fond de l'estuaire,
une longue bande se terre s'élevait sous le ciel gris
nuageux. Les tempêtes de neige qui avaient couvert le
nord du pays de Galles d'un linceul depuis janvier
étaient terminées, mais les terres les plus hautes
étaient toujours blanches. Sur une crête qui se dressait au-dessus du rivage de l'île d'Anglesey, des feux
qui brûlaient faiblement prévenaient ceux qui se trouvaient dans les champs à l'arrière de ce qui se passait.

Une vague souleva le navire et Robert s'agrippa au
plat-bord. Le froid d'avril lui fouettait le visage mais
l'armure maintenait le reste de son corps au chaud.
Dans l'espace confiné du bateau, il se sentait mal à
l'aise dans cet accoutrement : chausses de mailles,
tunique, gambison, haubert et surcot. Son gambison
était taché de rouille, dont il sentait l'odeur métallique. Autour de lui, ses hommes se tenaient avec les
autres chevaliers, recroquevillés au milieu des rameurs.
Les écuyers, eux, s'entassaient à l'arrière avec les

chevaux. Au milieu du pont d'un des vaisseaux était posé un tronc d'arbre hérissé de pointes et de chaînes. Les soldats accroupis à côté avaient enroulé des chiffons autour de leurs mains. Tous regardaient l'île qui se matérialisait devant eux. Robert reconnaissait peu de visages. Beaucoup d'hommes étaient arrivés du sud depuis un mois, à mesure que les passages à travers les barrières montagneuses de Cader Idris et Snowdon se dégageaient et que les rivières retrouvaient leur cours naturel. Les autres, qu'il côtoyait depuis le début de la guerre, les rigueurs de l'hiver les avaient complètement transformés. Alors qu'il se souvenait d'eux vigoureux, en pleine forme, ils avaient désormais le visage creusé, la peau grise et les yeux vides.

Après l'attaque contre le convoi de ravitaillement, le roi Édouard avait voulu exercer des représailles, mais les Gallois, qui se déplaçaient plus vite à pied sur le terrain rocailleux, avaient disparu. La neige empêchait de suivre leurs traces. Ivre de rage, humilié, le roi avait été obligé de ramener son armée à Conwy. N'ayant plus rien pour se nourrir durant la marche, les hommes avaient rapidement dépéri. Dès le deuxième jour, ils buvaient de la neige fondue. Et au troisième, les premiers morts étaient apparus, parce que les hommes dormaient trop loin des feux. Les chevaux perdaient l'équilibre dans les congères et les chevaliers durent abandonner les quelques chariots qui n'avaient pas brûlé pendant l'attaque. Lorsqu'ils avaient aperçu Conwy à la fin du quatrième jour, avec ses murs presque indiscernables dans la neige, ils avaient eu le sentiment de voir leurs prières exaucées. Mais ils n'avaient pas pour autant retrouvé le confort. L'intendant du roi avait compté les sacs de graines que contenaient les réserves du château dans un silence contrit. Le lendemain, le vent avait soufflé en rafales depuis la mer pendant que les vagues déferlaient dans l'estuaire. Du ciel verdâtre tombait une neige épaisse qui aveuglait les hommes sur les remparts, occupés à guetter les bateaux venus des Cinq-Ports et d'Irlande, censés les ravitailler. Le vent faisait rage, une houle spectaculaire agitait la mer et les bateaux n'arrivaient pas.

Février avait succédé à janvier, l'épuisement et la faim persistaient. On avait débité les arbres des jardins de Conwy pour se chauffer. Les derniers moutons avaient été égorgés. Le vent et la bière avaient rapidement fait défaut, et très vite tout le monde, y compris le roi, dut boire de l'eau mélangée à du miel. Ce n'est qu'à la fin février que la neige avait cessé de tomber. Le pays était d'une blancheur parfaite mais la mer se calmait et les montagnes étaient à nouveau visibles à travers les trouées nuageuses. Par un après-midi couvert, les premiers bateaux se profilèrent dans l'estuaire. Les hommes sur les remparts poussèrent des vivats, et leurs sourires firent craquer un peu plus leurs lèvres gercées. Après les ravitaillements, des hommes arrivèrent du sud, dont le père de Humphrey, qui avait anéanti les insurgés à Brecon. Néanmoins, cela ne suffit pas à apaiser le roi, car il n'avait cessé de penser pendant tout l'hiver aux troupes de Madog, qui se trouvaient quelque part dans les hauteurs derrière Conwy.

Avec la fin des tempêtes de neige, on envoya une importante compagnie sous le commandement des comtes de Hereford et de Warwick. Suivant les indications recueillies auprès du Gallois à Nefyn, ils se dirigèrent vers les montagnes à la recherche de la forteresse de Madog. Vêtus de capes blanches afin de se camoufler dans la neige, les hommes réussirent à s'approcher des murailles de la forteresse en ruine, au pied du mont Snowdon. Là, à l'aube, ils eurent leur revanche. Des centaines d'insurgés gallois périrent au cours d'un assaut brutal. Les Anglais ayant pris possession du château, ils récupérèrent les affaires personnelles du roi volées dans le convoi. À la fin du combat, cependant, les hommes de Hereford découvrirent des traces de pas menant vers les bois et comprirent que des rebelles avaient réussi à fuir. En interrogeant les survivants, ils découvrirent que Madog venait juste de leur échapper. Plusieurs jours plus tard, des éclaireurs leur apprirent où il s'était réfugié. Avec ses commandants, le chef rebelle avait pris un bateau vers Anglesey. Ils l'avaient pris en chasse, refermant le piège autour de lui. Alors qu'un mois plus tôt il semblait que le roi et son armée allaient périr dans l'enceinte enneigée de Conwy, le vent avait tourné.

Alors que les tambours accéléraient leur rythme, Robert vit des hommes sur la plage se mettre à courir, perdant tout courage devant la flotte qui s'approchait. Au-delà, derrière une douve et des remparts en terre surmontés d'une palissade en bois, se trouvait le village de Llanfaes. Les hommes s'enfuyaient vers les portes du village, par où entraient, grâce à un remblai, des hommes et des animaux. Plusieurs hommes sur le bateau les huèrent, mais leur humour n'était guère partagé. Pendant que chacun enfilait son heaume, Robert sentit la tension s'emparer des soldats. Lui-même se sentait aussi tendu qu'un arc. Comme beaucoup d'autres, il n'avait pas encore vécu de vraie bataille, alors que les troupes de Pembroke, Hereford et Warwick avaient déjà connu le frisson, que leur courage avait été éprouvé. Les autres trouvaient enfin l'occasion de prouver à leur roi qu'ils étaient dignes de le servir.

Les premiers bateaux abordèrent la plage de galets. Les hommes rangèrent les rames et sautèrent dans l'eau glacée pour tirer les vaisseaux dans les vagues. Les archers sautèrent à leur suite et s'organisèrent en rangs pendant que les chevaliers et les chevaux débarquaient. Les destriers piaffaient d'impatience tandis qu'on jetait les passerelles, puis on les guida vers la plage. Les chevaliers montèrent en selle, baissèrent leur visière et tirèrent leur épée. D'autres bateaux abordaient le rivage. Seize hommes soulevèrent le tronc hérissé de pointes en l'empoignant par les chaînes et le traînèrent sur la plage. Le roi monta Bayard et, au milieu des cris de ses commandants, la troupe s'élança avec les archers qui suivaient en courant. Les seize hommes portant le tronc, muscles tendus, étaient à l'arrière, devant les fantassins équipés de piques, de marteaux et de fauchons.

Robert chevauchait sous la bannière de Carrick, le bouclier au dragon fixé sur son bras gauche. Il le portait fièrement désormais, il faisait cause commune avec ce symbole d'Arthur, le roi guerrier. Il croisa le regard de Humphrey et le chevalier leva le poing en un geste de défi, que Robert imita. Aujourd'hui, si Dieu le voulait, ils mettraient un terme à cette campagne. Il voulait rentrer chez lui couvert de sang, pouvoir raconter à son grand-père que lui aussi avait servi le roi pendant une guerre. La nervosité et l'excitation se combattaient en lui, il respirait par saccades, serré dans son heaume.

La tête de la troupe approchait des portes de Llanfaes. Sur un signal de John de Warenne, chevaliers et écuyers ralentirent en restant à distance des remparts, le temps que le bélier les rattrape. Les archers formèrent une ligne, prêts à tirer par-dessus la palissade. Quelques flèches furent décochées quand les hommes hissèrent le bélier sur le remblai menant aux portes. L'une d'elles toucha un soldat au cou. Il s'effondra et deux autres coururent dans sa direction sans quitter la palissade des yeux. Le premier le conduisit hors du chemin pendant que le deuxième empoignait les chaînes à sa place. Ensemble, les seize hommes lancèrent tout le poids du bélier contre les portes, qui reculèrent sous l'impact, mais ne cédèrent pas. Les hommes reprirent leur élan et recommencèrent en grimaçant sous l'effort. Les chevaliers observaient et tenaient la bride aux chevaux qui piétinaient sous eux. Les flèches continuaient de pleuvoir, puis ce fut au tour des ballots de paille enflammés que l'ennemi jetait sur les hommes manipulant le bélier. Cela brisait leur effort, car ils devaient constamment se débarrasser de la paille embrasée qui leur tombait dessus. On donna alors ordre aux archers anglais de tirer pardessus les portes. De l'autre côté, des cris se firent entendre, d'avertissement d'abord, puis de douleur.

La tête de bélier s'écrasa encore et encore sur les barrières, qui donnaient des signes de fatigue. Pour finir, un grand bruit de bois qui craque se fit entendre et elles rompirent. Les hommes retirèrent le bélier sous les cris frénétiques des ennemis retranchés et lui firent traverser le remblai en sens inverse. Des soldats se précipitèrent ensuite pour achever de briser les portes avec leurs piques et leurs marteaux. Le bois éclatait peu à peu et l'on commença à distinguer les hommes de l'autre côté. Des trompettes retentirent et les premiers chevaliers lancèrent leurs chevaux à travers ce qui restait des portes, les sabots projetant la boue et la paille brûlée en l'air. Le roi Édouard lui-même lança Bayard sans peur dans la mêlée en brandissant son épée. Des flèches jaillissaient des rues. Les pointes acérées se fichaient dans les caparaçons et les boucliers. Touché, un cheval rua, glissa et bascula dans la douve en écrasant son cavalier sous son poids.

C'était la cohue aux portes. Robert se mêla aux hommes qui hurlaient, aux chevaux qui rongeaient leur mors, puis il entra et se retrouva précipité au milieu du bruit et de l'action, son champ de vision limité par son heaume.

Quelque chose sembla fuser juste au-dessus de sa tête, une flèche peut-être, puis il pénétra dans la première rue qui se présenta et des maisons en terre défilèrent devant ses yeux. Les rebelles et les villageois qui protégeaient les portes fuirent devant la charge de la cavalerie. Les chevaliers qui précédaient Robert frappaient tous les hommes qui passaient à portée d'épée, et dont bien peu portaient une armure. Un homme tomba, écrasé entre deux chevaux. Son corps disparut, livré aux sabots. Robert sentit Chasseur monter sur quelque chose de mou avant de poursuivre dans le sillage de John de Warenne et de ses hommes, qui laissaient libre cours aux chevaux lancés au galop. Son frère, les chevaliers et les écuyers de l'Essex, se trouvaient à côté de lui au début de l'assaut, mais il aurait été incapable de dire si c'était toujours le cas tant la fureur de l'instant obligeait à regarder droit devant pour ne pas se cogner à ceux qui avaient pris de l'avance.

Alors que la ruelle s'ouvrait sur un jardin où la neige se mêlait à la terre, Robert vit des chevaliers se déporter pour jeter des torches sur les toits de chaume des maisons. Les Gallois couraient au milieu des arbres en essayant désespérément d'échapper aux chevaliers. Un homme s'agrippa à une branche basse et entreprit d'escalader l'arbre. Un chevalier lui donna alors un violent coup d'épée dans le dos. La lame trancha dans la chair et les muscles, ouvrant le torse de l'homme dont jaillirent sang et organes. L'homme, presque coupé en deux, dégringola de la branche et s'effondra dans la neige fondue pendant que le chevalier s'éloignait au galop. Un autre, recroquevillé contre un arbre, leva les mains en l'air en suppliant qu'on l'épargne. Un chevalier abattit son épée en passant, le touchant au cou, et l'homme s'écroula, une gerbe de sang se répandant autour de lui. Le massacre commençait.

De plus en plus de chevaliers se déversaient dans les rues. Robert suivait Warenne. Il voyait des camarades enfiler les rues latérales, entraînant les autres à la poursuite des villageois auxquels s'étaient mêlés les hommes de Madog. Il voyait des visages hagards aux fenêtres des maisons, il entendait des cris résonner pendant que la fumée envahissait tout. Les commandants rugissaient des ordres par les fentes de leur heaume et les hommes criaient comme des diables en tuant, ou en mourant. L'horreur avait lieu à chaque mouvement d'épée, à chaque coup de marteau ou de pique. La chair, la vie, l'âme : tout cela n'existait plus, il n'y avait plus que des cibles, à détruire sans remords.

Robert s'arrêta, laissant aux autres le soin de pourchasser les rebelles en fuite. Ils avaient ordre de massacrer tous ceux qu'ils trouvaient dans les rues afin d'obtenir une capitulation rapide, après quoi le roi se montrerait clément envers les survivants. Il avait déjà vu la mort à l'œuvre au cours de sa vie, mais il n'avait jamais été aussi proche de la donner que lors du duel avec Guy. Et même là, il y avait des règles à respecter. Ce n'était pas le cas ici. La liberté de tuer était vertigineuse, ébouriffante. Mais des chevaliers aguerris poussaient dans son dos, ils voulaient forcer l'issue. Avec un grognement de frustration devant sa propre hésitation, Robert avisa un homme qui courait dans une allée et lança Chasseur au galop.

Des rayons de soleil apparurent au moment où il s'engouffra dans la ruelle. Par les ouvertures entre les maisons, il apercevait d'autres hommes qui couraient comme des rats au milieu des déchets et de la boue. L'infanterie s'infiltrait dans les ruelles latérales et les hommes défonçaient les portes pour traquer les rebelles à l'intérieur des maisons. La fumée s'élevait avec les cris. Le Gallois qu'il avait repéré courait juste devant lui avec l'énergie du désespoir. Robert leva son épée, le sang battant à ses tempes. Soudain, l'homme bifurqua dans une allée latérale et Robert fila tout droit. Poussant un juron, il immobilisa Chasseur et lui fit faire demi-tour, après quoi il l'éperonna pour se ruer à sa poursuite.

L'homme avait repris un peu d'avance. Robert le vit tenter d'entrer dans une maison, mais la porte ne céda pas. Il reprit sa course frénétique. Robert le rattrapait rapidement, prêt à lui porter l'estocade, comme il l'avait fait tant de fois avec des cerfs et des sangliers. Levant le bras, il fit tournoyer son épée et abattit la lame entre les omoplates de l'homme. Il ressentit l'impact non seulement dans son bras et son épaule, mais jusque dans sa poitrine et son estomac. Cela n'avait rien à voir avec le fait de frapper un animal. Retirant son arme, il se remit à galoper dans l'allée. Le sang ruisselait au bout de la lame et faisait des taches d'un rouge éclatant sur la neige illuminée par le soleil.

Le combat faisait désormais rage autour de la place de marché de Llanfaes. Madog ap Llywelyn et les derniers rebelles s'étaient barricadés dans une rue qui partait de la place et qu'ils avaient bloquée avec des chariots et des meubles arrachés des maisons. À leurs côtés, quelques villageois brandissaient des couteaux de cuisine et des arcs de chasse, mais la plupart d'entre eux avaient abandonné le combat et pris la fuite devant les chevaliers et les soldats, préférant se précipiter chez eux pour protéger leur famille.

Sous les ordres de Madog, ils avaient pour l'instant résisté à deux charges lancées par Édouard, leurs lances placées en avant au-dessus de la barricade pour repousser les chevaliers. Les villageois avaient crié de joie en voyant les chevaliers, bloqués par le mur de lances, tomber à la renverse. Les rebelles et Madog, qui portait la Couronne d'Arthur sur une coiffe de mailles, ne les avaient pas imités, et les villageois comprirent leur pessimisme quand le roi aligna les arbalétriers devant la barricade.

Depuis des décennies, les Gascons étaient adeptes de cette arme interdite dans certaines parties de la Chrétienté, condamnée par le pape et considérée par le plus grand nombre comme digne uniquement des mercenaires. Les toits en flammes projetaient un écran de fumée entre les archers et les Gallois. Les rebelles du Gwynedd ne craignaient pas trop les archers anglais qui, comme eux, utilisaient des arcs courts. Seuls les hommes du sud du pays de Galles utilisaient les arcs longs à la puissance mortelle. Les flèches tirées d'un arc court pouvaient désorienter l'ennemi, mais elles tuaient rarement, à moins de toucher une partie du corps non protégée, car elles éclataient contre les mailles ou se fichaient, inoffensives, dans le rembourrage des gambisons. Avec les arcs longs et les arbalètes, c'était différent : une flèche ou un carreau bien tirés pouvaient perforer les chausses de mailles d'un chevalier, sa jambe, sa selle et son cheval. Quant au guerrier gallois vêtu d'une simple tunique de cuir raidi, il pouvait s'attendre à une mort instantanée et brutale.

Avec des gestes rapides et précis, chacun des arbalétriers passa son pied dans l'étrier attaché à son arbalète et tira pour fixer la corde sur la gâchette. Puis, à l'unisson, prenant un carreau dans le panier à leur ceinture, ils les placèrent dans l'emplacement prévu à cet effet, levèrent leur arme, visèrent et tirèrent. Les carreaux filèrent à travers la barricade, se frayant un chemin entre les roues des chariots et les bancs. Des hommes tombèrent, les projectiles les touchant à l'épaule, à la gorge, au visage, à l'estomac. Madog, qui s'était accroupi derrière des sacs de grain empilés, criait ses ordres au milieu du chaos. Les carreaux arrivaient avec une telle régularité que le ciel semblait s'obscurcir.

Les rebelles se jetèrent à terre, certains utilisant les corps des morts et des blessés pour s'en servir de boucliers. Les villageois, affolés par ce massacre, voulurent s'enfuir. Beaucoup moururent, frappés de plein fouet par un carreau. Le roi ordonna à ses chevaliers de charger pour profiter de la confusion et de la panique. Quand le dernier carreau fut tiré, la cavalerie se rua sur la barricade. Madog et les rebelles, dont certains étaient blessés ou cachés dans des recoins, n'eurent pas le temps de diriger leurs lances vers l'ennemi. Quand les chevaliers eurent sauté par-dessus la barrière ou l'eurent contournée, le combat pour Anglesey se fit au corps à corps. Il fut bref et sanglant. Madog tomba en hurlant quand John de Warenne brisa la lance qu'il tenait à la main.

Chapitre 34

Lorsque Robert retira son heaume, l'air glacial gifla ses joues trempées de sueur. Il avait un goût de sel et de fer. S'adossant au mur en terre d'une maison, il tira le bouchon de son outre avec ses dents puis, recrachant le morceau de liège, il but le vin jusqu'à la dernière goutte. Il y avait des cadavres tout autour de lui dans la rue et les murs étaient constellés de traînées sanglantes. Près de lui, un homme avait le crâne défoncé et une matière grise et rosée s'était déversée par l'ouverture, collant ses cheveux. C'était peut-être un cheval qui lui était passé dessus, à moins qu'il ait reçu un coup de hache. Robert ne pensait pas le lui avoir donné, mais c'était difficile à dire. Les souvenirs du massacre qui avait eu lieu ici devenaient déjà flous, et comme étrangers.

Des chevaliers et des écuyers, à proximité, buvaient à longs traits et reprenaient leur souffle, ordre ayant été donné quelques instants plus tôt d'épargner les survivants. Certains célébraient déjà la victoire, mais leur rire sonnait faux, forcé. Les autres se taisaient et détournaient les yeux de la scène odieuse qui s'étalait devant eux. Robert avait vu plusieurs hommes s'écarter en vacillant, retirer leur heaume et vomir. Il alla voir Chasseur, qu'il avait attaché à un chariot abandonné à l'arrière duquel il avait laissé son épée.

Il leva le bras auquel était attaché son bouclier et grimaça en sentant ses muscles douloureux, puis il rangea son outre de vin dans la sacoche et récupéra son épée. Le sang séchait déjà sur la lame. Le visage fermé, il déposa son heaume sur sa selle. Il avait perdu la trace de son frère et de ses hommes pendant l'assaut. Il se sentait désorienté, la fumée obscurcissant le ciel lui ôtait toute notion d'heure. Il n'aurait su dire s'il s'était passé dix minutes ou plusieurs heures depuis qu'ils étaient entrés dans la ville. L'infanterie occupait la rue devant lui, les soldats ramassaient les morts et faisaient sortir les survivants des maisons, les toits de chaume continuant à brûler. On entendit des bruits de sabots et des chevaliers arrivèrent. Parmi eux, Robert distingua les couleurs de Pembroke, les oiseaux rouges sur les rayures bleues et blanches. Tandis que la compagnie défilait, il s'éloigna en tirant Chasseur par les rênes et s'engagea dans une allée adjacente, décidé à refaire le chemin à l'envers pour trouver son frère.

Il n'avait fait que quelques pas quand des sabots résonnèrent dans l'allée. Robert se retourna : un chevalier était lancé à toute allure vers lui. Il eut le temps de voir des rayures bleues et blanches, une épée serrée dans un poing, et de comprendre que le chevalier ne ralentissait pas. Après la bataille, le sang bouillait encore en lui et il réagit sur-le-champ. Il frappa du plat de la main sur la croupe de Chasseur pour qu'il parte au galop et se plaqua contre le mur, hors de portée du destrier et de l'épée. Le cavalier et sa monture le frôlèrent à fond de train avant de s'arrêter plus loin dans le passage boueux. D'une poigne ferme, le chevalier fit faire demi-tour à son cheval. Alors qu'il ramassait son heaume, tombé au moment où Chasseur s'était élancé, Robert vit l'homme remonter sa visière et reconnut les yeux d'Aymer, frémissant d'une haine sauvage. Son surcot était maculé de sang, de même que la housse de son cheval. Il éperonna sa monture. Ses intentions étaient claires.

Robert se précipita vers la porte d'une maison délabrée au moment où Aymer le chargeait. La porte s'ouvrit d'un coup, craquant sous l'impact, et Robert conserva à grand-peine son équilibre. Il se retrouva dans une cuisine occupée presque entièrement par une table à tréteaux sur laquelle étaient disséminés les restes d'un repas. La lumière filtrait par les volets clos de chaque côté de la porte défoncée. Plusieurs tabourets étaient éparpillés dans la pièce et une lueur rougeâtre venait de l'âtre, mais il n'y avait pas âme qui vive. Dehors, Robert entendit un cheval souffler par les naseaux et des éperons cogner contre le sol. Lâchant son heaume, il remit son bouclier en place en attachant les courroies à son bras gauche, tandis que dans sa main droite il serrait la poignée de son épée.

La silhouette d'Aymer apparut à contre-jour sur le seuil. Il avait déjà son arme à la main et lui aussi portait un bouclier orné d'un dragon. Le chevalier fit un pas dans la pièce, défiguré par la haine.

— Encore un paysan qui se cache dans sa masure en attendant que je le taille en pièces, lança Aymer d'une voix acerbe. Quand ils trouveront ton cadavre, je serai parti depuis longtemps.

Robert s'humecta les lèvres avec anxiété.

— Une bonne idée, que je peux reprendre à mon compte, commenta-t-il en levant son arme.

Aymer éclata de rire.

— Je ne suis pas Guy. On ne me bat pas si facilement.

Ses yeux se posèrent sur le bouclier au dragon que l'âtre faisait luire faiblement.

— Vous vous en croyez digne parce que Humphrey vous a choisi ? cracha-t-il. Vous lui rendez service, c'est tout. Vous avez du pouvoir et des terres et vous l'aidez à tirer parti de sa position. En vérité, vous êtes un étranger pour mes frères. Un intrus.

— Cela vous dérange, n'est-ce pas ? Qu'on m'ait choisi si vite alors que vous avez dû attendre trois ans pour rejoindre l'ordre. Oui, dit Robert en savourant l'expression contrariée d'Aymer, vos soi-disant *frères* m'en ont parlé.

Il fit un pas vers le chevalier, animé d'une haine irrépressible.

— Je suis peut-être un étranger, mais on m'a fait confiance plus vite qu'à vous. Humphrey a compris ce que vous valiez dès qu'il vous a rencontré, Valence.

Soudain, Aymer se rua sur lui, son épée fendant l'air. Il avait de l'élan et Robert eut du mal bloquer son coup. Le choc de l'épée contre le bouclier fut assourdissant dans la pièce exiguë. Robert sentit les vibrations lui parcourir le bras, mais il réagit promptement et repoussa la lame d'Aymer sur le côté. Le chevalier recula en vacillant et heurta un tabouret, qui tomba. Ce répit ne dura qu'une seconde, mais suffit à Robert pour allonger et frapper Aymer au visage avec son bouclier. C'est son heaume qui reçut l'essentiel du coup, mais la surprise le fit tomber à la renverse et dans sa chute, il lâcha son épée. Aymer se releva rapidement tandis que Robert s'avançait vers lui. N'ayant pas le temps de pivoter pour ramasser son arme, il leva son bouclier devant lui pour parer un coup qui le visait à la tête. La lame de Robert s'écrasa contre le bois et entailla profondément le dragon. Aymer grinça des dents, puis s'arc-bouta de toutes ses forces. Quand il eut écarté l'épée de Robert, il lui fonça dessus.

Pris de court par la brutalité et la sauvagerie de son attaque, Robert fut projeté contre la table, qui glissa sur le carrelage. Il bascula en arrière, à moitié affalé sur le plateau et coincé sous le bouclier d'Aymer. Il leva son arme en grognant sous l'effort et, presque à bout de souffle, imprima un mouvement circulaire à la lame. Le coup manquait de puissance et la cotte de mailles du chevalier l'annula, mais elle lui fit perdre ses appuis, laissant à Robert l'opportunité de se dégager. Voulant empêcher Aymer de ramasser son épée, il se jeta sur lui. Celui-ci s'accroupit et s'empara du heaume de Robert, resté à terre. Puis, d'un grand geste circulaire, il le frappa en plein visage. Robert s'effondra en poussant un cri. À genoux il vit Aymer passer devant lui, après quoi il entendit le heaume retomber puis la lame racler le sol. Malgré la douleur, il parvint à se relever. Il craignait tellement de voir l'épée d'Aymer lui fendre le crâne qu'il trouva l'énergie de se défendre.

Une lame à la main, Aymer était rapide et féroce. Robert ne l'avait jamais vu combattre pied à pied auparavant. Ses larges épaules musclées lui permettaient d'assener des coups violents. Il semblait n'éprouver aucune crainte ; nulle hésitation n'entravait ses mouvements, il maniait son épée comme un bûcheron sa hache et se servait de son bouclier comme d'une arme. Sa douleur au visage refluait mais Robert sentait qu'il se fatiguait rapidement. Il calcula mal un geste, ce dont Aymer profita en lui écrasant le pommeau de son épée en pleine tête. Robert avait le nez cassé et le sang envahit aussitôt sa gorge. Aveuglé, étouffant à moitié, il chancela. Bien qu'il eût les yeux envahis par les larmes, le sourire narquois d'Aymer ne lui échappa pas. La frustration lui donnait envie de se jeter sur son adversaire, mais il recula autour de la table pour se donner le temps de récupérer et de cracher le sang de sa bouche.

— *Espèce de lâche !* hurla Aymer. Tu ne mérites pas ce bouclier, tu n'es qu'un *pleutre* !

À la vue du visage tordu par la haine du chevalier, Robert sentit monter en lui un accès de rage. Il se pencha en avant et propulsa le plateau de la table sur Aymer. Le chevalier retomba sur un tabouret, qui se brisa sous son poids et l'envoya valdinguer sur le sol au milieu des débris. Son épée lui échappa une nouvelle fois, son heaume heurta le carrelage et la visière se ferma sous l'impact. Sans lui laisser le temps de bouger, Robert fit le tour de la table et s'assit à califourchon sur lui. Lâchant son épée, il ôta son heaume au chevalier. Aymer, momentanément étourdi par la chute, voulut se débattre, mais Robert lui donna un coup de poing en plein visage. Sa main protégée par un gantelet fit éclater les lèvres d'Aymer et sauter deux dents. Il le frappa encore, et encore, aux yeux, au nez, à la mâchoire.

Alors que, suant et pantelant, il se préparait à frapper une cinquième fois, il entendit des chevaux dans l'allée. Il sursauta en entendant son nom. C'étaient ses hommes qui l'appelaient.

— Par ici ! cria-t-il à son frère, dont il avait reconnu la voix.

Il se leva et ramassa son épée, le cœur tambourinant. Puis il contempla Aymer, qui geignait, le visage en sang. Sa lame rencontra la gorge du chevalier.

— La prochaine fois, je te tue.

Laissant Aymer pratiquement inanimé sur le sol de la cuisine, Robert sortit en chancelant dans la lumière du jour.

Les Anglais avaient monté leur campement sur la colline enneigée au-dessus de Llanfaes. L'incendie continuait son œuvre dans le village, et les flammes crachaient une fumée noire dans le ciel. Les chevaliers rassemblaient les survivants, qui formaient un maigre troupeau d'enfants en pleurs, d'hommes et de femmes pâles et sous le choc, parfois blessés.

Robert restait à l'écart, les muscles raidis. Son nez cassé envoyait des ondes de douleur qui se répandaient dans tout son visage. Les chevaliers les plus âgés se montraient ravis d'en avoir fini rapidement avec le village et les rebelles. Les plus jeunes étaient plus affectés, le sang auquel ils avaient tant attendu de

371

goûter semblait les avoir réduits au silence. Le visage si enflé qu'il en était méconnaissable, Aymer faisait partie de ceux-là. Robert avait entendu plus tôt des chevaliers expliquer à Humphrey qu'il s'était fait attaquer par trois rebelles. Robert savait qu'il ne dirait jamais la vérité à personne.

Alors que Robert était absorbé par ce spectacle, on fit passer Madog, blessé mais en vie, devant les survivants. Il avait les mains liées dans le dos, mais il marchait d'un pas digne entre deux chevaliers qui le tenaient, la tête bien droite en manière de défi. La couronne dorée qu'il portait pendant le combat était toujours sur sa tête, mais des traces de sang étaient visibles sur le métal cabossé. On l'amena devant Édouard, qui se tenait debout sous le ciel gris, son surcot rouge claquant au vent. Derrière le roi, deux drapeaux étaient hissés, l'un déployait les armes royales de l'Angleterre, l'autre était la bannière au dragon. Sur un signe du roi, un prêtre en robe noire s'avança pour retirer à Madog sa couronne. Le chef rebelle protesta et se débattit, mais les chevaliers le maintenaient fermement et il ne put empêcher le prêtre de prendre la Couronne d'Arthur et de l'apporter au roi d'Angleterre.

Édouard observa le diadème qui avait soulevé une nation contre lui. Puis, apparemment satisfait, il fit signe à l'ecclésiastique de l'emporter.

— Allez la faire nettoyer.

Après quoi son regard revint sur Madog.

— Vous avez incité à la rébellion, et vous êtes coupable de meurtres, d'attaques et de vols. Vous avez détruit ma propriété, fomenté des troubles et dérangé la paix de votre roi.

Madog ne cilla pas. Robert, qui regardait avec les autres, se demandait si Madog et les autres survivants comprenaient seulement ce que le roi venait de dire.

— Pour vos crimes, vous serez enfermé à la Tour, où vous passerez le restant de vos jours.

Le roi s'interrompit. On n'entendit plus que le vent qui agitait les bannières.

— Dix ans, c'est une longue période. Les Gallois ont oublié le prix de la rébellion.

Édouard regarda John de Warenne par-dessus son épaule, debout au milieu des comtes anglais.

— Il leur faut un rappel.

Tandis que le groupe s'écartait, Robert vit qu'on poussait un homme en avant. C'était un jeune garçon aux cheveux noirs. Madog cria et tenta de se libérer.

— Votre frère, Dafydd, d'après ce que nous avons appris, dit Édouard.

Dafydd, le visage tuméfié, avait l'air terrorisé, mais il cracha par terre en passant devant Édouard. Les chevaliers le guidèrent vers deux chevaux tenus par deux écuyers. Madog se débattit en hurlant des propos incompréhensibles en gallois au roi et à son frère, qui regardait les chevaux en blêmissant. Les soldats tenaient à la main le bout de deux cordes attachées aux pommeaux de leurs selles.

Les chevaliers écartèrent les bras de Dafydd. Les soldats s'approchèrent et lui passèrent les cordes autour du poignet en vérifiant que les nœuds étaient solides. Les écuyers amenèrent les chevaux, qui soufflaient par les naseaux, de chaque côté de Dafydd. Les cordes qui reliaient ses poignets aux selles décollèrent du sol, mais sans être encore tendues. Les chevaliers firent signe aux hommes qui assistaient à la scène de se mettre hors du passage des chevaux. Certains des survivants détournaient les yeux, les femmes pressaient le visage de leur enfant dans leurs jupes. Mais tous étaient tétanisés par l'effroyable spectacle qui allait avoir lieu. Édouard, impassible, observait sans mot dire.

Deux soldats frôlèrent Robert en regardant Dafydd qui se tenait seul, les poings serrés.

L'un des deux soldats dit en souriant à l'autre :

— Une fois, j'ai vu un gars qui a eu les bras arrachés d'un coup.

Robert les laissa passer devant lui pendant que le roi faisait signe aux écuyers, qui levèrent leur fouet et firent claquer les lanières sur les croupes des chevaux. Chacune des bêtes partit dans une direction opposée, les cordes se tendirent, écartant les bras de Dafydd en croix. Le hurlement désespéré de Madog se mêlait aux cris de douleur de son frère.

Quand on ôta les cordes des bras disloqués de Dafydd, la boucherie continua. On hissa son corps sur une table à tréteaux, où il fut sauvagement éviscéré par un bourreau qui semblait prendre plaisir à imprimer des torsions odieuses à son couteau. Pour finir, il fut démembré et les différentes parties de son corps furent enfermées dans des barriques qu'on enverrait à travers le royaume reconquis, pour qu'on y apprenne le prix de la rébellion. La couronne, qu'avaient portée Brutus et Arthur eux-mêmes, serait acheminée à Westminster, afin d'enterrer pour de bon les libertés du pays de Galles.

Robert tourna le dos aux cris de Madog et descendit la colline sans se hâter.

Près des murs de la ville, les ouvriers et les maîtres maçons du roi étaient en pleine discussion. Ils scrutaient le terrain, le mesuraient, et délimitaient des zones avec des bouts de corde. Le roi avait déjà décidé de construire une nouvelle forteresse en lieu et place du village en ruine. Les soldats entassaient les cadavres sur des chariots pour les emmener sur la plage. Là, ils les jetaient à la mer, où les vagues les engloutissaient. Déjà, Robert voyait des têtes et des dos surnager à l'embouchure, de la nourriture pour les poissons et les oiseaux. Sentant quelqu'un venir à sa rencontre, il se retourna et aperçut Humphrey. Le chevalier, son épée à la ceinture, portait le bouclier au dragon. Il avait du sang sur le visage et sur son surcot.

— C'est fini.

Après avoir poussé un soupir, Humphrey laissa son regard errer sur la mer et ses cadavres.

— Nous pourrons bientôt rentrer chez nous.

Robert ne disant rien, il poursuivit :

— Soyez assuré, mon ami, que vous serez récompensé quand la Couronne d'Arthur sera aux côtés de l'Épée de la Clémence dans l'abbaye de Westminster. Désormais, il ne nous reste plus que deux reliques à trouver.

Robert lut de la détermination et de la ferveur sur le visage de Humphrey. Il semblait certain d'être sur le bon chemin et que, lorsque la prophétie serait accomplie, tout irait bien dans le royaume. Robert n'avait pas eu beaucoup de temps pour s'interroger sur le bien-fondé des intentions de l'ordre, ni la croyance véritable de ses compagnons dans les visions de Merlin. Les dangers de la guerre et de l'hiver l'avaient tenu occupé, mais maintenant que les morts envahissaient l'estuaire devant lui, Robert se posait des questions. Il avait eu tellement envie d'y croire la nuit de son initiation ; les contes de son enfance avaient rempli sa tête d'idées glorieuses. Ces histoires dépeignaient des champs de bataille et leur héroïsme, les poètes trouvaient les mots pour sublimer le sang et le fer. Robert songea à son père, à la manière dont la guerre l'avait changé. Pour la première fois, il eut le sentiment qu'il pouvait le comprendre. Il n'était pas étonnant que son père n'ait cru en rien au-delà de la simple vérité du monde temporel, qu'il ait tourné en ridicule ceux qui se cramponnaient à de vagues certitudes. Les mots de son frère, le soir où le convoi de ravitaillement avait été attaqué, lui revenaient : *Est-ce que tu lui fais confiance ?*

— Vous ne m'avez toujours pas dit ce que fera le roi Édouard quand il aura réuni les quatre reliques, dit Robert en plantant son regard dans celui de Humphrey.

— Nous ne sommes pas au courant de tout, Robert, comme je vous l'ai dit. Seuls les hommes assis autour de la Table ronde connaissent ses intentions. Nous devons nous montrer aussi dignes de sa confiance qu'eux.

— Et vous ne vous posez jamais la question ?

Humphrey hésita un instant.

— Je sais juste que le roi fera ce qu'il y a de mieux pour son royaume.

Robert ne répondit pas. Il pensa à son propre royaume, qu'Édouard avait mis à terre, et le spectre d'une menace plus concrète envahit son esprit. Mais il repoussa cette idée. L'Écosse avait son propre roi. Ce n'était pas le pays de Galles ou l'Irlande, des pays divisés et isolés. Même s'il désirait la Couronne d'Arthur, Édouard était d'abord et avant tout venu ici pour mater une rébellion.

Pourtant, debout sur ce terne rivage aux côtés de Humphrey, Robert eut le sentiment d'être à la croisée des chemins. Et dans son esprit, tous les chemins qu'il pouvait emprunter menaient vers les ténèbres.

Chapitre 35

Les chandelles faisaient briller les yeux des hommes et les dorures des tombeaux qui les entouraient. Le sanctuaire, au cœur de l'abbaye de Westminster, était dominé par un mausolée dont les marches menaient à des alcôves. Ce mausolée, construit par le roi Henry en l'honneur de saint Édouard le Confesseur, en même temps que l'immense abbaye qui l'abritait, avait été érigé vingt-six ans plus tôt, mais déjà la pierre s'usait sous les genoux des pèlerins. Sur un socle était posée une châsse qui contenait les reliques du saint, surmontée d'un dais décoré de scènes sacrées. Au-delà, les ombres s'épaississaient sous les ténèbres immenses des voûtes.

Sous les regards des saints, le roi Édouard était à genoux, ses robes rouges s'évasant autour de lui au pied du mausolée. Il avait incliné la tête. Dans son dos, ses hommes, debout, étaient rangés en arc de cercle, les plus éloignés à peine visibles dans la pénombre. Aux premiers rangs se trouvaient les hommes les plus proches du roi, les chevaliers de la Table ronde : John de Warenne et l'évêque Bek, les comtes de Lincoln et de Warwick, Arundel, Pembroke, Hereford et le frère du roi, Edmond de Lancastre, entre autres. Derrière se tenaient les Chevaliers du Dragon, qui portaient leur bouclier.

Robert, placé entre Humphrey de Bohun et Ralph de Monthermer, sentit qu'on le dévisageait. Il fit légèrement pivoter sa tête sur le côté et croisa le regard d'Aymer de Valence. Le chevalier avait repris figure humaine depuis sa mésaventure d'Anglesey, mais une cicatrice barrait sa joue. Robert avait remarqué qu'il s'était fait remplacer les deux dents perdues pendant leur combat. Parfaitement ajustées aux trous, elles étaient rattachées à ses vraies dents par du fil argenté, ce qui lui donnait un sourire étrangement étincelant. Il se demanda où il avait pu obtenir ces nouvelles dents. Aymer soutint son regard, puis reporta son attention sur le roi. Robert ne l'avait pas vu depuis des mois. Avec la chute d'Anglesey, beaucoup de nobles avaient pu retourner dans leur fief et Aymer était rentré avec son père à Pembroke. Mais à en croire la lueur maligne dans ses yeux, sa haine était toujours aussi vive. Robert n'éprouvait pas le moindre remords pour les coups qu'il avait portés au chevalier, et il ne s'inquiétait pas outre mesure des représailles qui s'exerceraient probablement un jour. Aujourd'hui encore, c'est avec joie qu'il se revoyait le frapper au visage ; après tout, l'homme avait souri de ses infortunes et s'était toujours délecté de ses souffrances et de ses humiliations. Il l'avait mérité. Et Robert n'aurait pas hésité à recommencer.

Quand le roi Édouard avait quitté l'île, alors que son nouveau château, baptisé Beaumaris, était déjà en chantier, Robert l'avait accompagné. Ils étaient d'abord allés à Caernarfon, où le roi voulait superviser les plans pour la reconstruction, puis au sud, en longeant la côte désolée et en passant par des bourgs royaux et des villes portuaires oubliées, mais aussi par de formidables châteaux, comme ceux de Cricieth et Harlech. Madog ap Llywelyn avait été conduit enchaîné jusqu'à la tour de Londres, où il devait rester jusqu'à la fin de ses jours. L'exécution sanglante de son frère avait brisé la résistance du chef gallois et, dans son désespoir, il avait semblé incarner l'essence même du pays dont il avait été prince pendant une courte période.

Dans chaque village, Édouard obtenait la reddition formelle des Gallois et il acceptait leurs vœux et leurs hommages. Partout où il allait, en ces mois splendides de mai et de juin, le suivait la Couronne d'Arthur, symbole de son autorité suprême. La population, privée de son prince et pleurant la perte de tant d'hommes, était triste et soumise. Mais Édouard se montrait indulgent, lui qui, à peine quelques semaines plus tôt, avait fait tuer le frère de Madog de façon brutale, et il établissait des corps de juristes pour conduire les audiences et recevoir les doléances des Gallois au sujet de ses émissaires trop autoritaires, doléances qui avaient finalement abouti à la rébellion. Il laissa même nombre de rebelles retourner vers leurs familles sans châtiment. Surpris par la clémence qu'il affichait, Robert avait vite compris quel en était le but. Si Édouard voulait que les Gallois paient leurs impôts, qu'ils acceptent de le servir à la guerre et qu'ils cessent de se révolter, il fallait qu'ils soient satisfaits de la manière dont il exerçait le pouvoir.

Malgré ses succès au pays de Galles, l'été ne s'était pas déroulé sans heurts pour le roi. Avec la fonte des neiges et l'arrivée du printemps, les rapports avaient commencé à affluer de partout en Angleterre. Édouard avait d'abord accueilli avec bonheur les premières nouvelles selon lesquelles les hommes qu'il avait envoyés en Gascogne s'étaient emparés de trois villes, mais comme les rapports suivants lui apprirent qu'il ne s'était rien passé depuis, le roi était devenu pensif. Les deux guerres, en plus des coûts énormes engloutis par l'érection de Beaumaris et la reconstruction de Caernarfon, avaient peu ou prou vidé ses caisses. Robert avait surpris bon nombre de conversations

379

inquiètes entre les barons, qui se demandaient quand le roi se tournerait vers eux pour leur demander de l'argent.

Mais aujourd'hui à Westminster, le calme régnait. Chacun concentrait ses pensées sur le roi et sur le mausolée du Confesseur.

Sur l'autel, drapé d'un tissu rouge et or, étaient posés trois objets. L'un était une épée. *L'Épée de la Clémence*, lui avait glissé discrètement Humphrey quand on l'avait apportée dans la chapelle. Au lieu d'être taillée en pointe, la lame, qui avait autrefois été brandie par le roi gisant dans le tombeau, était plate à son extrémité. Depuis le sacre du Conquérant en 1066, tous les rois la portaient lors de leur couronnement. En voyant un prêtre l'amener devant eux, Humphrey avait murmuré à Robert une ligne de la prophétie :

La lame d'un saint, portée par les rois, brisée par la clémence.

Près de l'épée se trouvait un coffret noir tout simple, qui brillait à la lueur des cierges. Quand Robert lui avait demandé de quoi il s'agissait, Humphrey lui avait expliqué qu'il contenait la prophétie originale que le roi Édouard avait découverte à Nefyn après sa première conquête du pays de Galles. C'est ce livre qui renfermait les visions de Merlin, et qui était si vieux qu'on ne pouvait le sortir du coffret sous peine de le voir s'effriter, que le roi avait fait traduire. C'est ce livre qui l'avait lancé sur les traces des quatre reliques divisées entre les fils de Brutus afin d'éviter la ruine de la Bretagne. À ces deux objets s'ajoutait la Couronne d'Arthur, restaurée par les orfèvres du roi. La prenant sur le coussin de soie au pied de l'autel, Édouard se leva.

Robert en vit quelques-uns se dévisser le cou pour mieux voir le roi déposer la couronne sur l'autel. D'autres baissaient la tête et priaient. Les yeux de Humphrey brillaient, mais tous ne semblaient pas éprouver une semblable piété en cette occasion. Robert, lui, était partagé entre plusieurs sentiments. Il avait certes envie de se jeter à corps perdu dans la quête, avec Humphrey et les autres, en se disant que sa loyauté envers le roi pourrait servir sa famille. Mais il doutait également des choix qu'il avait faits. Les accusations de son frère à Nefyn avaient fait remonter une vérité désagréable à la surface, lui rappelant le serment qu'il avait prononcé devant son grand-père le jour de son adoubement : le serment selon lequel il restait un prétendant au trône d'Écosse. Même si cette route paraissait plus incertaine par rapport à la première, sur laquelle des trésors semblaient lui tendre les bras, il ne pouvait pas nier qu'il avait donné sa parole, ni qu'il s'en détournait aujourd'hui. Et les mots de son grand-père résonnaient dans sa tête.

Un homme qui ne respecte pas son serment ne mérite pas de respirer.

Le roi Édouard descendit de l'autel du saint et la cérémonie se conclut. Sur un signe de John de Warenne, les comtes, les barons et le clergé sortirent du mausolée par la porte qui séparait la chapelle du reste de l'édifice, pressés de profiter du festin que le roi offrait au palais et d'échanger les dernières nouvelles sur le conflit en Gascogne. Au lieu de les rejoindre, le roi se dirigea vers un autre mausolée qui jouxtait celui du Confesseur et sur lequel il y avait l'effigie en bronze d'une dame. L'inscription sur le côté indiquait : *Ci-gît Éléonore, que Dieu ait pitié de son âme.*

Comme les hommes défilaient devant Robert, l'empêchant de voir le roi s'agenouiller devant l'autel de la défunte reine, il suivit Humphrey dans la majestueuse abbaye. Les vitraux qui bordaient les bas-côtés avaient la couleur du saphir et du rubis, ils étaient ornés de boucliers, et les murs entre les piliers de marbre étaient jaune et vermillon.

Robert se trouvait à mi-chemin du chœur lorsqu'il aperçut un homme, un messager royal d'après sa livrée, qui parlait avec Ralph de Monthermer. Ralph se retourna et sembla chercher quelqu'un. Apercevant Robert, il le désigna du doigt. Robert s'arrêta pour attendre le messager, tandis que Humphrey lui jetait un regard interrogateur.

— Sir Robert de Carrick, le salua l'homme en lui tendant un rouleau. Un message d'Écosse, sir. Il est arrivé il y a quelque temps, mais nous n'avons pas pu vous le remettre.

Robert remonta le bouclier sur son bras pour prendre le rouleau, supposant qu'il venait de son grand-père. Il lui avait écrit avant de partir au pays de Galles pour lui annoncer qu'il accompagnait le roi dans sa campagne. Il sourit en voyant le sceau de son grand-père, puis l'ouvrit et commença à lire en laissant les autres partir devant. À mesure qu'il lisait, son sourire s'effaça.

— Qu'y a-t-il ? lui demanda Humphrey.

Sans répondre, Robert relut la lettre. Humphrey répéta sa question et Robert leva les yeux vers son ami, profondément troublé.

— Je dois rentrer chez moi.

Il se racla la gorge pour raffermir sa voix.

— Je vais me marier.

— Vous marier ?

— À la fille de sir Donald, le comte de Mar.

Il considéra le bouclier abîmé pendant la bataille et il tressaillit.

— Je dois prendre congé auprès du roi dès que possible.

Après un instant, il leva le bras auquel était fixé son bouclier.

— Je vais devoir vous le rendre. Je ne sais pas combien de temps je serai parti.

Humphrey ne fit pas un geste pour récupérer le bouclier.

— Chevalier du Dragon un jour, Chevalier du Dragon toujours. Il t'appartient, Robert.

Il siffla entre ses dents.

— Il va falloir faire en sorte que le festin de ce soir soit mémorable si c'est le dernier que vous prenez avec nous en célibataire. Vous marier ? répéta-t-il en secouant la tête et en riant aux éclats. J'imagine que c'est un fardeau qui nous tombera tous dessus un jour ou l'autre.

Ralph et Thomas de Lancastre les rejoignirent, curieux de connaître les nouvelles. Humphrey les informa. Ralph donna une accolade affectueuse à Robert et lui affirma qu'il était désolé.

— Vous l'avez déjà rencontrée ? lui demanda Thomas.

Robert revit Eva près du lac sous le clair de lune, leurs souffles qui s'étaient mêlés quand il l'avait embrassée. Il se souvenait de la conversation entre son grand-père et le comte de Mar ce soir-là. Il avait senti qu'ils avaient envisagé une telle alliance.

— Est-elle belle ? s'enquit Ralph.

— Comme la Sainte Vierge et tous ses anges, répondit finalement Robert, un sourire confus aux lèvres.

Leurs rires s'élevèrent jusqu'aux oreilles de marbre des rois et des saints, et jusqu'aux plus hautes des voûtes de l'abbaye.

Chapitre 36

Au sommet des remparts du château de Stirling, Jean de Balliol faisait face au soleil couchant. Dans les plaines marécageuses au pied de la forteresse, les bassins naturels s'étiraient en reflétant la lumière. Des nuées d'oiseaux striaient le ciel pourpre. Leurs formations en spirale semblaient des ébauches d'une langue en suspension inconnue des hommes. L'air était chargé de l'odeur d'herbes venue du jardin où des serviteurs, dans le jour déclinant, ramassaient des plantes pour les cuisines. Le roi discernait d'autres gens sur les terres du château et les talus herbeux en contrebas des murailles, là où les rochers formaient un plateau, avant l'à-pic qui tombait vers les prairies constellées de fleurs et les rives de la Forth. La grande rivière coulait vers l'est depuis les montagnes au loin jusqu'à Édimbourg, où un château semblable à celui de Stirling était juché sur un autre promontoire rocheux. Le cours d'eau qui fendait presque l'Écosse en deux s'élargissait alors pour se jeter dans la mer. Dans le crépuscule, Balliol distinguait encore le pont de bois qui enjambait les eaux glacées et réunissait les deux moitiés de son royaume. Pendant des années, on avait appelé le château de Stirling la clé du nord, car celui qui le contrôlait, et le pont avec lui, tenait le seul point d'accès vers les Highlands.

C'était une soirée tranquille, somnolente, mais les ténèbres qui s'étendaient à l'est derrière les collines d'Ochill semblaient annoncer à Balliol bien plus que la nuit. Il ne voulait pas perdre ce pays de vue, le laisser glisser dans l'obscurité. Il aurait voulu tendre les mains et saisir le soleil à l'horizon, pour le serrer contre lui et le brandir à la face de ses ennemis. Mais l'air fraîchissait et les étoiles s'allumaient une à une sur la voûte céleste.

— Sire.

Balliol se retourna. John Comyn s'approchait par le chemin de ronde, le visage nimbé des derniers rayons du soleil. Le lord de Badenoch avait peu vieilli depuis son couronnement et le roi en voulait à son beau-frère d'avoir l'air aussi en forme. Il savait que ces trois années l'avaient davantage marqué, lui qui, entre-temps, avait perdu son épouse et une grande partie de son autorité. Le sentiment du temps passé lui fit penser à leurs pères qui s'étaient battus à Lewes au nom du roi Henry ; à ce moment où leurs familles avaient noué une alliance indéfectible. Balliol se demandait s'il se serait retrouvé dans la même situation – être sur le point de tout perdre –, si William Comyn n'avait pas offert la liberté à son père dans la cellule du prieuré de Lewes. Son sort aurait-il été différent si les Balliol avaient suivi leur propre chemin en cet instant au lieu de contracter une dette envers les Comyn ? Le souvenir de son père lui fouetta le sang.

— Êtes-vous prêt, Sire ? Les hommes sont réunis dans la salle.

— Je ne peux pas croire que nous n'ayons pas d'alternative, dit Balliol en se retournant vers le paysage blafard, sachant que cette suggestion rendrait son beau-frère furieux.

— Vous avez accepté, Sire, lui répondit Comyn, inflexible. Nous avons tous accepté.

— Non, *vous* avez accepté. C'était votre idée, pas la mienne.

— Avais-je le choix ? s'emporta Comyn. Alors que vous avez laissé le roi Édouard vous tyranniser et vous manipuler ? Alors que vous lui avez permis de rester suzerain d'Écosse, malgré les conditions sur lesquelles nous nous étions accordées ? Il vous a confisqué trois villes lors de cette parodie de tribunal l'année dernière. Depuis quand laissons-nous des libertés pareilles à un roi étranger ?

— Peut-être auriez-vous dû le lui demander vous-même quand vous avez marié votre fils à la fille d'un de ses alliés à Londres.

Comyn préféra négliger l'accusation.

— J'ai le devoir de choisir une épouse digne de mon héritier. De même qu'étant notre roi, vous avez aussi des devoirs. Vous étiez censé préserver nos droits. Au lieu de cela, vous avez capitulé devant Édouard.

— Il doit y avoir un autre moyen. Douze hommes qui règnent à la place d'un seul ?

— Ils ne vont pas vous remplacer, seulement vous conseiller, dit Comyn avec raideur. Les hommes de ce royaume sont venus pour cela, ce soir. Quatre comtes, quatre évêques, quatre barons. Vous ne pouvez plus refuser.

— Et si je refusais ? Que se passerait-il, frère ?

Dans la lumière écarlate du jour mourant, mille tortures se lisaient sur le visage de Balliol.

— Me ferez-vous tuer comme la petite-fille de mon prédécesseur ?

Comyn regarda autour de lui en laissant le vent emporter les paroles de Balliol.

— Prenez garde, Sire, je n'étais pas tout seul dans cette conspiration, murmura-t-il d'un air menaçant avant de se faire plus caressant. Vous ne pouvez être notre unique voix dans les jours qui viendront. Vous serez toujours roi, Jean, mais vous avez besoin que le conseil vous guide. Laissez-le s'occuper du roi Édouard.

Quand la sécurité de l'Écosse sera assurée, il se peut que le conseil ne soit plus nécessaire.

— Dans combien de temps ?

Balliol savait qu'il avait perdu ; sa propre voix, faible et usée, ne le laissait que trop comprendre.

Comyn posa ses mains à plat sur le parapet et contempla les marais qui s'étalaient autour du bourg royal de Stirling.

— Cela dépendra de la réaction d'Édouard quand il découvrira que nous avons fait alliance avec son ennemi. Peut-être décidera-t-il de faire volte-face et de nous rendre nos libertés. Les guerres au pays de Galles et en Gascogne lui ont déjà coûté cher. Il n'a pas besoin d'une nouvelle campagne.

— Et s'il ne recule pas ?

Comyn garda le silence un moment, puis il répondit d'une voix sèche :

— Alors ce sera plus long.

— Le roi Philippe nous soutiendra-t-il militairement ?

— Je le crois, d'après nos premières discussions.

Le roi regarda le soleil disparaître définitivement derrière les montagnes. Quand les derniers rayons moururent, il se tourna vers son beau-frère.

— Venez, et terminons-en.

Le jour touchait également à sa fin lorsque Robert et Édouard, accompagnés de leur suite, franchirent la frontière. Après avoir reçu du roi la permission de quitter Westminster, Robert avait mis plus de temps qu'il ne le pensait pour mettre de l'ordre dans ses affaires et, après quinze jours sur la route, la dernière étape lui avait paru d'une lenteur éreintante. Ayant contourné l'enceinte de Carlisle, la dernière ville anglaise, ils avaient poursuivi pendant plusieurs heures dans un silence tendu, concentrés sur leur destination si proche et si éloignée, juste derrière les marais isolés de l'estuaire de la Solway.

Robert éprouvait un sentiment étrange à rentrer dans son pays natal après tant de mois passés ailleurs, non parce que l'Écosse avait changé – car tout était resté exactement pareil – mais parce qu'il avait l'impression d'être quelqu'un de différent, de corps et d'esprit. Un jeune homme de dix-neuf ans était parti, et c'est un homme de vingt et un ans qui revenait, auréolé d'une guerre victorieuse. Il avait la faveur du roi et s'était fait des amis influents en Angleterre. À ces sentiments se mêlait le désir de parler à son grand-père de tout ce qui s'était produit pendant ses deux années à l'étranger. Il avait déjà décidé de faire part à son grand-père de son entrée dans l'ordre des Chevaliers du Dragon et de son allégeance à Édouard, certain que le vieil homme lui dirait s'il avait pris les bonnes décisions ou non. Mais plus que tout, Robert se sentait nerveux à l'idée du mariage qui le ramenait chez lui. Eva était belle, c'était indéniable, mais ferait-elle une bonne épouse ? Une bonne mère pour ses enfants ? Cette pensée le mettait mal à l'aise et il la repoussa dans son esprit tandis qu'ils empruntaient la route familière qui sinuait entre les collines d'Annandale, jusqu'à Lochmaben.

Le ciel s'empourprait lorsqu'ils arrivèrent aux abords du village. En voyant la silhouette du donjon surgir là-haut, Robert sentit son cœur s'emballer. Il se tourna pour sourire à son frère et découvrit la même excitation sur le visage de ce dernier. Pressant l'allure de leurs chevaux épuisés, accompagnés de leurs écuyers ils se hâtèrent vers les portes de l'enceinte du château. De la fumée s'élevait dans le rose du ciel. Robert se demanda si ses frères et sœurs seraient là. Plus il s'approchait de l'Écosse, plus il avait pensé au rire joyeux de Niall, au silence obtus de Thomas, à la douceur timide de Christiane, à la sauvagerie de Marie et à l'application studieuse d'Alexandre. Ils lui avaient tous manqué, mais nul plus que son grand-père.

Robert ne reconnut pas les visages renfrognés des gardes à la porte, mais ils le laissèrent entrer dès qu'il eut prononcé son nom. La cour était tranquille, quelques torches brûlaient dans la douceur du soir. Robert mit pied à terre et tendit ses rênes à Nes en se demandant pourquoi personne n'était venu les saluer.

— Peut-être que grand-père n'est pas là ? fit Édouard au milieu de la cour déserte.

Robert considéra la butte qui dominait la cour. Le donjon se découpait sur le ciel.

— Pas de bannière, murmura-t-il.

— La bannière de grand-père n'est pas hissée sur le donjon. Tu as raison. Il doit être absent.

Robert était déçu. Après avoir reçu la lettre de son grand-père à Westminster, il avait envoyé un de ses écuyers pour informer le vieil homme qu'ils seraient de retour dans le mois. L'écuyer avait-il été retardé ? Son grand-père ne serait jamais parti s'il avait su qu'ils arrivaient. Robert entendit alors une porte s'ouvrir dans l'une des maisons derrière lui. Tandis qu'une jeune femme en sortait en portant une bassine, il la héla.

— Où se trouve lord d'Annandale ?

La servante s'arrêta pour examiner ces hommes qui avaient l'air bien fatigués.

— Il vous attend, sir ?

— Non, mais il me recevra.

La servante serra nerveusement sa bassine contre elle.

— Il nous a dit : pas de visiteurs, sir.

Robert sentit son irritation grandir. Il était harassé par le voyage et impatient de voir son grand-père. Le silence qui régnait dans la cour et la froideur avec laquelle on le recevait le déconcertaient. Était-il arrivé quelque chose en son absence ?

— Je suis sir Robert Bruce, comte de Carrick. Son petit-fils, précisa-t-il à la femme. Comme je vous l'ai dit, il me recevra.

Ses yeux s'arrondirent, mais elle parut hésiter encore davantage.

— Sir... commença-t-elle.

— Dites-moi juste où il est.

— Il est mort, fit une voix glaciale dans son dos.

Robert fit volte-face pendant que les mots s'insinuaient dans son esprit avec le tranchant d'un couteau. Sur le seuil du bâtiment principal se tenait son père, vêtu entièrement de noir, jusqu'à la fourrure de sa cape. Il avait vieilli, son visage dur était creusé de profondes rides, dues autant à son âge qu'à la rancœur accumulée au fil du temps. Ses cheveux épais grisonnaient. Au choc de le voir s'ajoutait celui de la vérité toute crue qui venait de sortir de sa bouche.

— Mort ? répéta Robert qui avait du mal à prononcer le mot.

— Votre grand-père est mort en mars. Je suis revenu de Norvège pour m'occuper des domaines.

Les yeux d'un bleu glacial de Bruce passèrent de Robert à Édouard, puis aux hommes de leur escorte. Ils s'attardèrent sur Chasseur, et ses sourcils se froncèrent.

Robert ressentait à peine la douleur que lui causait l'indifférence de son père, simple piqûre d'aiguille par rapport au vertige dévastateur qui s'était emparé de lui en apprenant la mort de son grand-père. Dans son esprit, il essaya de revoir le beau visage léonin, sa chevelure blanche, ses yeux pareils à ceux d'un hibou. Il entendit vaguement Édouard saluer leur père d'une voix étranglée. Robert était incapable de parler. Les mots se bloquaient au fond de sa gorge. La peine les transformait en sons incohérents. Il les sentait qui luttaient pour s'échapper. Avec effort, il parvint à marmonner :

— Il faut que je me lave.

Puis il tourna les talons, résolu à ne pas montrer son chagrin à son père. Il ne supporterait pas le sel de son dédain sur la plaie ouverte.

— Vous aurez le temps plus tard, répondit sèchement son père. D'abord, vous devez rencontrer quelqu'un. Quand j'ai appris votre retour, j'ai envoyé un message au comte Donald. Il est arrivé la semaine dernière pour conclure l'arrangement décidé avec votre grand-père. Le mariage aura lieu dès que possible, maintenant que vous êtes là.

Son père repartit vers le bâtiment et Robert vit une silhouette apparaître sur le seuil. Elle sortit et les torches éclairèrent ses traits délicats. Dégingandée dans sa robe verte, elle croisa nerveusement les bras devant elle en se dirigeant vers lui. Elle s'était fait des nattes fixées sur sa tête par des épingles, ce qui rendait son visage encore plus pincé et maigre. Ce n'était pas Eva. C'était sa petite sœur. Robert ne se rappelait pas son nom. Il la considéra d'un œil morne.

— Voilà Isobel, dit son père. Votre épouse.

QUATRIÈME PARTIE

1296

... Les Bretons, par le mérite de leur foi, gagneront une nouvelle fois leur île, l'heure venue. Mais cela ne s'accomplira pas avant qu'ils possèdent les reliques.

Geoffroy de Monmouth,
Histoire des rois de Bretagne.

Chapitre 37

Le ciel fut bouché par les tempêtes et les roulements de tambour de la guerre en cet automne 1295. Les augures funestes abondaient, de l'enfant né avec deux têtes au pêcheur qui clamait avoir vu le fantôme du roi Alexandre hanter les falaises de Kinghorn, sa main spectrale tendue vers Édimbourg. La nouvelle du remplacement de Jean de Balliol par le Conseil des Douze se répandit rapidement à travers les villes et les villages d'Écosse. Les hommes discutaient avec inquiétude des événements à venir. Certains s'avouaient ravis par le changement, car ils blâmaient le roi de s'être montré faible et d'avoir remis les libertés de l'Écosse entre les mains d'Édouard, et ils espéraient que le Conseil leur rendrait leurs droits. D'autres se faisaient du souci, pensant à la conquête sanglante du pays de Galles. Et alors que les rumeurs couraient, qui prétendaient que les Douze avaient envoyé une délégation auprès du roi de France pour nouer une alliance contre l'ennemi anglais, tous attendaient la nouvelle année en retenant leur souffle.

Robert, dont le retour en Écosse avait été célébré par les cloches du mariage, avait été préoccupé pendant toute cette sinistre période par le deuil de son grand-père et ses rapports exécrables avec son père. Mais même lui n'avait pu être sourd au grondement croissant annonciateur du conflit. La fête de la Toussaint avait été accompagnée de vents violents qui avaient frappé la côte est et provoqué l'effondrement d'un pan de mur de la nouvelle cathédrale de St Andrews, tuant cinq maçons. Le lendemain, la nouvelle leur était parvenue que la délégation écossaise avait scellé une alliance avec le roi Philippe contre Édouard. La guerre ne tarderait pas, tel était l'avis général. Robert, dont la jeune épouse avait conçu un enfant, avait espéré que le roi d'Angleterre parviendrait à un accord avec le Conseil des Douze. Il savait ce que la victoire au pays de Galles avait coûté à Édouard et il ne croyait pas que le roi et les barons eussent l'estomac pour une nouvelle campagne, d'autant plus que de nombreux soldats anglais étaient toujours retranchés en Gascogne. La réponse d'Édouard l'avait surpris.

Quand il apprit la nouvelle alliance, le roi exigea la reddition de trois châteaux et interdit aux Français l'entrée sur le territoire écossais. Là où Balliol eût cédé, le Conseil avait tenu bon et, grâce à la poigne de Comyn, avait refusé de rendre les châteaux. En représailles, Édouard avait confisqué les fiefs anglais des Douze et ordonné aux prévôts d'emprisonner tous les Écossais présents dans son royaume. Il apparut rapidement que ces gestes étaient les signes avant-coureurs de l'inévitable. Les négociations paralysées ne pouvaient conduire qu'à une explosion.

Avant Noël, des instructions étaient arrivées à Lochmaben avec le sceau du roi Jean, mais c'était Comyn qui les avait rédigées de la part des Douze. Le message demandait à lord d'Annandale et à son fils de se tenir prêt pour une inspection des armes dès le début de la nouvelle année. Le choix était ardu : soit combattre pour un roi qu'ils détestaient et perdre leurs domaines en Angleterre, soit trahir leur royaume et perdre leurs terres en Écosse. Robert s'était senti déchiré, hésitant entre son sang écossais et son serment à l'ordre des Chevaliers du Dragon. Pour son père, néanmoins, le choix était évident. Cinglant, il avait répondu aux messagers du roi qu'il préférait perdre ses terres et sa vie plutôt que de servir l'imposteur assis sur le trône. Robert, troublé par l'attitude rebelle de son père, ignorait que celui-ci avait déjà contacté son vieil allié, le roi Édouard. Peu après, il avait fait quitter Annandale à sa famille et à ses hommes. Emportant tout ce qu'ils pouvaient, alors qu'Isobel était désormais enceinte de cinq mois, ils avaient traversé la frontière et rejoint Carlisle, dont Bruce fut fait gouverneur au nom du roi anglais.

Dans les semaines qui avaient suivi, des rapports leur étaient parvenus en petit nombre, en partculier un message du roi Jean lui-même annonçant à Robert et à son père que leurs terres de Carrick et d'Annandale étaient confisquées et confiées au cousin de John Comyn, le comte de Buchan, à la tête des Comyn Noirs. Les Bruce n'étaient pas les seuls seigneurs écossais à subir ce sort. Leur vieux compagnon membre de l'alliance de Turnberry, le comte Patrick de Dunbar, avait refusé de combattre pour Balliol, de même que le comte d'Angus. Parce qu'ils avaient choisi de rester loyaux à Édouard, ils furent également privés de leurs biens. Mais cela ne consolait pas Robert de la perte de Carrick, où il avait grandi et que son grand-père lui avait donné.

Quand les neiges et la glace de février fondirent sous la pluie en mars, des chariots de blé et de bière commencèrent à traverser l'Angleterre vers le nord, tandis que par la mer arrivaient les navires qui apportaient le bois et les pierres pour les engins de siège. Les compagnies de chevaliers et les escadrons de fantassins suivaient dans leur sillage, tous convergeant vers Newcastle, choisi comme point de départ de la campagne.

La guerre approchait.

Les sabots de Chasseur dérapaient sur les pavés humides des rues de Carlisle. Au loin, les murs du château juché sur la petite colline rougeoyaient à la lumière des torches. Les nuages filaient devant la lune jaune et bouffie qui se reflétait dans les flaques. Une cloche égrenait son carillon à travers la ville.

Aux côtés de Robert chevauchait Édouard, qui avait été fait chevalier lors d'une cérémonie hâtive au début de l'année. Deux chevaliers de Carrick et deux vassaux de leur père les accompagnaient. Des feux brûlaient, éclairant les groupes à l'abri sous les pentes des toits d'où dégoulinaient des filets d'eau. Sur les visages des hommes et des femmes se lisaient la peur et le doute, et l'hébétude sur ceux des enfants ensommeillés. Nombre d'entre eux avaient empilé sur des charrettes à bras des sacs, des couvertures, des outils, des pots et un plateau ou un chandelier en argent, un objet sans nécessité dont ils ne supportaient pas de se séparer dans leur précipitation à se mettre à l'abri dans l'enceinte de la ville. Auberges, églises et écuries étaient bondées de réfugiés des environs, et les derniers arrivés devaient dormir dans la rue.

— Faites place ! cria Édouard lorsqu'ils débouchèrent de la ruelle sur la place du marché. Faites place pour le comte de Carrick ! Faites place aux hommes du gouverneur !

Après avoir traversé la place, occupée par des enclos à bétail, ils s'enfoncèrent dans une rue qui menait vers les remparts nord-est dont une tour dominait la route de l'Écosse. La cloche sonnait plus fort maintenant, à mesure que la tour se rapprochait. Robert vit des hommes décharger des paniers de flèches et des sacs de sable d'un chariot. Il fit faire halte à Chasseur et mit pied à terre en tendant ses rênes à l'un de ses chevaliers. La tour d'angle surplombait un passage voûté entre deux arcades. Les portes au bout du passage étaient fermées. Des hommes fixaient des poutres aux montants en bois. Les coups de marteau résonnaient dans l'espace confiné lorsque Robert y entra, suivi par son frère. Ils passèrent devant une salle de garde saisie d'une animation frénétique, puis montèrent des marches inégales jusqu'au deuxième étage, d'où ils purent rejoindre les remparts.

Trois hommes arpentaient le chemin de ronde balayé par le vent. Ils examinèrent Robert et Édouard lorosque ceux-ci émergèrent de l'escalier. De la fumée tourbillonnait au bout d'une torche qui illuminait leurs visages soucieux.

— Dieu merci, les salua le capitaine, en faisant quelques pas vers Robert.

Il portait une cotte de mailles sous sa cape et avait un heaume sous le bras. Son anglais ressemblait beaucoup à celui des hommes d'Annandale, qui se trouvaient à moins de dix lieues, par-delà la muraille romaine écroulée et les fonds traîtres de l'estuaire de la Solway. Le capitaine dut élever la voix pour se faire entendre par-dessus le monotone carillon de la cloche.

— J'allais envoyer un de mes hommes au château.

— Nous avons entendu l'alarme de la porte d'Angleterre, dit Robert. Que se passe-t-il ?

— C'est Tom qui les a vus le premier, dit le capitaine en désignant l'un de ses gardes qui paraissait maussade.

Tom montra du doigt la meurtrière à côté de laquelle il se tenait.

— Par ici, sir. Regardez par vous-même.

Robert traversa le chemin de ronde et rejoignit l'homme. Il sentait son haleine chargée de viande bouillie. En contrebas, la douve qui faisait le tour de la ville reflétait les torches du haut des remparts. Plus loin, le paysage disparaissait sous la brume. Robert distingua la rivière Eden, fantomatique, et les contours d'une lointaine colline, mais c'était à peu près tout.

— Je ne vois rien.

— Au nord, insista la garde en regardant avec mauvaise humeur les nuages qui cachaient la lune.

La poussière du mur tombait dans les yeux de Robert tandis qu'il scrutait le nord. Au-dessus de lui, la cloche continuait de tintinnabuler. Rien n'accrocha son attention pendant un moment, puis la lune refit surface. Quand elle projeta de nouveau sa lumière blême sur le paysage, Robert discerna ce qui ressemblait à un petit cours d'eau scintillant au loin, sauf qu'il savait qu'il n'y avait pas de rivière par là. Le clair de lune n'était pas renvoyé par de l'eau, mais par du métal : les pointes des lances, les heaumes, les boucliers et les cottes de mailles. Le jeune homme sentit son estomac se nouer. Robert qui, tout au long de l'automne et de l'hiver, et jusqu'à ces derniers jours agités, avait espéré une issue pacifique, dut se rendre à l'évidence en voyant l'armée qui avançait.

— Viens, dit-il à Édouard. Nous devons avertir père.

— Quels sont les ordres du gouverneur ? lui demanda le capitaine alors qu'il s'éloignait.

— Vous les aurez en même temps que les autres, répondit Robert en se hâtant.

— Ce n'est pas possible, dit Édouard qui attrapa Robert par le bras quand ils sortirent de la tour pour reprendre leurs chevaux. Le comte Donald ? Et Atholl ?

— Tu l'as vu comme moi, répondit sombrement Robert.

— Ton beau-père vient raser la ville, fit Édouard en lançant son bras vers le château au loin. Sa fille porte ton enfant ! Comment cela a-t-il pu arriver ?

— Tu sais bien. Les Comyn.

— Ce ne sont pas seulement nos compatriotes. Ils sont de notre famille. Nous devrions nous battre à leurs côtés.

Robert croisa le regard de son frère. Il comprenait ce qu'Édouard ressentait, à quel point il était écartelé. Mais ils avaient pris cette décision au seuil de la guerre, aussi insupportable qu'elle paraisse, et maintenant ils ne pouvaient plus reculer.

— Tu en sais autant que moi, lui répondit-il rudement. Ces hommes-là dehors, y compris mon beau-père et John d'Atholl, ont brûlé toutes nos terres. Ce ne sont plus nos compagnons, ni notre famille. Ce sont nos ennemis. Est-ce que tu es de leur côté ?

Édouard leva les yeux au ciel, où les nuages filaient dans l'obscurité.

— Notre grand-père n'aurait pas permis que cela arrive. Il aurait trouvé un autre moyen. Un moyen de ne pas avoir à trahir notre pays.

— Notre grand-père est mort. Et nous avons fait le serment de protéger cette ville.

Plantant là son frère, Robert se dirigea vers les chevaliers de son père qui attendaient avec les chevaux. Édouard l'appela mais Robert était déjà en selle et s'en allait.

Pendant qu'ils traversaient la ville, d'autres cloches se joignirent à celle de la tour nord-ouest. Les habitants réveillés ouvraient leurs volets et se présentaient sur le seuil de leur maison, les yeux pleins de sommeil. Quelques personnes hélèrent les six chevaliers qui galopaient dans Castle Street, mais ils ne répondirent pas à leurs cris alarmés. Ils franchirent à bride abattue le pont qui enjambait le fossé de la ville et traversèrent des vergers avant d'arriver à la douve au pied des murailles du château.

Après avoir franchi deux portes où les capitaines criaient des ordres à leurs gardes, les deux frères pénétrèrent dans la cour intérieure, bondée d'hommes. Certains portaient le chevron rouge de Carrick sur leurs surcots et leurs gambisons et étaient sous les ordres de Robert, mais la plupart portaient les couleurs de son père. Il n'y avait pas trace du lion bleu, le symbole d'Annandale auquel était attaché leur grand-père. Ces chevaliers arboraient tous les armes choisies par leur nouveau lord : une croix rouge surmontée d'un liseré sur un fond jaune. Quelques-uns déchargeaient des sacs de blé des chariots, qu'ils emportaient dans la réserve. Quant aux autres, bien plus nombreux, on leur distribuait des armes. Robert mit pied à terre au milieu du chaos. Il supposa que son père devait être au courant du danger maintenant, mais il voulait quand même qu'il lui donne ses propres ordres.

Après avoir interrogé un des chevaliers, qui lui apprit que le gouverneur se trouvait avec ses commandants dans la salle du château, Robert se frayait un chemin dans la foule lorsqu'il remarqua une jeune femme qui tentait tant bien que mal d'arriver jusqu'à lui. C'était la servante de sa femme, Katherine. Elle avait le visage rougi et paraissait inquiète.

— Sir Robert ! s'écria-t-elle en l'apercevant au milieu des soldats.

Robert alla vers elle, plein de sollicitude.

— Qu'y a-t-il ? Où est Isobel ?

Il chercha des yeux la fenêtre de la chambre à l'étage où ils avaient emménagé la semaine précédente, quand les éclaireurs avaient aperçu de la fumée de l'autre côté de la frontière. Les torches brillaient derrière les rideaux.

— Elle va accoucher, sir. Elle m'a suppliée de venir vous trouver.

— Mais nous n'attendons pas l'enfant avant au moins un mois.

— La sage-femme dit que son inquiétude vis-à-vis de son père a précipité les choses.

— Frère, implora Édouard en le rejoignant.

Robert montra un visage distrait à son frère, qui lui indiqua les portes de la salle, par où sortaient leur père ainsi que trois chevaliers.

Lord d'Annandale, impérieux dans la cotte de mailles scintillante que lui avait offerte son nouveau gendre, le roi de Norvège, se tint debout en haut des marches et toisa les hommes amassés dans la cour.

Son surcot, avec ses deux couleurs rouge et jaune et la croix blasonnée sur le cœur, était serré à la taille par une ceinture à laquelle pendait son épée. Il prit la parole et sa voix retentit par-dessus le brouhaha. Chacun se tut pour l'écouter.

— Tous autant que nous sommes, nous avons payé un prix élevé pour sauver notre honneur. Plus que les autres, j'ai conscience des grands sacrifices consentis par loyauté ces derniers mois.

Les paroles de son père attisèrent la colère de Robert. *Quels grands sacrifices ?* pensa-t-il avec amertume. Grâce à sa loyauté envers le roi Édouard, son père possédait toujours les riches domaines de l'Essex et du Yorkshire. Alors que lui n'avait plus rien.

— Mes éclaireurs m'ont informé que les troupes des Comyn n'ont apporté que la dévastation sur mes terres. Tous, nous avons perdu des choses qui nous étaient chères. Tous, nous avons des raisons de détester les hommes qui viennent nous attaquer de nuit, comme les pleutres qu'ils sont !

Quelques chevaliers firent connaître bruyamment leur véhémente approbation.

— Annandale brûle et les Comyn Noirs vont bâtir sur les cendres. Si nous les laissons faire. Mais je dis que nous devons nous élever contre eux ! Je dis que nous devons nous dresser contre ces sept comtes et leur faux roi ! Je dis qu'il faut leur montrer de quel métal sont faits les hommes de Carrick, d'Annandale et de Carlisle !

Les hommes rugirent et la clameur envahit la cour.

— Le roi Édouard compte sur nous, à l'est de Newcastle où il s'est arrêté avec les troupes anglaises. Nous sommes l'appât, et pendant que l'ennemi mord à l'hameçon, il va attaquer les forteresses devenues vulnérables à cause de leur intrépidité. Tenez bon avec moi et on vous rendra vos maisons. Tenez bon avec moi et vous serez récompensés !

Lord d'Annandale tira son épée et la brandit. Les soldats dégainèrent leur arme et cognèrent du plat de la lame contre leur bouclier.

Robert se tourna vers Katherine. La servante avait mis les mains sur ses oreilles.

— Arrangez-vous pour que mon épouse ait tout ce dont elle a besoin, hurla-t-il au milieu du vacarme. Je viendrai dès que possible.

Chapitre 38

L'aube pointait au-dessus de Carlisle, dernière ville d'Angleterre. Un voile de fumée s'étendait sur les hordes en contrebas des remparts. Dans la lumière froide, les soldats allumaient leurs torches aux braises des feux et les emportaient vers la porte nord-est, maintenant leurs boucliers au-dessus de leur tête pour se protéger. D'autres arrivaient, les bras chargés de paille.

Sur les remparts, les défenseurs se pressaient sur l'étroit chemin de ronde en faisant attention aux flèches tirées des rives de la douve. Tous ces boucliers levés face au ciel formaient un ensemble de couleurs aussi mouvant qu'une mer houleuse. Le visage écrasé contre les meurtrières, les hommes de Carlisle regardaient les soldats disparaître, la fumée s'élevant entre les boucliers jusqu'aux portes en bas de la tour.

Robert criait ses ordres d'une voix déjà rauque alors que le siège ne faisait que commencer. Ce qui n'était que le simple déploiement de ses troupes le long du chemin de ronde avait vite viré au cauchemar, les cornes de l'ennemi s'en étaient mêlées et les flèches avaient commencé à pleuvoir sur les remparts et dans les rues en contrebas. Son père l'avait posté à la

405

défense de la porte nord-est avec son frère et les soldats de Carrick. Avec les hommes de Carlisle, cela
constituait une force de vingt-cinq chevaliers et d'une
cinquantaine d'écuyers et de soldats. Robert, qui
n'avait eu la charge que d'une poignée d'hommes au
pays de Galles, avait rapidement découvert combien il
était difficile de commander une telle division.
D'autant que les hommes de Carrick avaient longtemps été les vassaux de son père. Il n'avait passé que
quelques mois dans son comté avant de partir pour
l'Angleterre et beaucoup se souvenaient davantage de
lui comme de l'enfant de Turnberry. Quand il rassembla à l'aube ces vétérans aguerris, il eut le sentiment qu'ils l'écoutaient par obligation plus que par
respect. Mais, il n'avait pas eu le temps de s'appesan-
tir, l'ennemi avançait et son armée recouvvrait les
champs devant eux.

Robert avait observé son approche silencieuse, les
yeux braqués sur les bannières de Mar, Ross, Lennox,
Strathearn, Atholl et Menteith, qui suivaient l'étendard noir portant trois gerbes de blé blanches, les
armes de Comyn le Noir, l'homme qui s'était emparé
des terres de sa famille. Menteith, autrefois leur allié,
avait vu son rouquin de fils lui succéder. Robert se
souvenait de l'avoir rencontré lors de l'assemblée de
Turnberry ; il était assis face à lui à la table de son
père. Qui aurait pu penser qu'ils se retrouveraient
dans des camps opposés, sous les murailles d'une ville
anglaise ? Cela valait aussi pour le comte John d'Atholl –
son propre beau-frère ? Mais la bannière qui le blessait le plus était celle de Mar. Le comte Donald avait
été l'un des plus proches compagnons de son grand-
père et c'est par l'épée du comte qu'il avait été
adoubé. Il était marié à la fille de Mar et sa sœur,
Christiane, avait épousé le fils et héritier du comte. Il
semblait inconcevable que ce vieil homme, pour qui il
avait toujours éprouvé une vive affection, recherchât
aujourd'hui sa mort. Mais l'étendard noir éclairé par

les feux était bel et bien là. Son grand-père, s'il avait eu connaissance de cela, se serait retourné dans sa tombe.

Pendant que l'ennemi se déployait pour attaquer à plusieurs endroits à la fois, Robert avait vu sept cents hommes sous les bannières de Buchan, Mar et Ross, marcher vers lui. Dans ces rangs se dissimulaient aussi les armes de Comyn le Rouge, portées par le fils du lord de Badenoch, qui avait récemment pris pour épouse la sœur d'Aymer de Valence. John le Jeune, qui avait survécu à la guerre de Gascogne, avait quitté le roi Édouard pour combattre avec son père contre l'Angleterre. Malgré le tourment qu'il ressentait à voir tant d'anciens alliés ligués contre eux, Robert avait le sentiment que les troupes écossaises seraient inefficaces, car elles n'avaient pas d'engins de siège pour attaquer les remparts. C'est alors que les soldats s'étaient avancés avec leurs boucliers levés vers le ciel, et le calme de ses hommes s'était mué en frayeur.

La fumée était plus épaisse devant les portes, où les soldats avaient mis le feu aux ballots de paille qu'ils avaient transportés sur le pont. Hurlant à ses archers de continuer à tirer, Robert regarda les flèches qui visaient leurs adversaires et poussa un juron quand nombre d'entre elles se plantèrent dans les boucliers déjà hérissés d'une quantité de pointes décochées pour rien. Il vit un bouclier tomber. Un homme avait été touché à l'épaule, mais le trou qu'il laissait fut vite comblé par ceux qui l'entouraient. Robert avait du mal à déglutir, la fumée lui piquait la gorge. Ses hommes continuaient de déverser de l'eau du haut de la tour, comme il en avait donné l'ordre, mais elle ruisselait sur les boucliers sans éteindre la moindre torche. Il fallait qu'ils réussissent à percer cette carapace s'ils voulaient atteindre les hommes et le feu en dessous.

Au milieu du tumulte, Robert aperçut son frère dans une rue près d'un chariot au contrebas. Il organisait le déchargement des sacs de sable qui devaient les aider à calmer l'incendie. Édouard, couvert de sueur, semblait concentré. Ses réserves avaient été mises de côté et il se consacrait à la défense de Carlisle avec autant de vigueur que n'importe quel soldat de la garnison. Il était dur d'éprouver des remords envers des hommes qui s'apprêtaient à vous tuer. Au loin, des femmes à la file apportaient de l'eau aux hommes et aux prêtres qui étaient arrivés dès l'aube avec leurs bibles et leurs prières quand soudain, les yeux de Robert s'arrêtèrent sur un tas de gravats près du mur adjacent à la tour. Quand il avait été patent que les troupes écossaises allaient attaquer, son père avait ordonné qu'on répare les défenses et particulièrement les parties écroulées proches des portes. Les ouvriers de la ville avaient renforcé la maçonnerie par des pierres et du mortier neuf.

— Avec moi, cria Robert en faisant signe à plusieurs chevaliers de le suivre.

Il dévala l'escalier et courut jusqu'au chariot auprès duquel se trouvait son frère. Prenant un des sacs, il le jeta à terre.

— Il faut les vider, dit-il à ses chevaliers en retournant le sac et en versant le sable par terre. Remplissez-les de pierres.

— Frère ? s'exclama Édouard, qui n'y comprenait rien.

Mais Robert s'élançait déjà vers les gravats et jetait les blocs de pierre au fond du sac tout en commandant les chevaliers qui s'attroupaient autour de lui. La sueur coulait le long de son nez, il s'acharnait à l'ouvrage malgré son armure qui pesait sur ses bras. Il était habitué à ce que des chevaux portent les charges et son épée le gênait. Se redressant, il chercha en vain Nes du regard dans la cohue sur le chemin de ronde. Il repéra alors un grand blond un peu maigre qui se tenait près du tas de décombres pour donner un coup de main. C'était un écuyer, le fils d'un chevalier du Yorkshire, vassal de son père.

— Christopher, n'est-ce pas ? lui cria Robert en détachant l'épée à sa ceinture.

— Oui, sir, répondit le jeune homme en approchant. Christopher Seton.

— Tiens-moi ça.

Christopher prit l'épée que Robert lui tendait.

— Que voulez-vous faire de ça ? lui demanda un chevalier qui remplissait de pierres le sac qu'un autre tenait ouvert pour lui.

— Nous allons les jeter sur ces misérables.

Prenant un panier de flèches qu'un homme de Carlisle avait apporté, Robert le remplit lui aussi de pierres. Édouard, qui avait compris son plan, appelait des renforts pour porter les sacs et les paniers en haut des remparts. Christopher se tenait debout, l'épée de Robert dans les mains. Quand il eut rempli le panier, Robert voulut le soulever, mais il était trop lourd pour lui. Se maudissant, il commençait à retirer des pierres lorsque deux mains saisirent le panier de l'autre côté. Il leva les yeux pour remercier son compagnon d'un grognement et s'aperçut qu'il s'agissait d'une femme. Petite, trapue, elle avait retroussé ses manches jusqu'aux coudes. Robert était sur le point de lui dire d'aller chercher un homme, mais la détermination qu'elle affichait lui fit comprendre qu'elle en était capable. D'autres femmes qui apportaient de l'eau aux combattants se joignirent à eux, aidant à remplir les sacs et les paniers. Certaines se servaient même de leurs jupons. Il était bizarre de voir ces femmes en vêtements de laine au milieu des chevaliers en armure. La matrone souleva son côté du panier, Robert l'imita, et ils traînèrent leur charge jusqu'à la tour. Christopher suivait avec l'épée de Robert.

En haut des remparts, Robert ordonna qu'on répartisse les sacs de chaque côté de la tour et au sommet. La fumée était dense, étouffante, même si l'eau versée par-dessus bord en limitait les effets. Robert cria aux archers de ne pas gâcher leurs flèches, mais de se tenir prêts, puis, après avoir demandé à Édouard de faire connaître à tous son plan, il grimpa lestement en haut de la tour. De là, il avait une vue vertigineuse sur les forces écossaises, de l'autre côté de la douve, qui envoyaient toujours plus d'hommes avec du foin et autres combustibles brûler les portes. En se retournant, Robert pouvait aussi voir la ville. Quelque part dans les ruelles, un incendie faisait rage, comme l'indiquait l'épaisse colonne de fumée noire qui s'élevait dans le ciel. Il se demanda si l'ennemi avait réussi à ouvrir une brèche, mais il n'avait pas le temps de s'en inquiéter.

Lorsque Robert en donna l'ordre, les chevaliers et les villageois soulevèrent les paniers et les sacs de pierres, qu'ils gardèrent en équilibre sur leurs genoux ou sur le parapet. Quand tout le monde fut prêt, il rejeta sa tête en arrière et poussa un hurlement. Dans un même ensemble, les hommes déversèrent les gravats par-dessus les murailles. Parmi eux, des femmes jetaient des pierres une à une. Christopher Seton, qui avait fixé l'épée de Robert à la ceinture, s'approcha pour aider Robert à soulever un des sacs. À eux deux, ils le hissèrent sur le parapet. Puis, avec l'assentiment de Robert, il hocha la tête et poussa de toutes ses forces pour le faire basculer de l'autre côté.

En bas, des cornes retentirent. Trop tard. Avant que les hommes sous les boucliers aient compris ce qui se passait, le ciel leur tombait dessus dans un déluge de décombres, de pierres et de poussière. Les boucliers se brisaient et les hommes criaient. Les soldats touchés par les morceaux les plus lourds s'effondraient, d'autres chancelaient sous le choc, mais c'était l'ouverture que Robert avait attendue et, sur son ordre, les archers se glissèrent entre les chevaliers et se mirent à décocher leurs flèches. Elles faisaient mouche désormais, touchaient les ennemis au cou, aux épaules ou dans le dos. C'étaient des soldats à pied pour l'essentiel, qui ne portaient pas d'armure. Quelques flèches étaient amorties par les gambisons, mais la plupart se plantaient dans la chair. Des hurlements de douleur et de panique se firent entendre. Les hommes à l'avant qui tisonnaient les tas de foin, bousculés par leurs compagnons, tombaient dans la paille en feu, projetant des gerbes d'étincelles. Brûlés, ou suffoquant, ils rampaient pour s'extraire des flammes, semant la pagaille dans les rangs et facilitant encore les tirs des archers. Les hommes tombaient, obstruaient le chemin de leurs camarades, qui s'écroulaient à leur tour avant de mourir d'une pointe dans le dos. Les cornes retentirent de l'autre côté de la douve, les commandants écossais donnant l'ordre à leurs archers de riposter.

Lorsque les projectiles jaillirent, des cris s'élevèrent sur les remparts. La femme qui avait aidé Robert à porter le panier de gravats en reçut une en plein visage et fut précipitée du haut du chemin de ronde. Elle s'écrasa sur un chariot dans la rue en contrebas. Surpris, les chevaux s'élancèrent en la traînant dans la ville. Christopher soulevait un autre sac lorsqu'une nouvelle salve visa le sommet de la tour. Robert, qui la vit arriver, cria un avertissement et tira l'écuyer par le bras. Christopher lâcha son sac et se coucha contre le parapet. Un soldat de Carrick n'eut pas autant de chance. Une flèche le toucha à la gorge et il s'écroula, pris de convulsion. Allongé près de Robert, Christopher regarda l'homme agoniser, le souffle coupé.

Malgré leurs pertes, les archers de Carlisle continuaient à tirer tandis que les hommes de Robert jetaient des pierres, et bientôt la confusion tourna à la déroute, les soldats ennemis étant obligés de traverser la douve en sens inverse pour se mettre à l'abri. En s'enfuyant, ils abandonnèrent les tas de paille enflammés contre les portes et Robert hurla qu'on amène de l'eau. Le feu produisait des sifflements en mourant sous les trombes d'eau. En bas, le sol était jonché d'un mélange de paille brûlée, de boue, de flèches, de gravats et de cadavres. Des blessés se traînaient vers le pont. D'autres voulurent les aider, mais les flèches les en dissuadèrent. Lorsque les cornes retentirent une nouvelle fois, l'infanterie se retira complètement, abandonnant les morts et les blessés derrière elle. En haut des remparts, la lumière dorée de la matinée apportait sa touche glorieuse sur les visages trempés de sueur des vainqueurs.

Chapitre 39

Il était midi lorsque les Écossais reculèrent à la porte nord-est. Ils lancèrent trois autres offensives mais, à cause du sol couvert de cadavres et de gravats, ils n'avançaient pas aussi facilement que la première fois. La paille mouillée avait du mal à flamber et les défenseurs semblaient encore plus déterminés après leur succès. Pour finir, l'infanterie battit en retraite, ayant subi beaucoup de pertes, et les troupes se retirèrent dans les champs alentour, accompagnées par les chants et les railleries des hommes de Carlisle. L'ennemi se tint là plusieurs heures, les soldats soignant les blessés pendant que d'autres compagnies postées autour de la ville les rejoignaient.

Robert et ses troupes se reposaient tout en restant aux aguets. Ils partageaient le vin et le pain chaud que leur apportaient les villageois. Les prêtres venaient au secours des blessés, administraient au besoin les derniers sacrements. Les hommes et les femmes s'étendaient tandis que leur parvenaient, peu à peu, les rapports concernant les autres parties de la ville. Les portes et les murs avaient résisté, les Écossais ne réussissaient pas à entrer. Le grand incendie qui avait détruit plusieurs bâtiments, dont celui d'un vigneron, faisait toujours rage. C'est un espion des Comyn qui l'avait fait partir, espion qui était apparemment entré en ville avec le flot des réfugiés et qui s'était caché en attendant l'attaque. Les chevaliers d'Annandale l'avaient capturé et pendu aux murailles du château.

Enfin, l'armée écossaise s'éloigna, vaincue à cause du manque d'engins de siège et de l'ardente défense de la ville. Au bout d'une heure, ce n'était plus qu'une forme brumeuse à l'horizon, au-dessus de laquelle tournoyaient des corbeaux appâtés par les vers qui allaient sortir de la terre retournée sous leurs pas.

Robert s'assit au bord du chemin de ronde. Vidant les dernières gouttes de vin de son outre, il ferma les yeux pour profiter un instant du soleil de l'après-midi. La fumée et la poussière lui brûlaient la gorge, et il avait une blessure sur le côté de la tête qui n'arrêtait pas de saigner. Il ne se rappelait plus comment il se l'était faite. Les autres célébraient la victoire sans lui, il entendait leurs voix perçantes mais n'arrivait pas à trouver le courage de se joindre à eux. Ce n'était que la première bataille. Carlisle était maintenant une île dans une mer ennemie. Ni au nord, ni au sud aucun endroit n'était sûr. Son père croyait fermement que le roi Édouard allait gagner cette guerre et leur restituer leurs terres, mais l'idée d'une telle victoire mettait Robert mal à l'aise. Quelques jours plus tôt, il avait surpris son père dire à l'un des chevaliers que le roi avait l'intention de déposer ce traître de Balliol. Puis il avait évoqué le trône, qui serait vacant et qu'il faudrait occuper, sans jamais mentionner Robert, à qui ce droit avait pourtant été transmis.

— Sir.

Robert vit Christopher Seton s'accroupir à côté de lui. L'écuyer, dont le visage était couvert de crasse, rendit son épée à Robert. Il l'avait gardée durant tout le siège.

— Tenez, sir.

414

En prenant l'épée, Robert revit très nettement le regard de son grand-père posé sur lui le jour où le comte de Mar l'avait adoubé. Le vieil homme rayonnait de fierté. Ce souvenir lui fit ressentir toute l'ampleur de sa perte, non seulement celle de son aïeul, mais aussi de l'époque où les choses étaient claires et son propre chemin tracé. Aujourd'hui, où qu'il se tourne, la route semblait obscure et tortueuse. Son frère était certainement dans le vrai ce matin quand il déclarait que leur grand-père ne se serait jamais battu contre l'Écosse. Pour autant, il lui semblait impossible de savoir ce qu'il aurait fait dans cette inextricable situation.

— Je voulais vous remercier, sir Robert, lui dit Christopher dans son dialecte anglais du nord. Si vous ne m'aviez pas tiré par la manche, je...

Le chevalier baissa les yeux sur ses mains écorchées.

— Je vous dois la vie, conclut-il.

Alors que Robert s'apprêtait à répondre au jeune homme, Édouard l'appela. Il le chercha des yeux en bas, dans la rue. Katherine était avec lui. À la vue de la servante, Robert se leva. Il avait complètement oublié son inquiétude pour sa femme pendant le siège, mais elle revint aussitôt. Abandonnant Christopher sur le chemin de ronde, il dévala l'escalier de la tour.

— Comment va-t-elle ? demanda-t-il en marchant à grands pas vers Katherine. Comment va ma femme ? Le bébé est-il né ?

Katherine était à bout de souffle, mais elle réussit à lui répondre.

— Une fille, sir Robert. Lady Isobel a eu une fille.

Un sourire naquit sur les lèvres de Robert et il rit, la joie lui tournant la tête autant que l'épuisement. Édouard souriait lui aussi. Mais Katherine, elle, ne souriait pas. Elle le dévisageait avec de grands yeux apeurés, ce qui coupa court à l'hilarité de Robert.

— Qu'y a-t-il ?

— Il faut que vous alliez la voir, sir.

Robert scruta un instant son visage, puis il se tourna vers son frère.

— Va, lui dit Édouard. Je m'occupe des portes.

Sans attendre d'autre encouragement, Robert courut à l'endroit où Chasseur était attaché puis, montant en selle, il le lança au galop en direction du château. Il fonça à travers les rues de la ville, dépassant des groupes en liesse, un chariot qui transportait des tas de cadavres, des files d'hommes qui jetaient des baquets d'eau sur les maisons en feu. Le bâtiment du vigneron, réduit à néant, crachait une fumée noire dans le ciel.

La cour du château était un havre de calme, la plupart des hommes se trouvant toujours près des remparts. Robert sauta à terre en criant à un soldat de s'occuper de son cheval. Il grimpa les marches quatre à quatre et entra dans la fraîcheur du donjon, son armure pesant autant que du plomb. En grimpant aussi vite qu'il le pouvait l'escalier qui menait aux chambres que son épouse et lui partageaient, il entendit des petits cris.

Il entra dans la chambre, et fut submergé par la chaleur et l'âcre odeur de sang qui y régnaient. Isobel était étendue sur le lit entouré de rideaux. Un prêtre était accroupi auprès d'elle, un crucifix à la main. Près de la fenêtre, la sage-femme tenait dans ses mains un chiffon. C'est le chiffon qui criait. Robert s'approcha de sa femme en jetant un regard hostile au prêtre, qui se leva et recula.

Le visage d'Isobel était couvert de sueur. Ses épaules et sa gorge luisaient à la lueur des torches. Elle était restée fine pendant sa grossesse, seul son ventre avait enflé. Un linge rougi pendait entre ses jambes, et la tache semblait sans cesse croître. Sa robe était imprégnée de sang et elle en avait aussi sur les paumes. S'agenouillant avec raideur à cause de son armure,

Robert ôta ses gantelets et prit sa main entre les siennes.

Isobel battit faiblement des paupières avant d'ouvrir les yeux. Ses pupilles se contractèrent un instant, puis elle croisa son regard. Elle marmonna son nom.

— Je suis là, murmura-t-il.

— Mon père ?

Ses yeux partirent dans le vague, puis revinrent à son mari.

— Ils sont partis, dit-il en lui caressant son front, brûlant. C'est terminé.

Elle humecta ses lèvres du bout de sa langue.

— Je sais que vous vouliez ma sœur.

Sa voix était à peine plus qu'un souffle, mais Robert fut aussi ébranlé que si elle l'avait frappé. Il voulut nier, mais elle poursuivit :

— Cela n'a pas d'importance. Vous avez été un mari passionné.

Comme Robert embrassait la paume de sa main, Isobel ferma les yeux et des larmes coulèrent sur ses joues. Elle respirait à peine. Le linge était à présent saturé de sang. Robert sentit ses doigts se relâcher entre les siens. Quand le prêtre s'avança en murmurant des prières, Robert baissa la tête, le front appuyé contre la poitrine de sa femme.

Au bout d'un long moment, il se releva avec difficulté et rejoignit la sage-femme. Il tendit les bras sans un mot, et reçut sa fille. Robert serra cette petite chose pour la protéger du froid de son armure. Ses cris fendaient l'air. Debout devant la fenêtre de la chambre surchauffée, alors que le ciel était envahi par la fumée, lui vint le souvenir de sa mère berçant l'une de ses sœurs.

— Marjorie, murmura Robert. Je vais t'appeler Marjorie.

Chapitre 40

À une lieue de la Tweed, derrière ce qui restait des portes de Berwick, dont le bois pourri s'était révélé d'une bien piètre résistance face aux Anglais, un groupe d'ouvriers attendait d'entamer sa journée de travail. Sous les remparts en terre de la ville s'étirait une fosse peu profonde, jonchée d'échardes projetées par la palissade en s'effondrant. Les hommes étaient alignés sur le bord de cette tranchée, des pioches et des pelles à la main, toussant et reniflant dans l'air humide. Ils avaient hâte de commencer, de vaincre le tremblement de leurs membres, mais une cérémonie était en cours.

Entre leurs rangs marchait le roi Édouard, sa cape raidie par les broderies. Plus grand que la plupart des ouvriers qui avaient les yeux braqués sur lui, il dépassait même l'imposant Hugh de Cressingham, qui luttait pour rester à sa hauteur. Sa gloutonnerie avait triplé la taille des bajoues du clerc royal et son visage gras était aussi pâle et brillant que du suif fondu. Il dégageait une odeur de viande rance. Tandis qu'Édouard allongeait le pas, le clerc ventripotent le suivait en se dandinant et en ahanant. Le roi avait déjà décidé qu'à son retour en Angleterre, Cressingham resterait là comme trésorier de l'Écosse. C'était un homme capable, mais sa présence lui était désagréable.

— Ici, Sire, fit Cressingham, pantelant, en désignant au roi une brouette placée à côté de la fosse et remplie de terre brune. Nous y sommes.

Édouard ressentait à chaque inspiration l'humidité de l'air et il alla droit à la brouette, pressé de retourner à ses préparatifs dans la tiédeur du château, un des rares bâtiments que l'attaque n'avait pas démolis. Encore maintenant, la fumée demeurait comme figée au-dessus des ruines de Berwick. Les foyers d'incendie avaient éclairé la nuit, visibles à des lieues, jusqu'à ce que les pluies d'avril éteignent les flammes. Alors des colonnes de fumée s'étaient élevées, qui étouffaient la ville sous des nuages noirâtres.

Après que les troupes eurent brisé les défenses de la ville, le massacre s'était poursuivi pendant deux jours. Sept mille habitants avaient péri avant qu'Édouard n'ordonne à ses hommes d'arrêter la tuerie. Seule une poignée de prisonniers avait été capturée après la capitulation, dont le commandant de la garnison, un homme au tempérament volcanique du nom de sir William Douglas, qui avait vitupéré contre le massacre des citoyens de Berwick et promettait l'enfer à Édouard et ses chevaliers tandis qu'on l'entraînait vers les geôles du donjon. On avait creusé des fosses communes pour les morts, mais les charniers n'avaient pas suffi à tous les ensevelir. Les cadavres dont on ne savait que faire avaient fini dans la rivière. Quant aux femmes et aux enfants survivants, ils pouvaient reprendre leur vie normalement, ou presque. Ils avaient quitté la ville à la file, le visage blême, en silence. Du haut des remparts, Édouard n'en avait éprouvé nulle pitié. Les habitants de Berwick, qui se moquaient de ses chevaliers et de lui à l'abri derrière leur palissade, lui avaient permis de donner une bonne leçon à tous les Écossais. Maintenant qu'ils connaissaient le prix de la rébellion, la résolution des Écossais allait faiblir.

Et il les écraserait d'autant plus vite. Car le plus important, pour Édouard, était d'en terminer avec cette campagne.

Après la guerre au pays de Galles, lorsqu'il était rentré en Angleterre, il avait découvert que les Écossais avaient noué une alliance avec le roi Philippe. Il avait alors envoyé William de Valence et son frère, Edmond de Lancastre, à la tête d'un contingent de chevaliers pour renforcer sa présence en Gascogne. Puis ils avaient convoqué ses vassaux. Malgré leurs doutes au sujet d'une nouvelle guerre, les barons, les chevaliers et les soldats avaient répondu à son appel aux armes et plus de vingt mille hommes l'avaient rejoint à Newcastle, des archers venus du pays de Galles nouvellement conquis. Pendant que les troupes écossaises attaquaient Carlisle, laissant leur royaume sans défense à l'est, Édouard avait franchi la Tweed au village de Coldstream et progressé vers le nord, atteignant Berwick à Pâques. Quarante-quatre galères parties de l'est de l'Angleterre l'avaient suivi en longeant la côte, les cales pleines de ravitaillement et de pierres pour les engins de siège. Quand les chevaliers avaient donné l'assaut, les galères avaient remonté l'estuaire pour prendre la ville à revers. Malgré quelques pertes, notamment trois bateaux échoués auxquels les hommes de Douglas avaient mis le feu, les Anglais avaient pu se rendre maîtres de Berwick.

Édouard avait peu d'argent pour cette campagne, mais il compensait cette pauvreté par une volonté d'airain. D'une certaine façon, cette rébellion écossaise, qui arrivait aussi peu de temps après le soulèvement des Gallois, lui fournissait un avantage. Sa machine de guerre était bien huilée, elle était prête à se déployer, et la victoire au pays de Galles, ainsi que la prise de la Couronne d'Arthur, avaient cimenté l'union de ses hommes derrière lui. Contrairement au pays de Galles et à l'Irlande, Édouard n'avait jamais pensé soumettre l'Écosse par la force. Dès l'instant où il avait eu des vues sur le royaume, il avait espéré pouvoir forcer le passage par une porte ouverte. La première porte – le mariage de son fils à l'infante Marguerite – lui avait claqué au nez avec la mort de la fille ; la deuxième porte – sa mainmise sur le roi Jean – avait été fermée par les Comyn pendant qu'il était occupé ailleurs. Aujourd'hui, par l'épée et par le feu, il obtiendrait ce qu'il voulait.

À proximité de Berwick, se trouvait le cœur vibrant du royaume. Il aurait suffi à Édouard de tendre la main pour s'en saisir. Il ne faisait pas de doute qu'une fois qu'il les aurait vaincus et qu'il détiendrait le symbole de leur souveraineté, la résistance des Écossais s'étiolerait, comme cela avait été le cas pour les Gallois. Alors, son rêve d'une Bretagne unie sous son règne serait accompli et ses hérauts iraient révéler la Dernière Prophétie à tous ses sujets pour qu'ils sachent combien leur roi était grand. Les Écossais ne ressemblaient pas aux Gallois, que des décennies de lutte et de combats acharnés avaient endurcis. Un pas de plus et la guerre serait finie. Berwick était la première pierre qui allait fonder le nouveau royaume d'Édouard au nord de ses frontières, et il allait lui conférer tout l'éclat requis.

Édouard s'approcha de la brouette sous les regards des ouvriers et des chevaliers de son armée. Les terrassements allaient enfin donner naissance à des murailles et des tours de garde, à un bastion de la puissance impériale capable de rivaliser avec ses forteresses galloises. Il avait ordonné qu'on élargisse la fosse de plusieurs mètres et qu'on la creuse plus profondément.

Édouard remarqua qu'on avait minutieusement nettoyé les poignées de la brouette de toute trace de terre. En les empoignant, il se demanda tout à coup si sa démonstration n'allait pas paraître stérile, si elle n'allait pas ressembler à une mystification pour l'assistance. Cette pensée le fit tressaillir. Il s'était donné la peine de délaisser ses préparatifs pour se livrer à cette mascarade, le résultat devait être à la hauteur de ses espoirs.

Le roi distingua un ouvrier non loin de lui, appuyé sur une pelle. Il alla vers l'homme pendant que Cressingham l'appelait d'une voix hésitante. L'ouvrier se redressa, la peur sur le visage. Apparemment, il se demandait ce qu'il avait fait de mal. À mesure qu'Édouard s'approchait, il baissait la tête et serrait la pelle à en casser le manche. Le roi se contenta de lui prendre la pelle des mains et, sans un mot, il repartit à grands pas vers la fosse. Il plongea ensuite la pelle dans la terre humide et l'enfonça jusqu'à l'argile. L'ourlet doré de sa cape traînait dans la boue. Soulevant sa charge, Édouard se retourna alors vers la brouette et, sous les regards admiratifs et craintifs des hommes, il la déposa sur le tas de terre déposé là par quelqu'un d'autre. S'il voulait marquer aujourd'hui l'établissement de ses nouveaux territoires au nord, il semblait important qu'il soit le premier à en retourner le sol. Ravi par son geste, Édouard recommença l'opération. Il était tellement occupé qu'il ne vit pas les cavaliers qui accédaient aux portes de la ville par la route du nord.

Après trois autres pelletées, alors que ses conseillers le regardaient avec stupeur, Édouard planta la pelle dans le sol et, s'emparant des poignées, fit avancer la brouette. Cressingham lui sourit et hocha la tête d'un air encourageant, enchanté. Édouard poussa la brouette devant les hommes alignés et la retourna à l'emplacement prévu, dans les fragrances de la terre humide. Les ouvriers applaudirent.

Cressingham rejoignit le roi, le souffle court.

— Voilà qui devrait leur mettre du cœur à l'ouvrage, Sire, dit-il tandis que les ouvriers s'emparaient à leur tour de leur pelle et de leur brouette et se dispersaient autour du fossé pour en creuser le sol.

— Sire.

Édouard leva la tête et vit John de Warenne qui fondait la foule des ouvriers. Au côté de Warenne se tenait le comte écossais Patrick de Dunbar, qui l'avait aidé à mettre Berwick à sac. Le comte portait une cape salie par le voyage et sous ses cheveux gras, il paraissait inquiet. À l'arrière, un groupe de cavaliers avaient mis pied à terre et discutaient avec Anthony Bek. Édouard frotta ses mains pour en faire tomber la poussière et alla à la rencontre des deux comtes, suivi de près par Cressingham.

— Sire, le salua Patrick de Dunbar en s'inclinant.

— Vous avez des nouvelles des positions de l'ennemi ?

Édouard parlait d'une voix sèche. Il avait hâte d'avoir des informations depuis que les rapports lui avaient appris la percée de l'armée écossaise dans le Northumberland. Il comptait sur des vassaux loyaux, comme le comte Patrick de Dunbar et les Bruce de Carlisle, qui connaissaient bien la région, pour lui servir d'yeux et d'oreilles, mais n'ayant rien à se mettre sous la dent depuis la chute de Berwick, il sentait son impatience grandir.

— L'ennemi a retraversé la frontière pour rentrer en Écosse il y a cinq jours, Sire. Ils sont à environ trente lieues d'ici, ils vous barrent la route au nord. Ils campent sur mes terres, précisa le comte Patrick avec tristesse. Quand j'ai voulu regagner mon château après vous avoir quitté, il était encerclé. Dunbar est tombé aux mains de Comyn le Noir et de ses hommes.

— Comment ? s'écria Édouard, irrité par ces nouvelles.

Il avait choisi la route du nord en partie parce que Dunbar, sous contrôle allié, lui offrait un refuge au cœur du territoire ennemi : une place forte où il pourrait battre en retraite, si cela s'avérait nécessaire.

— Vous m'aviez dit que vos défenses tiendraient.

Sir Patrick ne répondit pas immédiatement. Il luttait contre ses émotions.

— C'est mon épouse qui les a fait entrer, Sire, finit-il par dire d'une voix contrite. Elle m'a trahie.

Édouard le dévisagea un long moment.

— Et Balliol ?

— Le roi se trouve avec l'armée principale.

Édouard réfléchit un instant en silence. Plusieurs jours après Berwick, il avait reçu du roi Jean une lettre de défi à l'opposé de l'homme faible qu'il connaissait. Pour Édouard, il ne faisait pas de doute que John Comyn l'avait rédigée. Lord de Badenoch était plus fin qu'il ne se l'était imaginé. Édouard avait cru que le mariage de son fils à la fille de William de Valence le calmerait. Comyn avait besoin d'une démonstration plus éclatante de son pouvoir. Ils en avaient tous besoin.

Édouard reporta son attention sur John de Warenne.

— Je veux que vous emmeniez une compagnie au nord pour vous occuper de ces rustres. Emparez-vous du château et des brigands qui le tiennent. Rien ne doit s'opposer à ma progression vers le nord. Prenez les jeunes chevaliers pleins de fougue avec vous, ajouta-t-il avec un geste par-dessus son épaule qui désignait Humphrey de Bohun et les Chevaliers du Dragon.

— Oui, Sire.

Édouard fut sur le point de s'en aller puis, se ravisant, il ajouta à l'intention du comte Patrick :

— Vous auriez mieux dû tenir la bride à votre épouse, Dunbar.

Chapitre 41

Sir John de Warenne sortit de sa tente et s'éloigna dans le brouillard en serrant son manteau et en reniflant sans arrêt. Mai n'allait pas tarder, mais les matinées étaient toujours aussi froides. Il détestait le climat blafard de cette côte nord-est, avec sa mer grise et ses falaises charbonneuses. En vérité, c'est toute l'Écosse qu'il méprisait en bloc. Pas de vraies routes, des étendues de forêt dense et des montagnes déchiquetées qui bouchent l'horizon, la neige en hiver, l'air humide chargé d'insectes agressifs l'été. Il se languissait des bois hospitaliers de ses domaines en Angleterre. La saison de la chasse allait bientôt commencer. Si Dieu le voulait, la guerre serait finie avant.

Devant lui, entre plusieurs rangées de tentes, des hommes s'activaient dans le brouillard. Warenne et ses chevaliers étaient arrivés à Dunbar la veille, les éclaireurs les ayant informés que l'armée écossaise n'était pas en vue, bien que le château fût en effet occupé par les soldats ennemis. Les hommes de Warenne avaient dressé le camp à bonne distance du château perché sur le promontoire rocheux qui dominait le port.

Le comte enjamba les cordes d'attache, et passa devant des chevaux auxquels les palefreniers donnaient leur ration du matin. Des feux de camp s'élevaient des volutes de fumée, l'odeur du bois qui flambait se mélangeant aux odeurs plus riches et plus douces de l'avoine et des herbes. Les cuisiniers étaient debout depuis déjà une heure. Devant Warenne, quatre tours de bois découpaient leurs bords anguleux dans l'air irrespirable. Il s'approcha, ravi de voir ses hommes se donner du mal pour préparer les engins de siège. Ils disposaient de trébuchets à traction bien plus légers que ceux dont Warenne s'était servi au cours de sa longue carrière. Il fallait faire basculer une poutre fine, la verge, à laquelle étaient attachées d'un côté une poche, de l'autre les quatre cordes. Les trébuchets fonctionnaient d'ordinaire grâce à un contrepoids, tandis qu'ici c'était l'homme qui fournissait la force de propulsion en abaissant la verge de façon à imprimer un mouvement circulaire à ses extrémités et à envoyer le projectile, en général un bloc de pierre taillé. Les trébuchets à traction étaient plus faciles à transporter et à construire, en raison de leur petite taille et de leur faible poids, mais ils n'étaient pas aussi efficaces que les trébuchets à contrepoids, qui pouvaient faire voler des pierres pesant deux fois le poids d'un homme à une distance de trois cents pas.

L'un des servants, qui enfonçait un clou dans la structure en bois, vit arriver Warenne dans le brouillard.

— Sir, le salua-t-il en se redressant. Les engins devraient être prêts d'ici une heure.

Warenne grogna en observant le château. Le terrain montait légèrement vers les murailles, qu'on distinguait à peine. Il pouvait sentir l'odeur de la mer et entendre les cris des mouettes, mais il ne discernait pratiquement rien.

— Si le brouillard ne se lève pas, nous n'aurons pas l'occasion de nous en servir.

Deux heures plus tard, le soleil avait écarté les rideaux de brume, dont seuls quelques pans s'accrochaient encore aux remparts du château de Dunbar.

Des oiseaux se dispersèrent lorsque la première pierre traversa le ciel. On entendit un craquement monumental et un nuage de poussière s'éleva. Le rocher tomba à terre dans un déluge de poussière et roula sur les pentes herbeuses en bas des murailles. Quelques secondes plus tard, trois blocs suivirent le même chemin. Chaque coup faisait voler des morceaux de pierre et de mortier des murs.

John de Warenne regardait les servants charger et armer méthodiquement les trébuchets, tirant sur les cordes comme des carillonneurs à l'église. L'une après l'autre, les verges s'abaissaient pour envoyer leur projectile contre la forteresse. En représailles, les flèches pleuvaient du haut des remparts, mais les servants avaient érigé une palissade derrière laquelle ils actionnaient leurs engins en toute sécurité. Les blocs de pierre s'abattaient régulièrement, et des cris succédaient aux chocs retentissants des impacts. Warenne voyait des hommes se déplacer par les trous des meurtrières, mais à moins de tenter une sortie, les Écossais ne pouvaient pas faire grand-chose contre eux. Cependant, le temps jouait en leur faveur.

Quelques chevaliers anglais avaient acclamé les premiers obus, mais les explosions étaient plus impressionnantes qu'efficaces. À vrai dire, comme Warenne le savait bien, il fallait beaucoup de temps aux engins de siège, même des trébuchets, pour ouvrir une brèche qui permette aux assaillants d'entrer. Le roi Édouard voulait reprendre Dunbar rapidement, mais Warenne ne voyait pas trop comment exaucer ses souhaits. Le plus sûr moyen de s'emparer d'un château était d'avoir un transfuge à l'intérieur, mais c'était hautement improbable, les soldats de Comyn le Noir soutenant fidèlement Jean de Balliol.

Le regard de John de Warenne se posa sur la grande silhouette de Patrick de Dunbar, qui se trouvait non loin de lui. Le comte observait le bombardement de son château dans un silence buté. Sa traîtresse de femme se trouvait certainement à l'intérieur. Warenne éprouvait de la pitié pour lui qui devait assister à ce spectacle. Trois ans plus tôt, la fille de Warenne était morte. Elle n'avait été reine que trois mois, mais elle était l'épouse de Jean de Balliol depuis dix ans et elle lui avait donné un fils, son héritier. Warenne trouvait quelque réconfort dans le fait qu'elle n'avait pas eu à subir cette guerre. Il se demanda si le comte de Dunbar n'espérait pas secrètement que le siège échoue. S'il réussissait, sa femme en subirait les conséquences en même temps que les rebelles. Le comte serait-il capable de le supporter ?

Un autre bloc de pierre s'écrasa contre les murailles. Un groupe de soldats traîna une charrette à bras remplie de blocs de pierre jusqu'aux engins, où les tas de projectiles diminuaient déjà. Ils avaient déjà amené deux chargements de ces pierres venues jusqu'à Berwick en bateau, mais il n'en resterait bientôt plus. Il faudrait en chercher d'autres. La plage en bas des falaises pourrait sans doute en fournir, si Warenne trouvait des maçons pour les extraire.

Des bruits de pas le firent se retourner. Humphrey de Bohun avait le souffle court mais il semblait calme en dépit du bruit régulier des pierres qui explosaient contre les murailles et qui faisaient tressaillir certains soldats.

— Avez-vous trouvé un arbre qui convienne ? lui cria Warenne par-dessus le vacarme.

— Oui, sir. Les hommes sont en train de l'abattre. J'ai demandé à six chevaliers de le traîner ici dès qu'il sera tombé.

Warenne hocha la tête. Après la débâcle qu'il avait connue lors de l'embuscade au pays de Galles, l'héritier de Hereford démontrait qu'il avait l'étoffe d'un commandant. Il avait fait ses preuves à Berwick, comme d'autres. Le combat les avait endurcis. Les capacités de Humphrey éclataient au grand jour.

428

Warenne n'ignorait pas que le roi plaçait de grands espoirs en lui.

— Nous utiliserons le bélier contre les portes dès qu'il sera renforcé, dit-il au chevalier.

Le bruit d'une cavalcade couvrit ses propos. Quatre chevaliers pénétraient au galop dans le camp. Warenne ressentit une certaine animation en reconnaissant les éclaireurs qu'il avait déployés la veille. Laissant les servants poursuivre leurs manœuvres auprès des trébuchets, il alla à la rencontre des hommes, Humphrey sur ses talons.

— Sir ! le héla l'un des éclaireurs en mettant pied à terre et en se dirigeant vers lui à grands pas. Les Écossais arrivent par l'ouest.

— Qui est à leur tête ? demanda aussitôt Warenne. Combien sont-ils ?

— Ils sont tous là, sir. Toute l'armée écossaise, emmenée par les Comyn et le roi Jean. Nous devrions les voir d'un moment à l'autre.

L'éclaireur se tourna et désigna à l'ouest un terrain en légère pente, semé de bruyère, avec quelques arbres ici et là.

— Par cette colline.

Warenne contempla la colline avec une pointe d'excitation. La perspective d'une bataille rangée lui plaisait bien davantage que celle d'un long siège, l'attente ayant tendance à démoraliser les hommes, sans compter les dangers inhérents à sa position : le manque de vivres, les attaques-surprises menées depuis le château ou celles du corps principal de l'armée, les routes de retraite coupées... Toutes ces années à combattre dans des tournois ou des campagnes les avaient bien entraînés. Warenne avait confiance, il sentait que ses hommes, guerriers endurcis et jeunes loups, pouvaient écraser les Écossais en une seule bataille bien menée.

Quelques instants plus tard, l'horizon s'assombrit sur la colline et il discerna bientôt distinctement des hommes à cheval. Des bannières aux couleurs vives étaient hissées. Un cri retentit en haut des remparts de Dunbar. Les Écossais aussi avaient repéré l'armée venue leur prêter main-forte.

Warenne se tourna vers Humphrey en élevant la voix pour se faire entendre au milieu des clameurs des défenseurs.

— Occupez-vous du campement, lui ordonna-t-il. Il ne faut pas que les hommes de Comyn sortent du château et me prennent à revers.

— Sir, répondit Humphrey en s'inclinant.

Laissant au chevalier le soin de rassembler les guerriers les plus jeunes, Warenne traversa le camp à la hâte en hélant ses commandants. Les capitaines de la cavalerie et de l'infanterie entreprirent de rameuter leurs troupes. Les écuyers et les palefreniers se précipitèrent vers les chevaux qu'il fallait seller, et ils se dépêchèrent de boucler les sangles et de leur passer la bride au cou. Toujours prêts à une éventuelle attaque, la plupart des chevaliers portaient déjà une armure, qu'ils complétèrent par ce dont ils ne se chargeaient qu'au dernier moment : gantelets, heaumes et boucliers. Les soldats de l'infanterie ajustaient la ceinture de leur épée et prenaient marteaux et piques avant de rejoindre leur compagnie. Les engins de siège continuaient de frapper les remparts, mais le bruit des projectiles fut bientôt presque couvert par les hennissements des chevaux qu'avaient enfourchés les chevaliers.

À mesure qu'ils s'éloignaient à l'ouest à la rencontre des Écossais, les cris des défenseurs diminuaient dans leur dos. Des pans de ciel bleu apparaissaient entre les bannières blanches des nuages que le vent faisait dériver. Le soleil dardait ses rayons par les trouées, réchauffant les visages des chevaliers et de l'infanterie qui marchait derrière. À la tête des troupes, John de Warenne ne quittait pas des yeux l'armée ennemie. Les Écossais, en surplomb, avaient l'avantage du terrain, mais cela n'inquiétait pas outre mesure le petit-fils du légendaire Guillaume le Maréchal. Derrière lui, les colonnes gravissaieent avec confiance la colline au sol boueux.

Les couleurs des drapeaux ennemis devenaient visibles. Parmi eux, il y avait la bannière royale d'Écosse, le lion rouge courant sur fond jaune. Les Écossais regardaient les Anglais monter vers eux en criant. Warenne supposait que le désir de vengeance galvanisait l'ennemi. Il ne devait pas y avoir un Écossais qui ne fût au courant du massacre de Berwick. La soif de revanche était une bonne chose. Elle les rendrait imprudents. Ses hommes, eux, étaient concentrés, silencieux, ils économisaient leurs forces pour la bataille.

Lorsque les chevaliers anglais arrivèrent en haut d'une première butte, Warenne leva le poing pour ordonner aux troupes de s'arrêter. Ses commandants vinrent à sa hauteur pendant qu'il examinait le terrain. Devant eux, s'allongeait une vallée où les arbres et les buissons, très denses au fond du défilé, dissimulaient presque un cours d'eau qui scintillait sous le soleil. De l'autre côté du ruisseau, les bois s'éclaircissaient de nouveau dans la longue pente en haut de laquelle les attendaient les Écossais. Après avoir distribué les ordres à ses commandants, qui s'en allèrent les relayer auprès de leurs hommes, Warenne fit descendre ses soldats dans la vallée. Assis en arrière dans leur selle, les chevaliers confiaient à leur destrier le soin de trouver leur chemin. Les harangues des Écossais leur parvenaient, hachées. L'infanterie suivit, les soldats s'appuyant sur leurs lances. Le soleil disparut derrière un nuage et l'ombre couvrit le paysage. En contrebas, le ruisseau prit une teinte ardoise.

Les premiers chevaliers, dont Warenne, avaient atteint le cours d'eau. Par endroits, les berges étaient hautes et les hommes durent se séparer pour traverser à gué. Certains faisaient marche arrière entre les arbres pour trouver des passages plus commodes, d'autres descendaient prudemment sur la rive sablonneuse avant de s'enfoncer dans l'eau glaciale. La vase remuée par les sabots donna bientôt une couleur marron au ruisseau. Les hommes forçaient leur monture à avancer en leur donnant de petits coups de talon. Quelques chevaux dérapèrent mais les chevaliers les reprirent en main sans leur laisser le temps de paniquer. Peu à peu, l'ensemble de la cavalerie traversa.

Warenne reformait les lignes de l'autre côté du cours d'eau. Il aboyait des ordres pendant que les derniers chevaliers franchissaient l'obstacle. Puis ce fut au tour des soldats à pied. Mais subitement, en haut de la colline, Warenne perçut le son aigrelet de plusieurs cornes, suivi du bruit de tonnerre des sabots sur le sol. S'avançant pour mieux voir, le comte de Surrey vit l'armée écossaise se déverser sur la pente dans leur direction. L'espace d'un instant, la soudaineté de la charge le tétanisa. Après quoi il distingua les cris qu'ils lançaient par-dessus les cornes.

— *Sur eux !*

— *Sur eux ! Les lâches s'enfuient !*

Pendant quelques secondes, Warenne examina ses troupes dispersées au fond de la vallée. Certains reculaient dans les bois à la recherche d'un passage dans l'autre sens. Il comprit alors que le fait d'avoir rompu les lignes pour traverser le ruisseau avait paru une débandade aux Écossais. Il hurla à ses hommes de rejoindre sa rive par n'importe quel moyen. Les derniers chevaliers venaient tout juste de franchir le gué. La plupart escaladaient la berge sans difficulté, mais quelques-uns tombèrent en arrière, les chevaux hennissant et roulant sur eux-mêmes. Plus loin, les centaines de soldats à pied qui levaient leur arme en l'air pour la protéger de l'eau se retrouvèrent bloqués. Abaissant sa visière, Warenne prit la lance que lui tendait son écuyer et sortit au galop du couvert des arbres, suivi par ses hommes.

Les Écossais, dont la masse désordonnée plongeait dans la vallée, virent une ligne de chevaliers émerger des bois et resserrer les rangs en fonçant vers eux, lances pointées en avant. Ce qu'ils avaient pris pour une débâcle, sous la pression de la peur, se transformait en un mur d'acier discipliné qui escaladait la côte à leur rencontre. Ceux des Écossais qui avaient pris la tête de cette charge hasardeuse, voyant la vague des chevaliers anglais déferler sur eux, tirèrent sur leurs rênes, pour ralentir, ou faire volte-face. Mais c'était impossible désormais, les masses d'hommes dans leur dos les poussaient droit sur la cavalerie lourde anglaise. Et leur soif de revanche leur paraissait maintenant bien illusoire. Les Écossais qui avaient déjà connu la bataille appelaient les autres à ne pas se débander, mais il était trop tard. Les chevaliers anglais perforèrent leurs lignes.

Jetés à bas de leur monture par la force de l'impact, les hommes retombèrent durement au sol. Certains demeuraient inertes, d'autres mouraient piétinés par les chevaux, le visage à demi enfoui dans la terre. Pendant que les chevaliers semaient la panique dans l'armée écossaise, les soldats se jetaient à leur tour dans la bataille. Telle une nuée de sauterelles, ils sautèrent sur les hommes et les chevaux tombés à terre, entourèrent les comtes et les chevaliers, qu'ils désarmèrent et firent prisonniers. Quelques nobles combattirent en vain jusqu'à leur dernier souffle, cernés par des soldats trop nombreux qui les mettaient en pièces à coups de piques et de marteaux.

Warenne, qui avait déjà utilisé sa lance, maniait maintenant son épée contre un Écossais. Incapable de parer ses grands coups amples, l'homme trébucha et Warenne en profita, d'un coup de reins, pour faire pivoter son cheval et bousculer la monture de son adversaire, qui tomba de selle. Il s'écrasa au sol en poussant un cri. Alors qu'il essayait de se relever, trois soldats fondirent sur lui. L'un lui donna un coup de marteau dans le ventre qui le fit se plier en deux pendant que les autres le frappaient jusqu'à ce qu'il soit désarmé. Warenne éperonna son cheval, suivi par les soldats dans la mêlée où les coups pleuvaient sur tous sans distinction.

Les chevaliers de Warenne pourchassaient les fuyards qui se dispersaient sur la colline, ils visaient le dos, tranchaient les bras, les gorges, les ventres ennemis. Les chevaux en armure renversaient les hommes comme des sacs, ou bien ils ruaient et les écrasaient sous les fers de leurs sabots, fendant les crânes et broyant les colonnes vertébrales sous leur poids, comme on leur avait appris à le faire. Le sol fut bientôt gorgé de sang, les Écossais grognaient en essayant d'échapper à la horde des soldats anglais qui les achevaient d'un coup brutal.

À travers tout le champ de bataille, les Écossais tentaient maintenant de s'échapper, la seule issue positive consistant pour eux à s'en sortir vivant. Warenne vit fugitivement la bannière royale d'Écosse disparaître en haut de la colline, suivi par l'étendard de Comyn le Rouge. Les cadavres qui jonchaient le terrain en pente rendaient impossible leur prise en chasse. Poussant un juron, Warenne poursuivit le combat.

En moins d'une heure, la bataille fut terminée. Partout gisaient des hommes et des chevaux. Quelques nobles écossais avaient péri, mais ce n'était rien comparé aux soldats, tombés par centaines. Par endroits, il y avait tant de morts que des mares de sang se formaient et se déversaient dans le ruisseau. Les soldats anglais arpentaient le champ de bataille pour achever les blessés.

Assis sur son destrier couvert de sang, le nez et la gorge pris par la puanteur de la mort, Warenne contemplait la scène. Il était déçu de ne pas compter le roi d'Écosse dans les rangs des nobles écossais capturés par ses chevaliers, mais il avait tout de même remporté la victoire. Et de quelle manière ! Nombre de seigneurs écossais, y compris des comtes et des barons qui avaient accaparé l'autorité depuis que le roi ne tenait plus le royaume, avaient été faits prisonniers. C'était une mauvaise journée pour l'Écosse. En une seule charge, le comte de Surrey avait décimé une grande partie de son armée et la plupart de ses chefs.

Chapitre 42

Le soleil, à son zénith, écrasait les hommes. De chaque côté de la route bourdonnaient les insectes, et l'herbe sèche bruissait sous le vent chaud qui envoyait de la poussière dans les yeux des voyageurs et leur apportait l'odeur salée de la mer.

Robert, qui chevauchait aux côtés des hommes de son père, sentait le soleil lui chauffer la nuque, dont une partie était exposée entre le camail et le col du haubert. Son frère et les chevaliers de Carrick l'entouraient. Ils étaient sur la route depuis des heures et les chevaux, fatigués, marchaient la tête basse. Leurs queues fouettaient constamment les nuées de mouches de plus en plus virulentes à mesure qu'ils approchaient de la mer, aveuglante plaque de métal à l'horizon.

Les chevaliers étaient suivis par les écuyers, les palefreniers et les servants qui montaient de vieux chevaux de selle. Parmi eux, Katherine, la servante d'Isobel, montait la jument alezane qui appartenait auparavant à sa maîtresse. Robert aurait pu vendre l'animal, mais Isobel l'avait beaucoup aimé et, après réflexion, il lui avait semblé plus pratique d'en laisser l'usage à celle qui était devenue en quelque sorte la tutrice de sa fille. Il avait bien pensé à trouver une gouvernante issue d'une famille noble, mais le temps lui avait manqué pour régler ce genre de problème après la mort de son épouse. D'ailleurs, Katherine s'était jusqu'ici toujours très bien occupé de l'enfant. Derrière elle, la fillette maigrichonne, d'une quinzaine d'années, qui montait un poney gris, était la nourrice de Marjorie. Katherine avait déniché Judith à Carlisle, peu après le décès d'Isobel. Fille d'un chevalier de la garnison de la ville, Judith avait accouché quelques semaines plus tôt, mais l'enfant n'avait pas survécu. Personne n'avait fait état d'un mari et le chevalier avait été soulagé de la voir intégrer la maison des Bruce. C'était une créature maussade, renfrognée, mais elle donnait le lait dont son bébé avait besoin, de sorte que Robert n'avait d'autre choix que de tolérer sa présence.

Tout à fait à l'arrière, deux chariots tirés par des chevaux de trait étaient remplis de tout ce qui était nécessaire au voyage : nourriture des hommes et des chevaux, tentes, armures et équipement. La famille Bruce n'avait pas beaucoup d'endroits où aller en Écosse maintenant, les amis ne se bousculaient pas pour leur offrir le gîte. Ils retournaient chez eux en vainqueurs. Mais on les détestait.

La défaite de l'armée écossaise à Dunbar avait marqué la fin de cette courte guerre contre l'Angleterre. La plupart des seigneurs influents ayant été capturés, et la moitié de l'armée décimée, la résistance écossaise s'était écroulée. L'alliance avec le roi Philippe s'était révélée inutile, les bateaux et les soldats promis n'étant jamais venus à leur secours. Après celui de Dunbar, les châteaux de Roxburgh, Dumbarton et Jedburgh étaient tombés successivement, ainsi qu'Édimbourg après une semaine de siège. Stirling, la clé du nord, avait été abandonnée. À la fin du mois de juin, alors qu'il se trouvait à Perth, Édouard avait reçu un message du roi Jean, réfugié au nord avec les Comyn. Le roi d'Écosse, avec l'accord du Conseil des Douze, proposait sa reddition sans condition.

Traverser la frontière écossaise après quatre mois de guerre n'avait pas complètement apaisé Robert. Le roi Édouard avait tenu promesse, il leur avait rendu les domaines dont les Comyn s'étaient emparés au début du conflit. À leur retour à Annandale, le lord et ses chevaliers avaient célébré leur triomphe, mais bien qu'il fût soulagé d'avoir récupéré ses terres, Robert ne partageait pas vraiment leur joie. Les moissons étaient ravagées, les champs qui n'avaient pas été rasés par les troupes écossaises étaient restés purement et simplement livrés à eux-mêmes. Les villages et les hameaux étaient calmes, car beaucoup d'hommes et de femmes avaient fui quand les soldats des Comyn étaient venus porter le fer et le feu. Lochmaben tenait toujours debout, c'était au moins cela, les soldats s'étant contentés de brûler les terres et de piller les villages des environs. Ce qu'il découvrit n'en était pas moins désespérant. Le château avait été mis à sac, chaque objet de valeur ayant disparu. On avait arraché les tapisseries, brisé les meubles, vidé les réserves de grain et de vin. Une odeur d'urine imprégnait les lieux. Partout s'étalaient les déchets, les squelettes d'animaux, des sacs éventrés, les barriques vides, comme si les hommes étaient restés ici le temps de tout détruire avant de s'en aller.

Cependant, le temps leur avait manqué pour remettre les choses en état : presque aussitôt le roi Édouard avait convoqué lord d'Annandale et Robert dans la ville de Montrose, au nord-ouest.

— Sir, peut-être devrions-nous faire halte ?

Robert leva la tête pour regarder le chevalier qui s'adressait à son père. Lui-même n'aurait pas tardé à faire la même suggestion. La chaleur devenait insupportable et les chevaux avaient désespérément soif. Il montait l'un de ses palefrois pendant que Nes s'occupait de Chasseur. Marjorie, blottie dans une écharpe

contre la poitrine de Katherine, commençait à pleur-
nicher.

— Non, nous y sommes presque, répondit le lord
avec un air satisfait de lui-même. Je veux saluer le roi
Édouard aussitôt que possible. J'attends d'importantes nouvelles pour moi.

Robert dévisagea son père. Son surcot jaune orné
d'une croix rouge éclatait sous le soleil, de même que
son haubert poli scintillait. Malgré la chaleur, il portait par-dessus son surcot et sa cotte de mailles un
beau manteau flamand décoré d'un liseré de soie. Il
transpirait abondamment, des gouttes de sueur coulaient le long de ses tempes. L'étendard d'Annandale
était hissé haut à l'avant de la compagnie. Il l'avait fait
parader dans toutes les villes, tous les villages qu'ils
avaient traversés, de Lochmaben à la côte nord-est,
comme s'ils avaient accompagné un cortège royal.
Robert portait les armes de Carrick sur son surcot,
mais sa bannière était enroulée sur son manche dans
l'un des chariots. Après que son père eut prononcé ses
mots, il sentit que son frère avait envie de lui parler,
mais comme il savait ce qu'Édouard allait dire, il
garda les yeux braqués droit devant lui.

En début d'après-midi, ils virent un vaste lagon
s'ouvrir devant eux. C'est entre ce lagon et la mer du
Nord qu'était située la ville de Montrose, au-dessus
d'une bande de sable, un château dominant les habitations. Derrière l'enceinte, là où les champs brous-
sailleux rejoignaient les dunes grises, des tentes
dressées en grand nombre formaient comme une mer
de couleurs. Et au milieu de ces tentes se dressait une
grande plate-forme en bois, qui ressemblait à une scène.

À Montrose même, les rues étaient bondées de
chevaliers et de soldats anglais. Pendant qu'ils se
frayaient un chemin dans la foule, Robert entendit
parler anglais partout, avec des accents des diverses
régions d'où les hommes avaient convergé vers le port
écossais. Quelques-uns parlaient irlandais, ce qui lui

rappela vaguement Antrim. D'autres s'exprimaient en gallois, réveillant des souvenirs plus récents. Au moment où ils passaient devant une auberge délabrée, une bagarre éclata. Un soldat en frappa un autre avant d'être assailli par une meute. Plusieurs hommes tentèrent de s'interposer sous les encouragements de la foule. Une certaine indolence semblait s'être emparée de la soldatesque qui inondait les rues et se soûlait à la bière en réclamant des chansons aux ménestrels et aux simples d'esprit. Ce n'étaient pas des hommes épuisés par une dure campagne qui célébraient une victoire chèrement acquise, mais des noceurs invétérés un jour de festin. Le tableau était bien différent de celui auquel avait assisté Robert après la campagne du pays de Galles. Comment cela avait-il pu arriver si vite ? Comment l'Écosse avait-elle pu si facilement sombrer ? Cette pensée le bouleversait.

Ils finirent par arriver au château, où une bannière rouge décorée des trois lions jaunes flottait en haut de la tour. Les portes étaient fermées et quatre gardes, portant les couleurs du roi, étaient appuyés sur des piques. Lorsque lord d'Annandale fut en vue, l'un d'eux traversa le pont qui enjambait la douve.

— Bien le bonjour, lança-t-il, les yeux rivés sur la bannière qui flottait au-dessus de la compagnie. Qu'est-ce qui vous amène ?

Sur un signe du père de Robert, l'un des chevaliers s'avança vers le garde.

— Sir Robert Bruce, lord d'Annandale, est arrivé. Il souhaite que le roi Édouard le reçoive en audience.

— Sa Majesté s'entretient avec le conseil, répliqua le garde.

Robert vit un tic agiter le visage de son père, qui rejoignit les deux hommes.

— Le roi Édouard m'a convoqué pour me parler d'une affaire urgente. Je suis sûr qu'il me recevra.

— Mes ordres sont de ne laisser entrer que ceux dont on m'a donné le nom. Le vôtre, sir, n'en faisait pas partie. Je vous suggère de dresser votre campement avec les autres hommes que le roi a convoqués. Il vous enverra sans aucun doute chercher quand cela lui conviendra.

Là-dessus, le garde repartit de l'autre côté du pont. Lorsque le lord fit faire demi-tour à sa jument, Robert constata non sans plaisir son humiliation. Le visage empourpré, il digéra la rebuffade et entraîna la compagnie vers le campement.

Il ne restait plus beaucoup de place dans les champs derrière l'enceinte du château. Les tentes s'étalaient jusqu'aux dunes et ils durent s'installer à proximité des rives du lagon, dans l'odeur infecte de la vase et au milieu des cris permanents des oiseaux. Les chevaliers mirent pied à terre et les servants entreprirent de sortir les tentes et l'équipement des chariots. Quelques-uns s'en allèrent en quête d'eau pour les chevaux tandis que les autres creusaient des trous pour les feux et les latrines. Robert se dirigea vers l'un des chariots, où deux servants déchargeaient une grande caisse en bois. À l'intérieur se trouvait Uathach. À son retour d'Écosse, l'été précédent, il s'était de nouveau pris d'affection pour cette chienne née de la préférée de son grand-père. Elle lui rappelait le vieil homme, et sa vie d'avant.

— Donnez-moi sa laisse, dit-t-il à l'un des servants.

Le servant fouilla à l'intérieur d'un sac de chasse tandis que l'autre ouvrait la cage. Uathach, tel un serpent, rampa par l'ouverture et jaillit au dehors. Elle était si grande qu'elle lui arrivait presque à la taille, avec de grandes pattes fines et un pelage noir comme sa mère. Elle vint tout droit à lui, la langue pendante. Il prit la laisse que lui tendait le servant et l'attacha au collier. Contrairement aux chiens de son père, qui avaient des laisses en soie, celle d'Uathach était en cuir brun. Son grand-père avait toujours manifesté le mépris le plus vif pour les hommes qui offraient à leurs chiens des laisses trop précieuses. Il disait que ces bagatelles n'étaient bonnes que pour les idiots qui ont plus d'argent que de cervelle. Roulant la laisse dans sa main pour ne pas laisser trop de liberté à Uathach, Robert s'en alla par une allée entre des rangées de tentes, laissant les servants déballer les affaires et Katherine déposer sa fille affamée entre les mains de Judith. Il s'était à peine éloigné qu'Édouard le rattrapait en courant.

— Où vas-tu, frère ?

— Uathach a besoin de se soulager. Et moi aussi.

Sans attendre la suite, Robert poursuivit son chemin. Il n'avait pas envie d'une nouvelle dispute.

— Tu ne vas pas lui parler ? Tu vas continuer à l'éviter jusqu'à ce qu'il soit trop tard et que tu n'aies plus le choix.

Robert s'arrêta. Son frère avait une lueur de provocation dans les yeux.

— Tu ne peux pas me laisser tranquille ?

Édouard secoua la tête, incrédule.

— Te laisser tranquille ? dit-il en faisant un pas vers lui. C'est de l'avenir de notre royaume dont nous parlons ! Tu as l'occasion de réparer toutes les erreurs de ces derniers mois. Pourquoi ne veux-tu pas la saisir, au nom de Dieu ?

— Nous ne savons rien des intentions d'Édouard. Les motifs de sa convocation ne sont pas clairs. Qu'est-ce que je dois saisir, au juste ? Comment...

— Demain, le coupa Édouard, Jean de Balliol sera officiellement déposé. Notre père pense qu'il va prendre sa place sur le trône d'Écosse. C'est pour cela qu'il est venu. Mais c'est à toi que notre grand-père a transmis le droit à la succession, le jour où tu as hérité de Carrick. Pourquoi ne le lui as-tu pas dit ?

— Qu'est-ce que cela change pour toi ? lui demanda Robert en s'emportant soudain. Il vaut mieux en ce qui te concerne que ce soit lui qui devienne roi. Si je mourais, tu serais son héritier.

Cet argument n'arrêta pas Édouard.

— Je veux la paix pour notre royaume, frère. Je ne veux plus me battre avec mes compatriotes. Cette guerre m'a rendu malade. Notre père... Il est peut-être né écossais, mais c'est du sang anglais qui coule dans ses veines. Déjà la langue de notre mère n'est plus parlée et les coutumes de nos ancêtres, si chères à notre grand-père, n'ont plus cours. Notre père accélérerait encore les choses. S'il devient roi, il créera une cour à l'ombre de Westminster, soumise au roi Édouard. Notre royaume aurait encore moins d'indépendance qu'avec Balliol.

Robert dévisagea son frère. Il avait rarement entendu autant de passion chez lui.

— Qu'est-ce qui te fait croire que ce serait différent avec moi ?

— J'espère encore que tu sais reconnaître tes erreurs.

Robert savait que son frère faisait allusion à son association avec les Chevaliers du Dragon.

— Nous ne savons pas ce que le roi prépare, ni même s'il compte trouver tout de suite un successeur pour le trône, reprit-il d'une voix ferme. Je ne vais pas déchirer cette famille pour ce qui n'est peut-être qu'une chimère !

Cette fois, lorsqu'il tourna les talons, son frère ne fit rien pour le retenir. Robert passa au milieu des groupes de soldats étendus qui profitaient du soleil en buvant et en somnolant. D'autres, attablés à l'ombre des arbres, se faisaient servir à manger. Il reconnut quelques bannières accrochées aux tentes et se demanda qui exactement se trouvait là. Le visage d'Aymer de Valence s'imposa à lui et il dut le repousser en marchant d'un pas résolu vers les dunes, du côté de la mer, avec Uathach qui trottinait à ses côtés.

Le soleil de l'après-midi bariolait de reflets cuivrés les vagues qui déferlaient sur la plage. La brise venue de la mer sécha la sueur sur son visage et il s'assit en laissant Uathach batifoler à sa guise. La chienne bondit dans l'écume, tel un cerf. Quelques bateaux de pêche étaient échoués sur le sable. Uathach courut vers eux avec excitation, mais Robert la siffla pour qu'elle revienne près de lui. Tandis que la chienne obéissante faisait demi-tour, il se pencha en avant, bras croisés sur ses genoux, et contempla la mer dont la sérénité n'aurait pu davantage contraster avec son esprit en proie au tumulte.

Depuis qu'il avait été nommé gouverneur de Carlisle, son père nourrissait l'espoir qu'en cas de victoire, Édouard le placerait sur le trône. Les Anglais avaient gagné, et demain Balliol serait déposé. Robert était heureux que ses domaines lui aient été rendus et il était satisfait du sort de Balliol et des Comyn, qu'il détestait de toute son âme, mais tout au long de leur voyage à travers l'Écosse, en voyant ses compatriotes soumis et humiliés, il avait eu le sentiment d'être un envahisseur, aussi méprisé qu'Édouard et ses soldats. Désirait-il devenir roi d'un peuple qui le haïrait ? Et saurait-il exercer le pouvoir ? Cela faisait six ans qu'il assistait aux tentatives répétées d'Édouard pour contrôler le trône, d'abord par le mariage de Marguerite et de son héritier, puis par ses manœuvres auprès de Balliol. Maintenant qu'Édouard avait conquis le royaume, l'homme qu'il placerait sur le trône ne serait rien de plus qu'un vassal. Ne valait-il pas mieux faire partie de la fine fleur des chevaliers du roi et être respecté plutôt que de jouer le rôle d'une marionnette couronnée et réduite à rien ?

Assis face à la mer, il entendit la voix de son père se mêler à ses pensées et lui demander si des siècles d'histoire allaient se terminer avec lui, si Alexandre et David, ou Malcolm Canmore, ne s'étaient battus que pour le voir céder sans même résister. Dans son esprit, Robert vit un immense arbre debout au pied d'une colline. Il était flétri, malade, ses fières branches noircies par la moisissure qui rongeait peu à peu le tronc, et jusqu'à ses racines. C'est toi qui as provoqué cela, lui disait son grand-père. *Tu as tué notre héritage.*

— Qu'est-ce que vous attendez de moi ? cria subitement Robert en se mettant debout.

Uathach aboya et les servants qui lavaient des casseroles relevèrent la tête. Robert s'avança au bord de l'eau en s'ébouriffant les cheveux. En quatre courtes années, la place de sa famille dans le monde avait considérablement changé. Elle avait perdu la bataille pour le trône, son influence au sein du royaume et la plupart de ses anciens alliés. Il avait aussi porté coup sur coup, ou presque, le deuil de sa mère, de son grand-père et de sa femme, puis il avait dû se battre contre son propre peuple. À la victoire se mêlait le goût amer de leur défaite. Quelque part, là-haut dans les nuages, saint Malachie devait bien rire.

— Sir Robert ?

Il pivota sur ses talons et découvrit un grand jeune homme en surcot de soie bleu qui traversait les dunes dans sa direction. Humphrey de Bohun, le visage bronzé, arborait un grand sourire. Robert ressentit aussitôt un immense soulagement. Les accusations de son grand-père et l'image de l'arbre flétri s'évanouirent tandis qu'il traversait la plage pour retrouver son ami. Ils se jetèrent dans les bras l'un de l'autre, et Humphrey rit tant Robert le serrait fort.

— J'ai vu votre étendard dans le camp, dit-il finalement en s'écartant. Votre frère m'a dit que je vous trouverais ici.

Humphrey baissa les yeux sur Uathach, qui sautillait autour d'eux.

— C'est votre chienne ? Elle est superbe.

— Depuis combien de temps êtes-vous à Montrose ?

Robert avait espéré que le chevalier serait ici, car sa compagnie lui avait beaucoup manqué. Le revoir lui faisait revivre l'été à Londres, les entraînements, les festins à la Tour. C'était comme si l'année passée n'avait pas eu lieu.

— Il y a quelques jours. Nous sommes arrivés de Perth.

— Vous étiez à Berwick ?

Humphrey redevint sérieux. Il tourna les yeux vers la mer, puis se força à sourire de nouveau.

— Ne parlons pas de batailles maintenant que la guerre est terminée. Parlez-moi de vous. Racontez-moi tout ! Où est votre charmante épouse ? Est-elle ici ? J'ai hâte de la rencontrer.

— Isobel est morte à Carlisle, il y a quatre mois, lui annonça Robert après un bref silence. En donnant naissance à notre fille.

Le visage d'Humphrey se décomposa.

— Mon ami, je... dit-il en posant la main sur l'épaule de Robert.

D'un geste de la main, celui-ci lui fit signe de passer outre aux condoléances. Il ne se sentait pas autorisé à recevoir ses marques de commisération alors que lui-même avait si peu pleuré.

— C'était une bonne épouse. Et une bonne femme. Mais nous n'étions ensemble que depuis un an, et avec la guerre nous n'avons pas passé beaucoup de temps ensemble. À vrai dire, je ne la connaissais pas très bien. Je...

Robert hésita. Il n'avait jamais parlé à personne de ses sentiments.

— Elle me manque, avoua-t-il, mais davantage pour le bien de notre fille que pour moi.

Humphrey hocha la tête.

Ils contemplèrent un moment les vagues qui s'écrasaient sur le sable. Tous deux avaient le visage assombri par une barbe de plusieurs jours. Au bout d'un moment, Robert voulut reprendre la parole mais Humphrey fut le plus prompt.

— Je suis heureux que vous soyez ici, Robert, lui dit le chevalier en se tournant vers lui. J'aurai besoin de votre aide.

— Bien sûr. De quoi s'agit-il ?

— Le roi Édouard veut que les Chevaliers du Dragon fassent quelque chose pour lui. C'est une mission particulière. Je veux que vous vous joigniez à nous.

— Quelle est cette mission ?

Entendant un appel, ils se tournèrent et virent Édouard traverser les dunes vers eux.

— Nous en reparlerons plus tard, dit Humphrey.

Puis, entourant de son bras les épaules de Robert, il ajouta :

— C'est bon de vous revoir, mon ami.

— Et c'est réciproque, Humphrey.

Allongé dans sa tente, Robert écoutait la respiration de son frère à côté de lui. Il était épuisé par leur long trajet et l'ambiance qui avait régné au camp ce soir, du fait que le roi n'avait pas reçu lord d'Annandale, l'avait encore plus harassé. De surcroît, qu'allait-il se passer le lendemain, après que le roi Jean eut été déposé ? Malgré son état de fatigue, il n'arrivait pas à s'endormir.

Une brise légère écartait les pans de la tente, lui dévoilant la lune renflée et rouge. Robert se demanda s'il devait prendre cela pour un mauvais présage. Cette pensée le ramena au souvenir flou d'une maison au milieu des collines, l'été à Carrick, et d'un arbre à cages. La vieillarde était-elle encore là-bas, dans sa maison croulante pleine de livres et d'os, et tissait-elle toujours les destins des hommes ? Affraig devait être très vieille maintenant, ou bien morte. Il songea alors à son enfance, à l'insouciance d'alors, quand sa mère et son grand-père étaient encore en vie, qu'il y avait toujours des amis de passage et des rires qui résonnaient dans les couloirs. Il avait passé si peu de temps dans son comté depuis qu'il en avait hérité, son vassal, Andrew Boyd, s'occupant de collecter les montants des baux et de régler les problèmes courants, qu'il avait à peine le sentiment que Carrick lui appartenait. Maintenant que la guerre était terminée, il devrait y retourner.

Soudain, Robert reconnut la voix du chevalier de garde devant leur campement, puis celle, insistante, de Humphrey. Robert se leva et sortit de la tente en veillant à ne pas déranger son frère. Puis il fit signe à l'homme de son père de retourner à son poste.

Il salua Humphrey et s'aperçut que celui-ci portait sa cotte de mailles sous une cape toute simple. Ses yeux scintillaient à la lueur du feu.

— Il faut que tu t'habilles, vite.

— Où allons-nous ?

— Réaliser la prophétie.

Humphrey lui expliqua en quelques mots ce qu'il devait prendre et où le retrouver, et quand cela fut dit, bien qu'il en eût envie, Robert se retint de lui demander davantage de détails sur leur mission. Le soulagement qu'il avait éprouvé en voyant Humphrey était lié à l'isolement qu'il ressentait depuis son retour en Écosse. Il ne voulait pas ternir le lien qui l'unissait au chevalier en mettant en doute ses raisons. D'ailleurs, l'idée de quitter Montrose n'était pas pour lui déplaire. Il en avait assez d'être tiraillé entre plusieurs possibilités, assez de ne pas savoir quelle direction il devait suivre.

Tu vas continuer à l'éviter jusqu'à ce qu'il soit trop tard et que tu n'aies plus le choix.

Son frère avait raison. Mais il n'avait pas l'intention d'y changer quoi que ce soit.

Après le départ de Humphrey, Robert réveilla Nes pour qu'il selle Chasseur et il retourna s'habiller dans sa tente. Alors qu'il enfilait son gambison par-dessus sa chemise, il entendit sa fille pleurer, puis les murmures consolateurs d'une femme. Son épée à la main, Robert sortit au moment où Katherine se glissait hors de la tente qu'elle partageait avec Judith et trois autres femmes. La gouvernante berçait doucement Marjorie dans ses bras. Elle leva les yeux à la vue de Robert et haussa les sourcils à cause de l'épée. Sans un mot, Robert alla jusqu'au chariot où il ouvrit le grand coffre qui contenait son armure. Dans son dos, les pleurs de Marjorie baissaient d'intensité. Alors qu'il saisissait son haubert, Katherine se mit à chantonner d'une voix délicate et forte à la fois qui semblait appartenir à quelqu'un d'autre, quelqu'un de plus âgé. Cela apaisa l'enfant, qui émit ses derniers gémissements avant de s'assoupir. Robert constata qu'il s'était arrêté afin de l'écouter et il lutta quelques instants pour enfiler son haubert, puis il prit son bouclier, que Humphrey lui avait demandé d'apporter. Le bouclier au dragon était enroulé dans un linge pour le préserver. Robert n'y avait pas jeté un œil depuis qu'il avait quitté l'Angleterre, un an plus tôt. À la lumière des flammes, il se rendit compte qu'il avait de nombreuses éraflures. Il endossait sa cape, comme le lui avait ordonné Humphrey, lorsqu'il entendit une voix derrière lui.

— Vous partez, sir ?

Il se tourna vers Katherine, qui l'observait. Elle avait des taches de rousseur sur le nez et ses cheveux noirs tombaient sur ses épaules. Marjorie était nichée au creux de ses bras, contre sa poitrine. Robert sourit à la vue de sa fille endormie. Il se pencha pour l'embrasser et, en se relevant pour serrer la ceinture de son épée autour de sa taille, il croisa le regard de Katherine.

— Je serai vite revenu.

Ayant ramassé son bouclier, il alla dire un mot au chevalier de garde près du feu, prit les rênes de Chasseur, que Nes avait préparé, et partit à travers le camp.

Il suivit les instructions de Humphrey pour retrouver la plate-forme en bois qu'il avait vue en arrivant à Montrose. Sous la lune rouge, elle ressemblait moins à une scène qu'à une potence. À quelque distance, il avisa un groupe d'hommes à cheval brandissant des

449

torches. À côté d'eux attendait un chariot tiré par des chevaux de trait conduits par deux chevaliers du roi. Bientôt, Robert reconnut Humphrey et quelques autres visages familiers.

Il y avait là Henry Percy, plus râblé que dans son souvenir, et Guy de Beauchamp, qui ne daigna pas lui sourire. Thomas de Lancastre, qui avait grandi et commençait à ressembler à un homme, montait près de Robert Clifford, qui le salua d'un signe de tête, et de Ralph de Monthermer, qui parut content de le voir. Enfin, Robert posa les yeux sur Aymer de Valence. Son visage haineux lui rappela Anglesey – et cette cuisine ignoble où le chevalier s'était jeté sur lui pour le tuer.

Lorsque Robert fut en selle, Humphrey donna le signal du départ.

— Allons-y. Nous avons trois jours de voyage devant nous.

— Trois jours ? s'enquit Thomas. Nous allons rater la cérémonie demain.

Robert fut ravi de voir qu'il n'était pas le seul à qui Humphrey n'avait pas tout dit. Une fois de plus, le doute lui traversa l'esprit, mais il le repoussa. Quel que fût leur plan, tout valait mieux que de rester ici face à cette décision impossible.

— Je vous expliquerai en chemin, répondit Humphrey d'une voix pleine d'assurance.

Éperonnant son cheval, le chevalier guida la compagnie hors du camp, vers la route qui s'éloignait de Montrose. Le chariot se mit en branle dans leur sillage tandis que la lune énorme et comme injectée de sang éclairait le chemin devant eux.

Chapitre 43

La foule regardait en silence l'homme marcher seul dans l'allée qui la traversait en direction de la plate-forme au centre du camp. Les lambeaux de brume voilaient les eaux du lagon, l'humidité qui régnait en cette matinée promettant une nouvelle journée à la chaleur étouffante. À l'est, le ciel saturé de lumière éblouissait l'assistance disposée autour de l'estrade royale. Vaincus et pâles, les hommes alignés sous l'œil goguenard des chevaliers du roi paraissaient minuscules au pied de la structure en bois, et seule une poignée d'entre eux regardaient l'homme qui venait vers eux.

Robert Bruce, lord d'Annandale, qui avait sa place au sein de la noblesse anglaise, ne détachait pas son regard de Jean de Balliol, lequel s'avançait lentement. Le roi d'Écosse, hagard, avait les yeux perdus au loin. Il était d'une blancheur sépulcrale en dépit de la chaleur, et son surcot jaune était la seule chose chez lui qui parût receler quelque vie.

Après Dunbar, Balliol avait fui avec les Comyn. Mais en raison de l'implacable marche vers le nord du roi Édouard, qui n'avait eu de cesse de s'emparer des châteaux et des villes sur sa route, le roi Jean n'avait bientôt plus eu de refuge où s'abriter. La déroute des dernières semaines l'avait amaigri, et il paraissait totalement ravagé. En juin, il avait écrit à Édouard pour renoncer au traité conclu avec le roi Philippe et offrir sa reddition sans condition. Mais en cet instant, humilié et désespéré, il portait sur ses épaules toute la détresse de l'homme qui n'a plus d'autre issue que la potence.

Lorsque Balliol passa près de lui, Bruce tendit la tête, espérant que son ennemi regarde dans sa direction. Il voulait qu'il le voie debout parmi l'assistance, qu'il sache qu'il assisterait à ses dernières minutes à la tête du royaume d'Écosse. Mais Balliol ne prêtait attention à rien d'autre qu'à l'estrade vers laquelle il se dirigeait. Et la foule se referma derrière lui.

Le roi d'Écosse arriva au niveau des prisonniers, devant la plate-forme, et ils durent s'écarter pour le laisser passer. Un homme fit un pas en avant, comme pour lui dire quelque chose, mais les épées des chevaliers d'Édouard le retinrent. Bruce reconnut John Comyn. Lord de Badenoch recula, mais ne quitta pas des yeux son beau-frère qui montait les marches. Avec Comyn se trouvait son fils et héritier, le mari disgracié de Joan de Valence, ainsi que Comyn le Noir et les comtes d'Atholl, de Menteith et de Ross. Bruce les observa tous, les uns après les autres. Beaucoup d'entre eux avaient été les camarades de son père. Comme lui, ils appartenaient au passé. On allait les enfouir loin sous terre. Il était temps qu'une nouvelle ère commence pour l'Écosse.

Quand son fils Édouard murmura quelque chose à l'un de ses vassaux, Bruce lui jeta un regard noir pour le faire taire. À l'aube, il avait découvert que Robert était parti au cours de la nuit pour le compte du roi, et avait perdu toute contenance. Il avait interrogé Édouard, mais soit son fils un était meilleur menteur qu'il ne le croyait, soit il ignorait réellement la raison de la disparition de son frère aîné. Depuis lors, sa fureur s'était muée en une colère froide à laquelle se mêlait aussi du soulagement.

Depuis le début de la guerre et son alliance avec le roi d'Angleterre, à aucun moment il n'avait reconnu son fils comme prétendant au trône, mais cette vérité le consumait. Hanté par la peur que Robert fasse valoir son droit, il avait gardé ses distances avec ce fils dont il se sentait de toute façon étranger. Peut-être, se disait-il, l'absence de Robert à la veille d'un moment si crucial pour sa famille était-elle le signe que Robert céderait sans combattre. Bruce espérait que ce serait le cas, car lui ne comptait pas céder. Son père l'avait traité avec un mépris indigne. Il n'avait pas l'intention de laisser le trône lui échapper. Dieu, comme il espérait que cette canaille se retournerait dans sa tombe.

Lord d'Annandale vit Balliol arriver en haut de la plate-forme au centre de laquelle l'attendait son beau-père, John de Warenne, avec un rouleau de parchemin. Le comte de Surrey était placé devant une délégation d'ecclésiastiques, de juristes et d'officiers royaux, dont l'évêque Anthony Bek, qui se tenaient de part et d'autre du trône où était assis le roi Édouard. Sa vue n'étant plus ce qu'elle était, Bruce avait du mal à distinguer le roi, mais il semblait concentré sur Balliol. Le comte de Surrey déroula le parchemin et, d'une voix sonore, commença à lire les accusations portées à l'encontre de Balliol qui, par sa trahison, avait conduit le roi anglais à lui confisquer son fief. Comme cela avait été convenu au moment de la reddition, il devait maintenant abandonner son royaume et sa dignité de roi à son suzerain.

Quand il eut fini de lire, John de Warenne recula en ignorant son gendre. Un instant, Jean de Balliol fut seul au milieu de l'estrade. Il regarda autour de lui d'un air hésitant, puis tressaillit quand deux chevaliers s'approchèrent de lui. Tous deux avaient une dague à la main. Plusieurs seigneurs écossais commencèrent à protester, mais les hommes du roi n'avaient aucune intention de s'en prendre à leur souverain. Au lieu de cela, ils coupèrent les fils du lion rouge qui ornait le surcot de Balliol. L'expression de défaite muette de Balliol montrait qu'il s'y attendait. Quand ce fut terminé, l'un des deux hommes donna sa dague à son camarade puis arracha les armes royales d'un coup sec. Des acclamations et des applaudissements se firent entendre, mais le silence revint rapidement. Balliol chancela. Le chevalier le fit tenir debout face à l'assemblée, des fils rouges pendant sur son surcot jaune.

Le roi Édouard avait fait de Jean de Balliol le roi d'Écosse. Aujourd'hui, il le défaisait. Bruce crut voir des larmes rouler sur le visage fatigué de Balliol dans la lumière dorée de l'aube.

Lorsque Balliol descendit les marches de la plateforme, première étape d'une longue route qui allait le mener jusqu'à la tour de Londres, où il serait emprisonné avec les autres nobles écossais, le roi Édouard se leva. Le roi quitta l'estrade à son tour, entouré de sa suite, et Bruce joua des coudes dans la foule pour se frayer un chemin. Il n'avait toujours pas obtenu d'audience, bien qu'on l'eût convoqué. Son impatience le poussait à l'action.

— Votre Majesté !

Bruce ignora les plaintes que son passage en force faisait naître autour de lui. Il avait presque rattrapé Édouard, qui marchait avec John de Warenne et plusieurs officiers, lorsque deux chevaliers royaux se mirent en travers de son chemin, bien disposés à lui barrer la route. Bruce interpella alors désespérément le roi.

— Sire, je vous en supplie. Il faut que je vous parle !

Édouard se tourna et son regard se posa sur Bruce, retenu entre les deux chevaliers et le visage rougi par l'effort qu'il avait fait pour fendre la foule. Les officiers toisaient avec animosité cet inconnu qui avait osé s'adresser au roi avec une telle grossièreté.

— Sire, reprit Bruce en s'efforçant de reprendre contenance et en s'inclinant. Je désire vous parler d'une affaire d'importance.

Comme Édouard semblait pressé d'en finir, il précisa :

— En privé.

— Je ne reste ici que peu de temps, répliqua le roi sans s'émouvoir. Je rencontrerai tous mes vassaux le mois prochain à Berwick, lorsque j'aurai achevé ma progression vers le nord. J'y recevrai les hommages du peuple d'Écosse. Vous me parlerez à ce moment-là, sir Robert d'Annandale.

Là-dessus, il tourna les talons. Voyant lui échapper la chose dont il rêvait le plus, cette chose qui le tourmentait et qui semblait à portée de main, lord d'Annandale s'oublia.

— J'insiste, Sire ! s'exclama-t-il d'une voix perçante.

Cette sortie fit sursauter les officiers royaux et les chevaliers qui retenaient Bruce portèrent la main à leur pommeau avec l'intention très nette d'en faire usage s'il tentait le moindre geste.

Édouard fit volte-face lentement. Le soleil accentuait encore la dureté des traits de son visage. Ses yeux gris se plissèrent, toute sa force et son pouvoir se concentrèrent dans ses deux prunelles, et son regard d'acier transperça Bruce.

Bruce se reprit aussitôt.

— Ce que je veux dire... Sire... c'est que cette affaire ne peut pas attendre, dit-il en évitant de penser à l'assistance. Maintenant que le roi Jean a perdu son titre, le trône d'Écosse est vacant. Mon père était le second prétendant après Balliol, comme l'a judicieusement déterminé votre audience. Depuis sa mort l'année dernière, ce droit me revient. Vous l'avez vous-même reconnu quand vous m'avez nommé gouverneur de Carlisle.

Édouard le dévisagea un long moment sans rien dire. Et quand il lui répondit, ce fut d'une voix acerbe, cinglante.

— Croyez-vous donc, sir Robert, que je n'ai rien de mieux à faire que de gagner des royaumes pour vous ?

Le roi se remit en branle avec sa suite et les chevaliers s'en allèrent eux aussi, laissant lord d'Annandale seul, sous le choc, au milieu de la foule.

Chapitre 44

Les chevaliers n'avaient pas ménagé leur monture depuis Montrose. Ils ne s'étaient pas arrêtés plus de quelques heures, et seulement quand les chevaux ne pouvaient plus avancer. À la fin de la troisième journée, alors que le crépuscule fondait sur eux et qu'ils descendaient une colline, Robert comprit que la ville fortifiée qu'il apercevait au loin au bord de la rivière Tay était Perth. Plus près d'eux, à environ une lieue, se trouvait le bourg royal de Scone, où son grand-père et lui étaient montés en haut de Moot Hill, le jour où le vieil homme lui avait parlé de la bataille de Lewes et de l'origine de sa haine pour les Comyn.

Comme ils arrivaient aux abords du bourg en trottant le long d'une route accidentée, le chariot cahotant derrière eux, Humphrey leur fit signe de ralentir. Il bifurqua à droite sur une piste qui sinuait dans des bois clairsemés. Les roues du chariot s'enfonçaient dans les ornières en faisant craquer les petites branches tombées au sol. Autour d'eux, les arbres étendaient leur feuillage contre le ciel pourpre où s'allumaient les premières étoiles. Après quelques minutes, ils abordèrent une clairière. Humphrey regarda alentour et, apparemment satisfait, ordonna de faire halte.

— Devons-nous monter le camp, sir Humphrey ? s'enquit Robert Clifford, inspectant les ombres des arbres.

— Non, dit Humphrey en mettant pied à terre avec une grimace. Prenez les boucliers, dit-il aux deux chevaliers royaux qui avaient conduit le chariot.

Les autres, qui ne cachaient pas leur étonnement, descendirent de cheval. Pendant ce temps, Humphrey enroulait les rênes de son destrier à une branche et alla attendre au centre de la clairière. Au bout d'un moment, tous vinrent le rejoindre. Le seul bruit était celui que faisaient les chevaliers en sortant les boucliers du chariot.

Laissant Chasseur dévorer des buissons, Robert alla se mêler aux autres. Pendant tout leur long voyage, la réserve de Humphrey, ou plutôt son mutisme, avait eu le don de le mettre sur les nerfs. Le soulagement qu'il avait éprouvé en quittant Montrose n'avait pas tardé à faire place à l'inquiétude. Trop de questions restaient en suspens, Humphrey refusant d'y répondre.

— Assez de secret, dit-il en prenant la parole en premier. Que faisons-nous ici, Humphrey ? Cela fait trois jours que nous chevauchons sans savoir où nous allons, ni pourquoi.

— J'en suis désolé, répliqua Humphrey en croisant son regard, mais je n'ai fait que suivre les ordres du roi Édouard, comme je lui en avais fait le serment.

Il toisa les autres.

— Vous avez peut-être remarqué que nous sommes revenus sur nos pas. Derrière ces bois se trouve la ville royale de Scone que nous avons traversée quand nous nous rendions à Montrose. C'est notre destination.

Les deux chevaliers commencèrent à distribuer les boucliers au dragon. Alors que les hommes s'en saisissaient, Robert comprit soudain et une main glaciale sembla étreindre son cœur.

— La Pierre... dit-il en dévisageant Humphrey. C'est pour elle, n'est-ce pas ? C'est pour la Pierre du Destin que nous sommes là ?

Plusieurs hommes, excités, poussèrent des exclamations.

— Le trône, murmura Guy de Beauchamp. La troisième relique.

Robert l'entendit à peine. Humphrey opina avant d'ajouter :

— La Pierre est l'une des quatre reliques dont parle Merlin dans *La Dernière Prophétie*.

— Pourquoi ne m'en avez-vous rien dit ? demanda Robert, qui se sentait trahi. Pourquoi n'en savais-je rien ?

— Vous n'en saviez rien parce que vous êtes reparti en Écosse quelques mois à peine après être rentré dans l'ordre, rétorqua sèchement Humphrey. Je n'ai pas eu le temps de vous expliquer.

— De m'expliquer quoi ? Que vous aviez l'intention de vous emparer de mon trône ?

— Votre famille a perdu le trône quand Balliol s'en est emparé, répondit Humphrey, plus aimablement. Le roi Édouard n'a pas l'intention d'y placer quelqu'un d'autre, plus maintenant. C'est fini, Robert. L'Écosse va faire partie de l'Angleterre, comme le pays de Galles et l'Irlande. La Pierre n'a plus d'utilité ici. Aucun roi n'y sera plus couronné.

— Le pays de Galles, l'Irlande, c'est différent, s'emporta Robert. L'Écosse est un royaume souverain avec ses propres libertés. Vous ne pouvez pas le balayer d'un revers de main.

Ralph de Monthermer s'avança dans le but de le raisonner.

— Notre invasion a montré à quel point, seule, l'Écosse est faible. Elle sera bien plus forte si elle s'unit à l'Angleterre. Les deux royaumes bénéficieront de cette union. Ensemble, maintenant que vous avez renoncé à votre entente, nous pouvons combattre la France et reconquérir les terres du roi. Sir Robert, vous voyez sans doute la logique de tout cela. Si vous n'aviez pas cru en la cause du roi Édouard, vous n'auriez pas combattu avec lui contre vos propres compatriotes.

Avant que Robert ait pu répondre, Humphrey s'interposa.

— Selon la prophétie, si les quatre reliques ne sont pas réunies autour d'un monarque, la Bretagne s'écroulera. L'Écosse souffrirait autant que l'Angleterre. Nous devons nous emparer de la Pierre pour nous assurer que cela n'arrivera pas.

— Comment savez-vous que la prophétie dit vrai ? le défia Robert. Avez-vous vu le livre d'où a été tirée la traduction du roi ? Non. Il est enfermé quelque part, n'est-ce pas ? Il est trop fragile pour être montré, dit-on.

— Sir Robert, l'avertit Ralph, à votre place j'éviterais de faire des suggestions pareilles.

— Et même si elle dit vrai, poursuivit Robert à présent tourné vers Humphrey, rien ne prouve qu'elle concerne notre époque. Et si *La Dernière Prophétie* prévoyait qu'un danger existait il y a plusieurs siècles ? Ou si elle annonçait la ruine de la Bretagne dans les siècles à venir ? J'ai lu l'*Histoire* de Monmouth quand j'étais enfant et je l'ai relue en revenant en Écosse. Oui, il parle d'un moment précis où certaines reliques devront être réunies, mais il ne précise jamais ce moment.

— *La Dernière Prophétie* ne clarifie pas seulement les mentions de Geoffrey de Monmouth à propos des reliques, dit Humphrey. Elle évoque aussi des événements spécifiques qui annonceront le déclin de la Bretagne. Des signes à guetter.

Il hésita un instant, comme s'il se demandait s'il était pertinent d'en dire plus, puis se décida.

— L'un des signes était la mort du roi Alexandre.

Cette affirmation stupéfia Robert. Jusqu'à maintenant, il avait eu du mal à croire en la prophétie. Il savait que d'autres, comme Aymer et Henry Percy, n'y croyaient pas vraiment, qu'ils voyaient seulement l'ordre comme un moyen de s'attirer la faveur du roi Édouard. Il n'était pas le seul à se montrer surpris en cet instant. Il semblait que Humphrey en sût davantage que les autres sur la prophétie.

— Elle mentionne le roi par son nom ?

— *Quand le dernier roi d'Albanie sera mort sans descendance*, récita Humphrey, *le royaume connaîtra le désarroi*. Et ce jour-là, tous les enfants de Brutus pleureront le plus grand des rois

— Alexandre ? fit Robert. Alexandre le Grand ?

— Seul un devin aurait pu savoir cela, répondit Humphrey.

— Pourquoi ne nous a-t-on rien dit ?

La voix d'Aymer avait retenti dans le silence.

— Les chevaliers de la Table ronde le savent, dit Humphrey. On vous l'aurait appris le moment venu, si vous aviez été choisi pour vous joindre à eux.

— Depuis quand avez-vous une place autour de la Table ?

Humphrey ne releva pas la question ironique d'Aymer.

— Robert, vous devez me faire confiance et vous devez faire confiance au roi Édouard, comme par le passé. Nous agissons pour le bien de ces îles.

Sa voix se durcit face à l'air buté de Robert.

— Vous avez prêté serment aux Chevaliers du Dragon, vous faites partie d'un cercle qui est fidèle au roi et à sa cause. Nous devons rassembler quatre reliques venues des quatre coins du royaume, Angleterre, Écosse, Irlande, pays de Galles, si nous voulons éviter qu'il ne coure à sa perte. À moins de rompre votre serment, c'est aussi votre cause. Le roi m'a expliqué où se trouve la Pierre. Je peux la trouver moi-même, mais nous gagnerons du temps si vous nous montrez le chemin. J'espérais que nous n'aurions pas besoin de perpétrer un bain de sang, ajouta-t-il, mais ce sera sans doute inévitable si nous tardons.

Robert vit que Humphrey était résolu. Il pouvait rompre son serment, refuser de l'aider et se faire des ennemis de tous les chevaliers présents, ainsi que du roi, ou il pouvait obtempérer et contribuer à l'accomplissement de la prophétie. Jamais il ne s'était senti aussi divisé entre sa loyauté envers son royaume et sa loyauté envers ces hommes. Mais au milieu de sa confusion, une chose était indéniable : la rapidité avec laquelle l'Écosse avait été envahie. Lui-même avait été stupéfait. Le royaume n'était pas au mieux depuis la mort d'Alexandre. *Et si c'était vrai ? Si la prophétie était authentique ?* Il avait besoin de temps pour réfléchir à tout cela, pour en trouver le sens. Mais tous les regards étaient tournés vers lui. Tout délai lui était interdit.

Sans répondre, Robert tendit le bras pour s'emparer du bouclier qu'un des chevaliers attendait de lui remettre. Comme celui-ci s'approchait, Humphrey se tourna vers les autres.

— Nous devons faire vite. Sir Robert Clifford et sir Henry Percy m'aideront à prendre la Pierre dans l'abbaye. Quand elle sera à l'abri dans le chariot, nous nous en irons. Ne vous servez de votre épée que si vous êtes attaqué.

En parlant ainsi, il fixa Aymer de Valence, qui toussa et mit la main sur le pommeau de son épée. Puis, comme un seul homme, les chevaliers remontèrent en selle et se dirigèrent vers l'abbaye de Scone à travers bois. Robert avait pris la tête de la compagnie avec Humphrey. Le bouclier pesait sur son bras et il avait l'impression que son cœur allait éclater dans sa poitrine.

Après avoir emprunté un étroit sentier au bout duquel ils trouvèrent un pont pour traverser la rivière, ils arrivèrent près de l'abbaye, qui se dressait devant eux dans le crépuscule. Au-delà des bois qui entouraient l'édifice, ils virent de la fumée qui s'élevait du bourg royal. L'abbaye n'avait pas de mur d'enceinte, aussi les chevaliers entrèrent-ils sans rencontrer de résistance dans le domaine. L'endroit était tranquille. Des torches brûlaient aux fenêtres d'une salle au rez-de-chaussée, probablement le réfectoire des moines. Au loin, Robert distinguait les arbres disposés en cercle au sommet de Moot Hill. Il se rappela son grand-père debout près de lui dans les derniers rayons du soleil. Il se rappela le socle sur lequel était posée la Pierre et la gravité qu'il avait alors ressentie.

Humphrey tira sur les rênes de son cheval et les autres firent de même. Entendant qu'on l'appelait par son nom, Robert comprit que lui incombait la charge de diriger le groupe. Il était venu des années plus tôt, et encore n'avait-il fait que suivre son grand-père, mais il se rappelait le chemin. Il enfonça ses talons dans les flancs de Chasseur, et les conduisit à travers les logements des moines et les jardins jusqu'à l'église dont la silhouette se découpait contre le noir du ciel. Ils croisèrent quelques hommes qui sursautèrent en les voyant chevaucher dans la pénombre. L'un d'eux, vêtu d'une robe de bure, leur demanda où ils allaient, mais les chevaliers poursuivirent leur chemin sans lui répondre. Humphrey se mit au galop pour rejoindre l'édifice. Derrière lui, Robert entendait des cris et des portes qui claquaient. Les moines étaient au courant de leur intrusion, maintenant. Des chiens se mirent à aboyer. Ils n'avaient pas beaucoup de temps devant eux.

Les chevaliers arrêtèrent leurs chevaux devant les portes de l'église et les roues du chariot s'immobilisèrent dans la poussière. Ils sautèrent à terre et certains tirèrent leur épée en courant vers l'église. Quelques-uns restèrent en arrière, comme Humphrey le leur ordonnait, pendant que Percy, Clifford et lui entraient. Une odeur d'encens et de cire fondue flottait dans l'église. Les vitraux paraissaient sans éclat à la lueur des cierges. Robert suivit les autres en rabattant sa capuche sur son visage, pour le dissimuler. Il

463

était heureux de porter un vêtement tout simple. Ici, ce soir, le chevron rouge de Carrick l'aurait marqué au fer rouge.

Tendant son bouclier à Ralph, Humphrey remonta l'allée à grands pas sous les regards austères des anges inclinés des piliers, jusqu'à l'autel devant lequel était posé, sur un carré de tissu doré, un bloc de pierre pâle. Robert revit son père s'avancer ici-même sous les protestations des seigneurs écossais. Il songea à la récompense tant convoitée par son père ; à cette pierre à laquelle toutes ses ambitions menaient. Quel funeste destin l'avait conduit, lui, un Bruce, non à s'asseoir sur le trône, mais à le voler pour le compte de l'envahisseur ?

Henry Percy et Robert Clifford avaient suivi Humphrey. Ensemble, les trois hommes soulevèrent la Pierre, Percy et Clifford la saisissant par les deux anneaux de fer sur le côté pendant que Humphrey la soutenait par en dessous. Ils titubèrent le long de l'allée. Dehors, Robert entendait les cris se rapprocher. Les chevaliers à la porte leur hurlèrent de se hâter. Robert tira son épée alors que Percy et Clifford approchaient. Il avait le regard rivé à la Pierre sacrée dont la surface pâle scintillait. Derrière les portes de l'église, une foule se formait. La plupart des hommes portaient des habits de moine, mais d'autres avaient l'air de paysans ou de serviteurs. Ces hommes brandissaient des couteaux et des bâtons. L'un d'eux avait une hache.

Les chevaliers formaient un arc de cercle protecteur. Aymer était à l'avant, tandis que Humphrey s'était placé à l'arrière. Robert les rejoignit, laissant Percy et Clifford, harassés, progresser difficilement vers le chariot. Après avoir lâché la Pierre, Humphrey avait repris le bouclier confié à Ralph et il se dirigeait maintenant vers les hommes qui leur faisaient face.

Les moines de Scone avaient à leur tête un vieil homme aux épaules voûtées et à la robe doublée de fourrure, sans doute l'abbé. Il regardait avec stupeur Percy et Clifford transporter la Pierre vers le chariot.

— Au nom du Seigneur Tout-Puissant, qu'est-ce que ça signifie ? demanda-t-il en se plantant devant les chevaliers. Qui êtes-vous ?

— Nous sommes les Chevaliers du Dragon, répondit Humphrey. Nous sommes venus prendre la Pierre du Destin sur ordre du roi Édouard d'Angleterre, duc de Gascogne, souverain d'Irlande, conquérant du pays de Galles et suzerain d'Écosse. N'opposez pas de résistance et il ne vous sera fait aucun mal.

— Ne comptez pas là-dessus, gronda le vieil homme d'une voix tremblante en faisant un pas en avant, suivi de près par l'homme à la hache. Je ne vous laisserai pas à prendre la Pierre !

Percy et Clifford avaient les pires difficultés à hisser la Pierre dans le chariot. Ralph alla les aider.

— Aucun de nous ne vous laissera faire, reprit l'abbé en élevant la voix.

Comme pour lui faire écho, les moines se regroupèrent derrière lui, même s'ils avaient l'air terrifiés.

— Dans ce cas, vous mourrez, grogna Aymer de Valence.

Humphrey cria mais Aymer, n'écoutant que lui, leva son épée sur l'abbé, qui recula, frappé de terreur. Avant que son bras ne s'abatte, Robert dirigea la pointe de son épée contre la gorge d'Aymer. Il arrêta son geste à temps, mais la lame effleura tout de même la peau de son ennemi, juste au-dessus de son col de mailles. Le chevalier s'arrêta net, la tête légèrement rejetée en arrière pour échapper au dard mortel.

— Baissez votre arme, dit Robert entre ses dents, ou je vous égorge.

Aymer jeta un bref coup d'œil à Guy, qui se trouvait derrière Robert.

— Eh bien allez-y ! siffla-t-il. Et j'aurai la satisfaction de vous voir mourir avec moi.

Robert sentit la pointe de l'épée de Guy se loger entre ses omoplates.

Les épaules rentrées, prêt à frapper, l'homme à la hache approcha, son regard allant d'Aymer à Robert. Les moines passaient d'un pied sur l'autre en serrant qui son bâton, qui son couteau. Une cloche se mit à sonner au loin. Des cris lui répondirent de la ville. Les renforts arrivaient.

— Robert, s'interposa Humphrey.

Comme Robert ne bougeait pas, le chevalier prit de sa main gantée la lame et l'abaissa fermement.

Libéré, Aymer recula. Au même moment, l'homme à la hache tenta sa chance. Faisant volte-face, Aymer fit tournoyer son épée et, postillonnant, lui enfonça sa lame dans l'abdomen. Les yeux de l'homme s'arrondirent, sa mâchoire retomba. La hache lui échappa des doigts et chut dans la poussière avec un bruit sourd. Quand Aymer retira son épée dans une gerbe de sang et que l'homme s'écroula en se tenant le ventre à deux mains, l'abbé ne put retenir un cri.

La situation dégénéra. Quelques hommes reculèrent, effrayés, mais d'autres se jetèrent en avant. Un moine se précipita sur Humphrey en brandissant son couteau, et le chevalier lui envoya un coup de poing au visage. Le nez de l'homme se brisa avec un grand craquement et il pivota, du sang lui coulant entre les doigts. Les autres chevaliers resserrèrent les rangs pour empêcher les moines de se ruer sur Percy et Clifford, qui avaient enfin réussi à déposer la Pierre dans le chariot. Les chevaliers avancèrent, les boucliers levés devant eux. Aymer, dont la lame dégoulinait de sang, était à leur tête. Deux des moines prirent l'abbé par les épaules pour l'écarter.

— Allons-y ! cria Ralph.

À travers les arbres, ils distinguaient les halos des torches que portaient les habitants de la ville venus voir ce qu'il se passait. Ralph monta en selle et ouvrit la voie au chariot.

— *Maintenant !* hurla Humphrey courant vers son cheval.

Le chariot s'avança sur le sol poussiéreux, les chevaux fonçant droit sur la foule. Les moines se dispersèrent, sauf deux d'entre eux qui essayèrent d'attraper les harnais au passage. Le premier, qui se cogna à une roue, tomba à la renverse. L'autre parvint à s'accrocher quelques instants avant de chuter quand le chariot roula sur une pierre.

Les chevaliers montèrent en selle et éperonnèrent leurs montures, laissant le corps de l'homme qu'Aymer avait tué se vider de son sang devant l'église. Le capuchon de Robert avait glissé dans l'échauffourée et, lorsqu'il prit les rênes de Chasseur, il croisa le regard de l'abbé. Tout à sa rage impuissante, le vieil homme ne sembla pas le reconnaître.

Robert suivit au galop les Chevaliers du Dragon. Devant lui, la Pierre bringuebalait dans le ventre du chariot à cause des cahots de la route. Son grand-père apparut ; ses grands yeux noirs lui lançaient des éclairs.

CINQUIÈME PARTIE

1297

Entre-temps, Taliesin était venu trouver Merlin le prophète qui l'avait envoyé chercher pour savoir si la tempête apporterait le vent ou la pluie, car les nuages s'amoncelaient.

Geoffroy de Monmouth, *La Vie de Merlin.*

Chapitre 45

Le Justicier d'Écosse, sir William Ormesby, un Anglais, se tenait devant la fenêtre de la salle donnant sur le bourg royal de Scone. La fumée qui s'élevait des cheminées s'évanouissait dans la blancheur du ciel. Quelque part, là-haut, le soleil luttait pour percer la chape de plomb qui dominait le paysage. Ormesby sentait la sueur perler sous ses aisselles. Sa robe fourrée lui semblait aussi lourde qu'une armure et il avait hâte de l'enlever, mais il avait encore plusieurs audiences prévues pour la matinée. Un plaignant l'attendait déjà en bas de l'escalier. Ormesby le ferait patienter encore un peu. Il était bon qu'ils s'énervent avant qu'on les lui amène. Cela les rendait moins aptes à formuler leurs objections.

En bas, les gens vaquaient à leurs occupations dans les rues boueuses. Ormesby regarda un porcher malingre rassembler ses animaux dans un enclos. En face, une femme portant un châle miteux sortait de la boutique du boucher, un paquet dans les mains. Des soldats déambulaient parmi les passants, l'épée pendue à la ceinture. Ils étaient aisément repérables au milieu de la triste population de Scone, avec leur tenue militaire et leur bandeau blanc orné de la croix rouge de saint

Georges au bras. C'est le roi Édouard qui avait imposé le port des bandeaux, de façon à ce qu'on reconnaisse les soldats anglais en ville. Les croix rouges se déplaçaient par petits groupes de deux ou trois, ou ils stationnaient devant le bâtiment, la main sur le pommeau de leur épée. Il y en avait davantage ces derniers jours, des renforts étant venus de Berwick après que des rapports avaient fait état d'une agitation croissante. Les troubles semblaient confinés aux Highlands, loin au nord de Scone, là où les MacRuarie s'étaient emparés de trois bateaux anglais avant de les piller et de les brûler. Le clan MacRuarie était connu, il se composait de mercenaires et d'assassins prêts à capturer n'importe quel bateau qui s'aventurait sur leur territoire, quelles que soient les couleurs qu'il arbore. Les émissaires du roi à Berwick n'avaient pas voulu prendre le moindre risque et ils avaient renforcé toutes les garnisons.

Tandis qu'Ormesby observait la rue, deux des soldats qui se tenaient devant la salle se détachèrent et se dirigèrent vers un attroupement de clochards qui venaient d'arriver par une rue latérale et ennuyaient les bonnes gens de leurs mains tendues. Ils ressemblaient plus à des bêtes qu'à des hommes avec leurs guenilles, leurs cheveux emmêlés et leurs visages crasseux. Eux aussi étaient de plus en plus nombreux ces jours-ci. Depuis qu'Ormesby avait pris ses fonctions de Justicier, les moines mendiants et les lépreux avaient été supplantés par des hommes réduits à cet état après avoir perdu leur travail et leur maison. Bien qu'ils fussent mieux habillés, ils montraient déjà les signes de l'indigence qui les envelopperait de son linceul gris et anonyme dans les prochains mois. Ormesby contemplait avec malaise et trouble ces hommes qui, aussi humbles soient-ils, avaient déchu si vite.

Les soldats ordonnaient aux clochards de s'en aller avec de grands gestes. L'un des soldats bouscula un homme qui avançait trop lentement à son goût. Un autre brandit son épée d'un air menaçant. Se détournant de la scène, Ormesby retourna à la table couverte de rouleaux de parchemins. La pièce, spacieuse, pleine de beaux meubles et de tapisseries, était occupée par quatre clercs installés à des tables d'écriture et deux officiers royaux qui conféraient à voix basse, penchés sur un document. L'un des clercs assis à côté d'Ormesby leva le nez de son travail. Avec ses grosses lunettes en bois posées en équilibre sur son nez, il faisait au Justicier l'effet d'un poisson aux yeux globuleux.

— Dois-je faire monter le suivant, sir ?

Ormesby soupira.

— Allez-y.

Il s'assit derrière sa table pendant que le clerc traversait la pièce. Après un bref échange avec les soldats à l'extérieur, le clerc vint se rasseoir et reprit sa plume. Quelques instants plus tard, un homme escorté par deux soldats entra. Il serrait tellement son chapeau de feutre dans ses mains que celui-ci avait perdu toute forme. Satisfait par cette vision, Ormesby lui accorda un sourire empressé.

— Bonjour, maître Donald.

— Sir, murmura l'homme en jetant un regard inquiet aux soldats qui ressortaient.

— Le prévôt m'a informé que vous avez refusé de payer l'impôt de votre fermage cette saison.

— Non, sir, répondit fermement Donald. Je n'ai pas refusé. C'est que je ne peux pas.

— N'est-ce pas la même chose ?

Donald opina sans rien dire. Dans le silence, on n'entendait que la plume du clerc qui retranscrivait la conversation sur son parchemin.

Ormesby sentit l'irritation le gagner. À l'évidence, ces manants ne savaient pas à qui ils avaient affaire. C'était le quatrième ce matin qui lui faisait cette réponse, presque mot pour mot. Et même s'il tordait toujours son feutre entre ses mains, l'homme soutenait son regard. Ce défi qu'il semblait lui lancer vint à bout du calme d'Ormesby. Était-ce une sorte de conspiration contre lui ? Il ne laisserait pas faire. Hugh de Cressingham, à Berwick, lui avait bien fait comprendre que les recettes devaient être versées en temps et en heure. Plusieurs seigneurs, comme sir Henry Percy, à qui on avait confié le Galloway et l'Ayr, n'avaient pas pu récolter les taxes et c'était désormais une priorité. On disait même que sir John de Warenne n'avait pas reçu son dû. Cela ne désolait pas particulièrement Ormesby. Le comte avait été fait Lieutenant d'Écosse à l'automne dernier, mais quelques semaines à peine après le retour du roi Édouard en Angleterre, Warenne l'avait suivi, car il préférait passer son temps dans ses domaines du Yorkshire. Cressingham, en revanche, se comportait comme un vrai tyran, et il était préférable de ne pas fâcher celui qui, en l'absence de Warenne, dirigeait de fait le royaume d'Écosse. Les images des mendiants à l'esprit, Ormesby se leva promptement.

— La loi vous impose de nous verser ces impôts, maître Donald. En refusant de les payer, vous violez la loi. C'est un crime qui mérite châtiment.

Donald secoua de nouveau la tête.

— Sir, je n'ai pas l'argent. Les loyers sont trop élevés.

Il hésita, et poursuivit d'une traite :

— Ils sont trop élevés pour tout le monde. Les gens perdent tout. Les familles ont faim, les enfants sont malades. On abat des animaux inutilement, juste parce qu'on ne peut pas les nourrir. Nos églises tombent en ruine, le clergé donne tout ce qu'il a à l'usurier.

Il s'arrêta subitement, ayant compris qu'il avait trop parlé.

L'usurier. Ormesby avait déjà entendu ce nom, quoique jamais aussi ouvertement. C'était ainsi que les Écossais appelaient Cressingham. Ce n'était pas pour lui déplaire car il n'aimait pas le trésorier royal, qui régissait le centre administratif du royaume à Berwick. Mais, ses sentiments personnels mis de côté, il avait un travail à accomplir et il n'allait pas laisser les défaillances et l'insolence de quelques pauvres hommes interférer avec sa mission. Ormesby planta ses mains sur la table, ce qui eut comme effet d'envoyer quelques parchemins rouler par terre.

— Seul un imbécile, maître Donald, accorde plus de valeur à son argent qu'à sa liberté. Car c'est ce qui est en jeu ici. Votre liberté.

L'homme s'empourpra, mais ne détourna pas le regard.

— Ma liberté ? répondit-il tranquillement. C'est ainsi ?

Des cris retentirent à l'extérieur, mais ni Ormesby ni Donald n'y firent attention.

— J'ai l'autorité pour emprisonner quiconque refuse de payer ses taxes. Et je n'hésiterai pas. Ne me mettez pas à l'épreuve !

Les cris redoublaient dehors, et l'on entendait aussi courir. Le clerc cessa de prendre des notes et leva la tête, ses lunettes renvoyant la lumière qui tombait des fenêtres. Ormesby s'arrêta au beau milieu de sa tirade et tourna la tête au moment où un hurlement venu de la rue emplissait la pièce. Un vacarme s'ensuivit, couvert par le bruit d'une cavalcade. Les officiers avaient lâché le document qu'ils examinaient et les clercs s'étaient levés. Ormesby alla à la fenêtre.

Des bois qui entouraient le bourg déferlait une masse d'hommes. Certains à cheval, d'autres à pied qui couraient. Tous brandissaient des armes, essentiellement des haches et des lances. Quelques-uns portaient des capes et des cottes de mailles, mais la plupart n'avaient qu'un jaque de cuir. Une poignée d'hommes était même vêtue des courtes tuniques prisées dans les Highlands. Ces hommes allaient pieds nus, un mauvais signe pour Ormesby, qui avait

475

entendu parler de ces hommes du nord. Ils se précipitaient en hurlant une multitude de cris de ralliement.
Ormesby en comprit un au milieu du brouhaha, repris
par un groupe de cavaliers mené par un homme imposant qui montait un cheval magnifiquement capara-
çonné.

— Pour Douglas ! *Pour Douglas !*

En bas, les habitants se dispersaient. Les soldats
anglais s'étaient regroupés devant la salle d'audience,
mais Ormesby vit soudain les mendiants qu'ils expul-
saient un peu plus tôt arracher leurs guenilles et révéler leur musculature de guerriers. Ils tombèrent sur les
soldats avec des cris sauvages, serrant des dagues dans
leurs poings.

Des bruits de pas retentirent dans l'escalier. La porte
s'ouvrit brusquement et deux soldats apparurent.

— Nous devons partir, sir !

Les clercs et les officiers se hâtaient déjà de quitter
la pièce. Donald courait avec eux.

Ormesby ne broncha pas.

— Qui sont-ils ? demanda-t-il d'une voix haut perchée en se retournant vers la fenêtre.

La horde prenait possession de la ville. Ormesby
regarda un homme, un géant, courir à grandes enjambées à l'avant des lignes rebelles. Plus grand que tous
ceux qui l'entouraient, d'une agilité extraordinaire par
rapport à sa taille, il portait une tunique bleu foncé et
un chapel à large bord. Les autres semblaient se
déplacer en fonction de lui. Mais c'était surtout la
lame qu'il tenait entre ses mains qui attira le regard
d'Ormesby. Il n'avait jamais vu une épée pareille, si
longue et si large que le géant devait l'agripper à deux
mains tout en courant.

Un autre nom devint audible dans le hurlement de
la meute.

— *Wallace ! Wallace !*

Chapitre 46

Quand la compagnie arriva aux portes du château de Carrick, les sentinelles s'écartèrent pour laisser passer les cavaliers avant de refermer les lourdes barrières derrière eux. Robert, à la tête de huit chevaliers, remarqua qu'il y avait plus de gardes que quatre jours plus tôt, lorsqu'il était parti. Dans la bruine du matin, ils avaient l'air tendus.

Robert et les chevaliers mirent pied à terre dans la cour intérieure. La pluie dégoulinait de leurs capuches. L'animation régnait au château, des serviteurs portaient des paniers de légumes et de bûches aux cuisines. Alors que Robert passait ses rênes à un palefrenier pour qu'il emmène Chasseur aux écuries, l'un des hommes de son père vint à sa rencontre.

Le chevalier s'inclina courtoisement en arrivant à sa hauteur, mais ne lui sourit pas.

— Sir, le gouverneur souhaite vous voir dès votre arrivée.

Robert était trempé des pieds à la tête, mais il était plus simple ces temps-ci d'obéir. Plus vite il aurait vu son père, plus vite il pourrait se retirer dans ses logements et dormir, avant qu'on ne l'expédie quelque part pour une autre mission. Ayant salué ses hommes d'un signe de tête, il suivit le chevalier à travers la cour et monta les marches vers la salle.

Après avoir tambouriné aux portes pour l'annoncer, le chevalier le laissa entrer seul. Robert ôta ses gants et fit jouer les articulations de ses mains en entrant dans la longue pièce dont le plafond était couvert de poutres. On était fin mai, mais le printemps refusait de s'épanouir et de donner un avant-goût de l'été. Deux feux étaient allumés dans les cheminées. Son père se tenait penché au-dessus de la table dressée sur l'estrade, et qui croulait sous les documents. Bizarrement, son père préférait conduire ses affaires dans la grande salle plutôt que dans le salon à l'étage du dessus, où Robert était rarement invité. Pour Robert, cette pièce caverneuse décorée d'une bannière aux armes d'Annandale seyait à un homme qui voulait à toute force obliger ses visiteurs à reconnaître sa prétendue grandeur. En marchant sur le sol couvert de paille où dormait la garnison du château, Robert songea à son grand-père, si imposant qu'il eût pu tenir un conseil dans une grange et être écouté par tous les hommes présents.

Lord d'Annandale leva les yeux mais ne daigna pas saluer son fils avant qu'il ait monté les marches de l'estrade et qu'il se soit immobilisé face à lui, de l'autre côté de la table.

— Avez-vous quelque chose à rapporter ?

Robert s'arma de courage avant de répondre. C'était la seule façon pour lui de supporter ces entrevues. Mettant son hostilité de côté, il s'efforça de parler le plus posément possible.

— Tout est calme dans le secteur, père, pour autant que je puisse l'affirmer.

Son père le scruta de ses yeux bleus.

— Jusqu'où êtes-vous allé au nord ?

— Jusqu'à la frontière, comme vous l'avez ordonné.

— Et vous n'avez rien vu ? Aucun signe de trouble ?

— Rien.

Après un silence tendu, le lord hocha la tête.

— Bien. Nous avons peut-être survécu à la dernière attaque sur cette ville. Mais si l'on nous attaque à nouveau, je veux être prévenu immédiatement.

— Je croyais que l'agitation ne dépassait pas les limites des Highlands ?

Au lieu de répondre, son père se mit à fouiller dans les rouleaux sur la table. Robert sentait l'odeur de vin de son haleine et il remarqua une coupe et une carafe, telles deux îles dans l'océan des parchemins. Laissant son regard errer sur les documents, il se demanda combien son père en avait bu depuis le matin. L'un des rouleaux portait un grand sceau, orné des armes royales d'Angleterre. Cela l'intrigua. Il n'avait eu aucune nouvelle de la cour d'Édouard depuis qu'il était reparti en septembre avec son armée en emmenant la Pierre du Destin, Jean de Balliol et les autres prisonniers écossais.

— Vous avez été contacté par le roi ? demanda-t-il à son père, à la fois surpris et agacé.

Le lord étudiait une carte des frontières étalée devant lui.

— Le roi Édouard m'a demandé d'assurer la défense de Carlisle, mais il a bon espoir que les rebelles qui troublent la paix seront matés sous peu. Je le crois aussi. Le chef de ces rustres est un homme de rien, le fils d'un vassal du grand chambellan. Cependant, ajouta Bruce d'un ton un peu moins méprisant, bien que ce brigand, William Wallace, ne menace pas gravement le roi, certains de ses partisans pourraient se révéler plus dangereux.

Robert garda le silence. Ce rebelle, Wallace, était peut-être un homme de rien, mais le soulèvement qu'il avait fomenté contre l'administration du roi avait eu les mêmes effets qu'une pierre jetée dans un bassin. L'onde de choc s'était propagée. Robert ne savait pas grand-chose de lui, sauf qu'il avait refusé de jurer fidélité au roi et qu'il s'était toujours montré rétif à l'occupation anglaise. Fils d'un chevalier, Wallace s'était opposé aux hommes du roi dans la ville de Lanark et il avait été banni. Depuis, des récits couraient sur ses agressions contre des villages tenus par les Anglais, qui concordaient avec l'éruption de violence à travers l'Écosse.

— Ce qui pose problème au roi, reprit son père, c'est la trahison de sir William Douglas. Sitôt libéré de Berwick, il s'est empressé de rejoindre Wallace. La révolte de quelques brigands est une chose, la défection d'un noble comme Douglas en est une autre. Édouard a peur que ce revirement en inspire d'autres. On réglera son compte à Wallace le moment venu. La priorité, c'est Douglas. Avec le récent décès de son frère Edmond en Gascogne, Édouard est occupé par la guerre contre la France. Il n'a pas de temps à consacrer personnellement à cette affaire, et il m'a demandé de m'en occuper. Douglas a emmené avec lui la plupart de ses chevaliers, et il n'a laissé que sa femme et une petite garnison pour défendre son château. Je dois capturer sa femme et son fils. Je les remettrai aux Anglais, qui s'en serviront pour persuader Douglas de revenir à la raison.

— Quand partez-vous ? demanda Robert, que ces nouvelles inquiétaient.

Son père le toisa avec mépris.

— J'ai bien assez à faire ici, ne le voyez-vous pas ? C'est vous qui vous en occuperez. Vous partez demain à la première heure, continua-t-il sans attendre de réponse. Vous irez à Lochmaben et prendrez avec vous les hommes d'Annandale. Le château de Douglas n'a qu'une petite garnison, mais vous aurez besoin de troupes pour en venir à bout. Amenez-moi la femme et le fils de Douglas.

Voyant que Robert ne bougeait pas, le lord fronça les sourcils.

— Quoi ?

Robert ne put contenir plus longtemps ce qu'il avait sur le cœur, qui jaillit soudain comme un torrent.

— Et si vous déposez la femme et l'enfant de Douglas aux pieds d'Édouard, père, comment récompensera-t-il vos bienfaits ? Avec un trône, croyez-vous ? Ou juste avec une petite tape sur la tête ?

Lord d'Annandale se redressa, blême de rage. Sa main balaya les rouleaux qui tombèrent sur le sol. Le grand sceau royal en cire se brisa en heurtant le bois du plancher.

— Faites votre devoir, maugréa Bruce d'une voix pincée, ou vous perdrez vos terres.

Puis il prit sa coupe et, avant de la porter à ses lèvres, conclut :

— Quel que soit votre choix, fichez-moi le camp.

La brise rafraîchissait Robert, qui contemplait le ciel bleu sombre de l'aurore. Le clair de lune éclairait son torse musclé. D'ici un mois, il fêterait le jour de sa naissance. Il aurait vingt-trois ans. Il était un homme maintenant, aguerri par une décennie d'entraînement. Des épaules solides, un dos effilé et puissant, des bras aux veines saillantes. Des poils noirs avaient commencé à apparaître sur sa poitrine cette dernière année, ils descendaient en fine ligne vers son nombril avant de redevenir plus touffus. Ici et là, des cicatrices étaient visibles sur sa peau, pour la plupart reçues à l'entraînement, même si quelques-unes lui avaient été infligées lors des batailles. Non, il n'avait plus rien d'un enfant. Et pourtant, jamais il ne s'était senti aussi impuissant.

En contrebas, le promontoire du donjon de Lochmaben s'abaissait vers les bâtiments éparpillés en désordre dans la cour. Derrière la palissade, les arbres que le clair de lune rendait aussi vaporeux que des nuages s'étiraient jusqu'à Kirk Loch, qui scintillait tel un miroir. Des souvenirs d'un autre temps l'envahirent, liés à cet endroit. À treize ans, encore enfant, il s'était libéré de la présence ombrageuse de son père en arrivant à Lochmaben. C'est ici qu'il avait appris à chasser et participé au conseil avec les hommes du royaume ; c'est ici aussi qu'il avait embrassé une femme, qu'il avait déploré la perte du trône pour sa famille et que son grand-père lui avait transmis le droit à prétendre à la couronne. Ici, au cœur d'Annandale, l'épée du comte de Mar avait fait de lui un chevalier. Et il avait épousé Isobel et conçu sa fille en ces lieux.

Mais malgré les événements qui le liaient à cet endroit, Robert s'y sentait étranger. Le paysage ne voulait plus de lui, et les esprits du passé non plus. Il en allait ainsi depuis qu'il avait aidé à voler la Pierre du Destin de l'autel de l'abbaye de Scone. Il n'arrivait plus à voir le visage de son grand-père, qu'autrefois il se représentait si distinctement, comme si ses souvenirs l'abandonnaient, préférant fuir l'horrible vérité. L'hiver passé à Carlisle lui avait offert un répit. Retourner en Écosse pour appeler les vassaux de son père à attaquer le château de Douglas avait jeté un poids sur sa poitrine.

Il entendit le lit craquer derrière lui et il se détourna de la fenêtre. La chambre qu'avait occupée jadis son grand-père était plongée dans le noir, le feu dans l'âtre n'émettant qu'une faible lueur rougeâtre. Malgré les efforts des serviteurs pour la rendre accueillante à ses nouveaux habitants, la pièce ronde du premier étage demeurait nue. On avait mis des draps propres et des couvertures au vieux lit, réparé après les dégâts occasionnés par l'occupation des Comyn. Les quelques coffres qui contenaient ses affaires – des vêtements, son armure, ses armes – étaient entassés contre un mur près de la tapisserie usée et familière où des chevaliers montant des coursiers noirs chassaient un cerf d'une blancheur virginale. Des oreillers étaient éparpillés et le couvre-lit gisait sur le sol. Une jambe mince dépassait sous les draps. La couverture de laine était remontée jusqu'aux cuisses, où elle formait de gros plis avant de s'écarter pour révéler les courbes délicates du dos et des épaules, à moitié cachées par une masse de cheveux noirs. Le bras, replié sous un oreiller, montait et descendait au gré de sa respiration. En s'étirant, Katherine tourna son visage vers lui mais ses yeux restèrent clos. Elle poussa un soupir dans son sommeil.

Comme il ne voulait pas laisser sa fille à Carlisle, Robert avait amené l'ancienne servante de sa femme et la nourrice, Judith, avec lui à Annandale, en plus de l'escorte de chevaliers et d'écuyers. Trois nuits plus tôt, après un banquet qu'il avait offert aux vassaux de son père et au cours duquel il avait bu sans pratiquement dire un mot, Robert avait appelé Katherine dans sa chambre. Elle n'avait pas résisté quand, les doigts fébriles et l'haleine chargée, il l'avait attirée dans son lit, en quête de quelque chose qui puisse le soulager de ses frustrations. Le lendemain, elle était revenue de son propre chef.

Robert regarda un moment Katherine qui dormait, puis il alla pieds nus prendre ses vêtements froissés par terre. Il enfila sans bruit ses braies, ses chausses et son maillot, attentif à ne pas la réveiller. Elle lui avait donné tout ce dont il avait besoin cette nuit. Après avoir récupéré ses bottes, sa cape et son épée, il ouvrit la porte et sortit à pas de loup.

En bas de la tour, il tomba sur Christopher Seton, qui avait effectué son tour de garde au donjon. Le grand échalas blond faisait partie des hommes qui accompagnaient Robert lors de cette mission. Pour une fois, son frère n'était pas avec lui. Il était resté à Carlisle afin d'aider à défendre la ville. Édouard aurait voulu demeurer à Annandale à la fin de la guerre, et il ne s'était pas acclimaté à la ville. Rongé par la colère, il s'était mis à sortir presque tous les soirs dans les tavernes, à parier de l'argent sur des combats de coq et à se bagarrer. Il évitait Robert et son père tant qu'il pouvait, leur imputant son exil en Angleterre.

— Bonjour, sir, dit Christopher en ouvrant la porte devant lui.

Robert adressa un signe de tête à l'écuyer. Il n'avait aucune envie de se lancer dans une conversation et il se hâta donc de descendre le chemin en bouclant sa ceinture. Le poids de l'arme lui était familier, il la portait partout désormais. Longeant les chenils, il entendit gémir et vit Uathach sortir furtivement de sa niche pour le saluer à travers le grillage. Il fit claquer doucement sa langue à son intention mais ne s'arrêta pas, poursuivit son chemin vers les palissades derrière lesquelles se trouvait le village. Il n'avait aucune destination en tête, il voulait seulement voir l'aube se lever. Le château s'animerait bientôt, une nouvelle journée commencerait et d'autres vassaux arriveraient pour le combat. Il avait besoin que le lever du jour lui clarifie l'esprit. Demain, il devrait marcher sur Douglasdale avec les hommes de son père pour enlever une femme et son enfant. Avant cela, il devait faire taire les voix du passé.

Ayant franchi les portes, il déambula dans les rues. Malgré l'heure matinale, quelques personnes étaient déjà debout. Il croisa un homme au visage caché par une capuche, recroquevillé devant l'atelier d'un forgeron, un chien étalé par terre à côté de lui. Plus loin, un homme et une femme s'embrassaient sur le seuil d'une maison. Le bruit d'un chariot qui roulait lui parvenait d'un peu plus haut. Sur la place du marché, la lune découpait l'ombre de l'église. Robert fit halte dans ce lieu dégagé, assailli par les souvenirs flous des belles journées d'antan, remplies de soleil et de promesses. Il avait chevauché dans ces rues au retour d'une chasse, il se souvenait des chevaux sales et fourbus, des hommes qui interpellaient son grand-père en jubilant. Il se souvenait de la fierté qu'il éprouvait en entendant leurs voix pleines de respect.

Robert traversa la place. Le simple fait de mettre un pied devant l'autre était plaisant et le calmait. À une ou deux reprises, il crut entendre des bruits de pas dans son dos mais quand il fit volte-face, il ne vit personne. Bientôt, il ne perçut plus rien d'autre que le rythme de sa propre marche et au lieu de s'arrêter en arrivant aux abords de la ville, il poursuivit en direction des bois. En suivant le sentier creusé par les hommes et les animaux, il arriva au bord du loch, toutes ses pensées orientées à présent vers son grand-père.

Un homme qui ne respecte pas son serment ne mérite pas de respirer.

Le vieil homme le répétait souvent. Robert avait juré fidélité à Édouard et il avait prêté serment devant Humphrey de Bohun et les Chevaliers du Dragon qu'il défendrait la cause du roi. En dépit de la lutte intérieure qu'il menait depuis le vol de la Pierre, il ne pouvait le nier. Un véritable chevalier, un homme d'honneur, ne pouvait manquer à sa parole. Si son grand-père ne lui avait appris qu'une chose, c'était celle-là. Mais quand un homme avait prêté des serments contradictoires ? Que devait-il faire ?

La lune là-haut s'éloignait à mesure que le jour se levait. L'eau était uniformément noire, seules les ombres des oiseaux qui volaient en modifiaient parfois l'aspect. De l'autre côté du loch, le donjon dominait les arbres. Robert distinguait les nuages de fumée qui s'élevaient dans le ciel au-dessus du château. Les serviteurs devaient êtres réveillés maintenant, ils préparaient le repas du matin, tisonnaient les feux, nourrissaient les animaux. Derrière lui, dans le silence des bois, six corbeaux prirent leur envol.

Robert ferma les yeux et aspira une goulée d'air frais. C'est alors qu'il entendit des brindilles craquer dans les broussailles. Il se retourna et sortit son épée en scrutant le sous-bois. Un homme en cape marron à capuche se dirigeait vers lui. Lorsqu'il remarqua le gros chien noir qui trottait lourdement à côté de lui, il se rappela les avoir vus à la sortie du château. Il avait pris l'homme pour un mendiant. Lorsque l'homme émergea du couvert des arbres, il s'aperçut qu'il s'appuyait sur un bâton et boitait. De longs cheveux cendrés formaient un écheveau emmêlé pardessous sa capuche. Robert discerna un cou ridé, une mâchoire tombante et une bouche que tordait une moue étrange.

— Qui va là ?

L'homme rejeta sa capuche en arrière.

Robert fixa le visage qui se présentait à lui avec incrédulité. Il avait beau ne pas l'avoir vu depuis des années, il le reconnut instantanément.

— Affraig ? murmura-t-il en baissant son épée.

— Je vous ai suivi depuis le château.

Elle parlait d'une voix rauque.

— Je vous ai reconnu à vos vêtements.

Robert baissa les yeux sur sa cape, qui portait les armes de Carrick.

— Sinon, je n'aurais pas su que c'était vous, reprit la vieille femme avec plus de douceur. Le garçon que j'ai connu n'existe plus. C'est un homme qui se tient devant moi.

Son gaélique produisait sur Robert le même effet qu'une chanson oubliée. Depuis la mort de sa mère, Robert n'avait pratiquement parlé que français ou écossais. Il secoua la tête, au comble de l'étonnement.

— Quand êtes-vous arrivée ici ?

Il pensa au trajet depuis Carrick, plusieurs jours à pied, peut-être plus, pénible pour une femme de son âge.

— Et pourquoi êtes-vous là ?

— Brigid est venue me voir. Son mari a appris sur la route d'Édimbourg que vous vous trouviez ici. Il a dit que le comte de Carrick allait lever les hommes d'Annandale.

— Brigid ?

Le souvenir de la petite fille maigre aux cheveux ébouriffés lui revint.

— C'est pour Carrick que vous faites appel aux hommes de votre père ?

Une lueur d'espoir était perceptible dans sa voix, quoique infime.

— Carrick ? fit Robert en plissant le front.

La vieille femme savait-elle quelque chose que ses vassaux lui avaient tu ?

— Il n'y a pas de combat à Carrick.

— De combat, non. Mais une lutte, oui. Une grande lutte.

Elle s'approcha de lui, le chien noir sur ses talons. Robert vit qu'il était aveugle. Il se demanda si c'était l'un de ceux qu'elle avait quand il l'avait rencontrée – peut-être celui qui avait mordu son frère Alexandre.

— Les choses n'ont pas été faciles pour nous, coincés entre Ayr et Galloway, dit-elle, l'air exténuée. Les soldats de l'Anglais, celui qu'ils appellent Percy, nous étouffent des deux côtés. Il faut sans cesse les soudoyer, ou les rudoyer. C'est pire encore au-delà de nos frontières. Brigid m'a donné des nouvelles de l'Ayrshire et d'autres viennent me voir, ils me supplient de les aider à apaiser leurs peines. Il y a beaucoup de souffrance dans les villes et les villages remplis de soldats anglais, les impôts ôtent le pain de la bouche des enfants. J'ai entendu dire que des hommes sont pendus sans procès, des maisons pillées, des femmes...

Elle s'arrêta. Quand elle poursuivit, ce fut d'une voix grave.

— La situation a empiré depuis le soulèvement de William Wallace, mais au moins il apporte de l'espoir au peuple. Sir Robert, je suis venue voir si nous pouvions placer nos espoirs en vous, notre seigneur.

Pendant un long moment, Robert ne sut que répondre. Il éprouvait de la fureur : contre elle, qui lui apportait des nouvelles qu'il était de la responsabilité d'Andrew Boyd et de ses autres vassaux de lui transmettre, et parce qu'elle s'y croyait autorisée ; et contre lui-même, qui ignorait tout des souffrances de ses sujets.

— Je suis ici sur les ordres de mon père, répondit-il, pincé. Mais j'ai l'intention de retourner à Carrick dès que j'aurai rempli mes obligations ici. Je connais sir Henry Percy, j'irai lui parler en personne.

— Lui *parler* ? fit Affraig en le fixant avec consternation. Quand j'ai appris votre alliance avec les Anglais et leur roi au début de la guerre, je n'ai pas voulu y croire. Votre père, oui. Mais vous ? Votre grand-père serait bien triste s'il était là pour voir cela.

Robert s'efforça de ne rien laisser paraître de sa colère.

— Vous oubliez que mon grand-père a servi Édouard et Henry. Je ne suis pas le premier Bruce à servir un roi anglais.

— Il les a peut-être servis, mais pas aux dépens de son royaume. Il ne l'aurait jamais fait si cela avait causé du tort à son peuple !

Elle pointa un index osseux sur lui.

— Votre père et vous, vous avez laissé vos terres dépérir ! Cela fait plus de trois ans que le peuple de Carrick n'a plus de seigneur.

Le chien, qui entendait la vieille s'emporter, se mit à grogner. Sans se laisser impressionner, Robert toisa Affraig du haut de sa stature. Il émanait d'elle une odeur de terre en décomposition. Sa cape était couverte de boue séchée.

— Vous osez me parler de cette manière ? Vous ne connaissez rien de ma vie !

Elle ne s'émut pas de son ton hautain, ni de l'épée qu'il levait.

— Je sais en tout cas que vous avez tourné le dos à l'héritage solennel qui vous a été transmis. Cela, je le sais.

Il s'apprêtait à répliquer, mais ne voulant plus entendre ses invectives, il poursuvit son chemin.

— Et le trône de notre peuple, que le roi voleur a emporté dans sa cour étrangère ? lança-t-elle dans son dos d'une voix cassante. Et la colline qui est vide maintenant ?

Il se retourna, la peur et la honte fondant sur lui car il avait l'impression que, d'une certaine façon, elle savait le rôle qu'il avait joué dans ce vol.

— Pendant des siècles, les rois d'Écosse ont été couronnés à Scone. N'y en aura-t-il plus pour entendre réciter le nom de ses aïeux ? Notre royaume a perdu son âme, Robert.

Il ne lisait plus d'accusation sur son visage, mais des regrets. Elle ne savait pas ce qu'il avait fait. Sinon, elle l'aurait maudit sur-le-champ. Une partie de lui le souhaitait peut-être.

— Pendant près d'un demi-siècle, votre famille a prétendu au trône. Je ne comprends pas pourquoi vous ne vous battez pas, comme le souhaitait votre grand-père. Ni pourquoi vous servez l'homme qui vous a privé de ce droit.

Robert se souvint brusquement du jour où son grand-père lui avait annoncé qu'il allait être adoubé, ce même jour où son père avait été forcé de renoncer à Carrick. Il avait vu son grand-père discuter avec Affraig à Lochmaben. Elle lui avait touché le visage dans un geste étrangement affectueux. Comment pouvait-il l'avoir oublié ?

— C'est vous ? Vous qui avez dit à mon grand-père de faire de moi le futur prétendant ?

Une moue méprisante se dessina sur ses lèvres.

— Quelle idiote je fus. J'aurais dû voir que vous aviez été fabriqué dans le même moule que votre père.

Robert sentit le rouge lui monter aux joues.

— Partez. Vous n'avez rien à voir avec ma famille, ni avec moi. Plus maintenant.

Tandis qu'il s'éloignait en écartant les branches devant lui, il l'entendit lancer dans son dos :

— Partir, oui, c'est ce que j'ai de mieux à faire. Il n'y a plus aucun espoir ici.

Chapitre 47

Le garçon agrippa les pierres moussues du parapet et se hissa, le souffle coupé par l'effort. Derrière lui, la brise faisait flotter la bannière de son père. Lorsqu'il regarda par-dessus les remparts, le reflet du soleil sur le petit loch en bas des murailles lui fit plisser les yeux, qu'il avait bleu pâle. Une armée sortait lentement de l'océan de verdure qui entourait la forteresse. Hommes et chevaux avancèrent jusqu'à la surface miroitante de l'eau, avec leurs heaumes et leurs lances scintillantes. Les yeux du garçon se posèrent sur l'étendard à l'avant de la compagnie. Un chevron rouge sur fond blanc.

— Bâtards, murmura-t-il.

En redescendant, le garçon vit la bannière de son père, trois étoiles blanches sur du bleu chatoyant. La vue du drapeau l'emplit de courage.

— Eh bien qu'ils viennent.

Il se précipita vers la porte et dévala les escaliers au pas de course.

Quand il fut en bas, il s'aperçut que la porte de la chambre de ses parents était entrouverte. La lumière du feu filtrait par l'entrebâillement et on parlait à l'intérieur. Le garçon s'immobilisa et retint sa respiration pour ne pas se faire remarquer. La voix de sa mère lui parvint, douce mais inquiète.

— Je vais leur parler. Ils voudront sûrement parlementer avec moi.

— C'est le comte de Carrick qui est à leur tête, madame. Le jeune Bruce est la marionnette du roi Édouard, à ce qu'on dit.

Le garçon s'approcha. C'était Dunegall, le capitaine que son père avait laissé aux commandes de la garnison. Il était vaillant, mais aussi vieux que les collines alentour et miné par la goutte.

— Je leur parlerai depuis les portes, madame, et j'exigerai qu'ils me disent pourquoi ils s'introduisent ainsi sur les terres de lord Douglas.

— Nous ne savons que trop bien pourquoi ils viennent, Dunegall. Mon époux s'étant rallié à William Wallace, ils sont là pour James et pour moi. Ils veulent le châtier à travers nous. Cela ne fait pas le moindre doute.

Le garçon recula d'un pas en entendant son nom et la menace à laquelle il était associé.

— Ne craignez rien, madame, ces murs sont solides.

— Avec tout ce que l'Usurier a prélevé, nos réserves sont presque vides. Nous ne pourrons pas rester ici indéfiniment. S'ils ne réussissent pas à entrer de force, Bruce et ses hommes vont nous affamer. Non, j'irai à leur rencontre.

Lady Douglas sembla hésiter. Mais quand elle reprit la parole, elle paraissait calme. James reconnut bien là la fermeté de caractère dont elle était capable. Il l'avait affrontée plus d'une fois lorsqu'il commettait des bêtises.

— Je vais leur dire que James n'est pas là. Si je me livre à eux, ils se contenteront peut-être de moi. Quoi qu'il arrive, Dunegall, promettez-moi de ramener James à son père.

James s'adossa au mur puis, sans attendre la fin de la conversation, il traversa la tour en courant. Si son père était là, il aurait chargé sur son destrier en poussant un cri qui aurait ébranlé les fondations du donjon et donné l'impression à leur ennemi que l'enfer se déchaînait sur lui, et il ne se serait pas arrêté tant que le sol n'eût pas été gorgé de sang, le sien ou le leur. En aucun cas, il ne laisserait sa femme affronter une armée. Bon, James ne pouvait pas charger – les hommes de son père avaient pris tous les chevaux, sauf le hobby irlandais de sa mère et quelques vieux canassons – mais des armes, il en avait. Il gardait l'épée avec laquelle il s'était entraîné toute l'année dans la chambre où il dormait, mais la salle de garde était plus proche. De toute façon, il lui fallait une arme d'homme.

De l'autre côté du loch, Robert se regroupa avec les hommes d'Annandale tandis que les soldats poursuivaient leur progression à couvert, derrière eux. Il avait à ses côtés Nes et Walter, un chevalier de Carrick qui lui avait donné satisfaction à Carlisle et dont il avait fait son porte-bannière. Walter tenait haut son étendard, le chevron rouge ressemblant à une flèche pointée vers le ciel. Les sabots des chevaux s'enfonçaient dans le terrain boueux, les rives près du loch grouillant de gibier d'eau. Robert apercevait les reflets de bronze ou d'argent des oiseaux qui s'ébattaient entre les roseaux, dérangés par la présence des hommes. Derrière le plan d'eau, le château de lord Douglas se dressait en haut d'une butte herbeuse. Il ressemblait vaguement à Lochmaben : un donjon de pierre au sommet, renforcé de poutres, et une cour entourée d'une palissade. La seule vraie différence se situait au niveau du terrain, beaucoup plus boisé ici.

Robert avait guidé sa compagnie dans une forêt touffue pendant des lieues. Ils avaient suivi la rivière Annan au nord à travers le domaine de son père avant de tourner vers l'ouest et de franchir une succession de collines. Ils avaient chevauché dans un paysage changeant et verdoyant, peuplé de hêtres et de chênes, où les rivières sinuaient au fond des vallées tandis que les cascades se précipitaient le long de parois verticales. Au loin, ils pouvaient voir l'ombre bleue des premiers hauts sommets qui barraient la route au nord et à l'ouest. Douglas, situé dans une vallée au cœur de la forêt, était un endroit paisible qui fleurait bon les herbes sauvages.

Assis à califourchon sur Chasseur à l'orée du bois, le soleil lui réchauffant le visage, Robert observait le décor qui s'étalait devant lui. Il aurait dû y avoir des paysans, des fermiers conduisant le bétail aux pâturages, des filles emportant le linge au bord de l'eau, des seigneurs et leurs fils sortis avec leurs arcs chasser les premiers cerfs. Au lieu de cela, l'endroit était désert et closes les portes du château. Les seuls signes de vie étaient la fumée au-dessus de l'enceinte et le bruit des animaux paniqués de l'autre côté de la palissade. Il vit la bannière de Douglas qui flottait en haut du donjon. Robert n'avait jamais rencontré sir William Douglas ou sa famille, mais il savait que son épouse était la sœur du vieil allié de son grand-père, James Stewart. Le fils et héritier de Douglas portait le même nom que le grand chambellan, qui était à la fois son oncle et son parrain.

— Montons-nous le camp ?

Un chevalier au regard dur dévisageait Robert. Gillepatric était l'un des plus loyaux vassaux de son père, un homme rude et rusé qui avait contribué à la défense de Carlisle. Robert se demandait souvent comment son père inspirait une telle loyauté à des hommes tels que celui-ci, qui avaient gardé foi en lui alors que les Comyn brûlaient leurs domaines. Il supposait qu'au bout du compte, la décision de son père de soutenir le roi Édouard avait été la bonne, car les hommes d'Annandale restaient parmi les rares en

Écosse à avoir conservé leurs titres et leurs terres, la plupart des autres étant désormais soumis au joug des barons anglais comme Warenne ou Percy. Pourtant, son père lui inspirait bien peu de dévotion. Robert prit conscience que ces hommes ne menaçaient nullement les ambitions de son père. Ils le suivaient, fidèles, parce qu'il le fallait, pour leur propre bien autant que pour celui de leur seigneur. Alors que lui, tapi dans l'ombre, était le rival qui cherchait à prendre la place et la fortune de lord d'Annandale. Son père s'était déjà vu retirer son comté. Quand bien même il admirait son grand-père, Robert devait reconnaître que la déception que causait au vieux lord son fils et l'affection qu'il éprouvait pour son petit-fils étaient les principales causes de leur division. Pour la première fois, il eut l'impression de comprendre le ressentiment de son père. Il lui tendait un miroir dans lequel sa vie défilait.

— Pas encore, répondit Robert à Gillepatric. Je veux d'abord parler au commandant de la garnison.

Il n'imaginait pas que la femme et le fils de Douglas se livreraient de leur plein gré, mais il se devait de parlementer avec eux avant de lancer le moindre assaut.

Il donna ordre à ses capitaines de faire reposer les troupes et d'envoyer quelques soldats surveiller les routes à l'arrière et choisit six hommes pour l'accompagner au château, parmi lesquels Walter, Gillepatric et l'écuyer du Yorkshire, Christopher Seton. Robert s'était pris d'amitié pour l'écuyer ces derniers mois. Le jeune homme lui rappelait d'agréable façon son petit frère, Niall, qui était resté en Irlande avec Thomas pendant la guerre. Christopher possédait la même gaieté naturelle et le même désir de plaire sans obséquiosité. Pour cette mission, Christopher avait la chance de compter sur la présence d'un cousin écossais, Alexandre, seigneur du Lothian, de dix ans son aîné. Alexander Seton n'avait pas le même don pour se rendre instantanément agréable, mais il était un combattant doué. Robert lui fit signe de le suivre lorsqu'il se détacha du gros des troupes.

La petite compagnie s'avança vers les portes du château en contournant le loch par une piste poussiéreuse. Robert bouillait d'impatience. Il s'efforça de chasser son agitation, la nervosité dans un tel cas se révélant en général dangereuse, mais il ne pouvait se cacher qu'il voulait en finir au plus tôt avec cette histoire. Affraig était restée dans ses pensées pendant tout le voyage jusqu'à Douglasdale. Ses accusations le hantaient. Il avait été assailli par des visions de Henry Percy et de ses hommes chassant dans les forêts de Carrick, prenant tout ce qu'ils voulaient dans les réserves et les garde-manger sans considération pour les protestations. Il les avait vus en action au pays de Galles. Robert n'avait jamais été proche du lord d'Alnwick, avec son sourire froid, mais il le connaissait assez pour savoir que les hommes et les femmes d'Ayrshire et du Galloway auraient à subir les pires tourments. Comme le peuple de son propre comté, coincé entre les deux.

— Sir !

Robert tira les rênes de Chasseur en entendant la voix de Christopher. Sur leur droite, de l'autre côté de l'étendue d'herbe, une petite porte s'ouvrait dans la palissade. Robert ralentit en voyant un homme seul en sortir. L'individu était incroyablement mince et petit. Pourtant, le plus étrange n'était pas son physique mais son accoutrement. Il portait une simple tunique blanche nouée par une ceinture, sans armure à l'exception d'un grand heaume dont il avait baissé la visière. Le métal était rouillé et le heaume mal ajusté, presque de travers. L'homme, qui dévalait le talus herbeux dans leur direction, tenait une grande épée à deux mains. Les hommes qui se tenaient aux côtés de Robert le regardaient avec étonnement, suspectant quelque astuce. Robert leur fit signe de rester où ils étaient, et poussa Chasseur vers l'homme, la main sur le pommeau de son épée, mais sans la tirer.

— Je suis sir Robert Bruce, comte de Carrick. Je suis ici sur ordre du roi Édouard pour arrêter la femme et le fils de lord William Douglas, en représailles de sa rébellion contre la Couronne.

Ce qu'il disait sonnait faux. Robert sentait le dégoût imprégner le moindre de ses mots. L'homme ne répondit pas. Robert répéta, plus fort cette fois, en faisant stopper Chasseur à une distance raisonnable.

— Je combattrai n'importe lequel des hommes de votre armée, lança l'homme d'une voix farouche. Mais si je gagne, vous laisserez lady Douglas en paix.

La voix avait beau être étouffée par le heaume, Robert comprit qu'il avait un enfant en face de lui. Des rires éclatèrent lorsque les chevaliers entendirent le défi bravache du garçon. Pour toute réponse, ce dernier fit quelques pas vers Robert.

— Allez-vous donc accepter, bande de lâches ?

Les rires cessèrent net et Gillepatric tira son épée d'un air hargneux. À cet instant, les portes principales du château s'ouvrirent et une femme apparut. Elle eut un cri en voyant le garçon s'apprêter à affronter Robert.

— *James !* hurla-t-elle en courant vers lui. Mon Dieu ! *James !*

— C'est son fils ! s'exclama triomphalement Gillepatric en lançant son cheval vers le garçon. C'est le fils de Douglas !

D'autres cris retentirent tandis que les hommes de la garnison commençaient à suivre la femme, prêts au combat. Les chevaliers de Robert éperonnèrent leurs chevaux pour se porter vers eux. Au loin, de l'autre côté du loch, une corne sonna. Les troupes avaient vu les soldats sortir de la forteresse. La femme, arrivée près de l'enfant, l'empoigna par le bras et le tira en arrière. Dans la lutte, l'énorme heaume sauta de sa tête et tomba au sol, révélant le visage pâle d'un garçon de douze ou treize ans, aux cheveux d'un noir de jais.

Robert vit Gillepatric et Christopher se ruer vers la femme et l'enfant. Les autres chevaliers, eux, fonçaient sur les gardes. Au milieu du chaos, le garçon se débattait et essayait de s'arracher aux bras de sa mère, serrant toujours son épée, les lèvres retroussées, ses yeux bleus brillant comme des saphirs. Robert était stupéfait par le courage du garçon. Il avait la bouche sèche et le cœur qui cognait. Il se revit, des années plus tôt, dans l'église de Scone, brandissant son épée contre John Comyn pour défendre son grand-père. Tout à coup, quelque chose se brisa en lui, et cette brisure nette, instantanée, fut à la fois douloureuse et libératrice. Il enfonça les talons dans les flancs de Chasseur et, en un éclair, vint se placer entre la femme, l'enfant et les chevaliers de son père. Levant son épée, il hurla à ses hommes de s'arrêter. Gillepatric et Christopher venaient droit sur lui. Pour éviter la collision, Gillepatric dut tirer si fort sur ses rênes que son cheval se cabra, ses sabots fendant l'air. Christopher Seton parvint, lui, à faire volte-face, même si son cheval protesta par un couinement aigu.

La femme avait réussi à emmener James à l'écart et les gardes du château les avaient rejoints. Ils formèrent un cercle autour d'eux et tentèrent de les ramener à l'intérieur de l'enceinte.

Gillepatric avait repris le contrôle de son cheval.

— Au nom du Christ, que faites-vous ? cria-t-il à Robert en pointant son épée vers le groupe qui battait en retraite. Nous pouvions nous emparer de lui !

Robert soutint le regard d'airain du chevalier.

— Non.

— Nous avons ordre de capturer la femme et le fils !

— Et vos ordres sont de suivre mon commandement.

Derrière Robert, les gardes, qui avaient atteint les portes du château, disparurent à l'intérieur avec la femme et l'enfant. D'autres cavaliers, attirés là par l'échauffourée, arrivaient à bride abattue par le sentier qui longeait le loch.

Le regard de Christopher passait de Gillepatric à Robert.

— Que se passe-t-il, sir Robert ? Pourquoi nous avez-vous arrêtés ?

Entendant les portes du château se refermer, Robert jeta un coup d'œil par-dessus son épaule. Le sentiment de victoire qui l'habitait en cet instant lui donnait envie de sourire.

— Nous n'allons capturer ni lady Douglas, ni son fils.

Gillepatric le jaugea un moment. Les cavaliers ralentirent en voyant les portes closes. Le fracas des sabots emplissait l'air.

Robert voulait dire quelque chose, mais il hésitait, ne sachant quoi au juste. *À quoi jouait-il ?* Il repoussa cette question et il s'adressa au groupe de chevaliers qui avait grossi.

— Je vous ai convoqué selon les instructions de mon père. Mais maintenant que je suis ici, il m'est impossible d'accomplir cette mission, annonça-t-il d'une voix de plus en plus assurée. On nous a envoyés capturer la femme et le fils d'un homme qui se bat pour notre royaume. Quelqu'un ici peut-il me dire qu'il est d'accord avec ce qui se passe ?

— Ce n'est pas à nous de remettre en cause un ordre qui vient du roi, répondit sèchement Gillepatric.

— L'Écosse n'a pas de roi, assena Robert. Balliol est en prison en Angleterre.

— Et le roi Édouard gouverne à sa place. Avez-vous oublié que nous lui avons fait allégeance après la guerre ?

— Les serments du vaincu au vainqueur, rétorqua Robert.

499

Il avait l'impression de se réveiller d'un long sommeil de plusieurs mois. C'était un sentiment grisant mais fugace.

— C'est de la folie, s'écria Gillepatric. Vous déshonorez votre père et son nom. Il pourrait perdre ses terres. Nous pourrions tous perdre nos terres !

— Pas si l'on sait qu'il n'a rien à voir avec ça.

— Sir Robert, dit l'un des chevaliers. Vous ne pourrez pas retourner à Carlisle ou à Annandale si vous désobéissez aux ordres du roi. Vous serez emprisonné en Angleterre avec Balliol et les autres.

— Je n'ai pas l'intention d'y retourner.

En prononçant ces mots, Robert éprouva un immense soulagement. Pris au piège sous l'autorité de son père, n'ayant pas le droit de s'exprimer ou de prendre ses propres décisions, il avait été traité comme un humble chevalier et non comme le comte qu'il était. On lui avait refusé toute indépendance. Mais s'il chassait des doutes de son esprit en agissant ainsi, d'autres ténèbres les remplaçaient. Il pensa à la perspective de l'emprisonnement et de la perte de ses terres. Il pensa à son engagement auprès du roi et des Chevaliers du Dragon, à ce serment qu'il trahissait, et un sentiment de culpabilité s'abattit sur lui en songeant à Humphrey. Mais il ne pouvait laisser une amitié ou un serment déterminer le sort du royaume, plus maintenant.

— Vous pouvez choisir de retourner à Annandale et de rester au service de mon père, dit-il aux chevaliers. Ou, si vous le voulez, vous pouvez venir avec moi. Quoi qu'il en soit, nous quittons les terres de sir Douglas.

Son regard balaya l'assemblée du regard et se posa pour finir sur Gillepatric.

— Tels sont mes ordres, conclut-il.

Gillepatric écumait.

— Vous êtes fou ! Personne ici ne vous suivra.

500

Un bref instant, le chevalier, de dégoût, parut sur le point de tourner bride, mais il fit brusquement volte-face, son épée dirigée contre son chef.

Robert, qui avait déjà baissé son arme, n'avait aucune chance. Cependant, Christopher Seton avait anticipé l'intention hostile de Gillepatric et il jeta son cheval entre eux, sa propre épée tendue pour dévier le coup. Le chevalier, plus expérimenté, était aussi plus rapide. Modifiant la trajectoire de son bras au dernier instant, il écrasa le pommeau sur le visage de l'écuyer. Sous le choc, Christopher partit à la renverse et glissa de sa selle. Robert leva alors son épée vers Gillepatric en poussant un cri féroce. En même temps, le coursier de Christopher rua, semant un vent de panique parmi les autres chevaux, et les sabots de Chasseur évitèrent de justesse le crâne de Christopher. Mais d'eux tous, Alexandre Seton fut le plus vif. Se frayant un passage dans la cohue, il se jeta sur Gillepatric et passa son bras autour de son cou. Puis il tira et serra pour étrangler le chevalier. Plusieurs compagnons de Gillepatric tournèrent leur épée contre Alexandre tandis que Christopher se relevait difficilement, la main sur son nez en sang. Gillepatric lâcha son épée et essaya de se défaire de la prise d'Alexandre. Nes et Walter s'interposèrent pour défendre Robert.

— Ça suffit !

La voix de Robert calma toutes les ardeurs. Tremblant de rage et encore sous le choc de cette attaque inattendue, il s'efforça de reprendre contenance.

— Tout le monde arrête. Tout le monde, répéta-t-il en croisant le regard d'Alexandre, qui n'avait pas relâché sa prise.

Le visage de Gillepatric virait au cramoisi.

— Je ne veux pas d'un bain de sang. Pas en mon nom, sacrebleu !

Lentement, Alexandre relâcha Gillepatric. Christopher s'était remis sur ses pieds et reniflait. Ayant recouvré sa liberté, Gillepatric s'affaissa sur sa selle et avala de grandes bouffées d'air. Ses proches pointaient toujours leur épée sur Alexandre mais ils ne bougeaient pas. Leur regard hésitant allait de Robert à Gillepatric. L'un d'eux descendit de cheval et ramassa l'arme du vieux guerrier.

Gillepatric massa son cou, toisant Robert.

— Vous n'êtes pas le fils de votre père, siffla-t-il.

Il attrapa alors l'épée que son camarade lui tendait, fit tourner son cheval et l'éperonna violemment pour repartir vers le loch. Ses hommes le suivirent. D'autres encore quittèrent le cercle qui s'était formé autour de Robert. Quelques-uns essayèrent de le persuader de changer d'avis mais il resta assis, muet, refusant de revenir en arrière. Quelques minutes plus tard, seuls restaient Nes, Walter et les Seton.

Robert adressa un signe de gratitude aux deux cousins.

— Merci de m'avoir défendu, dit-il avant de s'adresser à Alexandre. Vous avez un riche domaine, sir Alexandre. Vous le perdrez probablement si vous restez avec moi.

— Je crois bien que je perdrai ma propriété quoi que je fasse, rétorqua Alexandre en souriant froidement. Le roi Édouard sculpte notre royaume à sa convenance. Bientôt, il n'y aura plus un Écossais sous son autorité. Mais si William Wallace réussit dans sa rébellion, nous pourrions tous être récompensés d'avoir choisi le bon côté aujourd'hui.

Alexandre se tourna vers Christopher, qui s'essuyait le nez du revers de la main. Celui-ci opina.

— Je suis avec vous, sir Robert, où que vous vouliez aller.

Robert réfléchit en silence aux implications de ses actions, qui l'avaient placé du côté des insurgés. Il pensa à la situation de William Wallace. Pour ce qu'il en savait, le chef rebelle se battait au nom de Jean de Balliol, ce qui ne faisait pas nécessairement de lui un allié. La douce voix de Nes l'arracha à ses pensées.

— Où irons-nous, sir ?

— Peut-être à Carrick, dit Robert après un instant. Oui, reprit-il plus fermement, allons vers mon peuple.

Il ne leur laissa pas le temps de poser des questions et poursuivit :

— Je veux que vous retourniez au campement. Escortez ma suite et ma fille jusqu'ici et prenez tout ce qui peut servir.

— J'ai deux hommes avec moi, répondit Alexandre. Deux chevaliers. Ils viendront avec nous.

Robert regarda vers le loch où son armée se mettait déjà en branle, puis il lança Chasseur vers les portes du château. Au pied des palissades, il sauta à terre. Il entendait qu'on parlait de l'autre côté.

— Je voudrais m'entretenir avec lady Douglas, annonça-t-il pleine d'assurance. Je suis seul. Mon armée s'en va.

Lentement, les portes du château de Douglas s'ouvrirent et Robert se retrouva face à une rangée de gardes en armes. Au centre se trouvait la femme, qui tenait son fils James par les épaules. Il était maintenant certain qu'il s'agissait de sa mère, lady Douglas. Elle était jeune, séduisante, avec des yeux bruns pleins de solennité pareils à ceux de son frère.

— Je ne comprends pas, sir Robert, dit-elle d'une voix étranglée. Quelles sont vos intentions ?

— Mes hommes ne vous feront aucun mal, madame, mais vous devez quitter cet endroit. Mon père agit sur les ordres du roi Édouard et même s'il n'envoie pas d'autres hommes pour s'emparer de vous, le roi le fera certainement. Il veut faire un exemple de votre mari et dissuader les autres nobles de rejoindre Wallace.

Elle hocha la tête.

— James a un oncle à Paris.

— Mère... commença l'enfant en les regardant tour à tour.

— Il sera en sécurité là-bas, l'interrompit-elle. J'ai de la famille à l'ouest chez qui je peux aller.

— Vous devriez partir aussitôt que possible, dit Robert avant de s'incliner. Madame.

Alors qu'il prenait congé, lady Douglas fit quelques pas en avant au milieu des épées de ses gardes.

— Et vous, sir Robert, où irez-vous ? Le roi vous punira d'avoir désobéi.

Il se retourna.

— À Carrick, pour le moment.

— Vous devriez essayer de rencontrer mon frère.

— Le chambellan ? fit Robert, interloqué.

Il croyait savoir que le James Stewart qu'il connaissait était resté en Écosse et qu'il avait rendu hommage au roi Édouard, mais il n'avait pas entendu parler du grand chambellan depuis des mois. Il semblait s'être tout bonnement évanoui. Robert se rappelait cependant qu'il s'était marié l'année précédente, juste avant que n'éclate la guerre, avec une sœur de sir Richard de Burgh, le comte d'Ulster.

— William Wallace est le fils de l'un des vassaux de sir James. Vous ne croyez tout de même pas qu'il aurait pu propager une telle rébellion tout seul ? dit lady Douglas avec un léger sourire. Mon mari, aussi courageux soit-il, n'est pas son seul allié.

— Madame,… l'interrompit un garde.

— Allez le trouver, sir Robert, continua-t-elle sans tenir compte de cet avertissement. Je crois que vous trouverez en lui un ami, comme c'était le cas jadis pour votre grand-père. La dernière fois que j'ai eu de ses nouvelles, mon frère était sur ses terres de Kyle Stewart. Si les nobles se dressent contre lui en assez grand nombre, peut-être le roi Édouard sera-t-il contraint de mettre un terme à cette occupation…

— Peut-être, répéta Robert qui n'y croyait guère.

Mais quand il se remit en route et que les portes du château se furent refermées dans son dos, il se mit à reprendre espoir. Si lui, un comte, se joignait à la rébellion, peut-être cela ferait-il une différence ? Ses actions en inspireraient peut-être d'autres, des hommes qui avaient soutenu son grand-père par le passé. Et s'ils étaient assez nombreux, le roi Édouard aurait du mal à garder le contrôle de l'Écosse sans devoir en passer par une autre campagne militaire. Il était mieux placé que la plupart des autres pour savoir que le roi pouvait difficilement se permettre de mater une révolte généralisée tant que la guerre en France faisait rage.

Calant son pied dans l'étrier, il se hissa sur la selle. Sa décision était prise. Quoi qu'il puisse arriver, il ne retournerait pas à Carlisle.

Chapitre 48

Robert Wishart contemplait le chaos qui régnait dans la salle. Autour de lui, les meubles étaient retournés, les bancs renversés, les plateaux des tables arrachés des tréteaux. Cinq des huit tapisseries en soie décrivant la vie de saint Kentigern, le patron de la ville, qui ornaient les murs avant même qu'il devienne évêque de Glasgow, avaient disparu. Wishart nota leur absence avec résignation et colère. Tout autour de lui se lisaient les signes de la récente occupation, jusqu'aux bols incrustés de nourriture et aux coupes de vin couvertes de poussière.

L'évêque déambula au milieu de ce chaos pendant que les chanoines essayaient de remettre un semblant d'ordre. Ils redressèrent les bancs, leur silence contrastant avec le bruit que faisaient les pieds en raclant contre le sol. Une coupe tomba d'une table et atterrit en produisant un tintement proche de celui d'une cloche, qui en fit grimacer certains. À son arrivée, Wishart savait à quel point tout le monde était tendu. Ce qui l'avait fait s'interroger sur sa décision de quitter le palais épiscopal de Glasgow quand Anthony Bek s'y était installé, comme il était convenu avec le roi Édouard. La plupart des membres du clergé écossais étaient restés mais Wishart, voyant son palais envahi et sa position fragilisée, s'était retiré de son diocèse et s'était réfugié dans sa maison de Stobo, au fond de la forêt de Selkirk. Non, se dit l'évêque en regardant les chanoines s'activer : il avait pris la bonne décision, quelles que soient les indignités que ses hommes avaient subies en son absence. Ce n'était rien en comparaison de ce que d'autres avaient subi et, d'ailleurs, il n'aurait jamais pu accomplir tout ce qu'il avait accompli s'il était resté sous l'œil d'aigle de Bek.

Wishart alla jusqu'à l'une des fenêtres, et contempla les jardins qui occupaient l'enceinte du palais. Les arbres étaient d'un vert éclatant après la pluie tombée dans la matinée. Par-delà les murs du palais, la cathédrale surplombait la vallée de la rivière Clyde, sur les rives de laquelle s'étendait le bourg animé de Glasgow. En dépit des circonstances, il était profondément heureux d'être de retour dans son évêché.

Wishart se retourna en entendant des pas et découvrit son acolyte.

— Le visiteur que vous attendiez est arrivé, monseigneur.

Wishart eut un sourire grave.

— Bien.

Après une brève discussion avec le doyen, il quitta la salle et suivit son acolyte. Dans la cour, ses serviteurs déchargeaient ses affaires des chariots où ils avaient fait le voyage depuis Stobo. Un petit groupe d'hommes et de chevaux se tenait à l'écart, près des portes. Wishart plissa les yeux à cause de la lumière du jour en cherchant à repérer le plus grand, qui avait des cheveux noirs. Il descendit maladroitement l'escalier du palais, par crainte de glisser sur les marches trempées, et refusa le bras que lui offrait son acolyte.

— Sir James, lança-t-il en s'approchant de l'homme aux cheveux noir, qui fixa son attention sur lui.

— Monseigneur, le salua le grand chambellan en s'inclinant pour baiser l'anneau sur sa main tendue.

C'est un réconfort de retrouver un autre gardien en des jours aussi sombres.

Wishart se contenta de grogner pour lui faire part de son assentiment. Après avoir prié à son acolyte de guider les hommes du chambellan jusqu'aux écuries, il fit signe à James de le suivre.

— Venez, mon ami, promenons-nous ensemble. Je vais demander à ce qu'on prépare à boire et à manger pour vos chevaliers.

Les deux hommes traversèrent la cour. Le chambellan portait une cape de voyage trempée tandis que les brodequins de l'évêque, qui était vêtu d'une robe bordée d'hermine, étaient couverts de boue.

James regarda les chariots qu'on vidait de leur contenu.

— Vous venez d'arriver ?

— Il y a deux jours. J'ai accouru dès que j'ai appris que l'évêque Bek avait quitté les lieux, expliqua Wishart avec un sourire féroce. Les chanoines m'ont raconté qu'il a soulevé ses jupes et qu'il s'est enfui comme une femme quand il apprit que Wallace était en chemin. Le brigand a volé tout ce qu'il pouvait avant de partir au sud, vers l'Angleterre.

Le sourire de Wishart s'effaça.

— La moitié de mes possessions sont parties avec lui. Wallace est passé quelques jours plus tard, il se dirigeait vers l'ouest.

James Stewart n'eut pas l'air surpris par ces informations, le prélat supposa donc qu'il était déjà plus ou moins au courant. Se tournant vers le jardin, il se mordit les lèvres et regarda le ciel d'un air inquiet. La couverture nuageuse était basse mais le soleil essayait de percer. Si Dieu le voulait, ils le verraient avant la fin de la journée.

— Je sais que vous avez soutenu le soulèvement de Wallace, dit-il brusquement, car il ne voulait pas tourner autour du pot.

James lui jeta un rapide coup d'œil. Un instant, son visage trahit ses pensées, et aussitôt le masque retomba. Il ne répondit pas.

Wishart s'arrêta à l'ombre d'un pommier noueux. L'arbre était déjà là jadis, avant qu'il soit évêque, peut-être même avant sa naissance. Il avait survécu aux tempêtes et aux crues, aux sécheresses et aux guerres. Et chaque automne, il donnait les pommes les plus douces.

— Bek va sonner l'alarme, James. Les Anglais vont revenir, et vite. Mes éclaireurs m'ont dit que le roi Édouard a déjà ordonné à Bruce, à Carlisle, de lever des hommes pour attaquer le château de Douglas. Wallace et son armée vont à Irvine. Ils veulent affronter l'ennemi là-bas. Il faut que nous soyons à leurs côtés.

James détourna le regard, toujours muet.

— L'armée de Wallace et de Douglas grossit chaque jour, poursuivit Wishart sans se démonter. Beaucoup d'autres les ont rejoints depuis qu'ils ont chassé Ormesby de Scone. Au nord, la famille Moray a repris l'étendard de la rébellion. À l'ouest, la guerre a éclaté entre les MacDonald et les MacDougall. Partout, les officiers anglais et ceux qui les aident sont contestés. Mon ami, vous êtes le beau-frère de lord Douglas et le seigneur de Wallace. N'allez-vous pas vous prononcer publiquement en leur faveur ?

James se décida enfin à répondre.

— La plupart des hommes que Wallace a avec lui sont des criminels. Quels que soient mes sentiments personnels, je suis le chambellan de ce royaume. Je ne peux pas me permettre de soutenir l'action de gaillards de ce genre.

Wishart insista, persuadé que James ne disait pas tout.

— Vous savez comme moi que ces hommes sont considérés comme des criminels uniquement parce qu'ils se sont dressés contre les abus commis par les soldats anglais dans leurs villes. Vous savez ce que le prévôt de Lanark a fait à Wallace.

— Oui, je le sais.

— C'est le moment, James. Le roi Édouard est occupé par sa guerre avec la France et le mécontentement de ses barons, qui en ont assez de payer sans cesse. Si nous agissons maintenant, nous pouvons gagner.

— Une bataille rangée ? À Irvine ? fit James en secouant la tête. Même si je levais tous les hommes de Renfrew, Kyle Stewart et Bute, nous ne pourrions pas battre les Anglais sur un champ de bataille. La compagnie de Wallace est armée de lances et de bâtons. La plupart d'entre eux n'ont pas d'armure, et encore moins d'expérience. Ils n'opposeraient pas plus de résistance à la cavalerie anglaise que le blé à la faux. Toutes nos troupes réunies n'ont pas réussi à les vaincre à Dunbar. Comment une armée de paysans pourrait-elle espérer gagner ?

Un sourire en coin, Wishart avait les yeux qui pétillaient.

— Ayez foi, James. Nous avons un plan.

Chapitre 49

La compagnie entra dans le port d'Irvine. Les ombres des chevaux s'étiraient sur l'herbe. Le soleil de la fin juin avait bronzé le visage de Robert, et les champs de blé qu'ils avaient traversés avaient déposé une couche de poussière sur son surcot et son manteau. Au-dessus de lui flottait l'étendard de Carrick, porté par Walter. Outre le chevalier de Carrick, il fallait compter Nes, qui guidait Chasseur en plus de son propre cheval, les Seton et deux chevaliers du Lothian, sujets d'Alexandre. Depuis qu'ils avaient quitté Douglasdale, Robert avait tenu des conseils rapprochés avec eux, ils avaient fait des quarts de garde les uns avec les autres, et en quelques semaines sur la route, il en était venu à bien connaître les cousins. Il était heureux de les avoir avec lui : Christopher pour lui égayer l'esprit et Alexandre pour veiller sur ses arrières.

Derrière eux venaient sept écuyers de Carrick, cinq serviteurs et l'intendant de Robert, qui, tous, dirigeaient des chevaux chargés de vivres et d'affaires. Un chariot solitaire portant le matériel le plus lourd et les tentes bringuebalait dans leur sillage. Parmi ces hommes, Katherine montait la jument alezane qui avait appartenu à l'épouse de Robert. Elle portait également l'une des robes d'Isobel, dénichée dans ses affaires à Lochmaben. Robert ne se rappelait pas avoir conservé les vêtements de sa femme et pourtant, le deuxième matin où ils s'étaient réveillés ensemble, Katherine lui avait montré la robe en lui demandant si elle pouvait la mettre, ses propres vêtements commençant à être usés. Il l'avait regardée un moment, debout, nue, les joues encore rougies d'avoir fait l'amour, avant de hocher la tête sans un mot. La robe bleu pâle, lacée à l'arrière par un ruban brodé en argent, était un peu trop ample, Katherine étant plus petite qu'Isobel, et un peu serrée à la poitrine, qu'elle avait généreuse, mais elle avait demandé à Judith d'y remédier. Aujourd'hui encore, la robe qui flottait sur la croupe du cheval lui comprimait légèrement le buste. D'ailleurs, les hommes l'avaient remarqué, comme le savait bien Robert.

Près de Katherine, Judith fixait la route, le regard morne sous sa coiffe empoussiérée, son visage pincé tourmenté par le soleil. La pauvre était une souillon mais tant que son lait coulait, elle avait autant de valeur aux yeux de Robert que les chevaliers et les écuyers avec leurs épées. Marjorie était installée derrière sa nourrice, dans une chaise fixée à la selle que Nes avait fabriquée à partir d'un vieux tabouret et rembourrée d'une couverture. À presque seize mois, sa fille commençait à gazouiller, à bafouiller des syllabes, pour son plus grand plaisir.

Par-delà Irvine et la rivière, ils voyaient le campement rebelle qui s'étalait sur des champs en jachère. Venus des quatre coins de l'Écosse, une assemblée bigarrée se retrouvait là : barons et seigneurs, gens de robe et officiers, et pour faire nombre, toute une populace de criminels et de paysans. Ils bouchaient le paysage avec des équipements aussi disparates que possible, des grandes tentes joliment meublées aux simples couvertures jetées par terre, et des destriers armurés aux mules, en passant par les chevaux de trait. Il y avait des feux creusés dans des trous, alimentés par des serviteurs, et de simples feux de camps tisonnés par des hommes rugueux qui portaient des bonnets de laine. Entre la masse des tentes, l'herbe était constellée de chardons violets. Robert plissa les yeux à cause de la fumée et chercha la bannière du chambellan.

De Douglasdale, il était parti au sud-est en direction de Kyle Stewart, suivant les conseils de lady Douglas. Le chambellan était devenu une sorte de phare, un espoir à l'horizon. C'était un politicien rusé et un orateur hors pair, et le grand-père de Robert le comptait parmi ses plus proches confidents. Il était certain qu'il pourrait le conseiller, mais il avait déchanté en arrivant sur place et en constatant que le chambellan était parti récemment, comme le leur avait appris un garde suspicieux, pour rencontrer l'évêque de Glasgow. Robert hésitait sur la marche à suivre, ils s'étaient alors attardés quelques jours dans les bois près de Kyle Stewart, où ils avaient dressé leur camp.

Sa décision d'aller à l'encontre des ordres de son père s'était affermie en lui pendant leur voyage vers l'ouest et il était désormais convaincu d'avoir pris la bonne décision. Les événements de l'année passée ne pesaient plus sur ses épaules et, malgré l'inquiétude que les éventuelles représailles faisaient naître en lui, il se sentait léger, optimiste même, pour la première fois depuis des mois. Il s'était mis à rêver de pouvoir négocier avec les Anglais, ce qui avait contribué à lui redonner de l'espoir. Étant l'un des treize comtes d'Écosse, et un ancien membre de l'élite du roi, sa voix serait sûrement prise en compte, contrairement à celle de Wallace, qui incarnait la population révoltée et dont la seule ambition semblait être de tuer tous les Anglais qu'il croisait. Quels que soient ses espoirs, Robert ne pouvait cependant pas attendre indéfiniment le retour du grand chambellan, car chaque jour qui passait rendait plus crédibles les rumeurs de guerre.

Les gens parlaient d'explosions de violence à l'ouest entre les MacDonald d'Islay et les MacDougall d'Argyll. Les premiers, des amis de la famille Bruce, ayant soutenu le roi Édouard depuis l'occupation, subissaient les représailles des MacDougall, alliés de longue date des Comyn. On parlait de villes incendiées et de familles obligées de fuir devant les bandes armées qui battaient la campagne pour tuer et piller. Partout la rébellion s'amplifiait à mesure que les différentes maisons affirmaient leur position et choisissaient leur camp, les anciens liens de vassalité n'ayant plus cours. Les garnisons anglaises, retranchées dans les enceintes des châteaux, se dépêchaient d'envoyer des messages d'urgence et des appels à l'aide à Berwick, à l'intention de Cressingham, les routes commençant à devenir de plus en plus dangereuses. Petit à petit, Robert avait découvert que les Écossais se réunissaient à Irvine. Les rapports, confus, disaient tantôt que le roi Édouard lui-même faisait route vers le nord pour affronter les rebelles, tantôt que Wallace avait l'intention d'envahir l'Angleterre, mais ils s'accordaient tous sur le fait que deux personnalités d'importance s'étaient rangées du côté des rebelles, l'évêque Wishart et sir James Stewart, et qu'eux aussi se rendaient au port.

Alors qu'ils approchaient du camp rebelle, Robert sentit son excitation monter à l'idée de pouvoir retrouver le grand chambellan. Une patrouille armée les intercepta avant qu'ils n'arrivent.

Les hommes étaient à pied, et celui qui était à leur tête leva la main pour qu'ils s'arrêtent. Musclé, son crâne chauve rougi par le soleil, il était vêtu de façon incongrue de braies qui lui descendaient aux mollets, maintenues par une grande ceinture à la taille, et d'une cape doublée qu'il portait ouverte sur son torse couvert de cicatrices. Il serrait dans sa main une hache immense à lame incurvée. Les six hommes à ses côtés étaient eux aussi accoutrés d'un mélange bizarre et héteroclite de vêtements. L'un d'eux, qui allait pieds nus, portait la tunique courte des gens des Highlands et était armé d'une longue lance. Un autre avait enfilé un haubergeron comme on n'en voyait plus, trop grand pour lui, tandis que deux autres, en gambison, avaient des arcs courts et des carquois en tissu remplis de flèches pendus aux hanches. Ils se comportaient avec agressivité, en apparence sûrs d'eux-mêmes, et à en juger par les coupures et les bleus qu'ils arboraient çà et là, ainsi qu'aux taches de sang sur leurs vêtements, ils devaient s'être battus récemment.

Le chauve en cape fourrée observa un instant la bannière de Robert.

— Qui êtes-vous ? grogna-t-il.

Quand Robert leur donna son nom, il remarqua un changement instantané dans le comportement du groupe. Le chauve jeta un coup d'œil entendu à l'homme en tunique courte, qui hocha la tête en silence et s'en alla vers le camp.

Le chauve s'intéressa de nouveau à eux et leur ordonna d'attendre d'un air renfrogné.

Robert s'assit en arrière sur sa selle, indifférent, mais il se demandait en son for intérieur s'il n'avait pas commis une erreur en venant ici, et une erreur peut-être lourde de conséquences. Il croisa le regard d'Alexandre Seton, visiblement aussi inquiet que lui, la main sur le pommeau de son épée.

Après une attente tendue, plusieurs hommes apparurent au milieu de la foule du camp, derrière l'homme en tunique. Robert se redressa en reconnaissant les damiers bleus et blancs sur fond jaune qui décoraient leurs boucliers : les armes du chambellan. Bien que rassuré par les preuves de la présence de celui qu'il considérait comme un ami, il fut cependant troublé de constater que ses chevaliers le saluaient aussi laconiquement que le chauve, leurs mains ne s'éloignant jamais de leurs armes tandis qu'il mettait pied à terre avec ses hommes. Après avoir laissé son cheval aux soins de Nes, Robert suivit l'escorte. En jetant un coup d'œil par-dessus son épaule, il s'aperçut que le chauve et ses hommes avaient resserré les rangs dans son dos.

Ils passèrent entre les tentes éclairées par les lanternes et les tourbillons de fumée des feux. On scrutait sa bannière avec méfiance. Il ne pouvait pas en vouloir aux rebelles. Il avait passé deux ans à la cour du roi Édouard et pendant la guerre, sa famille s'était rangée du côté du roi. Au même moment, alors qu'il se promettait de les faire changer d'avis, il avisa des tentes alignées un peu plus loin. Devant elles, parmi les chevaux attachés à des pieux, il y avait autant de robustes coursiers que de chevaux de trait. L'odeur du crottin et de la paille se mêlait à celle du bois qui brûlait dans un trou. Un groupe d'hommes rassemblés autour des grandes flammes partageait le boire et le manger en riant et en discutant. Quelques-uns fixaient l'âtre en silence, leur visage bronzé devenu livide dans la lueur du feu. Entre celui-ci et les tentes, Robert repéra James Stewart. Il parlait à un homme courtaud, la peau du visage marbrée et le crâne tonsuré, vêtu de robes bordées d'hermine. Robert Wishart, l'évêque de Glasgow. Tous deux tournèrent la tête à son approche. Robert leur adressa un sourire, que ni le chambellan ni l'évêque ne lui rendirent.

Dans le même temps, sa suite, y compris Katherine et Judith, dans les bras de laquelle Marjorie se débattait, était escortée par les chevaliers.

— Sir Robert, le salua Stewart d'une voix glaciale. Cela faisait longtemps.

— Je suis heureux de vous voir, sir James. Mes hommes et moi arrivons de Kyle Stewart, où j'espérais pouvoir prendre conseil auprès de vous.

— Je me demandais si nous ne vous verrions pas sous peu, commenta le chambellan en jaugeant du regard la compagnie de Robert. J'ai appris ce qui s'est passé au château de lord Douglas.

— Vraiment ?

Robert était surpris. Du coin de l'œil, il vit le chauve approcher du feu et discuter avec un homme de grande taille, immense même, qui lui tournait le dos.

— Ma sœur est venue ici chercher refuge il y a une semaine, expliqua le chambellan. Vous avez toute ma gratitude pour l'avoir laissée libre, ainsi que mon neveu. S'ils étaient tombés entre les mains du roi Édouard, je ne suis pas certain que je les aurais revus.

Ses remerciements semblaient sincères, mais manquaient de chaleur. Robert remarqua que plusieurs hommes près du feu les observaient à la dérobée. Il résista à l'envie que ces regards hostiles lui donnaient de se rendre auprès de sa fille pour la protéger. L'un des hommes se détacha du groupe et vint vers eux d'un pas décidé. Il était bien bâti, avait des cheveux noirs balayés par le vent, et était mieux habillé que la plupart des autres : outre une cape bleue de belle facture, il portait une cotte de mailles bien ajustée. Robert avait l'impression de l'avoir déjà rencontré. Voyant les trois étoiles blanches sur sa cape, il comprit pourquoi son visage lui était familier. Quand l'homme parla, il eut confirmation qu'il s'agissait bien du père de James Douglas.

— Sir Robert de Carrick, n'est-ce pas ? l'interpella-t-il. On m'a dit que vous aviez sauvé ma femme et mon fils. Avant de vous remercier, j'aimerais savoir pourquoi.

— Nous aimerions tous le savoir.

C'était l'homme immense, près du feu, qui avait parlé d'une voix retentissante. Il marchait près du chauve, qui avait l'air petit en comparaison. Robert regarda le géant arriver sur lui. Il devait mesurer au moins deux mètres. Ses mains et ses pieds étaient de la taille d'une pelle, mais en proportion de sa stature. Robert n'était pas précisément minuscule, mais il avait l'impression de l'être face à ce colosse. Même le roi d'Angleterre, qu'on craignait et qu'on respectait pour sa grande taille, et qu'on surnommait Édouard aux longues jambes, n'aurait pas fait le poids. Son visage était brutal, carré, avec un nez qui avait dû être cassé plusieurs fois. Il avait une ecchymose au front, à moitié cachée par des cheveux bruns en bataille. Ses bras aux muscles épais arboraient des blessures récemment recousues, l'une d'elles courant du poignet au coude. Mais le plus surprenant chez lui, c'étaient ses yeux brillant d'une vive intelligence. Il était vêtu de braies tachées, de bottes en cuir usées et d'une tunique bleu foncé, sous laquelle Robert discerna le renflement d'une cotte de mailles plates.

Le géant se planta devant Robert.

— Que venez-vous faire dans mon camp ?

Robert garda le silence un instant. Ainsi donc, c'était lui, l'homme qui avait refusé de jurer fidélité au roi Édouard et qui avait poignardé le fils du chevalier anglais qui l'avait insulté, puis avait combattu cinq de ses compagnons, armé d'un simple couteau rouillé. L'homme qu'on avait emprisonné, battu et affamé jusqu'à ce qu'il cesse de respirer, que ses geôliers avaient jeté avec les excréments de la nuit, et qui s'était relevé d'entre les morts deux jours plus tard. L'homme qui avait chassé le Justicier anglais de Scone, fait fuir l'évêque Bek de Glasgow, et haché menu la moitié de la garnison de Lanark pour occire le prévôt de la ville dans son lit, meurtre qui avait sonné le début de l'insurrection.

Robert était stupéfait, car bien que la stature du géant ne démentît pas les contes folkloriques qu'on répétait à son sujet, il était à peine plus vieux que lui alors qu'il avait attribué tous ces faits d'armes à un chef forcément plus âgé. Il vit que Wallace portait un étrange collier qui était – Robert s'en rendit compte – une dent humaine montée sur un pendentif, un trophée grotesque. En levant alors les yeux, il croisa le regard bleu et acéré du jeune homme. Sur la route d'Irvine, il avait réfléchi à ce qu'il dirait en arrivant, et prévu d'expliquer que la haine qu'il éprouvait était devenue insoutenable et qu'il lui fallait désormais se battre pour le royaume qui l'avait vu naître. Mais, face à ces visages inamicaux, ces mots lui paraissaient pompeux et quelque peu hypocrites.

— Je suis venu offrir mon concours au soulèvement contre les forces du roi Édouard, dit-il finalement en se tournant vers James. Après tout, je suis aussi écossais que n'importe lequel d'entre vous.

Il avait dit ces derniers mots en fixant Wallace, qui avait l'air loin d'être convaincu. Le chauve ricana. Nes s'agita et Alexandre mit la main sur le pommeau de son épée.

Wallace dévisagea longuement Robert.

— Ah oui ? Vous êtes aussi écossais que nous ? Alors que votre père défend la ville de Carlisle pour le roi anglais ? Alors que vous avez refusé de lever les armes pour le roi Jean et que vous préférez le faire pour l'Angleterre ? Je n'ai aucun besoin d'un homme qui s'est tout juste donné la peine de naître en Écosse. J'ai besoin d'Écossais de cœur.

Robert fit un pas en avant. Il avait envie de lui demander comment un barbare comme lui, qui n'avait pratiquement pas de sang noble dans les veines, osait lui parler de cette façon. Mais il ravala ces propos, qui lui rappelaient trop les sorties méprisantes de son père.

— Ma famille a refusé de se battre parce que le roi qui nous appelait à le faire était sous l'emprise de nos ennemis, les Comyn.

Des murmures s'élevèrent, et il jeta un regard de défi alentour pour appuyer son affirmation. Puis il porta son attention sur le chambellan et sur Wishart.

— Beaucoup d'entre vous soutenaient mon grand-père lorsqu'il a prétendu au trône, vous avez mis vos noms et vos réputations à son service. Et où étiez-vous quand Édouard a choisi son rival ? Vous avez fui, parce que vous ne vouliez pas risquer vos positions. C'est compréhensible. Mais le choix fait par ma famille, qui a refusé de se soumettre à un ennemi, et préféré demeurer fidèle à un roi qui l'avait meurtrie, mais au service duquel elle restait, l'est tout autant. Quelle que soit votre opinion sur ce que nous avons fait, je suis resté loyal toutes ces années durant au seul roi auquel ma famille avait rendu hommage. Mais aujourd'hui, les limites de cette loyauté sont atteintes.

C'est James Stewart qui vint à la défense de Robert.

— Aucun d'entre nous ne peut nier ce que vient de dire sir Robert. À ma grande honte, je me suis éloigné de sa famille alors que j'avais promis à son grand-père de le soutenir.

Ses yeux bruns se posèrent sur Robert.

— C'est un regret avec lequel je vis toujours, et encore plus depuis le décès de votre grand-père, lui dit-il doucement avant de se tourner vers Wallace. Maître William, il faut du courage pour défendre sa famille avec tant de monde contre soi. Et il en faut aussi, et même plus, pour la déserter pour le bien du royaume.

Wallace secoua la tête.

— J'aimerais être d'accord avec vous, sir James. Mais j'ai le sentiment qu'il n'est rien d'autre qu'un espion envoyé par son père pour connaître nos plans. Son geste à Douglasdale n'était probablement qu'une ruse en vue de gagner notre confiance.

Il s'exprimait avec une franchise presque brutale, en évitant le regard de Robert.

— Cela fait trois ans qu'il se bat aux côtés d'Édouard. Cette confiance, nous ne pouvons pas la lui donner.

Là-dessus, Wallace tourna les talons et repartit à grands pas vers le feu.

Voyant les autres hocher la tête, voire sourire avec contentement, Robert voulut rattraper Wallace pour répondre à ses accusations.

James Stewart l'en empêcha.

— Vous avez eu une longue journée et il se fait tard. Parlons seul à seul un moment, sir Robert. Veillez à ce que ses hommes aient à manger, lança-t-il à ses chevaliers.

Comme Robert ne quittait pas le colosse des yeux, il ajouta :

— Je suis sûr que votre fille doit être fatiguée.

Chapitre 50

Robert suivit le chambellan en maugréant jusqu'à sa tente. Accueillante, celle-ci était meublée d'un lit, d'une table à tréteaux et de quelques tabourets. Des lanternes éclairaient le sol couvert de tapis. Sir James ordonna au plus vieux des deux serviteurs qui se trouvaient là de leur verser du vin.

Furieux après Wallace, Robert avait envie de refuser, mais le calme affiché par le chambellan le radoucit et, d'ailleurs, il avait soif. Il s'empara de la coupe et but à longs traits. En revanche, il refusa l'invitation à s'asseoir de son hôte.

— Pourquoi laissez-vous Wallace tout régenter ? Son père est l'un de vos vassaux. Il n'est même pas chevalier ! Pire, c'est un sauvage. Avez-vous vu ce qu'il porte autour du cou ?

James but une gorgée de vin en attendant que Robert ait terminé.

— C'est un sujet délicat. Oui, ma condition, comme la vôtre, est bien plus élevée que celle de William. Mais pour bon nombre de ceux qui le suivent maintenant, il est devenu une sorte de sauveur. Ils n'écoutent que lui. Et ce sont eux qui composent le plus gros de cette armée.

James tendit la main vers la portière relevée de la tente, par laquelle on voyait les feux du camp rougeoyer.

— C'est ainsi, conclut-il avec fatalisme.

— J'ai entendu parler de certains de ses exploits, rétorqua Robert, qui n'avait pas l'intention de s'en laisser conter. Tortures. Meurtres. Ces actions sont-elles celles d'un homme honorable ?

— Non. Ce sont les actions d'un homme sans pitié dans une époque sans pitié. Je n'excuse pas ses méthodes, mais je les comprends.

Le chambellan s'assit sur un tabouret, son ample manteau jaune en corolle autour de lui.

— Pour William, la guerre a commencé il y a six ans, lors de l'audience qui a décidé de celui qui occuperait le trône. Quand les nobles ont été obligés de reconnaître le roi Édouard comme leur suzerain, le père de William, qui est l'un de mes vassaux, a refusé. Wallace était un homme de bien, fier et méfiant. La réaction du roi n'a pas tardé. Pour faire un exemple, il a déclaré Wallace hors-la-loi et celui-ci a dû quitter sa famille. Juste après, il y a eu une altercation entre des hommes de l'Ayrshire et des soldats anglais, censés rétablir la paix au nom du roi. Wallace est sorti de sa cachette pour se joindre aux révoltés, coupables d'avoir tué cinq soldats. Les chevaliers anglais ont traqué la bande jusqu'à Loudoun Hill.

Robert se rappelait que son grand-père avait évoqué cette escarmouche lors de l'audience.

— Le père de William en a subi les conséquences. Ils lui ont arraché les jambes et l'ont laissé se vider de son sang sur la colline. Une façon épouvantable de mourir. Sa femme est morte dans la misère peu après et ses fils se sont dispersés. Quand Balliol a pris le trône, William vivait avec son oncle, le prévôt d'Ayr. Il nourrissait déjà un puissant ressentiment contre les troupes anglaises, qu'il tenait pour responsables de la mort de ses deux parents. Quand la guerre a éclaté l'année dernière, il a compris que c'était l'occasion qu'il attendait, mais ses espoirs de revanche ont été balayés par notre défaite à Dunbar. Les officiers anglais ont repris les villes en main et remplacé les Écossais. Il y avait un homme en particulier, le prévôt de Lanark, qui s'appelait Hesilrig.

James s'interrompit un instant pour boire.

— Pendant les premiers temps de l'occupation, je me souviens d'avoir entendu parler d'un soldat, un lutteur, qui défiait les hommes sur la place du marché de Lanark. Il leur proposait de payer quatre pennies pour voir s'ils étaient capables de casser un bâton sur son dos. William a relevé le défi, seulement au lieu de casser le bâton, il lui a cassé le dos. Les camarades du soldat se sont jetés sur lui. Ils étaient trois, c'est lui qui s'en est sorti debout. En guise de représailles, William a été banni, son oncle dépouillé et ses amis battus. On a même coupé la queue de son cheval. Les choses ont dérapé et le fils d'un chevalier anglais est mort, de la main de William. Il s'est fait prendre et a fini en prison, d'où il a réussi à s'échapper après plusieurs semaines de torture.

« Après, il est allé se cacher avec les amis qui l'avaient défendu. Sa tête avait beau être mise à prix, il allait quand même à Lanark sous un déguisement. Il jouait avec le feu, surtout avec sa taille, mais il avait une jeune épouse là-bas, l'héritière d'un riche commerçant de Lanark, dont il était tombé amoureux et à qui il s'était marié l'année précédente. William ne parle jamais de Marion et ses camarades gardent le secret mais je sais qu'au printemps, elle lui a donné une enfant. Un jour, les hommes de Hesilrig l'ont surpris alors qu'il se risquait en ville pour aller voir sa femme et sa petite fille. Pris de court, William a dû se barricader dans la maison de Marion. Hesilrig est venu lui-même et lui a demandé de le laisser entrer. Pendant que Marion parlementait avec le prévôt pour gagner du temps, William s'est échappé.

« D'après ce que j'ai entendu dire, lorsqu'il s'est aperçu de cette tromperie, le prévôt a fait enfermer la femme et sa fille dans la maison avant d'ordonner à ses hommes d'y mettre le feu. Quoi qu'il en soit, Marion et le bébé sont morts ce jour-là et William est devenu fou de chagrin. Cette nuit-là, il est retourné en ville et a combattu tous les gardes qu'il croisait pour atteindre Hesilrig. Et il a assassiné le prévôt dans son lit. »

James termina son vin.

— On raconte que Hesilrig ne ressemblait plus à un homme quand William en a eu terminé avec lui. Après cela, il était impossible de faire machine arrière. William et ses camarades se sont engagés sur la voie de la violence. Ils ont commencé en attaquant des compagnies anglaises sur les chemins et en mettant le feu à des garnisons. Et quand d'autres les ont rejoints, dépossédés par les impôts incessants de Cressingham, ils se sont mis à multiplier les actions vengeresses. Il n'a pas fallu longtemps avant que la croisade personnelle de William se transforme en insurrection.

Après un moment de silence, James se leva et se planta devant Robert.

— Il est peut-être un hors-la-loi et un assassin, mais c'est un meneur d'hommes, il est doué pour le combat et nous ne pouvons pas nous passer de son autorité ici. Les hommes qui le suivent ne nous suivraient pas. William Wallace a accompli quelque chose qui nous aurait été impossible. Il a réuni des hommes venus de tout le royaume, aussi bien des mendiants que des seigneurs. Ces hommes n'ont aucune obligation envers lui, il ne les paye pas, ne les force à rien. Ils restent avec lui par loyauté, parce qu'il a souffert autant qu'eux.

Robert ignorait toutes ces brimades et ces luttes auxquelles devaient faire face les hommes de plus basse condition durant l'occupation. Cela lui fit penser au peuple de Carrick. Certains avaient-ils subi les mêmes malheurs que Wallace ? Il se sentit une nouvelle fois coupable, sentiment qui ne lui était que trop familier ces derniers temps. James avait l'air de si bien connaître ses vassaux. Lui n'avait rien su des difficultés des hommes et des femmes de Carrick jusqu'à ce qu'Affraig vienne le trouver.

— Je veux m'amender, dit-il brusquement. Je sais que tout vous pousse à me rejeter, mais en souvenir de l'affection que vous portiez à mon grand-père, je vous demande de me laisser la chance de regagner votre confiance. Je peux vous être utile. Je serai le premier comte à me déclarer ouvertement en faveur du soulèvement, et surtout, je connais les Anglais et le roi. Ils m'écouteraient peut-être si nous leur proposions de négocier.

James réfléchit un long moment.

— Oui, je crois que vous pouvez vous rendre utile.

D'un coup, il parut baisser la garde.

— Allez, lui dit-il en l'emmenant vers la sortie, installez-vous avec vos hommes. J'irai parler à William. Il dirige peut-être cette armée, mais il écoutera mon conseil.

Le chambellan s'arrêta devant l'entrée de la tente.

— Pour ce que ça vaut, Robert, je me rends compte que vous n'avez pas dû avoir la vie facile sous le commandement de votre père ces dernières années. Je sais que lord d'Annandale comptait bien reprendre le trône quand le roi Jean a été emprisonné. Je sais aussi que ce n'est pas à lui que le trône était censé revenir.

Le chambellan regarda Robert s'éloigner et nota le soulagement qui se lisait sur les visages de ses hommes, un peu plus loin. Le petit groupe n'avait pas touché à la nourriture qui leur avait été donnée. Ils attendaient visiblement que Robert revienne.

Une ombre s'approcha dans le crépuscule et Wishart apparut devant la tente. James fit un pas de côté pour le laisser entrer.

— Alors ? demanda l'évêque.

— Je pense que nous devrions lui permettre de rester, monseigneur, répondit James en retournant à l'intérieur, où il faisait plus chaud.

— Maître William a peut-être raison, marmonna Wishart en le suivant. Il se peut qu'il vienne nous espionner.

— C'est possible. Mais je ne crois pas que ce soit le cas.

— Je sais que vous respectiez son grand-père, James, comme moi, mais le sang ne suffit pas à faire un homme d'honneur. Regardez son père.

James ferma les yeux, perdu dans ses réflexions.

— Il avait raison pourtant, non ? murmura-t-il. Nous soutenions son grand-père contre Balliol.

Wishart ne répondant pas, il rouvrit les yeux.

— Et maintenant, nous combattons au nom d'un roi dont nous n'avons jamais voulu.

— Quels que soient nos scrupules, nous avons juré fidélité à Jean de Balliol devant Dieu.

James hésita à répondre, mais préféra se retenir. L'heure n'était pas venue pour cette discussion. Il proposa du vin à l'évêque.

— Soutiendrez-vous ma décision de le laisser rester ?

Wishart prit la coupe que lui tendait le serviteur.

— À une condition, dit-il après avoir bu une gorgée. Nous le tenons à l'écart des décisions stratégiques.

— Son aide serait plus précieuse s'il était au courant.

Wishart se montra inflexible.

— Non. Pas tant que nous ne sommes pas certains que nous pouvons lui faire confiance.

L'évêque leva le coude pour terminer son vin d'une traite.

— Nous le saurons bien assez vite, reprit-il. Nos éclaireurs nous ont informés que les Anglais arrivaient par la vallée de Nithsdale. Percy et Clifford seront là d'un jour à l'autre.

Chapitre 51

Un vent frais faisait onduler l'herbe des champs et sur les rives de l'Irvine, les arbres frémissaient. De l'autre côté de la rivière, le large sentier qui menait au port était couvert d'une foule d'hommes dont les bannières ternes flottaient sous un ciel maussade.

Robert observait en silence l'armée en marche, de la cavalerie en tête aux fantassins qui les suivaient, visibles grâce au terrain en pente. Il estima qu'il devait y avoir là plusieurs centaines d'hommes à cheval et trois fois plus de soldats à pied. Sur les premiers rangs, flottaient deux étendards. Robert scruta un instant le lion bleu sur fond jaune de la maison de Percy, qui se détachait nettement.

En apprenant que Henry Percy et Robert Clifford arrivaient au port, Robert n'avait pas été surpris. Percy était désormais gouverneur du Galloway et de l'Ayr et, maintenant que l'évêque Bek avait disparu et que le prévôt de Lanark était mort, il était le principal commandant anglais dans l'ouest de l'Écosse. Si l'on ajoutait à cela le fait qu'il pouvait rapidement lever des impôts de ses domaines voisins du Yorkshire, le choix de Cressingham ne pouvait se porter que sur lui pour affronter les rebelles. Même s'il nourrissait une certaine appréhension à l'idée de revoir ses anciens camarades, Robert pensait sincèrement qu'au moins ils l'écouteraient. Il s'était battu à leurs côtés, avait tutoyé la mort avec eux, il avait été accepté comme l'un des leurs. Ils l'avaient considéré comme un frère. Mais tandis que l'armée s'approchait, son optimisme fondit.

À côté de lui se trouvait l'évêque de Glasgow, jambes écartées, mains dans le dos, enraciné telle une plante obstinée. Sur sa gauche, le chambellan affichait une expression impénétrable. Il y avait aussi avec eux le truculent lord de Douglas et William Wallace, qui les dépassait tous d'une ou deux têtes. Le géant semblait le plus détendu de tous, mais ses yeux bleus trahissaient une impatience presque fiévreuse. Il portait attachée dans son dos une épée énorme dont la lame marquée, dénuée de fourreau, mesurait pratiquement la taille d'un homme. Deux de ses camarades l'accompagnaient. Le premier était le chauve, son cousin comme l'avait appris Robert entre-temps. Il s'appelait Adam et portait toujours son étrange cape fourrée, apparemment un trophée dont il s'était emparé dans la salle du Justicier de Scone.

L'avant-garde anglaise quitta le sentier pour s'engager dans le champ, les chevaux faisant se coucher l'herbe sous leurs sabots. Les premiers rangs s'écartèrent, révélant aux Écossais la cavalerie qui suivait. Des destriers caparaçonnés étaient montés par les chevaliers en cottes de mailles, lances au poing. Les soldats à pied des régions du nord de l'Angleterre, qui avançaient péniblement derrière, ne semblaient pas plus nombreux que ceux de l'armée de Wallace, mais en termes de cavalerie, les Écossais étaient en très nette infériorité. Robert réalisa avec un certain malaise que si une bataille devait avoir lieu, ils la perdraient.

Au son d'une corne, l'armée anglaise s'arrêta. Un petit groupe se détacha et lança ses destriers au petit galop en direction des Écossais. Même sans sa bannière distinctive, Robert aurait reconnu Henry Percy à son allure. Lord d'Alnwick, dont la lance était portée par son écuyer, tenait ses rênes d'une main, l'autre étant posée sur sa hanche, son torse massif suivant tranquillement les mouvements du cheval. Il portait un grand heaume orné de trois plumes blanches de cygne, mais le viseur en était relevé et Robert distingua son visage rougi, plus épais que la dernière fois qu'il l'avait vu, et sa bouche tordue en un rictus méprisant.

Lorsque le groupe fit halte, les hommes ne mirent pas pied à terre et toisèrent les Écossais. Le destrier de Percy piaffa en soufflant par les naseaux. Le regard du lord les transperça les uns après les autres, s'attarda sur Wallace avant de se poser sur Robert, qui dut se contenir pour demeurer impassible.

Wishart fut le premier à parler.

— Je suis Robert Wishart, évêque de Glasgow par la grâce de Dieu et ancien Gardien de l'Écosse. Mes nobles compagnons et moi-même allons parlementer avec vous.

Il les présenta tour à tour, mais Percy ne quittait pas Robert des yeux.

— J'ai appris que vous aviez trahi votre roi. *Parjure.*

Sans laisser à Robert le temps de répondre, Percy se tourna vers l'évêque.

— Des nobles compagnons, dites-vous ? Je ne vois pour ma part qu'un ecclésiastique, trois traîtres et un hors-la-loi.

Lord Douglas marmotta une obscénité, mais Wishart ne se démonta pas.

— Nous sommes ici pour parlementer en hommes, pas pour échanger des insultes comme des enfants.

Clifford, qui lui aussi considérait Robert, intervint.

— Nos ordres sont d'arrêter quiconque trouble la paix du roi et lève les armes contre lui. Cet homme est recherché, poursuivit-il en désignant Wallace. Tous autant que vous êtes, vous perdrez vos terres pour avoir rompu le serment fait au roi. Il n'y a pas de négociations. Soumettez-vous à son autorité ou nous répondrons par la force.

Robert se préparait à une déclaration ferme et sans ambiguïté de Wishart, au lieu de quoi l'évêque répondit calmement :

— Inutile d'en arriver là, lord Clifford. Nous nous rendrons.

Robert entra chez le chambellan à grandes enjambées, et sans se faire annoncer. Les panneaux de la tente ondulèrent sous l'effet du courant d'air qui l'accompagna à l'intérieur.

— Étiez-vous au courant des intentions de l'évêque ? Au nom de quoi avez-vous pu laisser faire une chose pareille ?

James ne semblait pas apprécier particulièrement la rudesse de son ton, mais Robert , cependant, poursuivit :

— Je croyais que nous devions leur tenir tête ? Je croyais que c'était pour cela que nous étions venus à Irvine ? En allant à l'encontre des ordres de mon père et en me déclarant en faveur du soulèvement, j'ai tout risqué ! Mes terres, ma famille. Et pour quoi ? Je ne suis pas venu pour céder à leurs demandes sans résister.

— Nous sommes peut-être vaillants, mais il nous est difficile d'affronter les Anglais en bataille. Vous le savez aussi bien que moi. Mieux même, je parierais. Vous avez combattu dans leurs rangs au pays de Galles. Vous connaissez bien leur puissance. Dites-moi, une armée sans discipline peut-elle venir à bout de la cavalerie lourde anglaise ?

Robert ne répondit pas. Ce n'était pas nécessaire. Le chambellan se contentait d'énoncer une vérité dont il avait été conscient dès l'arrivée des Anglais.

— Nous n'étions pas obligés de nous battre. Nous pouvions négocier. J'aurais pu parler à Percy, présenter des conditions à proposer au roi. Au moins, nous aurions gagné un peu de temps. J'aurais fortifié Carrick. Là...

Il poussa un juron et se mit à faire les cent pas dans la tente.

— Je n'ai même pas le temps d'appeler mes vassaux pour qu'ils assurent sa défense !

— Vous auriez pu négocier ? demanda James en le regardant aller et venir comme un lion en cage. Vous auraient-ils écouté ? L'inimitié de Percy à votre égard m'a paru assez claire.

Robert s'assit lourdement sur un tabouret en se demandant s'il n'avait pas commis une bêtise en venant ici. Il aurait dû comprendre qu'il n'y avait rien de pire que de trahir le roi. Au lieu d'être une sorte de pont entre les deux camps, sa présence ne faisait sans doute qu'envenimer les choses. Il se dit que peut-être il aurait dû aller rencontrer Édouard lui-même et l'implorer de l'écouter. Mais en même temps qu'il formulait cette idée, il se rendait compte de son ridicule. Même les plus proches conseillers du roi étaient incapables de le détourner du chemin qu'il se traçait.

— Je n'arrive pas à croire que Wallace soit d'accord, en songeant soudain à l'acceptation qu'il avait lue sur les visages des rebelles lorsque Wishart les avait ainsi acculés.

De leur côté, Percy et Clifford avaient eu l'air aussi surpris que lui quand l'évêque avait promis qu'ils se rendraient, mais sans leur laisser le temps de réagir, Wishart avaient suggéré qu'ils se revoient le lendemain pour discuter des conditions. Il avait aussi proposé un lieu pour l'établissement de leur camp, à une lieue de là. La capitulation instantanée de l'ennemi leur ayant fait perdre quelque peu de leur élan, les seigneurs anglais avaient acquiescé, quoiqu'avec réticence.

Ayant toujours présent à l'esprit le calme avec lequel avait réagi Wallace, Robert fixait James.

— Après tout ce que vous m'avez raconté, j'aurais cru que Wallace préférerait mourir l'épée à la main plutôt que d'abandonner sans lutter.

Comme le chambellan détournait les yeux, Robert se leva. L'expression de Stewart était étrange.

— Sir James ?

Le chambellan se tourna vers lui. Il demeura impassible un moment puis il se résigna.

— On m'a demandé de ne rien vous dire.

— De quoi parlez-vous ? demanda Robert.

— De notre plan. Wishart et Wallace l'ont mis au point il y a quelques semaines. Ils ont choisi d'attirer ici les forces qu'Édouard n'allait pas manquer d'envoyer pour mater l'insurrection. Irvine était assez proche du Galloway et de l'Ayr pour être certain que Percy découvrirait notre intention de faire front, mais suffisamment loin des côtes est et de nos principales forteresses.

— Suffisamment loin pour quoi ?

— Robert Wishart veut les embourber dans les négociations concernant la reddition, de façon à ce que William poursuive sa campagne à l'est. Ses hommes et lui ont servi d'appât pour les Anglais. Maintenant, nous allons les tenir occupés ici pendant que Wallace s'éclipsera pour finir ce qu'il a commencé. Il compte rejoindre le reste de ses hommes dans la forêt de Selkirk, et de là aller retrouver les forces de Moray au nord. Le but est de s'emparer d'assez de forteresses pour pouvoir nous battre efficacement le jour où Cressingham réussira à lancer une véritable offensive de Berwick.

— Comment Wallace va-t-il s'éclipser ? Les Anglais le verront partir !

— Notre camp est assez vaste pour que nous puissions faire croire qu'il est occupé en totalité. Wishart s'est arrangé pour que les négociations aient lieu dans le camp des Anglais et William n'est pas censé y participer.

Robert était stupéfait. Il essayait de réfléchir à ce que cela signifiait pour lui, mais le chambellan n'avait pas terminé.

— J'informerai Wishart que je vous en ai parlé. Nous n'aurions pas pu vous le cacher indéfiniment. En outre, pour moi, la réaction de Percy a prouvé votre innocence. Une telle haine ne peut être simulée.

Il se tut un instant avant d'ajouter :

— Vous feriez bien d'être prudent, Robert.

Chapitre 52

Le vent était tombé durant l'après-midi et un calme total régnait sur le camp. Au cours de la dernière heure, les nuages s'étaient amoncelés à l'ouest. Robert et sa suite mangeaient en silence leur repas, un porridge peu appétissant agrémenté de baies, dans la pénombre grandissante. Les serviteurs et deux écuyers de Carrick étaient occupés à monter les dernières tentes, créant un petit camp au sein de celui plus vaste de l'armée de Wallace. Au-dessus de ce camp flottait l'étendard de Carrick. Robert, après beaucoup d'hésitations avait décidé d'affirmer sa présence plutôt que de tenter de la dissimuler. Près d'eux, un groupe de paysans était assis au coin du feu, leurs lances posées à terre à côté des capes de laine qui leur servaient de lit. Ils épiaient d'un œil envieux les fourrures, les oreillers et les couvertures qu'on déchargeait des chariots pour aménager les tentes.

Robert abandonna sa cuillère dans la bouillie grise que son intendant avait préparée. La faim qui le tenaillait un peu plus tôt lui était passée. Il leva les yeux et vit Christopher fouiller dans son sac avant d'en sortir une petite flûte gracile. C'était la chose à laquelle l'écuyer du Yorkshire était le plus attaché.

Son père la lui avait ramenée de Castille. Il s'était révélé très doué pour en jouer et avait égayé nombre de soirées pendant leur voyage. Il posa l'embout contre ses lèvres et émit pour se chauffer quelques notes qui résonnèrent dans le soir. Étendu près du feu, Uathach leva la tête et poussa un gémissement.

Tout à l'heure, Robert avait discrètement fait connaître à l'écuyer et à Alexandre l'indiscrétion du grand chambellan à propos du plan concocté par Wishart et Wallace. Alexandre avait semblé douter de l'efficacité de la ruse tandis que Christopher s'était montré troublé qu'on l'eût caché à Robert, alors même que les Écossais l'avaient invité à se joindre à la compagnie qui rencontrait Percy et Clifford.

— On dirait qu'ils cherchaient à éprouver votre loyauté, lui avait dit Alexandre. Ils voulaient constater la réaction des Anglais à votre vue.

Robert comprenait leur inquiétude. Les deux hommes, en particulier Alexandre, avaient beaucoup à perdre. Il essayait de se dédouaner à leur égard : après tout, ils auraient pu choisir de retourner à Annandale avec Gillepatric et les autres. Mais la vérité, c'est qu'en leur proposant une place dans sa compagnie, il avait fait d'eux ses hommes et il en était maintenant responsable.

Tandis qu'il fixait son bol sans écouter l'air de flûte qui s'élevait près de lui, toutes les pistes que son esprit élaborait semblaient le mener droit dans le mur. Les Écossais ne voulaient pas de lui ici, ils ne lui faisaient pas confiance. Il n'avait pas besoin d'Alexandre pour le savoir. Même si Wallace et ses hommes l'emportaient finalement et que le roi Jean était restauré, lui ne se retrouverait guère dans une meilleure posture. Les chevaliers anglais le détestaient parce qu'il avait déserté. Quant à son père, mieux valait ne pas y penser.

Du coin de l'œil, Robert vit sa fille chanceler dans sa direction, ses petits bras écartés pour garder l'équilibre. Le sourire de Marjorie était un rayon de soleil qui éclairait sa journée. Il sourit en retour et il lui tendit les bras. Mais elle tomba en arrière avant d'arriver jusqu'à lui. Son sourire s'effaça et elle se mit à crier. Christopher cessa de jouer en l'entendant. Judith posa immédiatement son bol et alla la relever. Marjorie se débattit et cria plus fort, agitant ses mains vers son père qui s'était déjà replongé dans ses pensées. Ignorant les protestations de la fillette, Judith pénétra dans la petite tente qu'elle partageait avec Katherine en dégrafant déjà sa robe pour la nourrir. Les pleurs de Marjorie cessèrent tandis que les autres terminaient leur repas. Après avoir léché sa cuillère, Nes se leva et alla voir les chevaux attachés non loin. Puis il s'accroupit, prit une brosse au fond d'un sac et se mit à frotter Chasseur. Il sifflait en travaillant l'air qu'avait joué Christopher. Katherine termina son bol, l'odeur des chevaux lui arrachant une grimace.

— Nes, répare la selle de Marjorie quand tu auras fini. Elle est fendue à l'arrière, je te l'ai déjà dit hier.

Robert vit Alexandre qui l'observait. Il y avait une espèce de colère sur le visage du chevalier, se dit-il, mais son attention fut attirée par un groupe d'hommes dont la conversation animée couvrait le brouhaha du camp. Parmi eux se trouvait Adam. Le cousin de Wallace lui jeta un regard hostile en passant.

Quand ils se furent éloignés, Robert posa le plat auquel il n'avait pas touché et se rendit dans sa tente. À l'intérieur, les serviteurs avaient étendu un épais tapis sur le sol. Les coffres contenant ses vêtements et ses affaires étaient soigneusement entassés dans un coin et plusieurs couches de fourrures et de couvertures formaient un lit confortable. Sur un coffre, un plateau d'argent supportait une carafe de vin et une coupe. Pendue à un crochet au-dessus, une lanterne éclairait la tente. Assis sur les fourrures, Robert ôta ses bottes. Il avait mal à la tête, trop de questions tourbillonnaient dans son esprit. Demain, à la première heure, avant les négociations avec Percy et Clifford, il irait à la rivière s'entraîner à l'épée avec Alexandre, un peu d'activité l'aiderait à se détendre et à s'éclaircir les idées.

Un courant d'air lui arriva dans le dos. Robert tourna la tête et vit Katherine entrer. Elle ne prononça pas un mot. Il continua à s'acharner sur ses bottes sans rien dire tandis qu'elle s'agenouillait derrière lui. Lorsqu'elle mit ses mains sur ses épaules, les mouvements de Robert ralentirent. Elle commença à lui masser doucement la nuque. Il ferma les yeux, sa tension s'évacuait peu à peu. Au bout d'un moment, elle se pencha en avant et ses seins se pressèrent contre lui. Balayant une mèche de côté, elle l'embrassa dans le cou. Elle avait les lèvres sèches à cause du soleil mais le contact le fit frissonner. Les idées sombres qu'il ressassait refluèrent et il ne fut bientôt plus qu'à elle, à son odeur, mélange de fumée, de transpiration et de baies.

Elle resta à genoux mais lui fit face. Il rejeta sa coiffe en arrière et ses cheveux retombèrent en cascade sur ses bras. Les yeux clos, il caressa son dos de sa main et, l'attirant contre lui, colla sa bouche à la sienne. Elle prit son menton mal rasé entre ses doigts et sa langue, qui après s'être approchée puis dérobée, s'enroula bientôt contre la sienne.

Il fit glisser une bretelle de la vieille robe de sa femme, mais le vêtement ne voulait rien savoir et il descendit la main pour dénouer le lacet. Rouvrant les yeux pour mieux voir ce qu'il faisait, il s'aperçut que Katherine le dévisageait, transie. Lorsqu'il eut défait le nœud, il tira fiévreusement sur les fils pour enlever la robe. Elle libéra ses bras et l'aida à baisser la robe sur sa taille. Tandis qu'elle rejetait ses cheveux en arrière, la poitrine nue, il la contempla longuement puis, submergé de désir, il la renversa sur les fourrures. Il ne voulait plus penser.

Des cris d'alerte se firent entendre à l'extérieur, en même temps que des hennissements de panique des chevaux. Robert se retourna au moment où les pans de la tente s'ouvraient. Alexandre passa la tête à l'intérieur. Katherine se rassit en croisant les bras sur ses seins nus et en jetant un regard noir au chevalier. Mais celui-ci ne s'intéressait pas à elle. Robert s'était relevé en jurant.

— Que diable...

— Il faut que vous voyiez ça.

Laissant Katherine, Robert suivit Alexandre hors de la tente. Son désir était retombé et faisait place à une colère froide. Christopher et Walter, ainsi que les chevaliers d'Alexandre et les écuyers, regardaient tous dans la même direction. Nes et l'intendant calmaient les chevaux tandis que Judith, l'air apeurée, serrait Marjorie dans ses bras. Il y avait quelque chose dans le noir, près de sa bannière. Des hommes qui campaient alentour arrivaient à la hâte en s'interpellant.

— Qu'est-ce que c'était ?

— On nous attaque ? Allez chercher Wallace !

Robert se pencha : il s'agissait d'une flèche. Un morceau de parchemin avait été embroché sur la tige.

— Vous savez d'où c'est venu ? demanda-t-il à Alexandre, qui fit signe que non.

Robert s'empara de la flèche pour la casser puis, l'ayant ramassée, il fit glisser le message avant de l'ouvrir.

TRAÎTRE

Le mot était écrit en capitales bien grasses, tracées à l'aide d'une substance noire.

— Les Anglais ? murmura Alexandre en lisant par-dessus son épaule.

Robert releva la tête. Là-haut, les nuages formaient maintenant un mur noir qui cachait les étoiles. Il eut un mouvement d'impatience, la mâchoire serrée.

— Je ne sais pas.

— Vous devriez en informer le grand chambellan.

— Non, répondit vivement Robert. Nous devons nous débrouiller.

Il jeta le message au feu sans répondre aux interrogations muettes des hommes accourus aux nouvelles.

— Mettez quatre hommes de garde cette nuit.

Tandis qu'il se dirigeait vers sa tente, Alexandre le suivit.

— Il y a autre chose, Robert, dit-il lorsqu'ils furent assez éloignés des autres.

Alexandre fit un signe de la tête vers la tente, où l'on voyait la silhouette de Katherine se découper.

— Pourquoi ne pas garder votre lit pour une femme qui serait votre égale, mon ami, au moins devant vos alliés nobles ?

— Je partage ma couche avec qui bon me semble, cela ne regarde personne.

À bout de nerfs, Robert rentra dans la tente. Le morceau de parchemin achevait de se consumer au milieu des flammes.

Chapitre 53

— Comme je l'ai dit, nous sommes prêts à nous rendre, mais ne prétendons pas parler au nom de tous les hommes du royaume, énonça tranquillement le chambellan.

— Et comme nous vous l'avons dit, répondit Clifford, c'est inacceptable. Sir Hugh de Cressingham ordonne que tous les hommes ayant pris part à cette insurrection se rendent. Il veut que lord Douglas et William Wallace le hors-la-loi soient expédiés à la Tour, où ils seront jugés pour leurs crimes envers la Couronne.

Une moue de dérision apparut sur les lèvres de Douglas. Attrapant sa coupe, il vida d'un trait le vin dont les abreuvaient les serviteurs des seigneurs anglais.

— Grand chambellan, combien de temps devrons-nous vous le répéter ?

Clifford était en sueur. La toile tendue au-dessus de la table autour de laquelle étaient assis les six hommes empêchait le soleil de cogner sur leurs crânes, mais la chaleur insupportable les rendait irritables.

— Comment pourrions-nous parler pour les autres ? s'enquit Wishart, soudain exalté. Nous ne tenons pas à accepter la reddition pour que l'insurrection se poursuive ailleurs, en dépit de notre accord.

— Cela dure depuis trop longtemps, s'emporta Percy, ses mains bien à plat sur la table. Nous ferions mieux d'arrêter les hommes ici présents, dit-il à l'intention de Clifford. Laissons sir Hugh et mon grand-père s'occuper de Moray et des rebelles au nord. Ce qu'ils feront, n'en doutez pas, ajouta-t-il en se tournant vers James.

— Vous pourriez agir ainsi, rétorqua Wishart avant que Clifford ne réagisse, mais si vous nous arrêtez maintenant, vous aurez toujours sur les bras le problème de notre armée. Vous ne pouvez tous les faire prisonniers, je suppose ?

Il avait posé la question avec un air de défi, les yeux brillants, semblant prendre plaisir à la situation.

— Non, répliqua froidement Percy, mais nous pouvons les tailler en pièces. Contrairement à vous, nous ne leur accorderons aucune pitié.

— Ma foi, je doute qu'ils vous affrontent sur un champ de bataille. Ils iront pour la plupart se réfugier dans la forêt et vous n'entendrez plus parler d'eux jusqu'à leur prochaine attaque.

Mal à l'aise, Robert jeta un coup d'œil à Wishart. Il trouvait ce petit jeu dangereux. Il ne fallait pas que les Anglais s'aperçoivent que c'était exactement ce qui se passait. Il n'aurait pas cru qu'ils puissent faire semblant aussi longtemps, mais le camp anglais était à une lieue du leur et il devait admettre que, de loin, le camp écossais donnait l'impression d'être complètement occupé : d'ailleurs Wallace avait laissé quelques-uns de ses hommes et les tentes étaient restées en place. Douglas et le chambellan avaient des suites assez importantes et, avec les gens de la région qu'ils avaient enrôlés, cela pouvait berner presque n'importe qui. Cependant, donner un indice aux Anglais était risqué, car à la minute où Clifford et Percy se rendraient compte que Wallace et ses hommes avaient quitté Irvine depuis une semaine, ils leur passeraient les fers et les enverraient à la Tour.

James Stewart regarda lui aussi Wishart pour le faire revenir à davantage de prudence.

— Nous n'avons jamais manqué de courtoisie au cours de ces discussions, dit-il aux chevaliers anglais. Vous n'avez pas besoin de nous menacer. Nous vous avons tous les quatre donné notre parole que nous nous rendrions à la merci de votre roi, mais nous devons rester ici pour éviter une effusion de sang. Les rebelles suivront nos conseils. Nous agissons au mieux des intérêts de chacun, conclut-il avec des accents sincères.

— Si vous nous arrêtez maintenant, ajouta Wishart, je jure devant Dieu que vous ne réussirez pas à mettre un terme à cette insurrection.

La discussion se poursuivit à peu près dans les mêmes termes que les jours précédents, sous les mauvais présages des nuages noirs qui annonçaient l'arrivée du mois de juillet. La chaleur était déjà si torride que les Écossais passaient leur temps à se jeter dans la rivière pour se rafraîchir.

Robert sentit son attention faiblir. Ses yeux errèrent vers le camp anglais qui s'étirait vers la mer. Là-bas, la côte s'élevait abruptement, des champs arides menaient à des à pics en direction d'Ayr et de Carrick. Il n'avait jamais été aussi près de la maison de son enfance depuis ses dix-neuf ans, à l'époque où il s'était rendu à Turnberry avant de partir pour l'Angleterre, seule période passée dans son comté depuis qu'il en avait hérité. Le visage d'Affraig flottait dans sa mémoire.

Il y a beaucoup de souffrance. Je suis venue voir si nous pouvions placer nos espoirs en vous. Notre seigneur.

Au moins, tant que les Anglais étaient pris au piège des négociations, ils ne harcelaient pas le peuple. Robert reporta son attention sur Clifford, qui avait pris la parole. Percy le fixait d'un regard menaçant qui le fit s'agiter sur son siège, tout à fait revenu à la situation présente.

Robert s'était contenu pratiquement tout au long des pourparlers, jusqu'au jour où il n'avait plus supporté la chaleur suffocante et l'arrogance de Percy et où il l'avait accusé d'avoir pénétré sur ses terres sans en avoir le droit, ce qui exigeait réparation. Percy avait répliqué par des invectives et des provocations. Tous deux s'étaient levés, prêts à tirer leur épée, avant que le chambellan et Clifford ne coupent court à l'altercation. Robert avait regagné le camp devant James et les autres au grand galop, et il n'avait réussi qu'à rendre son palefroi aussi fébrile que lui. Pendant tout le chemin, il n'avait cessé de revoir Percy et Clifford sortant la Pierre du Destin de l'abbaye de Scone. Et lui qui les protégeait avec son épée.

— Nous sommes dans l'impasse, dit James avec lassitude. Reprenons la discussion demain.

— Non, fit Percy à l'intention du chambellan. Berwick attend des résultats avant la fin du mois. C'est ce que le roi Édouard a exigé. Il faut en finir. Aujourd'hui.

Robert vit l'inquiétude envahir le visage de James. Il ne le comprenait que trop bien. Malgré le risque que la rébellion se poursuive, Percy et Clifford n'allaient plus avoir d'autre choix que de les faire prisonniers pour complaire à Cressingham. S'ils avaient différé leur arrestation, c'était d'ailleurs uniquement parce qu'ils étaient relativement peu habitués des pourparlers de ce genre. Des hommes expérimentés comme John de Warenne ou le père de Humphrey de Bohun auraient depuis longtemps percé Wishart à jour. D'ailleurs, ils ne tarderaient pas à recevoir des rapports les informant des menées de Wallace à Dundee. Ce qui mettrait un point final à leur stratagème.

Clifford se leva en faisant signe à Percy. Les deux hommes s'éloignèrent pour un aparté. Douglas but son vin avec une grimace tandis que Wishart observait le conciliabule des Anglais. Lorsqu'ils revinrent, Robert remarqua le sourire cauteleux de Percy.

— Nous acceptons les termes de votre reddition à certaines conditions, reprit Clifford. Vous resterez ici sous notre garde afin d'obliger les rebelles à cesser leurs actes de violence. Quand nous en aurons la preuve, nous ferons porter un message à Berwick et nous enverrons à sir Hugh les prisonniers qu'il a nommément désignés, à savoir lord Douglas et Wallace. Vos terres seront confisquées jusqu'à ce que le roi Édouard décide de la façon dont il souhaite vous traiter.

James hocha la tête, mais Clifford leva la main.

— En signe de bonne foi, pour nous montrer que vous respecterez la parole donnée en scellant cet accord, nous demandons un otage.

— Qui ? demanda Wishart.

Percy se tourna vers Robert. James protesta aussitôt.

— Non. Sir Robert est comte, sa rançon est trop élevée.

— Pas lui, rétorqua Percy. Sa fille. Nous savons qu'il l'a emmenée avec lui en partant de Carlisle. Son père nous l'a dit. Lord d'Annandale nous a beaucoup parlé, nous savons par exemple qu'il exècre son fils et qu'il souhaite sa mort.

Robert était livide. Il se leva en repoussant violemment son tabouret.

Les trois hommes se faisaient face. La colère, la frustration et l'inquiétude les taraudaient. Dehors le soir tombait, promettant une autre nuit caniculaire.

— Si nous cédons à leur demande, nous gagnerons du temps.

C'était Wishart qui parlait.

— Nous savions que nous devrions faire des concessions, et même des sacrifices. Il faut occuper les

Anglais ici si nous voulons que Wallace ait une chance de réussir à l'est.

— Robert ne va pas laisser sa fille entre leurs mains, s'indigna James. Et je ne l'en blâme pas. Il ne nous dira rien de ce qui s'est passé entre lord Percy et lui, mais je ne livrerais pas l'enfant en confiance à cet Anglais.

Wishart poussa un soupir.

— Nous avons jusqu'à demain matin pour donner notre réponse. Si nous ne leur accordons pas l'otage, ils feront usage de la force.

— Qu'ils viennent, ces enfants de putain, éructa Douglas en brandissant la coupe que le serviteur du chambellan venait de remplir.

Les joues rougies, il avait du mal à articuler.

— J'adorerais les voir saigner au bout de mon épée. Qu'ils meurent pour ce qu'ils ont fait à Berwick. Nous ne faisons que parler. Parler et *attendre*. Ça suffit !

Le chambellan resta concentré sur l'évêque.

— Nous parlons d'une enfant, monseigneur. Elle pourrait être blessée, ou pire, lorsqu'ils découvriront notre duperie.

— Nous parlons de notre royaume !

— Offrons-leur un autre otage, dans ce cas. L'un d'entre nous.

— Pourquoi pas le fils Bruce ? proposa Wishart. Ce n'est pas simplement par sentiment, n'est-ce pas ? Il y a autre chose. Vous êtes proche de lui depuis son arrivée.

— Comme vous l'avez dit, nous ne pouvons peut-être pas nous fier à lui.

— Et pourtant, vous lui avez révélé notre plan dès le premier soir alors que je vous avais demandé de n'en rien faire. Allons, James, je vois bien que vous avez quelque chose en tête. Une idée que vous n'avez pas encore partagée avec nous.

James sembla hésiter à répondre. Puis il se décida et, à voix basse, comme avec prudence, il dit :

— Il est le petit-fils de sir Robert d'Annandale. C'est le même sang qui coule dans ses veines, monseigneur. Le sang de Malcolm Canmore.

Debout près du feu, Robert contemplait le camp. Les premières étoiles apparaissaient, disséminées dans les profondeurs du ciel. Comme il avait les yeux levés, une étoile filante traversa la voûte céleste et traça un sillon lumineux ténu qui disparut brièvement. Dans sa jeunesse à Carrick, il s'allongeait sur le dos en haut des falaises pour regarder les étoiles tomber.

La lueur des lanternes éclairait les parois de la tente du grand chambellan. À l'intérieur, en ce moment même, Wishart et les autres discutaient de son avenir et de celui de sa fille. Ils pouvaient bien dire ce qu'ils voulaient. Lui n'en pouvait plus de ces conciliabules.

Une clarté presque aveuglante l'inondait, en même temps qu'une sainte colère. Elle avait balayé tous ses doutes, et elle brillait au bout du seul chemin qu'il entrevoyait pour lui désormais. Toutes ces routes qu'il croyait possibles ces dernières semaines – non, ces dernières années – n'existaient plus : il n'y avait qu'une seule destination. Ce serait périlleux, il le savait avant même de connaître les obstacles qui se dresseraient. Mais il savait aussi de tout son être qu'il lui fallait s'y engager. Tout l'y conduisait.

Il entendit des bruits de pas. Alexandre surgit derrière lui.

— Nous sommes prêts, dit le chevalier.

— Les femmes aussi ?

— Oui, elles partiront le long de la rivière avec les serviteurs. Mes hommes les accompagneront, continua Alexandre en baissant la voix pour ne pas être entendu des trois chevaliers portant les couleurs de lord Douglas qui passaient à côté d'eux. L'escorte n'aura pas l'air étrange, pas après la flèche. Nes et Walter attendront près de la rivière avec les chevaux.

La moitié des écuyers y sont déjà. Les autres nous retrouveront juste après.

Alexandre attendit un instant avant de lui poser la seule question qui vaille :

— Vous êtes sûr de vous ?

— Oui.

— Ils vont savoir où vous êtes partis. Ils nous poursuivront peut-être.

— Non, ils ont besoin de conclure les négociations. Même Percy ne voudrait pas risquer que la rébellion s'étende juste pour le plaisir de me donner la chasse. Quand ils le feront, Turnberry sera protégé.

Robert se tourna vers Alexandre.

— J'ai besoin de savoir si vous êtes avec moi.

Alexandre lui sourit. Cela n'adoucissait pas vraiment ses traits, mais Robert fut néanmoins rassuré.

— Nous sommes avec vous.

— Nous allons devoir laisser les tentes et les chariots, dit Robert en regardant leur campement. Heureusement, les nuits sont chaudes et nous aurons tout de même des couvertures.

Il vit Katherine et Judith sortir de leur tente. Sa maîtresse portait sa fille dans ses bras, ainsi que le seau dont elles se servaient pour aller chercher de l'eau à la rivière. Judith, à côté d'elle, semblait avoir peur. Elle aussi portait un seau dans lequel elle avait entassé quelques-unes de ses affaires. Petit à petit, au cours de la soirée, ils avaient emporté l'essentiel vers les berges de la rivière, où Nes se trouvait avec Uathach et les chevaux. Pour qu'ils profitent d'un bon pâturage, lui avait dit Robert à haute voix.

Quand les femmes entamèrent leur descente de la colline, Katherine s'efforçant d'avoir l'air de plaisanter avec la nourrice, Robert fit signe à Alexandre.

— Je vous retrouve près de la rivière.

Puis il s'éloigna au milieu des feux et des hommes assis en cercle, des rangées de tentes, et sortit du camp étrangement calme. Dans son dos, les flammes furent bientôt englouties par la nuit. Devant lui, la terre s'élevait et donnait naissance à une colline. Là-haut, dans les ténèbres, les étoiles brillaient comme des fanaux.

Chapitre 54

Les hommes portaient la Pierre en ahanant. Leur souffle était nettement audible sous les voûtes. La pluie cognait sur les grands vitraux qui donnaient sur le mausolée du Confesseur. Il faisait froid à l'intérieur de l'abbaye de Westminster. Une lumière sans éclat s'infiltrait par les arcades du chœur dans les chapelles où les nobles figures du passé attendaient en silence, au fond de leur tombe, le jugement dernier. La Pierre du Destin scintillait faiblement malgré tout, comme du givre ou de la poussière d'étoile.

Le roi Édouard regarda les hommes déposer le bloc sur la chaire ornée de riches gravures, prête à l'accueillir. Son maître peintre suivait les opérations avec attention, lui qui avait réalisé le décor représentant un roi assis, entouré d'oiseaux mythologiques et de fleurs tressées. Lorsque les deux hommes reculèrent, un troisième s'empara du couvercle en bois qui refermerait la chaire. Ainsi la Pierre ne pourrait s'échapper. L'Écosse était maintenant véritablement sous la domination anglaise.

Édouard ne s'assiérait jamais sur ce trône. Il était destiné à son héritier et à sa lignée, à tous les rois futurs qui pourraient se prévaloir de son héritage. Des années plus tôt, à Bordeaux, il avait fait peindre une fresque mettant en scène un roi accompagné de chevaliers portant le symbole du dragon. Sur la peinture, le roi était assis sur un trône de pierre et avait pour attributs une couronne en or, une épée cassée et un sceptre doré. Cette image était presque une réalité, aujourd'hui. Le trône d'Écosse, la Couronne d'Arthur, l'épée du Confesseur : ces symboles antiques de la souveraineté bretonne reposaient au cœur de son royaume, auprès des mausolées de ses prédécesseurs. C'aurait dû être une journée mémorable. Elle aurait dû représenter l'accomplissement d'un serment prononcé alors qu'il avait vingt-trois ans, quand il était entré dans cette abbaye en marchant pieds nus sur un tapis de fleurs.

Il aurait presque cru entendre encore les tambours.

ABBAYE DE WESTMINSTER, ANGLETERRE

1274

Pareils aux battements de son cœur, lents et solennels, les sons se répercutaient au milieu des bâtiments du palais de Westminster. Édouard marchait au rythme des tambours, ses pieds nus s'enfonçant doucement dans le velours des roses rouges et la soie des lys blancs. Les fleurs, auxquelles on avait soigneusement ôté les épines, avaient été distribuées le matin même à la foule qui s'entassait dans la rue allant du palais à l'abbaye. Les femmes se signaient sur son passage. Les hommes inclinaient la tête ou prenaient leurs fils et leurs filles dans leurs bras pour que, dans quelques années, ils racontent à leurs propres enfants qu'ils l'avaient vu, qu'ils étaient là le jour où le roi avait été couronné.

Des bannières en soie flottaient aux balustrades et aux arcades contre le ciel d'août uniformément bleu. C'était le premier couronnement auquel assistait une grande partie du peuple. Seuls les hommes aux cheveux blancs et les vieilles femmes se souvenaient de celui de son père, un demi-siècle plus tôt.

Aux côtés d'Édouard marchait Éléonore, radieuse dans sa robe de samit blanc constellée de perles. Ils étaient revenus en Angleterre trois semaines auparavant. Elle était restée avec lui quand il avait pris la croix et s'était lancé dans la croisade. Elle avait passé comme lui des mois en Palestine – des mois au cours desquels il y avait eu la guerre contre les Sarrasins, la naissance de sa fille et un attentat contre sa vie fomenté par Baybars, le sultan mamelouk. Et elle était encore avec lui quand les messagers venus d'Angleterre lui avaient appris la mort de son père.

Un vent plus fort souleva légèrement le voile d'Éléonore. Édouard croisa son regard et elle lui sourit. C'était un jour important pour elle aussi. En entrant dans l'abbaye, elle ne serait que sa femme. Elle en ressortirait reine d'Angleterre.

Des évêques et des prêtres vêtus de robes de cérémonie guidaient le cortège en balançant des encensoirs qui produisaient de grosses volutes de fumée parfumée. Derrière Édouard et Éléonore s'étirait une imposante procession de comtes, de barons et de chevaliers montés sur leurs destriers caparaçonnés, tous arborant les armes de leur famille sur leurs surcots et leurs boucliers. Les comtes aux premiers rangs portaient les joyaux de la couronne : l'Épée de la Clémence, le sceptre et la couronne incrustée de joyaux. Après l'entrée du clergé dans l'abbaye, suivi du couple royal, les hommes à cheval ne mirent pas pied à terre mais s'avancèrent avec leur monture dans l'édifice. Des milliers de cierges éclairaient la salle, leurs flammes se réfléchissant dans les dorures et les vitraux, les tombes en marbre et en onyx, les mosaïques et les panneaux peints. Des bannières en soie étaient ici aussi suspendues aux piliers.

Édouard passa devant les rangs d'hommes et de femmes qui occupaient les galeries, jusqu'à la croisée du transept où était érigé un dais d'une telle hauteur qu'un homme à cheval aurait pu passer dessous. Sur la plate-forme, festonnée de drapeaux écarlates, l'attendait l'archevêque de Cantorbéry. Le couple royal s'arrêta devant les marches. L'air était empli du tintement des harnais et du souffle des chevaux.

Édouard resta un instant immobile à regarder Éléonore. Elle lui sourit à travers la dentelle de son voile. Alors il monta les marches de l'escalier qui menait aux voûtes de l'abbaye de Westminster.

Combien de temps avait-il attendu ce jour ?

La nuit précédente, il avait passé ses dernières heures de simple mortel seul dans la somptueuse chambre du palais où son père avait rendu son dernier souffle. Elle était décorée de nombreuses scènes, la plus vivante d'entre elles représentant le couronnement du Confesseur. Entouré des visages de ces hommes morts depuis longtemps et du fantôme de son père, Édouard s'était laissé envahir par les souvenirs.

De son enfance, il conservait l'image de sa mère, les mains sur ses épaules, alors que son père partait de Portsmouth pour la France, sans lui. Ensuite lui revint cette autre image, presque un miroir, de son père le regardant en silence quitter le palais pour l'exil. Édouard se rappelait l'arrivée des Valence et les terres qu'il leur avait données avec une telle générosité, au grand dam des seigneurs anglais, qu'il avait fini par s'aliéner. Il se souvenait de l'agitation grandissante au pays de Galles et des poings levés des barons au parlement, qui avaient fait céder Henry. Il n'oubliait pas non plus son parrain, Simon de Montfort, qui s'était dressé tel un demi-dieu devant son père et avait anéanti le roi en lui apprenant le pacte conclu avec Édouard.

Peu à peu, ne surnagea qu'une image : celle de son père sortant discrètement du prieuré de Lewes pendant que les torches éclairaient Montfort et ses hommes souriant, semblables à des loups qui jubileraient de voir leur proie se jeter dans leur gueule sans s'en douter. Ils s'étaient donné des coups de coude, anticipant à l'avance l'humiliation du roi, sa mise au pas par le vainqueur de la guerre civile, le véritable soldat de Dieu, l'homme qui s'était emparé du royaume de Henry et qui l'avait dépouillé de son autorité. À cette époque plus qu'à aucune autre, même lors de son exil en Gascogne sous la bannière du dragon ou lorsqu'il s'échinait sur les champs de bataille pluvieux du pays de Galles, Édouard avait vraiment cru qu'il ne porterait jamais la couronne.

Oui, que d'événements avaient eu lieu pour que ce jour advienne.

Édouard approcha de l'archevêque qui attendait sur l'estrade royale. Là, debout dans un rayon de soleil devant la foule, il prononça son serment de roi. D'une voix assurée qui résonna sous les voûtes, il promit de défendre l'Église, de gouverner dans un esprit de justice et de protéger les droits de la Couronne. Quand ce fut terminé, l'archevêque le fit descendre dans un tourbillon d'encens et l'emmena jusqu'au grand autel. Là, au milieu des chants du chœur qui s'élevaient en une fontaine de voix pures, on ôta son manteau. Édouard était simplement vêtu en dessous d'un maillot de lin. S'emparant de la fiole contenant l'Huile sainte, l'archevêque se prépara à l'onction qui ferait d'Édouard un roi. Prononçant des paroles en latin, il plongea un doigt dans l'huile. Puis il le leva et s'arrêta un instant devant le torse d'Édouard.

Le roi baissa les yeux et comprit soudain le motif de son hésitation. Juste au-dessus du cœur, par le col de son maillot, on voyait la cicatrice qui creusait un horrible sillon sur sa peau ; la blessure que lui avait faite l'Assassin envoyé par Baybars pour le tuer.

Son agresseur s'était déguisé pour pénétrer dans ses logements dans la ville d'Acre. Il disait apporter des cadeaux et un message du Caire. Éléonore était avec lui quand l'homme l'avait attaqué. Édouard avait repoussé l'Assassin contre le mur et l'avait frappé à plusieurs reprises jusqu'à ce que ses chevaliers, arrivés au pas de course, le maîtrisent. Ce n'est qu'en reculant, hébété par la soudaineté de ce qui venait d'arriver, en voyant le visage horrifié de son épouse, qu'Édouard s'était rendu compte de sa blessure. La dague, partiellement enfoncée dans sa poitrine, n'avait pas touché son cœur, mais cela n'avait pas d'importance : la lame d'un Assassin était toujours empoisonnée. Comme il tombait à genoux, le souffle venant à lui manquer, Éléonore s'était précipitée vers lui. Elle avait retiré la dague de sa propre main et le sang s'était mis à couler sur sa poitrine. La dernière chose dont il se rappelait, c'était sa bouche se collant à la plaie et ses lèvres rougies par le sang tandis qu'elle essayait d'aspirer le poison. Quand il était revenu à lui, Éléonore, couverte de sang, pleurait dans les bras d'une de ses dames de compagnie et ses chevaliers regardaient d'un air sombre un médecin arabe qui recousait la plaie. À chaque nouveau point, la douleur fulgurante menaçait de le refaire sombrer.

L'archevêque tendit le doigt et appliqua l'huile sur la poitrine d'Édouard. L'onction terminée, il prit une fiole de saint chrême. Édouard s'agenouilla tandis que les voix du chœur semblaient se multiplier et s'élever jusqu'aux cieux. Il ferma les yeux et ressentit le froid du saint chrême que l'archevêque faisait couler goutte après goutte sur son front.

Après le sacrement, il retourna sous le dais. La congrégation le regarda monter les marches en retenant son souffle. Il était désormais un roi de corps et d'esprit, transformé comme le Christ lui-même. Alors les comtes s'avancèrent pour revêtir le roi des joyaux de la Couronne : une tunique et un manteau doré, l'Épée de la Clémence et le sceptre et enfin la couronne ornée de rubis, de saphirs et d'émeraudes aussi gros que des yeux. Quand elle fut posée sur son front, Édouard se leva pour écouter les acclamations de son peuple.

Alléluia ! Longue vie au roi !

Il revit son père marcher d'un pas lourd vers Simon de Montfort et les barons rebelles.

Devant Dieu, je jure de ne jamais me soumettre à un ennemi. Ils doivent le savoir.

Il faut qu'ils le sachent.

Tandis que la clameur continuait de retentir dans l'abbaye de Westminster, il leva les mains et ôta la couronne. Après quelques secondes, les louanges et les exclamations s'éteignirent peu à peu. On échangeait des regards étonnés dans la foule.

— Je suis désormais votre roi.

Des applaudissements suivirent aussitôt ses paroles. Il leva la main pour les faire taire et tendit la couronne à John de Warenne, qui se trouvait sur l'estrade avec les autres seigneurs.

Le roi se retourna ensuite face à l'assemblée.

— Mais je jure devant Dieu et devant tous ceux qui sont ici réunis que je ne porterai pas la couronne de ce royaume tant que je n'aurai pas reconquis les terres que mon père a perdues.

Il était têtu alors, et d'une ambition dévorante. Édouard n'ignorait pas que les vieux barons, qui avaient servi son père jusqu'à présent, ne l'avaient pas pris au sérieux sur le moment. Ils avaient probablement considéré cela comme une déclaration audacieuse, une façon de commencer son règne avec panache. Mais au fil des ans, il leur avait démontré qu'il n'avait pas parlé en vain, d'abord avec le pays de Galles et l'Irlande, puis avec la Gascogne et l'Écosse, des terres sur lesquelles son père et les rois qui l'avaient précédé n'avaient jamais réussi à établir une mainmise totale. Une seule relique manquait, pour laquelle ses hommes parcouraient l'Irlande en ce moment même, et sa domination serait complète. Maintenant qu'il possédait le Couronne d'Arthur et la Pierre du Destin, il n'avait plus besoin de conserver secrète sa prophétie et ses clercs s'étaient empressés ces derniers mois de répandre la nouvelle auprès du peuple. Déjà les poètes célébraient le sauveur de la Bretagne, le nouvel Arthur qui les délivrait de la catastrophe prédite jadis par Merlin.

Ah Dieu ! Comme Merlin a souvent dit vrai dans ses prophéties, pour celui qui les lit ! avait écrit le chroniqueur Pierre Langtoft. *Aujourd'hui, les habitants de l'île ne font qu'un. Car l'Albanie s'est ajoutée aux terres dont le roi Édouard est proclamé souverain.*

Et là, sur l'autel devant le mausolée du Confesseur, se trouvaient les joyaux de la Couronne. L'Épée de la

Clémence pour l'Angleterre, la Couronne d'Arthur pour le pays de Galles et, pour l'Albanie – l'Écosse – la Pierre du Destin. Il avait réussi le rêve de ses années d'exil en Gascogne, quand la graine de l'ambition avait été plantée sous son crâne. Et pourtant, lors de la remise de la Pierre, la plus prometteuse des cérémonies, Édouard était seul. C'était censé être un grand jour pour l'Angleterre et pour lui, mais au lieu de louer son nom, les barons le maudissaient.

En revenant d'Écosse l'année précédente, il avait enterré son frère Edmond, dont la dépouille avait été rapatriée depuis la Gascogne où la guerre continuait de faire rage. En mariant sa sœur Bess au comte de Hollande, il avait noué une nouvelle alliance. Mais cela ne suffisait pas à gagner la guerre ; pour cela, il avait besoin d'argent. Édouard s'était d'abord tourné vers l'Église, mais le nouvel archevêque de Cantorbéry, un homme indomptable du nom de Robert Winchelsea, n'avait rien voulu savoir. En représailles, il avait décrété les hommes d'Église hors la loi et envoyé ses hommes confisquer leurs biens, dans l'idée qu'une approche plus dure les ferait céder, comme cela avait toujours été le cas. Cependant, Winchelsea s'était révélé d'une autre étoffe et avait renforcé la motivation de ses coreligionnaires en montrant l'exemple et en les persuadant d'endurer les mesures du roi, aussi sévères soient-elles. Pendant ces contretemps, la guerre se poursuivait en France et les troupes d'Édouard avaient perdu une bataille à côté de Bayonne en subissant de lourdes pertes. Lui-même avait perdu son demi-oncle, William de Valence. Le redoutable comte de Pembroke avait été l'un de ses plus fervents partisans depuis son exil en Gascogne et sa mort avait été un coup terrible pour Édouard, dont les alliés proches diminuaient comme peau de chagrin. Cette triste vérité s'était concrétisée peu après lors d'une assemblée du parlement à Salisbury.

Lorsqu'il avait demandé à ses barons de le servir encore en Gascogne, ceux-ci lui avaient opposé un refus unanime puis avaient quitté les lieux l'un après l'autre, à la file ; c'était l'une des expériences les plus humiliantes de son règne. Même ses partisans les plus loyaux, les hommes de la Table ronde, avaient refusé. Le départ provocateur des barons l'avait placé face à une réalité sans fard. Et après ce choc, la peur l'avait envahi lorsqu'il avait appris par ses espions que pas moins de quatre de ses comtes – Norfolk, Warwick, Arundel et Hereford – s'étaient réunis pour protester contre ses exigences et convertir les esprits. Même s'ils ne lui résistaient pas ouvertement, les jeunes Chevaliers du Dragon ne le soutenaient pas de tout leur cœur comme par le passé, pris entre la fidélité à leur roi et la fidélité à leurs pères, dont ils recevraient bientôt les titres et les domaines en héritage. Édouard avait créé la Table ronde pour communiquer à ses vassaux un sentiment de gloire et d'unité, comme les mythiques guerriers de la cour du roi Arthur. Et voilà qu'au moment où son plan allait réussir, la Table s'écroulait. Le spectre de la guerre civile le hantait. Il était hors de question de laisser une chose pareille arriver.

Par un effort suprême de sa volonté, il avait ravalé sa fierté et fait la paix avec Winchelsea. Aujourd'hui, il devait agir de même avec les barons. Il n'avait pas le choix. Il fallait mettre un terme à la guerre en France, qui avait tellement nui à son règne. Les troubles se poursuivaient en Écosse, mais il ne pouvait se concentrer sur deux fronts à la fois. Demain, devant l'abbaye où ils l'avaient vu se faire couronner, il se présenterait devant ses vassaux et ferait appel à leur patience. Il irait faire la guerre en France. Et s'il ne revenait pas, Édouard de Caernarfon, son fils, lui succéderait sur le trône. La Couronne d'Arthur ne suffisait pas. Il devait leur prouver qu'il était toujours leur roi guerrier.

Entendant des pas dans l'abbaye, Édouard se retourna et vit un chevalier s'approcher.

— Sire. J'ai amené les prisonniers. Ils vous attendent dans la nef.

Édouard sortit du mausolée et laissa les ouvriers installer le siège en bois sur la chaire, par-dessus la Pierre du Destin.

Dans la nef, six chevaliers encadraient trois hommes. Ils étaient blêmes, bien que l'été fût avancé, car il ne les avait pas autorisés à quitter le confinement de leur chambre sauf pour une brève promenade chaque matin dans la cour intérieure de la Tour, à l'ombre des grandes murailles. À part leur lividité, ils avaient l'air en bonne forme. Édouard n'avait maltraité aucun prisonnier écossais, pas même Jean de Balliol, qui était incarcéré dans une petite chambre bien meublée d'un donjon, avec des serviteurs qui pourvoyaient à ses besoins. Pourtant, les trois Comyn le regardaient les yeux pleins de haine.

Quand il leur fit face, Comyn le Noir et Comyn le Rouge soutinrent son regard, mais pas le fils de Badenoch.

— J'ai une proposition à vous faire, annonça Édouard sans préambule. Je suis prêt à pardonner votre trahison et votre rôle dans l'alliance avec la France. Je suis même prêt à vous rendre vos terres.

Édouard s'adressa au jeune John Comyn dont la femme, Joan de Valence, était revenue en Angleterre dès le début de la guerre.

— Quant à vous, vous retrouveriez votre femme et votre enfant.

John passa d'un pied sur l'autre tandis que le comte de Buchan fronçait les sourcils, intrigué et méfiant. Le père de John, lord de Badenoch, gardait un visage inexpressif.

Le roi poursuivit d'une voix monocorde. Il ne prenait aucun plaisir à cette discussion, mais il avait trop peu de seigneurs prêts à se battre avec lui en Écosse et en France, et il n'avait guère le choix.

— Tout cela, je vous l'accorderai si vous vous mettez à mon service.

Buchan voulut parler, mais Badenoch fut le plus prompt.

— À votre service, Sire ?

— En Écosse, contre les rebelles. Mes hommes ont découvert Douglas et Wallace à Irvine, mais les violences continuent sous la bannière de Moray au nord. Si vous acceptez mes conditions, vous rejoindrez les forces de sir John de Warenne et de Hugh de Cressingham à Brewick. De là, vous lèverez vos vassaux et les conduirez au nord pour vaincre Moray. Une fois l'insurrection vaincue et ses instigateurs sous les verrous, j'honorerai ma parole.

Comme personne ne lui répondait, Édouard insista sèchement.

— Alors ? Qu'en dites-vous ?

Badenoch jeta un coup d'œil à Buchan, qui hocha la tête. Comyn le Rouge mit alors un genou à terre devant le roi.

— Nous sommes disposés à vous rendre hommage, Sire.

Chapitre 55

À la lisière du bois, les quatre hommes stoppèrent leurs montures. Sautant à bas de son cheval, Robert tendit les rênes à Nes, qui les prit en silence.

— Nous devrions vous accompagner, dit Alexandre. Christopher opina.

Robert se tourna vers eux. Le soleil couchant mettait un reflet doré dans ses yeux. Il leva la main pour se protéger de la lumière aveuglante. L'air était imprégné de l'odeur salée de la mer et il entendait au loin les vagues déferler sur la plage de Turnberry.

— J'y vais seul, répondit-il avant de s'éloigner en les laissant à l'abri sous les arbres.

Au début, il avança aisément, il lui suffisait de suivre les sentiers naturels que les cerfs et les autres animaux avaient creusés dans la broussaille. Il percevait le murmure distant de petits ruisseaux invisibles et des souvenirs de ses jeux d'enfant dans l'eau lui revinrent. Il revit ses frères, Thomas et Niall, courir dans les bois en frappant les fougères avec des bâtons et en lançant des cris de guerre. Toujours à leur tête, il sautait sans crainte par-dessus les branches tombées au sol tandis qu'Alexandre restait à la traîne. Après toutes ces années, cette forêt recelait encore des images douloureusement familières, mais Robert s'y enfonçait désormais avec un sentiment tout différent de responsabilité, lié au fait qu'elle lui appartenait. Le terrain commença à monter et sa respiration se fit plus saccadée tandis qu'il franchissait des corniches successives en s'agrippant aux racines et aux branches. Après s'être laissé glisser le long d'un talus, les arbres se clairsemèrent et apparut une vallée au bout de laquelle s'élevait une colline couverte d'ajoncs. Au pied de cette colline, à l'ombre d'un chêne, se trouvait une habitation. En émergeant des bois, Robert se dit qu'elle n'était peut-être pas là, mais son inquiétude s'évanouit lorsqu'il aperçut la mince colonne de fumée qui sortait du toit.

La maison était dans un état d'abandon quasi total. Mauvaises herbes et buissons envahissaient les murs et colonisaient l'intérieur de l'enclos vide de cochons. Les poutres de la façade avaient pourri, le linteau au-dessus de la porte était tordu.

Il s'attendait vaguement à ce que les deux molosses foncent sur lui en aboyant, mais rien ne se produisit. En s'approchant, Robert remarqua les cages suspendues aux branches du chêne, remplies d'objets divers tels qu'un bouquet de fleurs séchées, un ruban brodé, une poupée en bois ou un étui à parchemin. Il y avait beaucoup plus de destins qu'autrefois là-haut, certains usés par les intempéries, d'autres encore neufs. Un arbre de prières. Lorsqu'il fut devant la porte, il leva les yeux vers les plus hautes branches. Il ne le vit pas tout de suite, mais il y était bien : des brindilles blanches enchevêtrées en une sorte de treillis et liées entre elles par un morceau de corde. La ficelle qui le retenait à la branche était presque rompue, ce n'était plus qu'un fil.

Robert entendit soudain dans sa tête les invectives méprisantes de son père. Il y demeura sourd et s'apprêta à frapper sur la peinture écaillée de la porte.

Son grand-père croyait à la magie ancienne de la vieille femme et c'est tout ce qui comptait. En agissant comme il faisait, il honorerait la vieillarde et aurait ainsi l'occasion de prêter une nouvelle fois le serment qu'il avait rompu, de s'amender.

LOCHMABEN, ÉCOSSE

1292

Debout devant l'autel, Robert avait la chair de poule à cause du froid. Ses pieds étaient engourdis par les dalles glaciales au sol. Les courants d'air qui s'insinuaient sous les portes menaçaient constamment d'éteindre les bougies. Il entendait le vent gémir dehors entre les maisons. Les chiens enfermés au chenil aboyaient et les portes de la palissade ployaient en craquant sous les bourrasques. Tout au long de la nuit, il avait écouté la tempête gronder et la grêle frapper les vitraux de la chapelle pendant que ses cheveux, humides puisqu'il avait pris le bain rituel, lui gelaient la nuque. Le jour s'était levé deux heures plus tôt mais il faisait toujours aussi noir qu'en pleine nuit.

Le prêtre derrière l'autel lut un psaume de son bréviaire et la parole divine s'éleva au milieu des rafales de vent. Outre le prêtre et Robert, cinq hommes étaient présents à la cérémonie, qui aurait dû bénéficier d'un apparat bien plus grandiose. Son grand-père dépassait les autres par sa taille, le vent ramenant sans cesse des cheveux blancs contre son visage. Trois vassaux et le vieux comte Donald de Mar complétaient l'assistance. Robert avait embrassé la fille du comte la semaine précédente, le soir où ils avaient *appris que Jean de Balliol serait roi. L'absence du père de Robert était presque palpable, comme un fantôme qu'ils auraient fait semblant de ne pas voir. On avait expliqué à Robert qu'il avait apposé son sceau sur l'accord par lequel il renonçait au comté de Carrick et à son droit de prétendant au trône. Et qu'il était parti sur-le-champ.*

Quand le prêtre eut achevé de lire le psaume, l'un des vassaux du lord apporta à Robert un surcot, une tunique et une paire de bottes. Un coup de vent violent ouvrit d'un coup les portes de la chapelle, qui allèrent cogner contre les murs. Plusieurs bougies vacillèrent avant de s'éteindre. L'un des chevaliers se hâta d'aller les refermer tandis que Robert se dépêchait de s'habiller. Il enfila d'abord la tunique, puis le surcot qui appartenait auparavant à son père, décoré des armes de Carrick. Il était sale, et trop grand à la taille et aux épaules. Robert n'avait aucune envie de devenir chevalier dans les habits d'un autre, et surtout pas de son père, mais il n'avait pas eu la possibilité d'en faire coudre de neufs. Il s'y emploierait bientôt.

Puis ce fut au tour du vieux comte de Mar de s'avancer, une grande épée à la main. Pendant toute la veille de Robert, l'épée était restée sur l'autel. Une boule de bronze faisait office de pommeau et une bande de cuir était enroulée sur sa poignée. Il ne pouvait pas voir la lame, glissée dans un fourreau, mais il la devinait immense, bien plus grande que toutes celles qu'il avait possédées. Une arme d'homme. Une arme de chevalier. Lorsqu'il l'avait déposée sur l'autel la nuit dernière, son grand-père lui avait raconté qu'elle venait de Terre sainte, qu'elle était faite de l'acier de Damas et qu'elle avait versé le sang des Infidèles sur le sable où Jésus-Christ avait marché. Le fourreau était attaché à une ceinture que le comte avait roulée dans sa main.

Robert croisa le regard du vieil homme lorsque celui-ci la lui passa autour de la taille. Ayant reculé, il ajusta l'épée de façon à ce qu'elle tombe le long de sa jambe légèrement en diagonale et que la poignée se trouve placée devant lui, dans la position idéale pour s'en saisir. Quand on eut fixé les éperons à ses bottes, il fut dans les conditions requises pour prêter serment.

Son grand-père hocha la tête et Robert s'agenouilla, maladroitement à cause de l'arme, tandis que le comte sortait sa propre épée.

— Jurez-vous de défendre votre royaume ? l'interrogea le comte Donald en s'efforçant de parler fort pour se faire entendre malgré le vent. Jurez-vous de servir Dieu ? Et jurez-vous de protéger les terres qui vous sont confiées et d'accomplir tous les devoirs auxquels la possession de votre fief vous oblige ?

— Je le jure, répondit Robert en baissant la tête.

Le comte leva sa lame et la posa sur son épaule droite, où son poids se fit sentir un moment. Quand il la retira, Robert s'attendait à ce que le comte lui demande de se lever, mais Donald recula de quelques pas et lord d'Annandale prit sa place. Robert leva les yeux vers le visage buriné de son grand-père. Ces yeux noirs perçants, qui luisaient dans la pénombre, semblaient scruter jusqu'au plus profond de son être.

— Parce que tu es issu de la lignée de Malcolm Canmore, de la famille Bruce, et que tu es mon petit-fils, je veux que tu jures, Robert, de défendre le droit de notre famille au trône de ce royaume, quel que soit l'imposteur qui s'y assiéra au mépris des lois et des coutumes.

Sa voix se fit impérieuse.

— Jure-le-moi devant témoins, et dans la maison du Seigneur.

Une seconde s'écoula avant que la voix de Robert s'élève.

— Je le jure.

Un instant, son grand-père le dévisagea, puis un rare sourire naquit sur ses lèvres et il fit signe au comte de Mar de conclure la cérémonie.

— Alors levez-vous, sir Robert, car par ce serment et par le sacrement de l'épée, vous êtes maintenant chevalier.

Robert se releva. Les yeux de son grand-père brillaient d'émotion.

— Venez, dit-il aux autres, allons rompre le jeûne et nous réchauffer le cœur avec du vin dans mes appartements. Nous avons bien des choses à célébrer.

Il regarda Robert par-dessus son épaule.

— Et je dois remercier le Seigneur, qui m'a donné un nouveau fils.

Quand les autres sortirent, Robert resta en arrière, préoccupé par une question qui le taraudait depuis le moment où, la veille, son grand-père lui avait annoncé qu'il allait être adoubé.

— Qu'y a-t-il ? demanda le vieil homme en le voyant hésiter.

Lorsque les chevaliers ouvrirent les portes, le vent s'engouffra dans la chapelle, éteignit les dernières bougies et fit voler des feuilles à l'intérieur.

— Pardonnez-moi, grand-père, dit doucement Robert, mais comment puis-je défendre notre droit au trône ? Jean de Balliol va s'asseoir sur la Pierre du Destin, il deviendra roi et tous ses héritiers après lui. Je ne vois pas comment je peux empêcher que cela arrive.

Son grand-père posa la main sur son épaule.

— Je ne te demande pas de l'empêcher. Robert, la Pierre du Destin ne fait pas plus un roi qu'un beau destrier ou une bonne épée ne fait un chevalier. Balliol prendra peut-être place sur le trône, il se fera peut-être appeler roi, mais cela ne change rien au fait que son sang ne vaut pas le mien. Cela prendra un an, un siècle s'il le faut, mais je pense que le temps dira quelle lignée est la plus authentique.

Robert frappa à la porte. Au bout d'un moment, il entendit qu'on tirait le verrou. La porte s'entrebâilla et Affraig apparut. Elle se remit rapidement de sa surprise et le regarda d'un air soupçonneux, mais elle ouvrit en grand, sans dire un mot, et rentra. Robert la suivit et réalisa en se penchant pour passer sous le linteau combien il avait grandi depuis sa dernière visite. La pièce était toujours aussi exiguë. Des fagots d'herbe étaient suspendus aux chevrons recouverts de toiles d'araignées. L'endroit empestait. Robert perçut distinctement une odeur d'urine et de sueur que ne couvraient pas les parfums plus doux des plantes.

Un feu brûlait au centre de la pièce, sous le trou du toit. Un chien noir était étendu sur le lit défait. Robert examina les lieux tandis qu'Affraig fermait la porte et allait s'asseoir sur un tabouret. Prenant un bol rempli d'un liquide sombre, elle le porta à ses lèvres et but en aspirant bruyamment. Robert s'accroupit près du feu dans une position peu commode. Quelques bûches étaient entassées près de lui. Il en jeta une dans l'âtre, conscient qu'Affraig ne le quittait pas des yeux. Il espérait qu'elle finirait par lui demander la raison de sa présence. Il avait la réponse en tête, mais aucune question ne venait. Le silence se prolongea jusqu'à ce qu'il n'y tienne plus.

— Je veux que vous fassiez quelque chose pour moi.

Affraig posa le bol sur ses genoux et essuya sa bouche ridée du revers de la main. Sa peau était pâle, presque translucide, et laissait voir les os de ses pommettes autant que l'arête proéminente de ses arcades sourcilières. Ses cheveux blancs étaient tirés en arrière, attachés par des lanières en cuir, et retombaient en une épaisse queue de cheval sur ses épaules. Elle avait un visage toujours aussi frappant, des traits singuliers, mais souillés par l'informe robe brune miteuse qui pendait sur elle, les ongles noirs, les minuscules bouts de peau qui constellaient ses cheveux et les taches de son sur ses mains. Elle suscitait chez Robert un étrange mélange de dégoût et de fascination, de dédain et d'effroi.

Elle ne répondit pas, et Robert fixa le feu.

— Quand j'ai prononcé mes vœux et que je suis devenu chevalier, mon grand-père m'a fait jurer de défendre le droit de notre famille au trône. Je ne voyais pas comment rester fidèle à ce serment. Je l'ai pris comme une déclaration qui s'adressait surtout aux seigneurs écossais, afin de leur montrer qu'il ne s'inclinerait pas devant Balliol. Mais je pense maintenant qu'il était sincère. Il voulait vraiment que notre famille prétende au trône, quel que soit le temps que cela puisse prendre. Cette envie l'a consumé pendant soixante ans, à partir du moment où le roi Alexandre III l'a désigné comme son héritier. En Angleterre, à la cour du roi Édouard, je suis devenu...

Robert s'interrompit. Puis il regarda ses mains et se força à poursuivre.

— Je me suis éloigné de ce serment, séduit par des promesses de richesse et de pouvoir. Je pensais que ma famille en profiterait. Cela m'a conduit à accomplir certains actes. Des choses que je ne peux pas renier. Je n'ai pas respecté mes vœux de chevalier. Je n'ai pas défendu mon royaume, ni protégé mon peuple ni rempli mes obligations en tant que comte, et j'ai trahi la promesse faite à mon grand-père. Quand mon père s'est rapproché du roi Édouard en se proposant comme successeur, je l'ai laissé faire. Comment aurais-je pu m'asseoir sur le trône d'un royaume que j'avais contribué à détruire ?

Affraig avait posé le bol par terre. Dans ses yeux brillait une flamme intense, mais elle se taisait toujours.

— Aux négociations à Irvine, j'ai fini par comprendre que je n'appartenais à aucun camp. Les Anglais me méprisent et mes compatriotes ne me font pas confiance. Wallace et les autres se rebellent au nom de Balliol. Je ne peux pas me battre avec eux. Je trahirais autant mon serment qu'à l'époque où je combattais pour l'Angleterre. Je sais ce qu'il me reste à faire. Ce que j'aurais dû faire depuis des mois.

Au moment de prononcer les mots, Robert se sentit embarrassé. Il entendit de nouveau la voix de son père, mais il la fit taire.

— Je veux que vous tissiez mon destin, conclut-il. Comme vous l'avez fait pour mon grand-père.

— Et quel est votre destin ? s'enquit-elle avec gravité.

Il la regard en face pour la première fois depuis qu'il avait pris la parole. Il ne ressentait plus la moindre gêne.

— Être roi d'Écosse.

Un sourire erra sur les lèvres de la vieillarde. Mais il n'avait rien d'agréable. C'était un sourire cruel et pernicieux.

— Je vais avoir besoin de quelque chose qui vous appartienne, dit-elle en se levant.

Robert se maudit intérieurement. Il avait amené de quoi la payer, mais rien d'autre. Il aurait dû se souvenir des objets dans les cages. Il vérifia, mais il n'avait sur lui que ses vêtements : une tunique bleue, une paire de chausses et une dague qu'il avait glissée dans sa ceinture, au cas où. Une dague ne constituait sans doute pas un symbole de la royauté très approprié.

— Je n'ai rien.

Affraig réfléchit un instant, puis elle traversa la pièce jusqu'à une étagère couverte d'herbes et de feuilles. Un pilon sale était posé derrière un mortier. Elle s'en empara avant de prendre des fleurs séchées sur une poutre au-dessus du comptoir. Puis, elle fouilla la pénombre en plissant les yeux, et alla chercher deux autres fagots. Quand elle revint près du feu et qu'il les distingua mieux, Robert s'aperçut qu'ils étaient constitués de fougères et de genêts. En revanche, la troisième plante lui était inconnue.

Elle s'assit sur son tabouret en étalant les herbes sur ses genoux. Robert s'assit jambes croisées près du feu pour la regarder travailler. Affraig se mit à arracher les racines emmêlées et la pièce s'emplit de l'odeur douceâtre des fougères. Dès qu'elle avait réussi à séparer les tiges, elle en choisissait trois qu'elle tressait ensemble. Les fleurs se détachaient à mesure qu'elle avançait et roulaient sur ses jupes avant de tomber à ses pieds. Chaque fois qu'elle terminait une tresse, elle reprenait trois tiges et recommençait. Elle était d'une habileté déconcertante. Au bout d'un moment, elle eut neuf tresses raides qu'elle entreprit de lier pour former un cercle. Dans chaque boucle, elle insérait des brins de genêts et de la troisième herbe.

— L'absinthe, murmura-t-elle. La couronne des rois, c'est ainsi qu'on l'appelait dans l'ancien temps.

Ses doigts maniaient les plantes à une vitesse stupéfiante. Avec l'odeur enivrante des herbes et du feu, les paupières de Robert s'alourdissaient. Il n'avait pas dormi convenablement depuis leur départ d'Irvine, une semaine plus tôt. Il n'était plus que courbatures et raideurs.

Il se redressa en sursaut quand elle se pencha vers lui une couronne verte à la main : sa destinée résumée dans ce cercle de fougères et de genêts. Il se revit debout sur Moot Hill avec son grand-père, au milieu des ténèbres grandissantes, le socle vide à côté d'eux attendant patiemment un nouveau roi. Il avait senti les fantômes de ses ancêtres hanter la colline ce soir-là. Ils étaient de nouveau là aujourd'hui, réunis dans cette pièce malpropre, regardant avec attention Affraig lui poser la couronne sur la tête. Dans le même temps, elle marmonna une série de mots incompréhensibles, étrange mélange de gaélique et de latin.

Après quoi elle reprit la couronne et l'emporta jusqu'à son étagère d'herbes. Elle fouilla dans un sac sur le sol et en sortit un tas de brindilles usées dont elle avait enlevé l'écorce. Il y avait de la souplesse dans ces mains qui entortillaient les brindilles, les accrochaient les unes aux autres avec art, confectionnant une cage – une toile d'araignée – juste assez grande pour contenir la couronne, qu'elle inséra avant même d'avoir fini et attacha aux brindilles avec une ficelle.

Quand elle eut terminé, elle se tourna vers lui.

— Voilà.

Robert se leva et examina la toile de son destin avec un intérêt mêlé de doute. Ce cercle d'herbes et de petites brindilles pouvait-il lui donner le trône ? Il songea au sortilège par lequel son grand-père avait voulu mettre un terme à la malédiction de Malachie, et qui pendait toujours au chêne après toutes ces années, toujours inaccompli.

— Quand l'accrocherez-vous à l'arbre ?

— Il doit passer une nuit près du feu, une autre dans l'eau, une troisième en l'air et une dernière dans la terre. Alors seulement il sera prêt à être accroché.

Robert plongea la main dans la bourse pendue à sa ceinture, mais Affraig l'arrêta.

— Je ne l'ai pas fait pour l'argent, dit-elle d'une voix vibrante de colère.

Robert retira sa main. Ne voyant pas ce qu'il pouvait ajouter, il se dirigea vers la porte. Elle le suivit, muette elle aussi. En sortant, Robert découvrit que le soleil s'était couché et que l'ombre s'étendait sur la vallée. Au loin, la forêt paraissait ténébreuse. Il se retourna subitement, une question sur les lèvres.

— Comment allez-vous le suspendre au chêne ?

Affraig sourit, et cette fois son visage s'adoucit. Elle désigna d'un geste un long manche en bois appuyé contre le mur de la maison et muni à l'extrémité de deux dents.

Robert sourit à son tour en se rappelant avoir un jour pensé qu'elle devait voler. Puis son accès de gaieté s'évanouit.

— Je ne sais pas par où commencer.

— Vous trouverez.

Chapitre 56

Robert retraversa les bois pour rejoindre ses compagnons, qui l'attendaient en buvant du vin là où il les avait laissés. Ils eurent l'air soulagé de le voir arriver. Une moitié de lune brillait dans le ciel.

— Avez-vous trouvé ce que vous cherchiez ? lui demanda Alexandre.

— Oui.

Robert se prépara à repousser toute autre question : il ne leur avait pas dit ce qu'il était parti faire dans les bois. Il n'avait aucune envie de parler de ce qui venait de se passer. Mais Alexandre se contenta de hocher la tête et de monter en selle derrière lui.

Les quatre hommes progressèrent dans les champs marécageux, et le château de Turnberry ne tarda pas à apparaître en haut des falaises. En contrebas, la mer offrait des reflets d'or et d'argent à la lune. Cela faisait une semaine qu'ils étaient au château, mais Robert ne pouvait s'empêcher d'éprouver de la tristesse en le contemplant, car il lui rappelait la famille qu'il avait perdue. Le vieil édifice, confié aux soins d'Andrew Boyd, était en bon état et il avait commencé à tenir des conseils, à convoquer ses différents vassaux, mais malgré les allées et venues, il paraissait toujours vide et désolé. Seule une poignée de serviteurs et de chevaliers anonymes traversaient ces couloirs où l'on entendait le ressac de la mer.

Perdu dans ses pensées, Robert prit conscience qu'un événement se produisait quand les autres ralentirent. Tirant sur ses rênes, il les imita.

— Que se passe-t-il ?

— Les portes du château, dit Alexandre, les yeux fixés sur la forteresse au loin. Elles étaient fermées quand nous sommes partis.

Robert constata par lui-même que les portes étaient grandes ouvertes. Ils n'attendaient personne et il n'y avait aucune raison que quiconque soit sorti, et certainement pas en ouvrant les deux battants, ce qu'on ne faisait que pour laisser entrer plusieurs cavaliers de front.

— Vous feriez mieux de rester ici, sir Robert, dit Christopher en tirant son épée.

Robert fit de même.

— Je suis chez moi, rétorqua-t-il d'un air bourru.

Il éperonna son palefroi, fila à travers champs et rejoignit la route qui menait au château, suivi de près par ses hommes. Depuis qu'il avait quitté Irvine, il ressentait un lien de plus en plus fort avec ses terres, et une volonté de les protéger. C'était cela qui le fouettait à cet instant, sans compter que sa fille se trouvait au château.

En arrivant à proximité, il distingua une grande foule rassemblée dans la cour. La plupart des hommes étaient à cheval ou debout près des cavaliers. Il y avait aussi trois chariots. Il vérifia que les Seton et Nes étaient bien derrière lui. Puis, tournant de nouveau la tête, il remarqua une grande bannière hissée au-dessus de la foule, dont les riches couleurs palpitaient à la lueur des torches. Il la reconnut au premier coup d'œil, car elle arborait les armes du comte de Mar, son beau-père. Pratiquement au même moment, il aperçut un homme qui discutait avec Andrew Boyd.

C'était un grand jeune homme aux cheveux noirs qui lui ressemblait tellement qu'il aurait pu être son jumeau. La vue de son frère debout dans la cour de la maison de leur enfance lui fit pousser un cri de joie. Quelques-uns des hommes présents dans la cour se retournèrent au bruit des sabots pour le regarder accourir. Édouard les imita et se fraya aussitôt un chemin pour être le premier à accueillir Robert qui franchissait les portes.

Robert descendit de selle d'un saut et embrassa son frère. Il ne s'était écoulé que quelques mois depuis la dernière fois où ils s'étaient vus, mais il s'était passé tant de choses dans ce laps de temps, qu'il leur avait paru bien plus long. Alexandre et les autres entrèrent au pas dans l'enceinte. Derrière Édouard, Robert reconnut avec stupeur un autre visage familier. La dernière fois qu'il avait croisé sa sœur Christiane remontait à son mariage, trois ans plus tôt, avec l'héritier de Donald de Mar. Elle était encore une enfant à l'époque, solennelle et timide. Aujourd'hui, à presque quinze ans, c'est en jeune femme qu'elle se hissa sur la pointe des pieds pour déposer un baiser sur sa joue. Blonde comme Thomas, elle portait des nattes dans lesquelles étaient mêlés des fils d'or. Une jolie broche fermait son manteau sur son cou.

À côté d'elle se tenait son époux, Gartnait, le fils aîné du comte Donald. Il était doublement le beau-frère de Robert, par son mariage avec Christiane et celui de Robert avec Isobel. La parenté était évidente entre sa défunte épouse et cet homme grave et maigre. Il avait plus de deux fois l'âge de Christiane, son crâne se dégarnissait et des pattes d'oie se creusaient autour de ses yeux, mais lorsqu'il se tourna vers lui, Robert se rendit compte qu'il y avait une affection sincère entre eux et il en fut ravi.

Gartnait l'embrassa gauchement.

— Frère, le salua-t-il avant de rejoindre sa jeune épouse.

Robert était sur le point de leur demander la raison de leur venue, mais il n'était pas au bout de ses surprises : dans la foule, se tenait aussi sir John, le fougueux comte d'Atholl, qui avait épousé une autre des filles du comte Donald. John s'avança vers lui, ses yeux brûlant d'un feu intense sous les boucles noires de ses cheveux. Sa présence refroidit quelque peu Robert. Même s'il avait toujours apprécié le comte pour sa franchise, il n'oubliait pas que celui-ci avait fait partie des commandants des forces de Comyn le Noir lors de l'attaque de Carlisle, au début de la guerre. Néanmoins, quand sir John lui tendit la main, il finit par la lui serrer.

— C'est bon de vous revoir chez vous, sir Robert, lui dit simplement le comte.

Ce fut tout, mais cela suffit. Robert hocha la tête pour le remercier de cette trêve qu'il venait de proclamer.

— J'ai entendu dire que vous avez été emprisonné.

— Le sort m'a souri. Il n'y avait pas assez de place à la tour de Londres pour tous ceux que les troupes de Warenne ont fait prisonniers à Dunbar et on m'a envoyé sous escorte dans un monastère près de Chester avec sir Andrew Moray. Ses hommes ont réussi à nous délivrer. Moray et moi avons repassé la frontière ensemble.

Robert s'adressa à Édouard.

— Comment savais-tu que je serais ici ?

— Quand nous avons appris que tu avais désobéi aux ordres de notre père à Douglasdale, j'ai écrit à Christiane en secret. J'ai pensé que sir Gartnait pourrait t'aider, ou au moins t'accueillir.

— Mon père est mort il y a deux mois, lui apprit Gartnait. Je lui ai succédé.

Robert eut pour son frère un regard plein de gratitude. Il ne s'était à aucun moment imaginé que quelqu'un puisse se soucier de sa protection après qu'il eut quitté le château de Douglas, surtout pas

Édouard qui lui en avait voulu de son exil à Londres. En même temps, il accueillait avec un immense chagrin la nouvelle de la mort du vieux Donald, qui l'avait adoubé. Robert offrit ses condoléances à Gartnait, qui les reçut en silence.

— Sir John et sa femme étaient avec eux, reprit Édouard. Nous nous sommes arrangés pour nous retrouver à Lochmaben. C'est là que nous avons découvert que tu étais parti à Irvine avec les chefs de la rébellion. À notre arrivée, les pourparlers étaient terminés. Lord Douglas et l'évêque Wishart ont été faits prisonniers.

— Et James Stewart ? s'enquit Robert avec appréhension.

— Nous pensons que le chambellan a pu s'échapper.

Édouard secoua la tête.

— À vrai dire, personne ne savait grand-chose, si ce n'est que tu étais parti quelques jours avant le début des arrestations. Je me suis douté que tu viendrais ici.

— Notre père vous a-t-il envoyé me chercher ?

Il avait posé la question sans même réfléchir, et le soupçon qu'elle fit immédiatement naître en lui faillit avoir raison de la joie qu'il avait éprouvée en les voyant tous.

— C'est pour cela que vous êtes venus ?

— Non.

Édouard considéra derrière lui la masse des chevaliers et des écuyers, dont beaucoup portaient les couleurs de Mar et d'Atholl, et il baissa la voix.

— Notre père n'est plus gouverneur de Carlisle, frère. Le roi Édouard lui a repris cet office après avoir appris ta désertion, il s'est retiré dans ses domaines de l'Essex avec ses derniers hommes. Il était plutôt mal en point quand il est parti.

— Il doit me détester, fit Robert en détournant les yeux.

Édouard ne répondit pas. Au même moment, il remarqua Alexandre et Christophe qui attendaient avec Nes.

— Je vois que tu t'es fait de nouveaux alliés.

Il salua avec réserve les deux hommes de la tête, qui s'inclinèrent à leur tour.

— Oui, et de bons, répondit fermement Robert. J'ai pris une décision aussi, au sujet de ce qu'il y a à accomplir à partir de maintenant

— Nous devrions aller à Dundee, à l'est, pour rejoindre l'armée de Wallace et Moray, le coupa John d'Atholl. À Irvine, nous avons entendu des rumeurs selon lesquelles l'Usurier et le comte de Surrey ont l'intention de les affronter. Il nous faut combattre avec eux.

Plusieurs hommes firent part de leur assentiment. Gartnait, de son côté, se montrait plus prudent.

— L'armée de Wallace se compose presque uniquement de soldats à pied. Ils ne peuvent pas gagner une bataille. Nous devrions tenter de négocier au lieu de nous battre.

— Comme Wishart et Douglas ? rétorqua John.

Alors que son beau-frère défendait son point de vue, Robert intervint avec autorité.

— Je ne combattrai pas avec William Wallace.

Tous firent silence.

— Vous connaissez tous l'histoire de ma famille avec Balliol et les Comyn. Notre haine mutuelle n'est un secret pour personne, comme le fait que mon grand-père est mort certain qu'il aurait dû être roi à la place de Balliol. Il y a cinq ans, j'ai fait un serment. Un serment que j'ai aujourd'hui l'intention d'honorer. Je compte lever les hommes de Carrick et les diriger au nord vers l'Ayr et Irvine. Pendant que Wallace et Moray affronteront les Anglais à l'est, je me concentrerai sur l'ouest. Je veux libérer nos voisins du joug de lord Percy. Et alors...

Il hesita un instant, car il n'avait pas eu le temps de préparer son discours.

— Jean de Balliol était la marionnette d'Édouard, dit-il à tous les hommes qui l'écoutaient en silence. Le royaume a besoin d'un nouveau roi, un roi qui défendra ses droits et ses libertés, qui apportera de l'espoir au peuple et le délivrera de tous ceux qui veulent l'assujettir. Un roi dont le sang conserve toute la force de Malcolm Canmore.

Quand il eut terminé de parler, il s'aperçut qu'il n'avait pas prononcé tous les mots qu'il voulait, mais en croisant le regard d'Édouard, il comprit que ce n'était pas nécessaire. Son frère rayonnait de fierté. L'expression de tous les hommes présents ne laissait pas de doute non plus sur la réalité de ce qu'il venait de dire. Certains hochaient la tête, d'autres paraissaient se livrer à des réflexions, mais nul ne l'interpellait, nul ne riait ni ne se montrait incrédule. Au milieu de la foule, Robert aperçut Katherine. Elle aussi avait dû entendre ses paroles, car sa tête haute et son regard semblaient l'encourager. Sa silhouette disparut quand les hommes firent cercle autour de lui dans le but de lui poser des questions, dont, pour la plupart d'entre elles, il ne connaissait pas la réponse.

Robert leva la main pour les arrêter.

— Reparlons de tout cela devant du vin et de la nourriture, annonça-t-il avant de s'adresser à ses vassaux. Sir Andrew, la salle servira de caserne, ainsi qu'une partie des écuries.

Tandis que le brouhaha emplissait la cour et que les serviteurs emmenaient les hommes vers les écuries, Alexandre se présentait de son propre chef à John et Gartnait. Robert se tourna vers Édouard.

— Veille à ce que nos invités soient à leur aise, dit-il doucement à son frère. Nous reparlons bientôt, mais je dois faire quelque chose d'abord.

Avant de s'éloigner, il prit son frère par l'épaule.

— Je te dois des excuses, frère, pour ne pas avoir écouté tes conseils. Je sais que tu ne voulais pas combattre nos compatriotes avec les Anglais.

— Tu es ici, maintenant, c'est tout ce qui compte pour moi, lui répondit son frère en souriant.

Laissant son frère s'occuper de la cinquantaine d'hommes et de femmes, Robert prit le chemin de ses appartements.

La pièce où il logeait était l'ancienne chambre de ses parents. Leur vieux lit occupait une bonne partie de la pièce, avec ses draps rouges mangés par les mites. La première nuit, il lui avait semblé incongru de coucher là et de faire l'amour à Katherine dans le lit où il était né, où Affraig l'avait accouché de ses mains flétries.

Dans l'âtre, le feu allumé le matin couvait ses cendres mais la lumière de la lune, par la fenêtre, éclairait assez pour qu'il pût atteindre sans encombre ses affaires entassées. Un objet couvert d'une toile à sac était appuyé contre la besace qui contenait sa couverture et des vêtements de rechange. En quittant Douglasdale, Robert avait songé à l'abandonner, mais, sans trop savoir pourquoi, il y avait renoncé. Il observa un instant le bouclier avant de s'en emparer. Puis il ressortit de la chambre et enfila le couloir, en passant devant la chambre qu'il partageait autrefois avec ses frères, jusqu'à la porte qui s'ouvrait sur les remparts.

Dehors, des mouettes planaient, leurs ailes blanches se découpant contre le ciel. La mer scintillait au clair de lune et les vagues s'écrasaient en gerbes d'argent sur les rochers. Un moment, Robert maintint le bouclier devant lui, les bras tendus. Il songea à Humphrey et aux Chevaliers du Dragon. Il s'était cru leur frère, leur compagnon, mais ce n'était qu'une illusion. La vérité, c'est qu'il n'aurait jamais pu être l'un d'entre eux. Le sang qui coulait dans ses veines l'en empêchait. Il avait un devoir, non seulement envers son grand-père ou le peuple de Carrick qu'il avait juré de protéger, ou encore ceux qui l'avaient suivi malgré le danger, mais envers cet ancien héritage et les grands hommes qui l'avaient précédé. En bas, dans la salle, pendait la tapisserie aux couleurs passées où l'on voyait Malcolm Canmore tuer Macbeth et prendre le trône. Il était temps d'affirmer son droit. Son sang l'exigeait.

Écartant l'image de Humphrey, Robert jeta le bouclier par-dessus le parapet. Dans sa chute, le dragon lança des éclairs d'or, comme s'il s'accrochait à la vie, avant de se briser contre les rochers. La vague suivante l'emporta. Il resta visible un moment, puis glissa dans les profondeurs et disparut.

Chapitre 57

Les flammes rougeoyantes qui s'élevaient du pont se reflétaient dans les eaux de la Forth. Des gerbes d'étincelles fendaient l'air. Au-dessus de Stirling, le ciel avait viré au noir, rejetant le château qui surplombait les prairies dans le noir. La brume recouvrait la plaine marécageuse qui s'étalait dans une boucle de la rivière, où une chaussée partait du pont vers Abbey Craig, un escarpement rocailleux à une lieue de là. Sous la fumée, se déroulait une scène sortie droit de l'enfer.

De part et d'autre de la chaussée, des centaines de morts et d'agonisants jonchaient les prairies. Le sol retourné n'était plus que boue et flaques sanglantes. Les hommes et les chevaux, tombés ensemble, formaient des enchevêtrements indiscernables de membres et d'armures. Les bannières déployées gisaient souillées dans cette tourbe ignoble. Chevaliers, écuyers, soldats à pied et archers se mêlaient les uns aux autres, ces configurations grotesques de chair et d'os dénuées de toute humanité. Certains avaient les yeux extirpés de leurs orbites, d'autres le nez cassé ou la mâchoire arrachée. Les heaumes fracassés par des coups de marteau ou de hache s'étaient enfoncés dans le crâne de leur propriétaire. Les gambisons perforés laissaient voir des plaies béantes en pleine poitrine. Des épées et des flèches fichées dans les corps se dressaient tels des centaines de points d'exclamation mortels. La puanteur était si infecte que même les guerriers les plus aguerris en avaient l'estomac retourné.

Ici et là, des hommes gémissaient en se tordant de douleur. Des cris, de faibles appels à l'aide fendaient l'air saturé de fumée où les corbeaux planaient en attendant leur heure. Des blessés traînaient sur le sol leurs membres inutiles en combattant les haut-le-cœur que faisaient naître en eux les corps éventrés parmi lesquels ils rampaient. Ils n'allaient pas bien loin. Pareils aux anges de la mort, les soldats écossais s'avançaient parmi les corps, la dague à la main, guidés par les pleurs et les mouvements des mourants. Chaque fois qu'ils apercevaient un homme qui luttait, ils se jetaient sur lui et l'expédiaient dans l'autre monde. Au milieu de ce carnage, il leur était presque impossible de savoir qui ils achevaient : un Anglais ou un Écossais, un Gallois ou un Irlandais. Seul le statut de la victime restait identifiable, grâce à ses vêtements et à ses armes. Les chevaliers n'étaient pas épargnés par ces meurtriers sans état d'âme. Wallace avait ordonné de ne pas laisser de survivants derrière eux. Il n'y aurait pas de rançons. Pas de pitié.

D'autres Écossais arpentaient les prairies. Eux ne cherchaient pas des signes de vie, mais un butin. Ceux qui avaient combattu pieds nus étaient tout heureux de retirer leurs bottes aux morts. Certains récupéraient les poches attachées aux ceintures ou les outres à vin dans les sacoches des chevaux. Mais la plupart s'intéressaient surtout aux heaumes et aux épées, ainsi qu'aux armures. Autour des chevaliers, les plus riches des morts, de petits groupes de charognards se formaient et des querelles éclataient pour décider du partage.

Il restait encore quelques endroits où la bataille faisait rage et où les hommes continuaient à s'entre-tuer. Un Écossais s'écroula dans la boue, la gorge perforée par une flèche. L'archer gallois qui l'avait décochée mourut quelques secondes plus tard sous un coup de hache qui lui brisa le dos. Un soldat couvert de sang, si fatigué qu'il était à deux doigts de s'effondrer, plongea sa dague dans le ventre d'un adversaire. Comme il tournait la lame en grognant, ils tombèrent à genoux l'un en face de l'autre. À côté, un écuyer anglais, cerné par des Écossais, hurlait en faisant tournoyer son épée comme un beau diable. Il se rua contre l'un de ses opposants et lui assena un coup de bouclier en pleine figure. L'homme s'écroula, mais un autre Écossais lui agrippa le bras pour écarter la lame de son épée, ce qui donna à un deuxième la chance de faire un pas en avant et d'enfoncer son coutelas entre les côtes de l'écuyer.

Un chevalier anglais, l'un des rares encore à cheval, tenta de traverser la masse compacte des Écossais en lançant au galop son destrier sur la chaussée en direction d'Abbey Craig, seul moyen d'échapper à la tuerie maintenant que le pont était incendié. Les hommes se dispersèrent sur son chemin et il bouscula rageusement ceux qui ne s'écartaient pas. L'un des commandants de Wallace, sur le côté, se tint prêt à frapper. Quand il passa devant lui, il lança son épée dans les pattes arrière de la monture. L'élan de l'animal lui arracha l'arme des mains, mais le mal était fait. Le cheval hennit et s'écrasa sur ses pattes avant, qui se cassèrent. Le chevalier, éjecté de sa selle, percuta durement la chaussée et roula sur plusieurs mètres. Alors qu'il essayait de se relever, trois Écossais lui tombèrent dessus. L'un d'eux lui arracha son heaume et lui trancha la gorge en poussant un cri victorieux tandis qu'un flot de sang s'écoulait de la blessure.

Partout on entendait vociférer les hommes qui tombaient ou plongeaient dans les eaux de la Forth, déjà pleines de soldats anglais et d'archers gallois. Dieu seul savait jusqu'à quelle profondeur ils couleraient. Des centaines d'entre eux avaient déjà péri, submergés par les légions d'Écossais. Les chevaliers avaient les premiers achevé leur vie dans l'eau rougie par le sang, le poids de leurs cottes de mailles les faisant couler inexorablement. Ceux que n'encombraient pas des armures flottaient à la surface. Cependant, c'est à l'entrée du pont que les cadavres étaient les plus nombreux. Certains corps étaient déjà complètement consumés par le feu, d'autres étaient encore visibles dans la fournaise. Le pont de Stirling, la clé du nord par laquelle les Anglais pensaient ouvrir la porte du royaume d'Écosse, leur avait été fatal.

Dans la matinée, après que Wallace eut repoussé sans ambages les offres de pourparlers, l'avant-garde de l'armée anglaise avait traversé sous le commandement de Hugh de Cressingham. Le trésorier avait sous ses ordres plusieurs centaines de chevaliers, un gros contingent d'archers gallois du Gwent et de nombreuses compagnies d'infanterie anglaises, auxquelles s'ajoutaient les troupes irlandaises. Les chevaux ne pouvaient franchir le pont de front que par deux et le reste des forces anglaises, sous l'autorité de John de Warenne, attendit de l'autre côté que les hommes de tête traversent la Forth.

Wallace et Moray avaient attendu en haut d'Abbey Craig pendant que les Anglais s'engageaient – grande ligne éclatante de couleurs – le long de la chaussée, au rythme lancinant des tambours. Sous le Craig, la cavalerie écossaise paraissait ridiculement restreinte, d'autant qu'elle ne disposait que de chevaux légers incapables de rivaliser avec les destriers anglais. Mais ce qu'il leur manquait de cavalerie lourde, les Écossais le compensaient par une nuée de soldats qui occupait tout le bas des collines d'Ochil, des milliers d'hommes équipés de longues lances. Néanmoins, les Anglais progressèrent sur la chaussée sans manifester le moindre signe d'appréhension, et se dirigèrent droit sur les Écossais. Cressingham montait au milieu de ses chevaliers, énorme limace luisante dans son haubert poli, ses robes et son manteau de soie, son cheval ployant sous son poids immense.

Environ sept cents hommes avaient franchi la Forth et les premières lignes n'étaient plus loin de sa cavalerie quand Wallace avait donné le signal. Accompagné d'un coup de corne qui s'était répercuté contre les collines et avait alerté les Anglais, le jeune hors-la-loi avait lancé son cheval au galop le long du sentier raide du Craig. Après qu'ils eurent retrouvé leurs hommes en contrebas, Moray et lui menèrent la petite force montée des rebelles sur la chaussée pour charger les Anglais. Au même moment, les soldats à pied écossais avaient dévalé les pentes basses des collines. Les hurlements effrayants qu'ils poussaient, leur vague sonore, firent tressaillir les Anglais. Cressingham ordonna à ses chevaliers de se porter à la rencontre de la cavalerie écossaise et aux archers gallois de tirer des volées de flèches sur la masse des soldats qui déferlait.

Des centaines d'Écossais moururent sous les premières salves. Renversés par l'impact, ils tombaient sur ceux qui couraient derrière eux. Mais il en restait toujours pour sauter par-dessus les corps de leurs camarades. Les troupes bifurquèrent alors pour attaquer à la sortie du pont et c'est là qu'elles refermèrent le piège mis en place par Wallace. L'armée anglaise fut coupée en deux. Quand Warenne et ses hommes, toujours de l'autre côté du pont, comprirent ce qui se passait, il était déjà trop tard. Les Écossais avaient dispersé avec hardiesse l'infanterie anglaise, qui n'avait pas eu le temps de se regrouper pour présenter une défense unie. Se dépêchant de prendre le pont lui-même, ils formèrent une haie de lances impénétrable, même aux chevaliers montés que Warenne avait envoyés prendre de front. Si les archers gallois n'avaient pas fait partie de l'avant-garde, les Écossais n'auraient peut-être pas eu une telle chance, mais, en l'état des choses, Warenne et le gros de l'armée anglaise ne purent que regarder, impuissants, les troupes de Cressingham se faire mettre en pièces dans les prairies de l'autre côté de la rivière. Sachant que la bataille était perdue, Warenne avait fini par ordonner qu'on mette le feu au pont avant de diriger ses forces au sud, vers les collines boisées.

Le massacre s'achevait.

William Wallace se trouvait avec ses commandants sur la chaussée jonchée de cadavres. Le chef rebelle, tous ses membres perclus de douleurs, était accroupi dans la boue. Il était couvert de sang coagulé jusqu'aux cheveux. Il avait rejeté son épée dans son dos. Près de lui, Andrew Moray était prostré sur le sol. Le jeune chevalier qui avait dirigé les hommes du Nord respirait par saccades, le visage contracté, pendant qu'un de ses hommes essayait de nettoyer la blessure par laquelle Wallace pouvait voir ses côtes. Avant ce jour, jamais il n'avait compris l'anatomie humaine : un agrégat visqueux de viscères provisoirement assemblées sous la fragile membrane de la peau. Une coupure ici, une autre là, et tout s'en allait en morceaux. Il y avait quelque chose d'impie là-dedans qui rappelait aux hommes qu'en fin de compte, ils ne servaient qu'à nourrir les vers.

Moray jeta un regard de souffrance à Wallace.

— C'est terminé.

— Oui.

Moray sourit avec férocité.

— Nous avons battu ces canailles.

Il renversa la tête en arrière et une grimace remplaça son sourire.

— Dieu soit loué, nous les avons battus.

Wallace leva les yeux sur les hommes qui les entouraient. Certains étaient avec lui, d'autres avec Moray. Ils étaient blessés pour la plupart, et tous épuisés, mais par-delà leur fatigue ils arboraient l'air réjoui des vainqueurs. Ils avaient réussi ce que des nobles comme sir James Stewart et l'évêque Wishart prétendaient impossible : battre la cavalerie anglaise sur un champ de bataille.

Adam apparut à côté de Wallace et mit une outre de vin dans la main de son cousin. Il avait perdu sa cape doublée de fourrure depuis longtemps et son crâne chauve et luisant de sueur était couvert de sang. Wallace prit l'outre et but jusqu'à ce qu'il ne restât plus une goutte. Quand il eut fini, il regarda le récipient avec étonnement. Le cuir était incrusté de joyaux.

Adam eut un sourire mauvais.

— Je l'ai prise à l'Usurier.

— Cressingham ? lui demanda vivement Wallace. Tu l'as trouvé ?

Adam désigna un groupe d'Écossais, un peu plus loin.

— Par là, cousin.

Laissant les hommes soigner Moray, Wallace se dirigea à grands pas vers le groupe, Adam sur ses talons. À son approche, les Écossais s'écartèrent et Wallace vit le cadavre d'un homme à l'obésité grotesque. Il était nu et les plis de graisse de son ventre étaient si perforés de coups de poignards qu'il était impossible de dire lequel l'avait tué. Son visage, en revanche, était presque intact, bien qu'un de ses yeux fût injecté de sang. Mais c'est surtout sa bouche qui attira l'attention de Wallace, sa bouche ou plutôt le morceau de chair sanguinolente qu'on y avait introduit. En examinant le corps bouffi de Cressingham, Wallace ne mit pas longtemps à comprendre de quoi il s'agissait. Là où auraient dû se trouver ses parties génitales, entre ses cuisses veineuses et gélatineuses, il n'y avait plus qu'une plaie béante et sombre.

— La fin qu'il méritait, grogna Adam à ses côtés.

Quelques hommes rirent. Ils se passaient les outres incrustées de pierreries. Certains d'entre eux avaient des vêtements en soie, sans doute ceux de Cressingham, pendus à l'épaule ou glissés sous la ceinture.

Un homme s'accroupit soudain en sortant une dague. Il leva les yeux vers Wallace.

— Maître Wallace, vous me permettez d'en prendre un morceau ? demanda-t-il en posant les yeux sur Cressingham et en serrant l'arme dans son poing. Je veux montrer aux bonnes gens de Lanark que j'étais là quand l'Usurier est mort.

— Prenez ce que vous voulez, dit Wallace. Là où il va, il n'en aura pas besoin.

L'homme sourit. Étalant l'une des grosses mains de Cressingham, il entreprit de couper l'un de ses doigts. Tous le regardèrent faire un moment, puis d'autres suivirent son exemple et prélevèrent un morceau de chair afin de prouver à leurs amis et à leurs familles qu'ils avaient abattu le tyran qui avait saigné le royaume.

Wallace les laissa agir. Qu'ils prennent le butin qu'ils voulaient, il saurait les pousser à se dépasser une nouvelle fois. Ce n'était pas terminé. Pas encore.

— Rameute Gray et les autres, dit-il à Adam. Nous partons sur l'heure.

— Pourquoi ?

Wallace observa, à travers les colonnes de fumée qui obscurcissaient la Forth, les arrière-gardes de Warenne qui prenaient la direction du sud.

— Nous allons franchir le gué de Drip à marée basse et les pourchasser. Ils ont encore le convoi de ravitaillement. Nous allons voler leurs vivres et en tuer autant que possible.

Ses yeux bleus ne quittaient plus l'armée en retraite.

— Ils repartiront en Angleterre avec le souvenir de la défaite et de l'horreur qu'ils ont subies aujourd'hui.

Pendant que les Écossais célébraient leur victoire près des ruines fumantes du pont de Stirling, les corbeaux tournoyaient dans le ciel, s'apprêtant à festoyer.

SIXIÈME PARTIE

1298-1299

Ils mettront des chaînes au cou des lions rugissants et feront revivre les temps de nos ancêtres. Il sera... couronné d'une tête de lion. Ses débuts seront ouverts à une affection débordante, mais sa fin le rapprochera des bienheureux, qui sont au-dessus.

Geoffroy de Monmouth,
Histoire des rois de Bretagne.

Chapitre 58

Pendant que les forces écossaises fêtaient leur victoire contre les Anglais à Stirling, Robert bravait les pluies et le vent de l'automne et écumait Carrick de long en large, afin de recruter les hommes de son comté et renforcer le château de Turnberry.

Au début, malgré leur colère contre les Anglais, beaucoup craignaient de le soutenir, en raison des possibles représailles de Percy et Clifford. Robert aurait pu exiger leur ralliement, mais il savait que des hommes nerveux et en proie au doute ne lui seraient pas d'une grande utilité, il n'avait donc pris que ceux qui venaient de leur plein gré. C'étaient pour l'essentiel des jeunes gens ambitieux, chevaliers sans terre ou cadets de famille, qui n'avaient pas servi son père et étaient tous désireux de gagner sa faveur. Gartnait de Mar et John d'Atholl restèrent à Turnberry avec leurs hommes et l'épouse de Gartnait, et grâce à la présence d'Édouard et de Christiane, le château rappela à Robert l'époque où ses murs corrodés par le sel abritaient sa famille et son entourage.

Vers la fin octobre, quand les hommes s'occupaient de récolter les dernières moissons et de tuer le bétail en excédent, il était allé voir Affraig pour lui proposer de mettre fin à l'exil que son père lui avait imposé. Mais la vieille femme avait décliné, elle préférait rester vivre à la campagne plutôt que de revenir au village.

Peu à peu, à mesure que les semaines passaient, les hommes rejoignaient la compagnie de Robert. C'était un travail difficile et parfois il devait ravaler sa fierté, mais il découvrit rapidement que pour gagner la confiance de quelqu'un, il faut du temps et de la patience. Quand ils furent certains qu'il comptait rester et assurer la défense du comté, ses vassaux se présentèrent d'eux-mêmes en nombre pour le servir. Plus les hommes accouraient, plus sa réputation grandissait. Il s'aperçut qu'il possédait un don naturel pour la diplomatie, cultivé sans doute auprès de son grand-père. Lion quand on le provoquait, ou agneau s'il le fallait, le vieil homme suscitait crainte et admiration chez ses sujets et Robert se rendait compte que les deux étaient nécessaires chez un chef. La détermination de Robert et sa capacité d'écoute lui valurent bientôt le respect de ses vassaux. C'était, il le savait, un premier pas sur le chemin du trône.

À Irvine, quand il avait décidé de tout faire pour devenir roi d'Écosse, Robert avait mesuré l'énormité de la tâche, voire son impossibilité. Le sang qui coulait dans ses veines jouait en sa faveur, ainsi que la revendication de son grand-père lorsque le roi Édouard avait tenu son audience, mais c'était tout. La plupart des hommes du royaume ne lui faisaient pas confiance, et beaucoup d'entre eux ne cachaient pas leur ressentiment à son encontre. Les Écossais de Wallace avaient pour but le retour de Balliol, et non l'élection d'un nouveau roi, et la Pierre du Destin se trouvait à Westminster. S'il voulait ne fût-ce qu'annoncer sa décision, il lui faudrait des soutiens. Et pour cela, il devait faire ses preuves. Il devait imiter Wallace et les autres et conquérir les cœurs en restituant au peuple les terres qu'on lui avait volées. Et, alors que les tempêtes d'automne se terminaient et qu'arrivait la froideur hivernale, il s'attela à cette tâche.

Avec une force de plus de cinquante soldats à cheval et deux cents soldats à pied, Robert se rendit au nord de Carrick, dans l'Ayrshire. Henry Percy était reparti en Angleterre pour escorter les prisonniers d'Irvine, ne laissant derrière lui qu'une petite garnison pour défendre la ville portuaire d'Ayr. Par un jour glacial de la fin novembre, Robert et ses hommes prirent la ville d'assaut et semèrent la panique parmi les troupes anglaises. Six des hommes de Percy moururent. Les autres réussirent à s'échapper en embarquant sur un bateau amarré au bord de la rivière Ayr, mais cette attaque mit un terme à la domination anglaise de la ville. C'est là, dans la cité tout juste libérée, au grand soulagement des habitants, que Robert établit sa nouvelle base. Cela permettait à sa famille de rester à l'abri sur les côtes, à Turnberry, pendant qu'il lançait des offensives sur Irvine et d'autres camps de Percy afin de déloger le reste de ses soldats.

Quelques semaines plus tard, Robert paya le prix de sa rébellion. Si Henry Percy était occupé en Angleterre, Clifford était resté dans le Galloway et il fondit sur les terres des Bruce à Annandale, où il brûla dix villages et terrorisa la population. Le château de Lochmaben, toujours défendu par des vassaux du père de Robert, tint bon, mais des bourgs isolés subirent des dégâts terribles, qui ne pourraient être réparés avant plusieurs saisons. Ce fut un coup dur pour Robert. Annandale appartenait peut-être à son père, mais il y était aussi chez lui et il avait du mal à supporter l'idée de ces représailles dévastatrices.

Cette attaque eut néanmoins une conséquence inattendue et positive. Le fait qu'un commandant anglais ait attaqué les domaines des Bruce en Écosse prouvait à tous ceux qui doutaient de lui que sa défection était authentique. Cela faisait de Robert un ennemi de l'Angleterre – ce que les chefs rebelles n'avaient pas voulu reconnaître. Au début du printemps 1298, des messagers arrivèrent pour demander à Robert de participer à un grand conseil au cœur de la forêt de Selkirk, foyer de l'insurrection.

La forêt bourgeonnait, verdoyante, quand Robert et ses hommes la traversèrent. Des pins deux fois plus larges qu'un homme se dressaient au-dessus du sol, couvert d'aiguilles et de pommes de pin qui craquaient sous les pieds. On disait que la luxuriance de Selkirk était la survivance d'une antique forêt qui recouvrait jadis tout le royaume. Pourtant, elle demeurait immense, impossible à parcourir en entier, pleine d'ombres et de trouées lumineuses. C'était un endroit parfait pour une armée voulant rester cachée et Robert était certain que, si des signes ne les avaient pas guidés, ses hommes et lui se seraient perdus en moins d'une journée.

— Une autre ici, dit Édouard en se redressant sur sa selle et en désignant un tronc noueux sur lequel était peinte une croix blanche entourée d'un cercle. Nous devons nous rapprocher. C'est la quatrième que nous voyons ce matin.

Derrière l'arbre ainsi décoré, une clairière s'ouvrait. Robert entendait le gazouillis d'un cours d'eau.

— Reposons-nous un peu. Nous repartirons en début d'après-midi. Dites-le aux autres, lança-t-il à Christopher Seton qui chevauchait juste derrière lui. Je veux arriver au camp avant la tombée de la nuit.

L'écuyer hocha la tête et fit faire demi-tour à son cheval, mais Robert le sentit tendu. C'était compréhensible. Né dans le Yorkshire, où il avait grandi, le jeune homme était sur le point de rejoindre une armée qui avait l'intention de débarrasser pour de bon le comté de la présence anglaise. Robert avait assuré à l'écuyer qu'il serait sous sa protection, mais en réalité il était impuissant à protéger qui que ce fût. Tandis que l'écuyer transmettait ses ordres au reste de la compagnie, dispersé dans la forêt, Robert se dirigea vers la clairière. Un ruisseau assez large courait de l'autre côté, au-dessus de rochers bruns couverts de mousse. Les rives étaient en pente assez douce pour que les chevaux puissent boire.

Robert mit pied à terre pendant que les autres se faufilaient entre les arbres. Outre les quarante chevaliers et écuyers qu'il avait levés à Carrick, il y avait soixante-sept hommes sous le commandement de Mar et d'Atholl. Christiane accompagnait Gartnait et la femme de John se trouvait également avec lui, de même que leur fils de seize ans, David, qui ressemblait comme deux gouttes d'eau à son père. Ankylosés par les heures passées à cheval, fatigués, les hommes sortirent les outres de vin et la viande salée des sacoches tandis que les écuyers prenaient les chevaux en charge.

Saisissant la main que lui tendait l'un des chevaliers de Robert, Katherine descendit de sa jument. Après avoir adressé un sourire charmant au jeune homme, elle ôta la poussière de ses jupes à l'aide d'une brosse pendant que Judith prenait Marjorie dans ses bras. Elle fit signe à un serviteur d'emmener son cheval à la rivière, puis s'étira.

— Apportez-moi quelque chose à manger, lança-t-elle à Judith. Quand vous aurez nourri Marjorie.

Robert avait remarqué que ces derniers mois, Judith était devenue aussi bien la servante de sa maîtresse que la nourrice de Marjorie. Les autres femmes, Christiane et la femme de John, qui avaient leurs propres servantes, gardaient leurs distances avec elle. Christiane, en particulier, se comportait de façon glaciale avec Katherine. Robert n'avait ni le temps ni l'envie d'en élucider la raison. Il était las de la politique et des petits jeux. Tous les hommes et les femmes qui se trouvaient là avaient leurs propres motivations, même s'ils le suivaient. Gartnait, il ne l'ignorait pas, critiquait ses ambitions royales et il lui conseillait de rechercher la trêve avec les Anglais. John d'Atholl le soutenait de tout son cœur mais il en avait assez des Seton, qui étaient restés aux côtés de Robert depuis Irvine. De leur côté, Alexandre et Christophe s'empressaient pour conserver sa confiance. Seul Édouard se mouvait parmi les uns et les autres avec aisance.

Retournant dans la clairière, Robert alla se dégourdir les jambes. La forêt, qui les entourait depuis des jours, avait fini par devenir oppressante et la tension n'avait fait que croître au sein de la compagnie à mesure qu'ils s'y enfonçaient. Christopher n'était pas le seul à éprouver un malaise. John et Alexandre avaient tous deux été troublés par la convocation qui portait le sceau de William Wallace. Ils se demandaient pourquoi, après tous ces mois de silence, le rebelle voulait que Robert assiste au conseil. C'était un risque, certainement. Il ignorait comment il serait accueilli. Mais les rumeurs faisaient état des représailles que les Anglais préparaient, de la grande armée qu'Édouard rassemblait en vue d'une nouvelle invasion. Robert devait savoir à quoi s'attendre.

Un peu plus bas, le long de la rivière, il s'accroupit sur les berges. Comme il se penchait au-dessus de l'eau, son reflet lui apparut. Il ne s'était pas rasé depuis des jours et une barbe noire lui mangeait les joues. Ses yeux étaient des trous sombres sous des cheveux ébouriffés. Peut-être avait-il eu tort de venir ici ? Peut-être affichait-il sa faiblesse en acceptant la proposition d'un rebelle ? Robert plongea les mains dans l'eau fraîche et son image se brouilla. De ses mains en coupe, il s'arrosa le visage. Tandis que l'eau dégoulinait le long de son menton, une autre image se forma à la surface de l'eau. Une femme se tenait derrière lui, dont le corps ondulait avec le ruisseau. Il se releva et se retourna. C'était Katherine. Le bruit du cours d'eau avait couvert le bruit de ses pas.

Elle sourit.

— Je ne voulais pas te faire peur.

Il s'essuya le visage avec ses mains, et elle s'avança vers lui.

— Attends, laisse-moi faire.

Elle prit une manche entre ses doigts et lui tamponna le front.

Sa robe lie-de-vin avait de longues manches bouffantes. Elle la portait depuis qu'ils étaient partis de Turnberry, cinq jours plus tôt. Si elle avait eu une ceinture à anneaux dorés, elle aurait ressemblé à une comtesse, sauf que son corsage lui comprimait trop la poitrine. Soudain agacé, Robert la saisit par le poignet.

— Pourquoi portes-tu ça ?

Ses yeux s'arrondirent de surprise.

— Tu ne l'aimes pas ?

— Je n'aime pas la façon dont les hommes te regardent.

Katherine rit et lui caressa la joue.

— Alors je ne la porterai plus.

Robert lâcha son poignet et entrelaça ses doigts froids aux siens.

— Garde la robe, dit-il dans un soupir. Je suis seulement fatigué.

Un peu plus loin, ses hommes parlaient. Il avait la tête lourde. L'eau glaciale lui avait laissé les joues humides.

La main de Katherine caressa son cou et la jeune femme se pressa contre lui.

— Je ne suis qu'à toi, mon amour.

— Katherine...

Elle jeta un coup d'œil par-dessus son épaule.

— On ne peut pas nous voir, dit-elle, aguichante, avant de se hisser sur la pointe des pieds et d'effleurer ses lèvres des siennes. Tu es comme un ours blessé, dit-elle pour le taquiner. Tellement irritable.

Elle l'embrassa et grimaça.

— Et il faut que tu te rases.

Robert lui rendit son baiser et la colla contre un tronc. Elle s'accrocha à son cou en l'embrassant fougueusement.

Quelqu'un s'éclaircit la gorge et Robert s'écarta. Alexandre approchait.

Katherine rejeta ses cheveux vers l'arrière.

— Sir Alexandre ! Robert a de la chance qu'on surveille ses arrières, dit-elle avec un rire cassant. On a vraiment l'impression que partout où il va, vous le suivez.

— La forêt est pleine de créatures dangereuses, répliqua-t-il en la toisant.

Katherine fut la première à détourner le regard.

— Je vais voir votre fille, Robert.

Elle remonta ses jupes et s'éloigna à travers les hautes herbes.

— Nous devons parler, reprit Alexandre quand elle fut partie.

Robert poussa un soupir d'agacement.

— Je vous l'ai dit. Cela ne vous concerne pas.

— Je parlais du camp. Là où nous allons.

Alexandre marqua une pause.

— Mais en vérité, mon ami, elle fait partie de cette discussion. Vous n'avez pas mentionné vos intentions en dehors de notre cercle, ce qui, à mon avis, est le plus sage, mais le jour viendra où vous devrez revendiquer le trône devant les hommes de ce royaume. Comment pouvez-vous espérer que les seigneurs vous prennent au sérieux si vous-même ne le faites pas ?

— Vous croyez que je ne suis pas sérieux ? Avec tout ce que j'ai entrepris ces derniers mois, tout ce que vous m'avez aidé à accomplir ? Je risque ma vie et celle de mes parents pour atteindre mon but !

— Katherine sera-t-elle votre épouse ? Votre reine ?

Robert se détourna.

— Bien sûr que non.

— Dans ce cas, ne frayez pas avec une servante.

Alexandre fit un pas de côté pour obliger Robert à le regarder.

— Les autres ne vous en parlent pas, mais ils voient tous qu'elle s'est élevée bien au-dessus de sa condition initiale. C'était une servante, elle se comporte comme une dame. Et vous l'y encouragez.

Robert alla au bord du ruisseau et fixa les feuilles qui oscillaient sur les branches de l'autre côté. Sur la route de Douglasdale, Katherine l'avait distrait, elle lui permettait d'oublier ses doutes. Chaque matin, il se réveillait accablé de préoccupations. Chaque soir, il libérait sa frustration en elle. Depuis la mort d'Isobel, il savait qu'un jour il devrait prendre une autre femme, une femme de sa condition qui lui donne un fils. Mais il ignorait délibérément ce problème dont l'urgence n'échappait à personne. Il se disait qu'il avait des choses plus importantes à régler. Ce n'était pas faux, mais la raison de son inaction était ailleurs. La raison pour laquelle il refusait d'envisager ne fût-ce qu'un instant de se choisir une femme, c'est que Katherine avait cessé d'être une distraction. Elle était aussi l'une des rares choses qui n'avaient pas changé dans sa vie. Elle lui demandait rarement quoi que ce soit et son seul désir, quand elle était avec lui, était de le combler.

— J'ai besoin d'elle, Alexandre, dit-il d'une voix faible. Pour le moment, j'ai besoin d'elle.

— Je comprends que vous vouliez qu'une femme réchauffe votre lit. N'importe quel homme peut le comprendre. Mais d'autres facteurs sont à prendre en considération. Ne voyez-vous pas que le comte Gartnait s'en offusque ? Ou encore la femme du comte John ? Lady Isobel était leur sœur. Vous avez fait de sa servante la véritable mère de sa fille. Robert, elle porte les vêtements d'Isobel. Ce sont vos partisans. Nous avons besoin d'eux. Je me demande même si la réticence de Gartnait vis-à-vis de vos ambitions ne vient pas en partie de votre relation avec Katherine.

Alors que Robert secouait la tête et s'apprêtait à lui répondre, il aperçut un mouvement de l'autre côté de la rivière. Quelqu'un se levait dans la broussaille, entièrement vêtu de vert, un arc tendu entre les mains. Robert se jeta sur Alexandre pour le plaquer à terre. Ils retombèrent durement contre le sol au moment où une flèche se plantait dans un tronc derrière eux.

Alexandre repoussait Robert pour se mettre debout quand une voix retentit.

— C'était un avertissement. Le prochain sera fatal à moins que vous ne me disiez ce qui vous amène ici.

L'homme armait déjà une nouvelle flèche.

Robert se releva et tendit la main à Alexandre sans détacher son regard de l'archer.

— Je suis venu rencontrer William Wallace, annonça-t-il. Je suis sir Robert Bruce.

D'autres hommes progressaient dans le sous-bois, de l'autre côté de la rivière. Tous portaient des arcs et étaient vêtus de vert et de marron. Des cris se faisaient entendre plus loin, les hommes de Robert, alertés, se précipitaient vers eux. Édouard et Christopher étaient suivis de près par John d'Atholl. Robert leur cria de s'arrêter avant de se tourner de nouveau vers les hommes sur la rive, qui se tenaient prêts à tirer.

— Nous ne vous voulons aucun mal. Wallace nous attend.

L'homme qui avait parlé en premier baissa lentement son arc.

— Rassemblez vos gens, lui dit-il après un instant. Nous vous guiderons à partir d'ici.

Chapitre 59

Trois heures plus tard, alors que le crépuscule tombait, Robert et ses hommes entrèrent dans le camp rebelle. Les habiles archers les avaient précédés sans se tromper une seule fois malgré la lumière déclinante. Ils avaient rencontré de plus en plus de symboles blancs et croisé cinq patrouilles armées en chemin. Ces groupes se plongeaient chaque fois dans de courts conciliabules avec les archers, sans cesser d'épier Robert et sa compagnie.

Depuis les bois leur parvenait le murmure d'une grande activité, des aboiements de chiens et les bruits des sabots sur la terre meuble. L'air était assombri par la fumée. Entre les arbres, bientôt, ils virent des hommes discuter autour de feux de camp ou vaquer à leurs occupations. Ils portaient toutes sortes de vêtements, des bonnets et des sabots en bois des paysans aux tuniques des Highlanders en passant par les hauberts des chevaliers. Certains s'interrompaient pour regarder la troupe de Robert défiler devant eux.

Des abris avaient été confectionnés à partir de branches et de toiles tendues d'un arbre à l'autre, avec des couvertures étendues sur le sol de mousse. Des hommes s'y reposaient, notamment les blessés.

Robert vit un prêtre, sa tête tonsurée inclinée, priant à genoux près d'un homme qu'on avait amputé au niveau du genou et dont le moignon était emmailloté dans un linge gorgé de sang. Tandis qu'ils suivaient leur escorte le long d'une large rivière où des femmes nettoyaient des vêtements à côté d'enfants qui jouaient dans les galets, Robert aperçut deux grands cercles d'hommes, tous serrant leur lance pointée vers l'extérieur. Ils devaient s'entraîner à quelque manœuvre. Les premiers rangs se jetèrent à genoux sur un ordre et projetèrent leur lance en avant. Derrière eux s'ouvrait une clairière couverte de tentes.

S'éloignant des lanciers, ils s'y engagèrent. Des souches de chênes et d'aulnes étaient visibles, on avait dû les abattre pour faire de la place. Un grand feu crépitait au milieu, autour duquel étaient disposées une vingtaine de tentes, ainsi que des chariots remplis de vivres. Sur l'un, Robert distingua un tas miroitant de plateaux d'argent, de chandeliers, de fourrures et de coffres – le fruit du pillage, peut-être à la suite des attaques de Wallace sur le nord de l'Angleterre. Même s'il s'était tenu à distance, Robert avait été informé des menées du hors-la-loi, dont la rumeur se propageait dans tout le royaume.

Après la bataille de Stirling, les hommes parlaient avec respect et admiration du jeune héros qui avait conduit une armée de paysans à la victoire contre les chevaliers anglais, qui les avait débarrassés du trésorier tant détesté, Cressingham, et qui avait pourchassé le puissant comte de Surrey jusqu'aux frontières. Les bergers et les chasseurs qui formaient la bande de Wallace avaient bientôt vu des hommes de la bourgeoisie les rejoindre, ainsi que des chevaliers et des écuyers, et même des nobles. Après la mort d'Andrew Moray, qui n'avait pas survécu à ses blessures, Wallace était devenu le seul chef de la rébellion et, alors que ses hommes étaient encore ivres du sang versé à Stirling, il avait entraîné son armée en Angleterre.

Au début de l'automne, ils avaient franchi la frontière du Northumberland pour propager l'horreur parmi la population du nord de l'Angleterre. Ils avaient ruiné les récoltes, massacré le bétail, passé au fil de l'épée les hommes comme les femmes. On racontait que les violences étaient telles que Wallace et ses commandants avaient dû pendre certains de leurs hommes pour ne pas laisser impunis les pires offenses. Que cette rumeur fût fondée ou non, il n'en restait pas moins vrai que les habitants du Northumberland avaient fui par milliers en abandonnant derrière eux leurs maisons, leurs églises, leurs écoles et leurs pâturages qui brûlaient à l'horizon. Ce n'est qu'au milieu de l'hiver, quand la neige commença à tomber, que les pillards repassèrent la Tweed dans l'autre sens.

Au moment où il mettait pied à terre dans la clairière, Robert aperçut le chef rebelle près du chariot chargé du butin. Wallace dépassait d'une tête les hommes à ses côtés, des nobles à en juger par leurs habits. Il n'avait pas l'air à sa place avec sa tunique de laine brute qu'il portait par-dessus son armure, au milieu des belles capes, des fourreaux décorés et des cottes de mailles polies. Tous discutaient avec animation, mais lorsque l'un des archers s'avança vers Wallace, ils prirent conscience de la présence de Robert. Wallace le jaugea d'un regard froid avant de hocher la tête à l'intention de l'archer et de se tourner pour dire un mot à un chauve que Robert reconnut : c'était son cousin. Il éprouva une certaine colère quand Wallace s'éloigna sans le saluer, mais au même moment un visage familier sortit de la foule.

James Stewart venait à sa rencontre.

— Sir Robert.

Robert salua le chambellan distraitement, sans quitter des yeux le chef rebelle. Pendant que les hommes de Robert descendaient de selle, James lui fit signe de le suivre à l'écart.

— J'ai peur que nous ne nous soyons séparés en mauvais termes à Irvine. Sachez pourtant que je n'aurais jamais cédé à l'offre de Henry Percy et laissé votre fille devenir l'otage de cet homme.

Robert eut l'impression qu'il était sincère.

— Pour ma part, je suis désolé de la manière dont les choses ont tourné.

— C'est le passé. Je suis heureux que vous soyez venu, Robert.

James semblait sur le point d'ajouter quelque chose quand un homme imposant les interrompit. C'était l'évêque de Glasgow.

— Sir Robert, le salua courtoisement Wishart.

— J'ai appris qu'on vous avait mis en prison, monseigneur, dit Robert, quelque peu surpris et inquiet de le voir.

— Cela n'a duré qu'un temps. J'ai fait appel à l'archevêque Winchelsea pour qu'il obtienne ma libération et, Dieu soit loué, il a été exaucé. Je ne pense pas que j'aurais eu autant de chance si Édouard avait été là, mais il était en Flandre et sa cour en proie au désarroi. L'archevêque de Cantorbéry a fait valoir que mon emprisonnement était une entorse aux libertés de l'Église.

— Et lord Douglas ?

Le chambellan et l'évêque échangèrent un regard.

— Ils ont emmené lord Douglas à la Tour, répondit finalement Wishart. J'ai entendu une rumeur avant de partir selon laquelle il y était mort. Depuis, cette rumeur s'est confirmée. Robert Clifford a hérité de ses terres.

Robert eut une pensée pour lady Douglas et son intrépide enfant, James.

— Un autre guerrier tombé devant Dieu, reprit Wishart d'une voix bourrue. Mais la rébellion se poursuit, malgré cette perte. Nous avons appris vos succès à l'ouest, la libération d'Ayr et d'Irvine.

Cela ressemblait à des louanges, mais elles étaient démenties par le ton sec de l'évêque.

— C'était une petite victoire en comparaison des réussites de Wallace, admit Robert.

Wishart grogna, comme pour l'approuver.

— Eh bien, en tout cas, c'est pour William Wallace que nous sommes tous réunis. Il a grandement mérité l'honneur qui va lui être fait demain.

— Quel honneur ? s'enquit Robert en se tournant vers James.

— Il va être nommé Gardien de l'Écosse, expliqua l'évêque.

Robert le fixa, médusé.

— Jusqu'à ce que le trône soit de nouveau occupé, précisa James.

— L'Écosse a plus besoin d'un défenseur que d'un roi, rétorqua Wishart avec un regard appuyé à James. William Wallace sera désigné Gardien du royaume demain et, si Dieu le veut, il nous conduira à la victoire. Nous savons que le roi Édouard rassemble une grande armée. Ce sera bientôt l'heure de vérité.

La guerre était donc imminente, mais Robert se demanda surtout ce que l'élévation de Wallace changeait pour lui. Cependant, il n'eut pas le temps de poser d'autres questions car son frère arriva au même moment.

— Nous avons de la compagnie, l'avertit Édouard avec un hochement de tête vers les arbres.

Un groupe débouchait dans la clairière. Il reconnut immédiatement les deux hommes à sa tête. L'un avait une cinquantaine d'années et une épaisse tignasse grisonnante, l'autre à peu près le même âge. Aussi pâles l'un que l'autre, ils étaient vêtus de noir et leurs boucliers rouges arboraient trois gerbes de blé blanches. Robert sentit des années d'hostilité refaire surface.

— On m'avait dit que Comyn le Rouge et son fils avaient été capturés à Dunbar, fit-il à voix basse.

— Le roi Édouard les a libérés à la condition qu'ils aident à mater la rébellion, répondit Wishart. Ils étaient avec les troupes de John de Warenne à Stirling, mais après la victoire de William, ils ont profité de la débandade pour échapper à la surveillance du comte et revenir dans notre camp.

— Wallace leur fait confiance ?

— Ils se battent pour la même cause, répliqua sèchement Wishart.

Robert regarda l'évêque traverser la clairière pour accueillir les nouveaux venus. Dans un jour, William Wallace serait l'homme le plus puissant du royaume. Wishart avait raison – le chef rebelle faisait les affaires des Comyn : ils voulaient tous le retour de Jean de Balliol. Ce qui mettrait un point final à son ambition.

— Que les hommes montent le camp, ordonna-t-il à son frère sans détacher ses yeux de lord de Badenoch.

Édouard hocha sombrement la tête et s'en alla. Le chambellan prit Robert à part.

— Nous devons parler.

En contrebas du camp, la rivière dévalait une succession de petits plateaux rocailleux avant de se déverser dans un profond bassin où l'eau paraissait immobile. Robert et le chambellan s'assirent sur un contrefort. Le bruit de la cascade dissimulerait le sujet de leur conversation à quiconque s'aventurerait dans les parages. Entre les arbres, les feux qui brillaient étaient parfois obscurcis par l'ombre d'hommes qui passaient.

— Je voulais déjà vous parler à Irvine, disait le chambellan, assis au bout du contrefort rocheux, face à Robert, les torches illuminant ses yeux noirs. Mais les événements ont conspiré contre nous. L'évêque Wishart a raison. Ce que William Wallace a accompli dépasse tout ce que nous aurions pu imaginer. Il ne fait pas de doute qu'il mérite le titre qui va lui être accordé lors du conseil de demain.

Robert s'abstint de répondre.

— Mais nous devons voir plus loin que les victoires du présent et anticiper l'époque où notre royaume devra assurer sa stabilité sans bataille ni effusion de sang.

James donnait l'impression de choisir ses mots avec soin.

— Je comprends l'enthousiasme de Wishart, mais j'ai longuement réfléchi à l'avenir ces derniers mois. À vrai dire, je m'en inquiète davantage que des stratégies actuelles et des honneurs dus aux héros. Notre avenir ne sera assuré qu'avec un roi sur le trône et une lignée.

Il avait baissé la voix au point que Robert devait tendre l'oreille.

— Nous n'avons aucune certitude que le roi Jean reviendra un jour pour assumer ce rôle, même si William et ses hommes l'exigent d'Édouard. Et même s'ils gagnent toutes les batailles. Il est de ma responsabilité, en tant que chambellan du royaume, de parer à cette éventualité.

Il étudia Robert un instant.

— Nombreux étaient ceux qui pensaient que votre grand-père était le prétendant naturel au trône, y compris moi-même. Je pense qu'Édouard en avait conscience et qu'il craignait qu'il ne soit pas aussi malléable que Balliol.

Robert opina. James le dévisageait.

— En réfléchissant à l'avenir, Robert, c'est vous que je voyais combler le vide laissé par Balliol. Vous avez le droit du sang pour vous et, je crois, les vertus nécessaires.

En entendant ces mots prononcés d'une voix solennelle, Robert éprouva un intense soulagement. Malgré tout ce qu'il avait fait ces derniers mois pour mettre en œuvre son ambition, il n'avait pas réussi à repousser ses doutes. Il entendait encore la voix haineuse de son père lui assenant qu'un traître comme lui ne pouvait s'emparer du trône ; que le peuple d'Écosse ne l'accepterait pas et que, de toute façon, il n'avait ni le courage, ni la volonté de défier le roi Édouard. Si un homme comme James, dont il admirait la sagesse et l'expérience, et dont la famille servait les rois d'Écosse depuis des générations au poste de chambellan, croyait en lui, alors cela devenait possible. Là, près de cette belle rivière cernée par les ombres des arbres, il pouvait presque entendre son grand-père le conforter.

Robert expliqua au chambellan la décision qu'il avait prise à Irvine.

— La route sera longue, je le sais, conclut-il. La Pierre du Destin se trouve à Westminster et je ne sais pas comment je m'y prendrai pour gagner la confiance du peuple.

Il hésita avant de poursuivre.

— Et maintenant que Wallace va être fait Gardien, j'ai peur que mes petites victoires ne m'aident pas beaucoup. Je ne peux pas me tenir à côté de Wallace et espérer que les hommes du royaume me respectent autant que lui, quel que soit mon droit sur le trône.

Le chambellan ne paraissait pas du tout découragé par l'énormité de la tâche.

— Je suis d'accord, ce ne sera pas facile. Je ne vois pas encore très bien quel chemin emprunter, mais j'ai une petite idée de la façon dont nous pourrions commencer. Il y a une chose que vous pourriez faire au conseil demain, qui fera comprendre à tous votre implication et votre importance au sein du royaume.

Chapitre 60

Au-dessus de la clairière, le soleil levant auréolait le sommet des pins d'une lumière dorée. Les toiles d'araignées aux branches scintillaient comme de minuscules colliers de perles tandis que les hommes se rassemblaient, leurs murmures faisant écho aux chants des oiseaux. Au centre de la clairière se trouvait un chariot à l'arrière duquel était placé un petit escalier en bois. Sur cette plate-forme improvisée, l'évêque de Glasgow s'entretenait avec James Stewart.

Robert se fraya un chemin au milieu de la foule dense, tous les hommes du camp désirant assister à la cérémonie, capitale pour leur chef et leur lutte. L'ambiance était festive, la perspective de la nomination de Wallace réjouissait les soldats. Les Seton marchaient devant lui avec Walter et cinq chevaliers de Carrick, qui lui ouvraient le chemin du mieux qu'ils pouvaient. Christopher ne lâchait pas le pommeau de son épée. Alexandre, lui, ne disait pas un mot, leur relation s'étant nettement refroidie depuis leur discussion au sujet de Katherine. Robert était entouré de ses beaux-frères, John et Gartnait, et Édouard fermait la marche. Comme il s'approchait du chariot en ignorant les regards hostiles que sa présence engendrait, il aperçut James Stewart. Le grand chambellan inclina légèrement la tête. En prenant sa place au premier rang, Robert sentit la tension croître en lui à l'idée de ce qui l'attendait.

William Wallace était à quelque distance de là avec ses commandants – Adam, un homme brutal et couvert de cicatrices du nom de Gray, et plusieurs seigneurs plus ou moins importants. Parmi eux, on trouvait Gilbert de la Hay, lord d'Erroll, un roc avec de grands cheveux blonds et un air jovial, et Neil Campbell de Lochawe, qui avait rejoint Wallace après la libération de Dundee. Plus près de Robert, il y avait le frère du chambellan, John, et la femme de James, Egidia de Burgh, sœur du comte d'Ulster, qu'il avait épousée juste avant que la guerre n'éclate. Bien que son frère fût le commandant en qui le roi Édouard avait le plus confiance en Irlande, Egidia avait choisi de rester avec James pendant le conflit et elle portait leur premier enfant. De tous les hommes réunis, Robert n'en connaissait que quelques-uns de nom et il comptait sur le comte d'Atholl pour le renseigner en attendant que le conseil commence.

Derrière John Stewart était assis Malcolm Lennox, un jeune homme avec un visage d'une beauté remarquable et de longs cheveux noirs qu'il attachait en queue de cheval au moyen d'un fil d'argent. Il était entouré d'hommes du même âge que lui, tous habillés comme lui d'une tunique et de chausses noires. Robert avait déjà rencontré Malcolm avec son père, le comte de Lennox, lors des diverses assemblées qui s'étaient tenues à l'époque de l'audience pour le choix du roi d'Écosse, mais il n'avait jamais eu l'occasion de lui parler. Malcolm, qui avait récemment succédé à son père, avait été l'un des chefs des troupes qui avaient attaqué Carlisle au début de la guerre. Il jeta un coup d'œil dans la direction de Robert, le dévisagea un instant, puis détourna le regard.

La plus grande concentration d'hommes se trouvait de l'autre côté d'un énorme feu de camp. John Comyn et son fils, ainsi que le comte de Buchan, étaient au premier rang de ce groupe. Derrière Comyn le Rouge et Comyn le Noir, Robert aperçut le visage de Comyn de Kilbride, de la branche de la famille qui s'était battue du côté de Simon de Montfort lors de la bataille de Lewes. Autour d'eux étaient installés une foule d'anciens vassaux de Balliol, des hommes qui avaient été dépossédés de leurs domaines, désormais administrés par Henry Percy. Robert repéra un visage familier parmi eux. Son nom ne lui revint que quelques secondes plus tard : Dungal Mac-Douall, le capitaine de l'armée du Galloway. Un vieil ennemi de son père. Mais ce qui surprit le plus Robert, ce fut la femme aux cheveux châtains, portant haut un visage dur et fier. Eleanor Balliol, l'épouse de Comyn le Rouge et sœur du roi banni, se tenait droite au milieu de ces hommes, comme si elle voulait symboliser par sa prestance le grand soutien dont bénéficiait encore Jean de Balliol.

Lorsque Wishart prit la parole depuis la plate-forme, les murmures de l'assemblée cessèrent.

— Seigneurs de l'Écosse, nous sommes réunis aujourd'hui devant Dieu Tout-Puissant pour assister à la consécration d'un homme qui a risqué sa vie pour notre royaume. Un homme qui a bouté notre ennemi par le fer et le feu et qui nous a rendu nos libertés !

Des applaudissements nourris suivirent cette introduction. Les plus vigoureux venaient de l'entourage de Wallace. Pendant que l'évêque continuait son discours en évoquant la victoire de Wallace à Stirling, Robert remarqua que le jeune géant était visiblement mal à l'aise au centre de l'attention générale. Debout au milieu de ses compagnons, raide, il se tenait les mains croisées dans le dos.

— Depuis deux ans, notre royaume est privé d'un roi ou d'un chef capable de le guider. Aujourd'hui, nous voyons cette situation prendre fin car nous allons choisir maître William Wallace comme Gardien du royaume. En vérité, nous sommes bénis. Avec William, nous avons un guerrier en qui le Seigneur a placé sa foi. Un guerrier qui a le cœur de saint André et la grâce de saint Kentigern !

De nouvelles acclamations firent s'envoler les oiseaux cachés dans les arbres.

Le regard de Robert passa de Wishart à James Stewart. Sa tension était à son comble, il se demandait quand le chambellan lui donnerait le signal.

— Pourtant, malgré la joie que connaissons aujourd'hui, nous ne devons pas oublier les jours terribles qui nous attendent, poursuivit Wishart d'une voix profonde. La guerre n'est pas terminée, ce n'est qu'une pause. Avant que maître William ne prenne sa place de Gardien, j'invite lord de Badenoch à s'exprimer, car il apporte des nouvelles d'Angleterre, où il était détenu jusqu'à récemment.

Robert regarda John Comyn s'extraire de la foule. Il avait la bouche légèrement ouverte, les cheveux grisonnants, mais en dépit des années qui passaient, Comyn le Rouge dégageait toujours le même sentiment de force et de volonté. Il passa devant William Wallace avec un hochement de tête qui paraissait forcé, puis monta sur la plate-forme où Wishart s'était placé aux côtés de Stewart.

— Malgré les épreuves que nous prédit l'évêque, je peux tout de même vous apporter une lueur d'espoir. Édouard retient notre roi prisonnier à la Tour, mais j'ai eu l'occasion de lui parler à plusieurs reprises quand je me trouvais là-bas. Je tiens donc à vous informer que le roi Jean est en bonne forme et qu'il est optimiste quant à la possibilité d'une future restauration.

Comyn baissa les yeux sur Robert, devant lui.

— Je suis sûr que vous prierez tous avec moi pour qu'il revienne au plus vite s'asseoir sur le trône de notre royaume.

Des applaudissements crépitèrent. William Wallace hocha la tête. Robert n'avait jamais été aussi crispé.

— Comme beaucoup d'entre vous le savent, le mécontentement est grand en Angleterre à cause de la guerre contre la France. Quand Édouard s'y est rendu l'année dernière, nombre de ses sujets ont refusé de le suivre.

Plusieurs hommes crièrent leur approbation, mais Wishart les fit déchanter :

— Malheureusement, le roi est revenu à Londres et il a fait la paix avec ses opposants en Angleterre et avec le roi Philippe. Le choc provoqué par la victoire de maître Wallace à Stirling a uni les Anglais contre nous. Ne vous y trompez pas, ils comptent bien se venger de leur défaite.

Ils furent quelques-uns à vouloir prendre la parole, mais la voix de John d'Atholl fut la seule à demeurer audible.

— Nous devrions envoyer une délégation au roi de France et nous assurer que l'alliance entre la France et l'Écosse tient toujours. Quel que soit son pacte avec Édouard, nous en faisons sans doute partie.

Wishart s'apprêta à répondre, mais les cris d'approbation fusaient de partout. Wallace s'avança alors pour se placer devant la plate-forme. Il n'avait pas besoin d'y monter, tout le monde pouvait le voir.

— C'est en cours. Quand l'évêque de St Andrews est mort l'année dernière, l'évêque Wishart et moi-même avons jugé que le doyen du chapitre de Glasgow, maître William Lamberton, un homme d'honneur, dévoué, était le mieux à même de lui succéder. Ce choix a été confirmé depuis par l'Église et Lamberton est actuellement en route pour Rome, où il sera consacré. En chemin, il va rencontrer le roi Philippe et confirmer notre alliance. Soyez assurés que Lamberton fera tout ce qu'il peut pour notre cause.

— Mais tout en cherchant du soutien à l'étranger, nous devons rester unis, reprit Wishart en s'adressant à l'assemblée. Nous savons que le roi Édouard rassemble une grande armée, il enrôle autant d'archers gallois et de soldats irlandais qu'il le peut. Grâce aux efforts de maître William, beaucoup de garnisons du roi ont connu la débâcle, mais Roxburgh et Berwick demeurent aux mains des Anglais. Jusqu'à maintenant, ces forteresses étaient comme des îles isolées, entourées par nos troupes, pratiquement coupées de leurs sources de ravitaillement. Si le roi parvient à les soulager au cours de cette campagne et à reprendre le contrôle des régions avoisinantes, il disposera d'une base solide dans le sud, d'où il pourra relancer l'invasion du nord. Nous ne pouvons pas le permettre.

— Notre plan, dit Wallace d'une voix déterminée, consiste à ravager les terres le long de la frontière, ces mêmes terres que le roi et ses hommes devront traverser. Nous brûlerons les champs et conduirons le bétail dans la forêt. Nous dirons aux hommes et aux femmes des comtés du sud de partir au nord en emportant toute la nourriture. Il faut que les Anglais ne trouvent rien à manger. Plus longue sera la campagne, plus dure sera pour le roi la possibilité de ravitailler son armée.

— Nous devons être prêts quand ils arriveront, dit Wishart. Nous devons dépasser nos rivalités et travailler ensemble, guidés par notre Gardien.

Les hommes hochaient la tête avec véhémence, approuvant de tout leur cœur les propositions de Wallace et l'état d'esprit prôné par Wishart.

À ce moment, Robert vit James Stewart se tourner vers lui et lui faire discrètement signe. Comme si on le secouait d'un rêve, il se leva et se dirigea vers Wallace, sous les regards surpris de ses hommes.

— Nous avons choisi de faire de cet homme notre Gardien, lança-t-il à la cantonade d'une voix grave. Mais il n'est toujours que le fils d'un chevalier.

— Vous remettez en question ce choix ? demanda Adam, prêt à s'emporter.

La colère se propageait comme un incendie dans l'assemblée.

— Au contraire, répondit Robert, je suggère qu'un homme de son envergure, un homme qui sera l'unique Gardien du royaume, porte un titre digne de ses prouesses.

Il fit face à la foule.

— Moi, sir Robert Bruce d'Annandale, comte de Carrick, je me propose d'adouber William Wallace.

Il regarda Wallace dans les yeux.

— S'il daigne s'agenouiller devant moi, bien entendu.

Les quelques plaintes furent noyées sous les vivats des compagnons de Wallace. Le chef rebelle soutenait le regard de Robert. Pendant un long moment, il ne sembla pas se décider à bouger. Puis, quand les applaudissements cessèrent et que le silence se rétablit, Wallace fit un pas vers lui, une expression impénétrable sur le visage, et il murmura une phrase d'une voix si basse que Robert ne la comprit pas sur-le-champ.

— Cela ne fait pas de moi votre sujet.

Mais lorsqu'il tira son épée pour adouber William Wallace à genoux devant lui, Robert mesura l'impact de son geste. Et quand il croisa le regard venimeux de lord de Badenoch, debout sur la plate-forme, il sut que Comyn en avait lui aussi saisi la portée.

Chapitre 61

Au cours du printemps et jusqu'aux premiers jours radieux de l'été, l'Angleterre se prépara à la guerre. Des émissaires partirent de la cour pour recruter des hommes au service du roi, des grands comtes avec leurs suites aux plus pauvres des soldats d'infanterie équipés en tout et pour tout d'une tunique de laine et d'un couteau de chasse. Les arbalétriers, les archers de la forêt de Sherwood ou du Gwent, tous devaient répondre à l'appel des représentants du roi qui écumaient le nord de l'Angleterre et le pays de Galles conquis pour emmener les hommes. Plus de vingt-cinq mille hommes furent levés pour l'infanterie.

Les fermiers laissaient tomber leurs bêches, les forgerons leurs marteaux, pour prendre les armes. De nombreux jeunes hommes attirés par les gages promis se présentaient d'eux-mêmes, avec leur arc et leurs flèches. On recousait les gambisons, on nettoyait la rouille des heaumes, on réparait les cottes de mailles. On affûtait les épées. Quand l'été arriva, les soldats gallois se mirent en marche. Ils formaient de longues lignes de long de la côte et sur les barrières montagneuses de Cader Idris et Snowdon, des lignes qui avançaient lentement et inexorablement vers Carlisle et les frontières du nord. Les officiers du roi allaient des réserves de grain aux brasseries, des brasseries aux marchés, et accumulaient les sacs de blé et de céréales, les barriques de vin et de bière, la viande de mouton. D'autres vivres arriveraient d'Irlande. Les navires marchands des Cinq-Ports, les cales pleines, faisaient voile depuis Douvres, Rye ou Hythe pour transporter des provisions et un blocus se constituait dans la Manche pour empêcher les vaisseaux français d'apporter de l'aide aux Écossais. Après une campagne malheureuse en Flandre, Édouard avait réussi à conclure une trêve temporaire avec le roi Philippe, mais il ne voulait pas prendre le moindre risque. D'autres accords de ce genre avec son belliqueux cousin avaient été rompus, par le passé.

Pendant qu'on rassemblait les vivres et les hommes, le clergé s'occupait de répandre la haine dans la population. À travers toute l'Angleterre, dans les villes comme dans les moindres villages, le nom de William Wallace était jeté en pâture avec mépris au peuple scandalisé par les histoires de cet ogre qui violait des nonnes et torturait des prêtres pour le plaisir. Son expédition dans le Northumberland prenait des proportions légendaires. On racontait que les Écossais, assoiffés de sang, avaient enfermé deux cents enfants dans une école à Hexham avant d'y mettre le feu. Wallace, disait-on, avait regardé les enfants brûler en riant. On le traitait de lâche, de brigand, d'enfant de putain et de meurtrier. À Londres, on avait brûlé son effigie sous les acclamations de la foule en liesse.

L'appel aux armes résonnant à travers tous les comtés, le roi Édouard avait déplacé le siège de son gouvernement à York. Il attendait là-bas, muré dans le silence. L'animosité de ses barons, due à la guerre sans fin en Gascogne, avait été balayée par la défaite des troupes de Warenne et Cressingham. Les hommes d'Angleterre étaient tous aussi déterminés à anéantir Wallace et son armée de paysans, et à venger la mort de leurs amis et parents tués dans les marais autour du pont de Stirling. Ce n'était pas la première fois qu'une armée anglaise perdait une bataille, mais son ampleur avait choqué même les plus anciens. Des milliers de soldats et d'archers avaient péri, avec des centaines de chevaliers. Les Écossais n'avaient demandé aucune rançon, ils n'avaient pas proposé d'échanger des prisonniers. La noblesse, qui subissait rarement une mort anonyme sur un champ de bataille, se retrouvait soudain confrontée à la perspective de finir comme le premier soldat venu. Cette pensée avait eu le don de susciter sa colère.

Pour Édouard, cette défaite était un terrible affront. Sa conquête de l'Écosse avait été l'une des plus rapides et des plus faciles campagnes qu'il avait menées. Après avoir fait main basse sur la Pierre du Destin, reçu l'hommage des seigneurs qu'il n'avait pas jetés en prison et détrôné Balliol, il s'était réjoui d'un succès aussi complet. Mais ce William Wallace qu'il avait cru aussi inoffensif qu'une mouche continuait à rôder tel un spectre et à faire planer le risque d'une nouvelle Gascogne, d'un nouveau conflit interminable qui lui aliénerait ses barons. Pour l'heure, ils étaient tous derrière lui. La Table ronde le soutenait ainsi que les Chevaliers du Dragon, mais serait-ce encore le cas dans cinq mois, ou dans un an ? Édouard n'avait pas envie de le savoir. Il était résolu à mettre un terme, une fois pour toutes, au soulèvement de Wallace et des Écossais.

Début juin, les chevaliers se retrouvèrent avec leurs seigneurs au château, entourés d'écuyers, de porte-étendards et de chariots chargés de tentes et d'équipements. Dans les villes et les villages des comtés du nord, les hommes firent leurs adieux à leurs femmes avant de se mêler aux groupes de soldats qui peuplaient les places de marché. On distribua des bandeaux blancs décorés de la croix rouge de saint George, que les hommes se passèrent fièrement autour du bras. Nerveux, excités, certains n'ayant jamais connu la guerre, ils enfilèrent leurs tuniques et ajustèrent les sangles de leurs casques sous les ordres des représentants du roi et des prévôts. Puis, par des routes poussiéreuses, en se plaignant de la chaleur accablante, les compagnies partirent au nord rejoindre l'armée de soldats gallois qui s'amassait aux frontières.

Des bateaux pleins de vivres firent voile depuis le sud, les rames fendant la mer étale, et remontèrent lentement la côte est de l'Angleterre. Au loin, vers la mer du Nord, on discernait des voiles de pluie sous les gros nuages qui crachaient des éclairs. Les marins, manquant d'air, regardaient avec un certain malaise le ciel s'assombrir au fil des jours.

Rongés par la faim et la fatigue, têtes basses, mais déterminés, ils se traînaient à travers champs. Leurs pieds couverts de cloques leur faisaient mal à chaque pas. L'aube pointait en ce jour où l'on fêtait sainte Marie Madeleine et le ciel s'éclaircissait à l'est. Déjà, les hommes de l'armée anglaise sentaient la chaleur monter, promettant une nouvelle journée à cuire au soleil.

Humphrey de Bohun suivait la compagnie de son père, le comte de Hereford et d'Essex, également constable d'Angleterre. Dans les premières lueurs de l'aube, il distinguait les visages des chevaliers de son père et, au-delà, ceux de ses compagnons : le jeune Thomas, comte de Lancastre depuis la mort du frère du roi ; Aymer de Valence, qui avait, lui aussi, perdu son père dans la guerre en France, mais qui n'hériterait du comté de Pembroke qu'à la mort de sa mère ; Robert Clifford ; Henry Percy ; Ralph de Monthermer ; Guy de Beauchamp. Tous arboraient une barbe roussie, mais malgré leur épuisement certain, Humphrey les sentait habités d'une énergie farouche qu'il n'avait plus vue chez eux depuis des semaines. Cela lui donna du cœur au ventre alors que le ciel devenu plus lumineux révélait un paysage ravagé. De la fumée continuait de s'élever des champs calcinés, des cultures réduites en cendres.

De Roxburgh jusqu'à Édimbourg en passant par Lauderdale, l'armée anglaise n'avait découvert qu'un pays dévasté et plongé dans le silence. À force de passer par des villages déserts dont les garde-manger étaient vides et les puits empoisonnés par des carcasses putréfiées de moutons, au milieu de cette fournaise et de cette désolation, l'envie de combattre avait peu à peu quitté l'armée. On envoyait des soldats fouiller les bourgs à la recherche des habitants, mais ils ne trouvaient jamais personne. Pas plus qu'il n'y avait le moindre signe de la présence de Wallace et de ses forces. Et pendant tout ce temps, l'exubérante forêt de Selkirk s'étirait à l'ouest, propice aux embuscades, tandis qu'à l'est l'horizon se chargeait de nuages annonciateurs d'orages.

La tempête était arrivée tard le soir par la mer. Les éclairs avaient illuminé le paysage comme en plein jour. Le déluge qui s'était abattu sur eux avait trempé les hommes jusqu'aux os et transformé les champs en marécages. Le lendemain matin, alors que le tonnerre n'avait pas cessé de gronder, l'armée s'était remise en marche avec la rouille qui s'attaquait aux cottes de mailles et les housses des chevaux imbibées d'eau. La boue pestilentielle avait séché à même la peau et les vêtements, formé des croûtes, et les mouches s'étaient mises à voler autour des bouches et des yeux des hommes et de leurs montures. Ces tourments étaient pénibles, bien sûr, mais ce n'est qu'en arrivant à Édimbourg que les Anglais avaient compris le véritable prix de cette tempête, car les bateaux qui devaient les retrouver dans le port de Leith ne s'y trouvaient pas.

Après avoir ordonné à une petite partie des troupes d'attendre au port l'arrivée des vaisseaux, le roi

Édouard avait emmené le reste de l'armée chez ses alliés, les chevaliers du Temple, qui possédaient un domaine à l'ouest de la ville. Là, ils avaient établi leur camp à l'extérieur de la commanderie de l'ordre et attendu, tendus et affamés, des vivres et des nouvelles de la situation de l'ennemi. Ils avaient mis la main sur quelques pommes pas encore mûres dans les jardins du Temple et sur une poignée de pois, dans un champ qui avait échappé aux Écossais, mais il n'y avait presque rien d'autre pour augmenter les rations de plus en plus réduites. Plusieurs journées s'écoulèrent. Les vaisseaux ne réapparaissaient pas et les éclaireurs ne donnaient pas signe de vie. Ulcérés par leur maigre pitance, les Gallois protestèrent : les chevaux mangeaient mieux qu'eux. À moitié morts de faim et rendus fous par la soif, les hommes se disputaient des flaques d'eau de pluie et des carcasses décharnées d'oiseaux ou de lièvres. Quand un bateau, qui s'était abrité le long de la côte pour échapper à l'orage, entra finalement au port de Leith, on amena aussitôt son chargement à l'armée, mais il ne contenait que du vin. Dans un moment de folie, le roi fit distribuer les barriques à l'infanterie mécontente et la soûlerie qui s'ensuivit dégénéra en bagarre entre soldats anglais et gallois, puis en émeute qui fit plus de cent morts. Ce qui avait commencé comme une marche pleine d'aplomb vers le nord pour affronter et détruire un ennemi se réduisait désormais à une lutte de tous les instants pour rester en vie.

Pour finir, alors qu'il semblait que l'armée anglaise allait périr sur place, ou se saborder, des charrettes de céréales, de pain et de bière firent leur entrée dans le camp de Leith sous les acclamations. Plus tard ce jour-là, alors que les estomacs étaient pleins et les esprits apaisés, une compagnie dirigée par le comte Patrick de Dunbar et le comte d'Angus arriva. Les deux Écossais restés fidèles à Édouard savaient où se trouvait l'ennemi. Wallace et ses forces stationnaient à environ dix miles du camp, près de la ville de Falkirk.

En regardant devant lui, par-delà les troupes de son père, Humphrey vit les bannières du roi hissées haut dans le ciel pâle de l'aube, trois lions d'or sur fond rouge. Édouard et ses chevaliers composaient l'avant-garde. La nuit précédente, après avoir quitté le domaine du Temple, l'armée anglaise avait campé dans des champs, à la belle étoile. Le roi s'était allongé à même le sol, parmi ses hommes, et dans le noir son destrier, Bayard, lui avait marché dessus et brisé deux côtes. La nouvelle de sa blessure avait fait le tour de l'armée et inquiété les hommes. Néanmoins, le roi avait dissipé leur inquiétude. Son page l'avait enveloppé dans une cotte de mailles plates rigide et il était monté en selle, faisant l'admiration des troupes qui l'observaient. Humphrey nota qu'il se tenait raide sur sa monture et qu'une grimace tordait son visage chaque fois que Bayard faisait une embardée sur le sol inégal, mais il était clair que rien ne ferait dévier le roi de sa cible.

À la suite de l'avant-garde avançaient les comtes et leurs suites. Parmi eux, sir John de Warenne se faisait discret. Il était humilié par sa défaite à Stirling et, Cressingham étant mort, il avait essuyé seul la colère du roi. Après les comtes, cinquante Templiers arboraient leurs manteaux d'une blancheur éclatante, ornés des fameuses croix rouges. Après venaient les archers : arbalétriers de Gascogne, chasseurs de la forêt de Sherwood, tireurs à l'arc long venus du sud du pays de Galles. Un immense convoi de chariots tirés par des chevaux de trait faisait un vacarme assourdissant sur la terre tassée. Et les vingt-cinq mille hommes de l'infanterie marchaient derrière en une suite ininterrompue de colonnes.

C'était une immense armée, comme Humphrey n'en avait encore jamais vu. Elle s'étirait derrière lui, les bannières et les lances scintillant au loin, et il était submergé de fierté. Il remonta un peu le bouclier au dragon sur son bras. La peur lancinante de ne pas vivre assez longtemps pour se battre contre les Écossais avait disparu et c'est un sentiment de haine irrépressible qui l'animait maintenant. La rébellion leur avait à tous laissé un goût amer, mais en particulier à Humphrey, qui s'en voulait d'avoir cru en un homme qui s'était révélé le plus grand des traîtres. Il s'était demandé avec mauvaise humeur s'il croiserait son ancien ami sur le champ de bataille, mais d'après les rapports du comte de Dunbar, Robert Bruce s'était retiré à Ayr, dont il avait fait le centre de son pouvoir. Son absence surprenait Humphrey. On disait que pratiquement toute la noblesse écossaise se battrait aux côtés de Wallace, y compris les Comyn, que le roi désirait tout particulièrement capturer pour leur faire passer le goût de la trahison. Cependant, s'ils sortaient vainqueurs de cette journée, il ne faudrait pas longtemps pour que tous les hommes qui s'étaient opposés au roi, et notamment Robert Bruce, soient traînés devant la justice.

Humphrey fut tiré de ses réflexions par des cris. Des hommes pointaient du doigt une forêt au loin. Là-bas, scintillant dans l'aube blafarde, il discerna des milliers et des milliers de lances.

Les bras du jeune homme tremblaient sous le poids de la longue lance dont il tenait la hampe entre ses mains moites. La pointe d'acier s'affaissa vers le sol.

— Lève-la, Duncan !

Duncan tourna la tête et vit que Kerald le regardait. Des veines bleues saillaient au cou de l'homme, qui était de loin son aîné. Sa main droite, solide, serrait fermement sa lance. La gauche, où il n'avait plus que deux moignons de doigts, semblait le faire souffrir. Ses récentes amputations lui avaient laissé des marques noires et renflées.

Kerald montra ses dents dans sa barbe, sans que Duncan sût si c'était un sourire ou une grimace.

— Montrons à ces chiens d'Anglais que les Écossais ont des queues en acier ! hurla-t-il par-dessus le brouhaha du champ de bataille.

Quelques-uns des hommes qui se bousculaient dans le champ éclatèrent de rire, mais les autres gardèrent le silence, chacun se concentrant sur sa lance dans l'attente de la prochaine charge de la cavalerie lourde anglaise. Les chevaliers faisaient demi-tour un peu plus loin et se regroupaient après une nouvelle tentative ratée de briser le mur formé par leurs adversaires. Des cornes retentirent et les commandants hurlèrent leurs ordres d'une voix sonore.

William Wallace avait disposé ses quatre anneaux défensifs, des schiltrons comme il les appelait, sur le haut terrain entre le bois de Callendar et les rives boueuses de la Westquarter Burn, à l'extérieur de la ville de Falkirk. Chaque anneau se composait d'environ deux cents hommes tournés vers l'extérieur en un vaste cercle. Au premier rang, les soldats agenouillés tenaient leurs lances pointées obliquement vers le ciel. Derrière, leurs camarades lançaient leurs pointes par-dessus leurs têtes. Entre les schiltrons, Wallace avait organisé de petits regroupements d'archers sous les ordres de John Stewart, le frère du grand chambellan. Là-haut, dissimulés par les feuillages des arbres, la cavalerie écossaise restait en retrait. En se tordant le cou, Duncan pouvait voir les hommes à cheval qui attendaient le signal pour faire irruption dans la mêlée. Les Anglais, eux, étaient éparpillés sur les pentes en contrebas. Duncan n'arrivait pas à savoir combien ils étaient, mais il avait l'impression que les hordes de l'enfer étaient lâchées devant lui. Au-dessus de l'immense champ de bataille, le ciel était couleur de cendre.

Levant sa lance avec effort, Duncan bloqua sa respiration. Le sol glissait à cause de la boue, qui avait éclaboussé ses chausses et sa tunique, comme celles des hommes autour de lui, et des relents de terre et de pourriture lui emplissaient les narines. Duncan se dit que c'est à cela que devait ressembler l'odeur de la tombe. Il jeta un coup d'œil aux cadavres étalés devant lui, là où la petite palissade de pieux ceinturait le schiltron. Un puissant destrier était empalé sur la barrière, les yeux révulsés, de la mousse lui sortant par les naseaux. Le chevalier qui avait conduit l'animal vers cette fin horrible était encore à moitié en selle, plié en deux sur la lance qui lui avait ôté la vie. Plus près de lui, quelques Écossais gisaient à terre. Il y avait entre autres un gars plus jeune que Duncan dont la tête avait été écrasée dans la boue, fendue en deux par une épée. L'arme était toujours fichée dans son crâne, un liquide écœurant s'écoulait sur la lame.

Duncan s'obligea à détourner les yeux avant de murmurer une prière pour se redonner du courage.

— Les voilà, ils reviennent !

Pendant que le cri faisait le tour de l'anneau, couvrant le vacarme des cornes, Duncan regarda droit devant lui la pente que les chevaliers gravissaient.

Ils se mirent d'abord au pas, sans laisser d'espace entre les destriers couverts de housses colorées dont le balancement laissait voir les mailles par-dessous. Puis ils passèrent au trot et les Écossais les distinguèrent de plus en plus nettement. De plus en plus rapide, le martèlement des sabots, qui n'avait d'abord été qu'un tambour aux battements réguliers, se transforma en un roulement dément. La terre se mit à trembler. Duncan sentait les vibrations sous ses pieds. Autour d'eux sur la colline, d'autres chevaliers se précipitaient contre les trois autres schiltrons mais il les voyait à peine. La peur contractait chacun de ses muscles. Ses mains serraient convulsivement la lance pour résister à l'impact imminent. *Dieu Tout-Puissant, épargne-moi.*

Une volée de flèches jaillit dans le ciel sur sa gauche et fila en direction des chevaliers qui déferlaient vers lui. La plupart des projectiles éclatèrent contre les heaumes et les cottes de mailles. Un cheval, qui portait une housse rayée bleu et blanc, paniqua et sortit du rang, se déportant vers le schiltron d'à côté, mais le chevalier réussit avec adresse à le ramener dans la bonne direction. Pendant que les autres continuaient leur course au galop, il se remit en ligne en éperonnant comme un fou l'animal pour l'obliger à suivre le rythme. Le monde sembla s'ébranler sous la puissance de leur assaut. Les fers pilonnaient le sol boueux, les destriers lançant leurs grandes têtes en avant avec autant d'intrépidité que les hommes qu'ils portaient. Au dernier moment, les chevaliers levèrent leur lance ou firent tournoyer leur épée lorsqu'ils se jetèrent contre les Écossais avec une brutalité inouïe. Duncan éprouva plus qu'il n'entendit la clameur des hommes autour de lui, vague sonore mugissante et incohérente. Le sang lui cognait aux tempes. Il sentait Kerald et les autres se presser contre lui, les dents serrées, les yeux exorbités, dans un mélange indistinct de désespoir et de hardiesse. Il hurla lorsque les chevaliers anglais chargèrent.

Lances contre lances. Le choc fut prodigieux.

Un Écossais, à côté de Duncan, partit en arrière, une lance anglaise l'ayant percé à la poitrine et rejeté dans les rangs de derrière. Il battit l'air de ses bras en criant. Un autre se hâta de remplir le vide qu'il avait laissé. D'autres Écossais tombèrent çà et là autour du schiltron, certains chevaliers se servant de courtes épées ou de haches pour perforer les rangs adverses avant de pivoter. La plupart des défenseurs n'avaient que des tuniques de laine ou de cuir et ces armes, vu leur élan quand ils frappaient, étaient mortelles.

Duncan entendait à peine les hurlements des blessés. Lui aussi hurlait. Sa lance s'était enfoncée dans le cou d'un cheval. La bête ruait et gémissait tandis que son chevalier tirait sur les rênes. Lorsque l'animal recula en un soubresaut, la pointe toujours dans la chair, Duncan crut que ses bras allaient s'arracher. Soudain, le cheval s'écroula sur ses pattes avant et la lance se brisa. Duncan, surpris, chancela. Le chevalier fut jeté à bas de la selle, retomba sur les pieux affûtés de la palissade et l'impact fut suffisant pour que l'un d'eux traverse sa cotte de mailles. Il se convulsa au bout de la pique en crachant du sang par la visière de son heaume. Autour des schiltrons, d'autres hommes tombés de cheval, victimes de la forêt de lances ou des montures qui les écrasaient, gisaient à terre. Les autres, ayant fait usage de leur lance ou de leur arme, tournaient bride et repartaient au galop en laissant derrière eux des masses d'Écossais à terre.

Mais chaque fois qu'un Écossais mourait, un autre venait prendre sa place et les lignes se reformaient pour remplir les espaces vides. On traînait les blessés au centre des schiltrons, où leurs camarades s'occupaient d'eux ou les achevaient au plus vite en priant pour leur âme. Les Anglais ne causaient presque aucun dommage aux anneaux défensifs et ils perdaient des hommes et des chevaux à chaque effort, comme un lion qui s'attaquerait à un porc-épic ne réussirait qu'à se blesser et à devenir de plus en plus enragé.

Duncan ramassa sa lance brisée, pris de frénésie. Le chevalier dont il avait tué le cheval se débattait sur son pieu. Il étouffait dans son propre sang. Duncan voyait le renflement de son surcot dans le dos, le pieu l'ayant traversé de part en part. Il s'efforça de combattre la nausée qui le saisissait et ferma les yeux en aspirant de longues bouffées d'air. À côté de lui, Kerald déposa sa lance et sortit du rang. Il se pencha sur le chevalier et lui ôta son heaume. C'était un jeune homme pâle et trempé de sueur. Bien qu'il eût de la peine à ouvrir les yeux, il parvint à murmurer quelque chose à Kerald entre ses dents. Le vieil Écossais prit la dague qu'il portait à la ceinture de sa bonne main. Puis il se plaça devant le chevalier, bouchant la vue de Duncan, et fit un grand geste. Duncan vit un spasme agiter le corps du chevalier et une gerbe de sang jaillir, puis l'homme s'affala sur la palissade. Kerald arracha l'outre attachée à la ceinture du chevalier et, ayant rengainé sa dague ensanglantée, il rentra dans le rang en faisant sauter le bouchon et en reniflant d'un air méfiant. Satisfait, il but avidement et arbora un sourire satisfait avant de tendre le vin à Duncan. Il était fort et doux à la fois. Duncan dut se forcer pour ne pas tout boire et en garder pour le camarade qui se trouvait à côté de lui. Des gouttes de vin dans la barbe, Kerald récupéra son arme.

À côté du schiltron, la voix tonitruante de Wallace se fit entendre, encourageant ses hommes à tenir bon.

Je vous ai amenés sur la piste, rugissait leur chef tandis qu'ils reformaient les rangs. *Maintenant, voyons si vous savez danser !*

Et pour danser, ils dansèrent. Après des mois d'oppression sous le joug anglais, à faire des courbettes aux officiers et à trembler de peur devant les soldats, après des mois à vivre comme des hors-la-loi dans la campagne, ils avaient une chance de reconquérir leur liberté. Wallace les avait déjà conduits à la victoire dans les prés de Stirling alors qu'ils semblaient voués à la défaite. Aujourd'hui, le nouveau Gardien de l'Écosse paraissait résolu à l'emporter une fois encore. Ragaillardi par les mots d'encouragement de Wallace, Duncan jeta sa lance cassée et en saisit une autre, intacte, qui traînait dans la boue. Les cornes anglaises sonnèrent à nouveau, mais au lieu de lancer une nouvelle charge, les chevaliers s'éloignèrent en direction du corps principal de l'armée, où la bannière du roi Édouard était hissée.

— Nous les tenons maintenant, grogna Kerald. Ils ne peuvent plus continuer. Ils perdent trop de chevaliers.

Duncan regarda en silence une longue ligne d'hommes courir dans le champ à la suite des chevaliers. Il plissa les yeux pour mieux voir les armes incurvées qu'ils tenaient entre leurs mains.

— Les archers, murmura quelqu'un.

Le sourire de Kerald s'effaça.

Duncan avait entendu parler des archers gallois et de la puissance mortelle de leurs armes. Il se contracta instinctivement en serrant ses bras autour de lui. Il n'avait pas de bouclier, et ses camarades non plus – ils avaient besoin de leurs deux mains pour les lances et, d'ailleurs, les anneaux étaient des boucliers en soi, ils protégeaient les hommes à l'intérieur. Comme la plupart des hommes du schiltron, Duncan n'avait presque rien qui pût faire office d'armure, si ce n'est une paire de jambières prélevée au cadavre d'un chevalier anglais après la bataille de Stirling. Il se dit qu'il aurait mieux fait de se vêtir d'une cotte de mailles.

Les archers se mirent en formation. Malgré la distance, Duncan vit que certains d'entre eux avaient des armes différentes : plus ramassées que les longues courbes des arcs.

— Des arbalètes, marmonna Kerald. Ces scélérats ont des arbalètes.

Les hommes armèrent les carreaux et les flèches. Au son d'une corne, ils tirèrent. À cet instant, le ciel devant les Écossais s'obscurcit et sembla fondre sur eux. Duncan ferma les yeux et se recroquevilla, sa lance inutilement tendue devant lui. Il sentit le souffle des projectiles tout autour de lui et entendit les cris qui fendaient l'air. Un violent impact sur le côté le fit tomber. L'espace d'une seconde, il crut qu'il avait été touché et il serra les dents pour anticiper la douleur qui, il le savait, n'allait pas tarder. Mais comme elle n'arrivait pas, il rouvrit les yeux et comprit qu'il avait chuté à cause de Kerald. Le vieil Écossais avait un carreau planté dans le visage. Il lui avait fracassé la joue, juste sous l'œil. Pris de convulsions, Kerald, par son poids, enfonça un peu plus Duncan dans la boue et ce dernier poussa un cri. D'autres volées de flèches s'abattaient. Les hommes mouraient les uns après les autres. Le schiltron le plus proche du leur se défaisait sous les salves. Duncan essaya de repousser le corps de Kerald, mais quelqu'un d'autre était étendu sur sa jambe et l'empêchait de bouger. Il était cloué au sol. Face contre terre, la boue humide et glaciale s'immisçait entre ses lèvres. Dans sa panique, il vit la cavalerie anglaise former une ligne et s'élancer dans sa direction.

La terre recommença à trembler.

Chapitre 62

Monté sur son destrier gris au milieu de la cavalerie écossaise, James Stewart regardait avec effroi les archers gallois décocher leurs flèches. Les premiers rangs à l'extérieur des schiltrons reçurent la salve initiale de plein fouet. Les hommes touchés furent tout bonnement catapultés vers ceux de derrière. Des trous apparurent instantanément, entre les morts et les blessés, sans compter ceux qui lâchaient leur lance et se jetaient au sol dans l'espoir d'esquiver la grêle assassine.

— Seigneur, sauve-nous, murmura quelqu'un.

James l'entendit à peine. Il se dressa sur ses étriers. Les archers écossais sous les ordres de son frère répondaient aux Anglais avec leurs propres flèches. Mais il fut clair dès les premiers tirs qu'ils n'auraient que peu d'effet sur l'ennemi. Leurs arcs étant plus puissants, ils pouvaient rester hors de portée. Une corne retentit par-dessus les cris de détresse. James en reconnut le son grave et long. C'était la corne de Wallace – le signal pour la cavalerie de se jeter dans le combat. Ceux qui l'entouraient l'entendirent aussi et ils rabattirent leur visière en raccourcissant leur prise sur les rênes.

— Attendez ! hurla John Comyn en pointant son épée vers la colline où les chevaliers anglais se regroupaient sous les bannières des comtes de Lincoln, de Hereford, de Norfolk et de Surrey.

Un étendard était plus grand que les autres. D'un rouge délavé, il arborait un dragon jaune en son centre. Les archers gallois avaient cessé de tirer. Dirigés par les comtes, les chevaliers chargèrent les schiltrons, qui ne formaient plus des anneaux impénétrables, mais des masses d'hommes désorganisés et livrés à eux-mêmes.

— Il faut les aider ! s'écria James.

— Nous ne pouvons pas l'emporter, rétorqua lord de Badenoch, les yeux braqués sur la compagnie de chevaliers anglais lancés au galop sur la colline.

Deux schiltrons s'étaient démantelés avec la première charge, les Écossais s'éparpillaient. La corne de Wallace retentit une nouvelle fois. Élevant la voix, John Comyn s'adressa aux hommes autour de lui :

— La bataille est perdue. Tout espoir est perdu, il ne nous reste qu'à battre en retraite.

— Nous ne pouvons pas les livrer à une mort certaine ! protesta James.

Quelques chevaliers clamèrent qu'ils étaient d'accord, mais d'autres filaient déjà en direction des bois, fuyant les Anglais.

— Vous n'êtes que de sales lâches ! s'égosilla un homme de Wallace.

Sortant des rangs, il lança son cheval le long de la colline, suivi par une poignée de commandants de Wallace. Ils lancèrent un cri de bataille à pleins poumons en partant. Quelques chevaliers anglais qui galopaient vers les schiltrons dévièrent de leur trajectoire pour les contrer. Les anneaux défensifs avaient vécu de toute façon, les Écossais éparpillés grimpaient la colline en courant pour se mettre à l'abri dans les bois. Les soldats de l'infanterie galloise s'élancèrent à leur poursuite dans le champ boueux.

Lorsque les chevaliers anglais dirigèrent leurs chevaux vers la cavalerie écossaise, John Comyn fit pivoter son cheval et s'éloigna, suivi de son fils. Leur départ donna le signal d'un exode massif dans les rangs, nombre d'hommes étant des partisans voire des parents de lord de Badenoch.

Malcolm, le beau et jeune comte de Lennox, croisa le regard de James.

— En quoi serez-vous utile à votre roi, sir James, si vous êtes enfermé dans la cellule à côté de la sienne ? lui demanda-t-il.

Tandis que Lennox et ses chevaliers s'enfonçaient dans les bois de Callendar, James s'attarda quelques instants. Il scruta la foule, cherchant son frère, quelque part dans ce chaos.

— Sir ? s'enquit l'un de ses hommes dont le regard passait du chambellan aux chevaliers anglais qui se rapprochaient de plus en plus.

James cria de frustration, fit faire un rapide demi-tour à son coursier et s'enfuit à son tour entre les arbres.

Tout l'empire qu'avait Wallace sur ses hommes se délita en quelques minutes, lorsque la terreur désintégra les forces écossaises. Les flèches et les lances jonchaient le sol, où beaucoup d'Écossais gisaient morts. Les cris des blessés se mêlaient en un seul immense hurlement. Ceux qui avaient survécu aux salves que les archers avaient fait pleuvoir sur les schiltrons rampaient au milieu des cadavres de leurs camarades pour échapper à la charge des chevaliers. Certains coururent vers les bois, d'autres vers la rivière au bas de la colline. Là, les berges vaseuses, d'une profondeur parfois insoupçonnable, les attendaient. Le champ de bataille choisi par Wallace en raison de la protection naturelle qu'offrait le cours d'eau était devenu un piège pour les hommes. Ceux qui arrivaient au bord de la rivière y sautaient désespérément en espérant atteindre l'autre rive, mais la plupart s'enlisaient. Prisonniers de la bourbe pestilentielle, ils devenaient des cibles faciles pour les archers gallois.

Les Chevaliers du Dragon cavalaient dans ce chaos, le monstre entouré de flammes scintillant sur leurs boucliers dans le matin blafard. Ils attaquaient avec leurs pères, qui avaient une place autour de la Table Ronde. Ils attaquaient pour leur roi.

Aymer de Valence était à la tête des hommes de Pembroke, qui servaient presque tous son père depuis des décennies. Sa bannière aux rayures bleues et blanches flottant au-dessus de lui, il mena un assaut foudroyant sur les archers de Wallace et traversa leurs rangs sans difficulté. Aymer de Valence planta lui-même sa lance dans la poitrine de John Stewart, lequel, projeté en arrière, roula encore et encore sur le sol avant que les sabots du destrier ne lui fracassent le crâne. Laissant le corps démantibulé du frère du chambellan derrière lui, Aymer tira son épée et se mit à tailler en pièces les archers en fuite. Tout en s'adonnant à sa sinistre tâche, il beuglait férocement.

Henry Percy, exalté par la chance qui lui était offerte de venger l'humiliation subie par son grand-père à Stirling, se lança dans la mêlée avec les chevaliers de ses domaines du Yorkshire. Quelques Écossais se retournèrent pour faire front. L'un d'eux parvint à toucher un cheval au flanc. L'animal s'effondra, ainsi que son cavalier. L'Écossais reçut la pointe d'un autre chevalier dans la gorge une seconde plus tard, et de grandes gerbes de sang saluèrent sa fin. La noblesse écossaise avait fui, il n'y avait plus que la masse des paysans promise au massacre. Ces hommes n'avaient plus que l'espoir de s'échapper, ou de mourir rapidement. Le roi Édouard voulait qu'on prenne vivants Wallace et les meneurs de l'insurrection, mais dans une telle débâcle, il était difficile de garantir le sort de qui que ce fût.

Humphrey de Bohun, le visage dégoulinant de sueur dans son heaume, chargea avec les hommes de son père le long des pentes basses de la colline, où les Écossais couraient vers la rivière. Il savait que la bataille était gagnée. Maintenant, leur travail consistait à tuer tous les ennemis présents. Humphrey, ayant déjà utilisé sa lance, serrait son épée dans son poing. Il la plongea victorieusement dans le cou d'un homme qui fuyait devant lui et sentit l'onde de choc dans son bras. Décapité, l'Écossais s'effondra derrière lui. Plus loin, le père de Humphrey poursuivait un groupe de lanciers qui dévalait vers le cours d'eau. Le comte les pourchassait avec acharnement, sa lance penchée vers le sol. Tout à coup, son cheval s'écroula sous lui.

Humphrey poussa un cri en voyant son père tomber. Le destrier, déjà d'un poids énorme, auquel il fallait ajouter la housse de mailles, la selle et Hereford lui-même en armure, avait plongé dans un trou de vase. Hurlant à ses hommes de le suivre, Humphrey talonna son cheval pour rejoindre son père, qui avait lâché sa lance et essayait de faire sortir l'animal de la fange. La bête hennissait et s'enfonçait davantage à chaque mouvement de tête désespéré qu'elle faisait. Trois lanciers écossais que le comte traquait un instant plus tôt se retournèrent vers lui. Plus légers et plus agiles, n'ayant pas d'armure pour entraver leurs gestes, ils n'étaient embourbés que jusqu'aux genoux. Humphrey voulut prévenir son père. Son appel se répercuta, assourdissant, à l'intérieur de son heaume tandis que deux des lanciers visaient son père.

Le comte réussit à repousser l'une des lances avec son bouclier, mais l'autre le frappa aux côtes. La force du coup fit sauter les mailles et la pointe pénétra dans la chair. Ce n'était pas une blessure fatale, son armure lui avait évité le pire, mais l'impact poussa un peu plus le cheval dans la vase, jusqu'au cou, et fit perdre l'équilibre au comte. Il bascula du mauvais côté, vers l'ennemi, et la pointe s'enfonça dans ses muscles, perforant ses poumons.

Humphrey poussa un hurlement en voyant son père se plier sur lui-même et glisser de la selle. L'Écossais lâcha sa lance et poursuivit laborieusement son chemin avec ses camarades vers la rivière. Arrêtant net son cheval, Humphrey sauta à terre comme il pouvait et s'avança dans la vase sans écouter les appels de ses hommes. La mélasse le happa rapidement et monta jusqu'à ses cuisses. Son père était un peu plus loin, à moitié submergé, la lance toujours plantée dans les côtes, le visage enfoncé dans la tourbe. Humphrey avançait en ahanant. Le sol s'affaissa soudain sous ses pieds et la vase atteignit sa poitrine. Son père était encore à quelques pas et l'on ne voyait plus que ses cheveux et la bosse de son dos. La vase l'avalait. Humphrey sentit la panique l'envahir. Des bras l'empoignèrent, il cria et se débattit. Son père était englouti. Le surcot bleu rayé de blanc demeura visible encore quelques instants à la surface, puis lui aussi disparut.

Chapitre 63

Les roues du chariot glissaient sur le sol détrempé. Les bœufs courbaient la tête sous l'orage, leurs sabots s'enfonçant dans la boue mêlée d'argile rougeâtre. Robert, l'eau dégoulinant sur son visage, avait les yeux braqués sur les tas de poutres à l'arrière du chariot, destinées à la nouvelle palissade d'Ayr.

— Quatre autres chargements doivent arriver aujourd'hui, sir. Le reste sera là d'ici la fin de la semaine.

Robert regarda l'homme qui se tenait à côté de lui, courbé sous la pluie, un charpentier du coin dont il avait fait son maître d'œuvre.

— Je veux que vous commenciez à travailler dès demain sur les baraquements, dit-il en se tournant vers les bâtiments en bois qui se dressaient derrière eux, sur les berges de la rivière qui coulait, paresseuse, vers l'estuaire au nord de la ville.

Henry Percy les avait fait construire pour ses hommes, Robert les avait repris pour les siens après que la ville eut été libérée.

— Quand ce sera fait, vous vous consacrerez aux défenses de la ville.

Le maître d'œuvre opina. Levant la main pour héler

les charretiers, il alla à leur rencontre pour les diriger à travers le terrain boueux de la cour.

Robert laissa errer son regard sur les rives où le bétail paissait. Malgré la pluie, il sentait l'odeur âcre de fumier et d'urine qui se dégageait de la tannerie, par-dessus celles des embruns et du bois en feu. De la fumée s'élevait au-dessus de la plupart des maisons à clayonnage dont il apercevait les toits couverts de joncs et de genêts. Ayr était progressivement revenu à la vie après le départ des troupes de Percy et l'espoir avait timidement refait surface. Cependant, tous accueilleraient avec soulagement la nouvelle palissade, car l'avenir du royaume demeurait incertain et ils n'avaient pas la moindre idée de la façon dont Wallace et son armée s'en étaient sortis face aux Anglais.

Robert bouillait d'impatience. Il n'avait pas reçu la moindre nouvelle depuis qu'il avait quitté la forêt de Selkirk. Dans les semaines qui avaient suivi son retour à Ayr, il s'était demandé s'il n'aurait pas mieux fait de rester auprès du nouveau Gardien de l'Écosse. Il lui paraissait futile d'avoir adoubé Wallace avec cette solennité un peu ridicule pour se retirer une nouvelle fois dans l'anonymat. Il avait pensé s'impliquer dans la campagne des Écossais – histoire de prouver sa valeur comme meneur d'hommes et de démontrer, une fois pour toutes, son attachement au royaume. James Stewart l'avait convaincu de n'en rien faire. Le chambellan l'avait persuadé de ne pas trop se mêler des affaires de Wallace et des Comyn, lui conseillant plutôt de grossir son armée de partisans jusqu'à ce que le temps soit venu d'annoncer son ambition. Robert se sentait un peu frustré, mais il ne pouvait nier l'intelligence du chambellan. Pour que son plan ait une chance de réussir, il devait conserver son intégrité, et pour cela il lui fallait rester à l'écart de ceux qui se battaient toujours pour le retour de Balliol.

Le chariot s'arrêta, les bœufs meuglèrent et Robert entendit au même moment qu'on l'appelait. Christopher

Seton arrivait près de lui. Les cheveux blonds de l'écuyer, mouillés, étaient plaqués sur son front et des gouttes d'eau coulaient le long de son nez. Il avait l'air grave.

— Mon cousin a besoin de vous voir, Robert. À vos appartements.

— Pourquoi ? demanda Robert en fronçant les sourcils.

Christopher fixait le sol. Il ne voulait pas croiser son regard.

— Il dit que c'est important. Sir, il veut que vous alliez le voir. Aussi vite que possible.

Christopher ne s'adressait plus aussi formellement à lui depuis longtemps. Cela mit Robert mal à l'aise.

— Très bien.

Après avoir dit un mot au maître d'œuvre, il quitta les berges avec Christopher, leurs bottes s'enfonçant dans la boue. Les baraquements fourmillaient d'hommes et de femmes. Toute sa compagnie l'avait suivi là quand il avait quitté la forêt, et les épouses des chevaliers les avaient rejoints. Dans les écuries bondées, les palefreniers balayaient la paille salie et remplissaient les auges d'eau. Un groupe de chevaliers de John d'Atholl, abrité sous l'avancée du toit d'un bâtiment, jouait aux dés. Ils saluèrent Robert d'un hochement de tête tandis qu'il se dirigeait vers la grande salle où il avait pris logis.

Trempé jusqu'aux os, Alexandre l'attendait devant la porte.

— Que se passe-t-il, mon ami ? lui lança Robert en le rejoignant.

De l'intérieur de la salle lui parvinrent les pleurs étouffés de sa fille. Le chevalier avait un air sinistre et la première pensée de Robert en entendant les cris de Marjorie fut qu'elle était concernée.

— Au nom du Christ, Alexandre, répondez-moi ! C'est Marjorie ?

Il passa devant le chevalier, qui le retint par le bras.

— Cela n'a rien à voir avec votre fille, Robert.

La voix d'Alexandre était réduite à un murmure.

— Je dois vous montrer quelque chose.

De plus en plus troublé, Robert le laissa pousser la porte. Il entra et scruta brièvement l'intérieur de la pièce. Celle-ci servait à recevoir des invités. Il y avait quelques tabourets, mais c'étaient pour ainsi dire les seuls meubles. Il n'avait ni le temps ni le goût de l'améliorer, et d'ailleurs il n'avait pas l'intention de rester pour toujours dans cette petite ville côtière. Il n'était presque jamais là, sauf pour dormir, toutes ses heures étant consacrées à l'administration de la ville et de son comté.

Il remarqua que Judith s'était levée brusquement en voyant la porte s'ouvrir. Elle berçait Marjorie dont il discernait le petit visage rougeaud. Marjorie cria plus fort en découvrant son père et elle tendit les bras vers lui. Judith bégaya quelque chose que Robert ne comprit pas, et il entendit tout de suite après un autre cri derrière la porte de sa chambre à coucher. Passant devant Judith, Robert entra.

Sa chambre était la plus grande des trois pièces qui composaient la grande salle. Elle s'étirait devant lui, éclairée par quelques bougies. Il y avait une table et un banc où il prenait ses repas, près d'un feu qui crépitait dans la cheminée de terre cuite. Les reines-des-prés dont le sol était couvert se collèrent à la boue de ses bottes. Des vêtements pendaient à une perche, les siens et ceux de Katherine. Plusieurs coffres contenant son armure et son épée étaient empilés entre deux poteaux encastrés dans le mur. Une carafe en verre bleu était posée sur la table, à côté de deux coupes et des reliefs d'un repas qui n'étaient pas là quand il était parti, plus tôt dans la matinée. Les bougies étaient presque entièrement consumées. Robert enregistra toutes ces informations en quelques secondes, puis il entendit de nouveau le petit cri et ses yeux allèrent vers le lit qui se trouvait contre le mur opposé. De grands rideaux suspendus à une poutre du plafond le dissimulaient à la vue. Les reines-des-prés couvrirent le bruit de ses pas. Arrivé près du lit, Robert saisit les rideaux et les écarta.

Katherine était dans le lit, nue, le visage empourpré tourné vers le ciel, les yeux mi-clos. Étendue sous un homme dont les mains empoignaient ses cuisses ouvertes. Le bruit des rideaux lui fit ouvrir les yeux. Elle passa du plaisir à l'horreur en une fraction de seconde et elle se démena pour se dégager de l'homme, qui fit volte-face et poussa un juron à la vue de Robert. Katherine se recroquevilla et attira le drap sur son corps pour le couvrir. L'homme, que Robert reconnut comme un des paysans du coin qu'il avait engagés pour travailler sur les fortifications, rampa à quatre pattes hors du lit et ramassa ses braies, jetées à même le sol. C'était un jeune homme assez beau, il n'avait pas dix-huit ans. Sa virilité fièrement dressée commençait déjà à mollir entre ses jambes. Il enfila sa culotte et serra la corde à sa taille pendant que Robert le toisait en silence. Katherine respirait comme une bête prise au piège. Ses yeux se posèrent un instant sur Alexandre, qui se tenait derrière Robert.

La haine qu'il y lut fit que Robert se retourna. Il avait oublié la présence du lord dans son dos. Christopher l'avait suivi, lui aussi.

— Vous saviez, leur dit-il d'une voix morne, étrangement calme.

— Je suis désolé, mon ami, répondit Alexandre sans détacher les yeux de Katherine, qui lui lançait toujours un regard noir. Mais il fallait que vous le voyiez par vous-même.

— Sale serpent ! cracha-t-elle. Vous m'espionnez ?

Avisant un vêtement roulé en tapon au bord du lit, Robert se baissa et le ramassa. C'était une des robes de Katherine. Elle était courte et serrée, comme à son habitude. Il la lui jeta.

— Habille-toi.

— Robert, s'il te plaît, murmura-t-elle en changeant de ton.

Il se détourna tandis qu'elle enfilait la robe en tentant de l'amadouer.

— Je t'en supplie.

Lorsqu'elle fut vêtue, elle fit le tour du lit pour se planter devant lui.

— J'étais seule. Tu n'es jamais ici. Pas pour moi. Seulement pour tes hommes.

Elle lui effleura le bras, timidement.

— Sors d'ici.

Elle posa doucement la main sur son poignet.

— Robert, je t'en prie, je...

— Je t'ai dit de partir...

— J'attends un enfant, annonça-t-elle soudain en se mettant à sangloter.

— Un enfant ? rétorqua-t-il d'une voix de marbre. De qui est ce bâtard ?

Katherine blêmit, puis elle changea de stratégie.

— Qui s'occupera de ta fille ?

Elle se tourna vers Judith, debout sur le seuil, qui serrait Marjorie dans ses bras.

— Tu crois qu'elle en est capable ? La pauvre fille s'écroulerait si je n'étais pas là pour la faire marcher droit.

— Tu n'as plus à t'inquiéter de ma fille.

— Et où vais-je aller ? Comment vais-je survivre ?

— Je suis certain que tu pourras exercer tes talents dans n'importe quelle ville.

Katherine le dévisagea un moment, déglutit avec difficulté, puis elle alla prendre sa cape sur la perche. Le souffle court, elle enfila une paire de chaussures et récupéra quelques affaires qu'elle fourra dans un sac. Robert n'essaya pas de la retenir. Le jeune amant de Katherine était resté près du lit, contre le mur. Il avait enfilé sa tunique et semblait chercher une autre issue.

Katherine bouscula Alexandre en se dirigeant vers la porte.

— *Salaud,* lui dit-elle entre ses dents avant de sortir sous la pluie.

Quelques instants plus tard, le jeune homme, les bottes à la main, tenta une sortie discrète. Robert avait l'intention de le laisser partir, mais sa colère explosa subitement et il se mit à serrer le cou du garçon d'une clé de bras. Indifférent aux cris d'Alexandre, il le traîna jusqu'à la cour. Alexandre et Christopher se hâtèrent de le suivre. Le garçon hurlait, implorait son pardon. Robert le projeta au sol et lui donna un violent coup de pied dans l'estomac. Il se plia en deux, le visage tordu par la douleur. Plusieurs chevaliers d'Atholl couraient dans la cour, attirés par la bagarre. Sans tenir compte de leurs cris, Robert saisit le garçon par la tunique et le releva pour lui donner un coup de poing. Alexandre posa sa main sur son épaule. Robert fit face à son compagnon, qui voulut esquiver, mais Robert ne le frappa pas : il lui prit son épée. Lorsqu'il se retourna vers le garçon qui se débattait dans la boue, terrorisé, Alexandre réussit à saisir son bras et à arrêter son geste.

— Il a pris ce qui s'offrait à lui, Robert. Il n'aurait pas dû. Mais il ne mérite pas de mourir.

Le jeune homme se remit péniblement debout. Sa tunique était déchirée. Abandonnant ses bottes tombées par terre, il se rua à travers la cour. Deux chevaliers qui observaient la scène s'apprêtaient à l'appréhender, mais Alexandre leur cria de le laisser partir.

Robert reporta sa fureur sur lui.

— Pour qui vous prenez-vous ?

— Je fais partie des hommes qui ont pris le risque de tout perdre pour vous soutenir, répliqua Alexandre sans se démonter. Je pense que vous pouvez devenir roi, Robert. Mais il faut que vous commenciez par y croire.

D'autres voix se firent entendre dans la cour. Robert tourna la tête et vit son frère et John d'Atholl arriver, suivis par Walter et plusieurs chevaliers de Carrick. Ils avaient l'air tendus. Il crut qu'ils étaient là à cause de l'altercation, mais il avait tort, comme il le comprit quand John prit la parole.

— Nous avons des nouvelles. L'armée de Wallace a été vaincue à Falkirk. Des milliers d'hommes sont morts.

— Et Wallace ? demanda Alexandre en oubliant Robert.

Christopher s'était rapproché.

— Nous n'en savons rien, répondit Édouard en dévisageant son frère. La cavalerie, sous les ordres de Comyn, s'est enfuie du champ de bataille sans même y prendre part. Ces bâtards ont préféré sauver leur peau et laisser les autres se faire massacrer.

— Et le roi Édouard ? s'enquit Robert. Est-ce que vous me dites que l'Angleterre contrôle le royaume ? Que nous avons perdu l'Écosse ?

— Rien n'est sûr. Ce que nous savons, c'est que les Anglais arrivent.

Robert réfléchit.

— Il vient me chercher, marmonna-t-il au bout d'un moment.

Son beau-frère acquiesça.

— Maintenant, vous êtes le seul qui soit dangereux pour lui.

— Mais la nouvelle palissade n'est même pas construite, dit Christopher d'une voix rauque. Nous ne pouvons pas défendre Ayr.

— Que suggérez-vous que nous fassions ? le rabroua Édouard. Fuir comme des lâches ? Laisser cette ville et tous ceux qui s'y trouvent à la merci de votre roi sans foi ni loi ?

Alexandre s'interposa, glacial.

— Mon cousin fait partie de la compagnie, tout comme vous. Peu importe où il est né.

Robert les écoutait s'affronter en silence. La pluie coulait sur la lame qu'il serrait dans sa main. Derrière lui, dans la salle, sa fille criait. Au-dessus des baraquements, des volutes de fumée s'élevaient des maisons. Il pensa à la vague d'optimisme qui était née ici ces derniers mois. Puis il songea aux chariots chargés de bois qui attendaient sur les berges de la rivière.

— Brûlons-la.

À ces mots, les hommes cessèrent de se quereller. Robert les observa les uns après les autres et répéta, d'une voix grave.

— Brûlons la ville et allons dans les collines, là où les Anglais ne pourront pas nous suivre. Nous irons chercher le chambellan, s'il a survécu à la bataille.

— Fuir ? s'écria Édouard en secouant la tête.

Robert soutint son regard.

— Nous ne pouvons pas battre les Anglais. Pas encore. La seule chose que nous puissions faire, c'est de ne leur laisser aucune nourriture ni aucun endroit où s'abriter. Plus les ravitaillements doivent faire du chemin, plus il est difficile pour eux de subvenir à leurs besoins.

John d'Atholl hocha la tête.

— Je vais l'annoncer à mes hommes. Nous allons commencer l'évacuation de la ville immédiatement.

Sans un mot, Robert rendit son épée à Alexandre et s'éloigna avec Atholl.

Tandis que les autres se dispersaient sous la pluie, Alexandre resta en arrière avec Christopher. Quand ils furent partis, il rengaina son épée, sortit une bourse de la poche pendue à sa ceinture et la tendit à son cousin.

— Donne-la au garçon. Il n'a pas dû aller bien loin.

Christopher, agacé, évita son regard.

— Tu y penses encore après ce que nous venons d'entendre ?

Il tourna le dos pour s'éloigner, mais Alexandre le retint par le bras.

— Je ne voulais pas m'en mêler, tu le sais, lança Christopher. Robert m'a sauvé la vie. Nous l'avons trahi !

— Ce n'est pas nous qui l'avons trahi. C'est Katherine. Nous lui avons seulement ouvert les yeux. As-tu eu beaucoup de mal à faire en sorte qu'elle couche avec le premier étalon venu ? Il n'a pas fallu longtemps au gaillard pour la mettre au lit, n'est-ce pas ? Robert n'aurait jamais écouté la voix de la sagesse. Katherine était une de ces cordes qu'il nous fallait trancher si nous voulons qu'il devienne roi. Quand cela arrivera, tu me remercieras. N'oublie pas, cousin, que nous avons autant à perdre que Robert s'il ne parvient pas à s'emparer du trône. Nous devons faire tout ce qui est en notre pouvoir pour qu'il y arrive.

Alexandre fourra la bourse dans les mains de Christopher.

— Maintenant, j'ai dit au garçon que je le récompenserai. Je tiens mes promesses.

Chapitre 64

Ils sentirent la fumée longtemps avant d'atteindre la ville. Le vent chaud portait son odeur âcre jusqu'à eux et l'horizon était barré d'une épaisse couche grise. À mesure que les immenses colonnes de cavaliers avançaient dans sa direction, les cœurs des hommes se faisaient aussi lourds que leurs membres car ils comprenaient qu'au bout de la journée, ils n'auraient qu'une maigre pitance et un abri sommaire. Ils arrivaient à bout des vivres apportés par bateau à Leith et ils s'étaient profondément enfoncés en territoire ennemi. Seuls les chardons piquants et les ajoncs épineux avaient résisté dans les champs nus, dont la poussière leur fouettait le visage.

Humphrey de Bohun faisait partie de l'avant-garde, avec les chevaliers de son père. Il avait les yeux perdus au loin dans les masses de fumée sur la mince bande lumineuse de la mer, tassée contre la côte. Cela faisait des semaines maintenant qu'il luttait contre une douleur intérieure lancinante, comme s'il avait oublié ou perdu quelque chose. Il savait qu'il s'agissait de son père, dont le cadavre avait été arraché à la boue du champ de bataille et que des chevaliers ramenaient en ce moment même au sud, en Angleterre. Le savoir n'atténuait en rien sa souffrance. Au contraire, elle ne faisait que croître, comme si le corps de son père avait été une corde dont la rupture avait déchiré quelque chose en lui.

La victoire anglaise de Falkirk avait été un grand succès, qui avait envoyé à la mort plus de dix mille Écossais. En comparaison, l'armée du roi n'avait perdu que peu d'hommes, dont les plus importants étaient le père de Humphrey et le maître des Templiers anglais, qui avait connu un sort identique dans la vase traîtresse du cours d'eau. En dépit de ce triomphe, cela avait été un combat beaucoup plus ardu que lors de sa première campagne. En outre, selon des témoins, William Wallace avait fui au nord à la fin de la bataille, vers Stirling, en suivant la cavalerie écossaise. La colère du roi Édouard quand il avait appris que Wallace et les nobles lui avaient échappé avait quelque peu modéré sa satisfaction de voir les soldats écossais écrasés comme des mouches. Le danger que courait maintenant l'armée anglaise, c'était le manque de vivres. L'espoir qu'ils avaient eu de trouver à Ayr de quoi se ravitailler flambait devant eux.

Aux abords de la ville, les champs, où aurait dû pousser le blé bien mûr sous le soleil d'août, étaient parsemés de tas carbonisés, les habitants ayant fait les récoltes pour mieux les brûler. La fumée qui s'élevait encore à certains endroits flottait au-dessus du sol tels des haillons brumeux. Les hommes tournaient la tête vers eux, la vue de ces destructions délibérées augmentant encore les tourments de leurs ventres vides.

— Je prie Dieu pour que ces rustres meurent de faim cet hiver, grogna Henry Percy.

Humphrey jeta un coup d'œil au jeune homme qui venait d'exprimer sa colère. Percy, à qui le roi avait octroyé l'Ayrshire au début de l'occupation, avait réclamé avec force qu'on pourchasse Robert Bruce, peut-être parce que Clifford et lui se sentaient fautifs de l'avoir laissé échapper à Irvine. Humphrey avait gardé ses distances, il ne s'était pas mêlé aux disputes le soir au coin des feux. La mort de son père était un poids trop lourd à porter. Mais lorsqu'ils entrèrent dans le port en ruine, ses pensées se tournèrent vers son ancien ami.

Après avoir entendu les rumeurs concernant la désertion de Robert, il avait espéré un temps découvrir que c'était un mensonge. Mais les événements d'Irvine l'avaient obligé à reconnaître la vérité : l'homme avec qui il s'était lié d'amitié et à qui il avait accordé sa confiance était un traître. Il s'en était voulu de n'avoir pas dit plus tôt à Robert que la Pierre du Destin était l'une des quatre reliques de la prophétie. Il aurait peut-être pu le convaincre de la nécessité qu'il y avait de s'en emparer, car après coup il lui avait semblé évident que Robert avait commencé à se détourner de leur cause à cette époque. Humphrey comprenait cela en partie. Après tout, la Pierre était le symbole de son droit au trône d'Écosse, un droit que leur acte avait de fait révoqué. Au cours de leur marche vers le nord, il s'était résolu à capturer Robert non seulement pour qu'il soit jugé, mais pour pouvoir lire dans ses yeux s'il les avait trahis par amour de son royaume ou en raison de sa haine du leur. Alors, il aurait enfin su s'il avait eu tort d'introduire Robert dans leur cercle, ou s'il s'était seulement montré naïf. Cependant, en parcourant les rues désertes bordées de maisons incendiées, Humphrey comprit que cet espoir était mort. L'homme qui avait brûlé cette ville voulait qu'ils souffrent en voyant le bétail sur la place du marché entassé en un bûcher d'os calcinés ; et c'était pour les rendre fous qu'il avait fait éventrer ces barriques de bière dont le contenu répandu dans les rues couvertes de cendres attirait des nuées de mouches. L'homme qui avait fait cela, qui ne leur avait rien laissé à manger, cet homme désirait qu'ils succombent sur place.

651

D'une voix sévère, le roi ordonna qu'on fouille les quelques bâtiments intacts, mais il ne paraissait que trop évident qu'il ne restait personne pour leur dire où Bruce et ses hommes étaient partis. Les Anglais n'auraient ni justice ni nourriture à Ayr. Tandis que les chevaliers mettaient pied à terre et contemplaient l'étendue du désastre, Humphrey se laissa glisser de sa selle et prit une outre de vin dans sa sacoche. Il avait chaud et le vin brûla ses lèvres gercées. Il se passa la langue dessus et sentit le goût du sang.

— Sire.

Robert Clifford hélait le roi. Le chevalier sortait d'un bâtiment en bois qui n'avait pas l'air trop endommagé.

— Vous devriez venir voir, Sire.

Clifford, d'ordinaire si maître de lui-même, semblait irrité. Humphrey suivit le roi, qui avait laissé Bayard à son page, vers la salle. Aymer et Henry étaient sur ses talons. Se penchant pour passer sous le linteau, ils pénétrèrent dans une salle de réception vide où leurs bottes de mailles résonnèrent sur le sol en terre battue. Un par un, ils se rendirent dans la pièce principale, éclairée faiblement par une unique fenêtre. Les meubles brisés étaient éparpillés sur le sol, couvert d'un tapis de reines-des-prés. Un lit se trouvait contre le mur du fond, en partie caché par un rideau.

Lorsque Humphrey se fut accoutumé à la pénombre, il vit pourquoi Clifford avait appelé le roi. Sur le mur était peinte en rouge une sorte de grande fresque. Le trait était malhabile, mais la scène était aisément identifiable : un lion rouge surgissant au-dessus d'un dragon et écrasant sa tête d'une patte puissante.

La colère assaillit Humphrey à cette vision. Il regarda le roi, dont le visage était crispé dans la pénombre.

— Sire, pardonnez-moi. J'ai choisi le mauvais homme. J'ai fait entrer un serpent.

Édouard se tourna vers lui.

— Nous l'avons tous les deux laissé entrer.

Aymer et Henry étaient animés de la même fureur. Tournant le dos à la fresque, le roi retira ses gants.

— À genoux, sir Humphrey, dit-il d'un ton résolu. Il est temps pour vous d'endosser le manteau de votre père.

Humphrey comprit aussitôt pourquoi le roi avait décidé d'accomplir cet acte solennel ici, dans ces ruines, devant cette peinture insultante. Du même coup, il l'élevait et le mettait dans l'obligation de traquer ceux qui l'avaient offensé. S'agenouillant, Humphrey retira lui aussi ses gantelets. Puis il plaça ses mains dans celles du roi et rendit hommage aux comtés d'Essex et de Hereford, ainsi qu'à l'office héréditaire de constable d'Angleterre, que son père lui avait transmis. Quand ce fut terminé, il se releva et prononça le serment de fidélité, par lequel il promettait de rester loyal à son roi souverain.

— Nous célébrerons cet événement convenablement une autre fois, déclara le roi. Pour l'heure, je dois retourner en Angleterre. Nous ne pouvons pas aller plus loin, pas sans vivres. Les Écossais sont considérablement affaiblis par la défaite de Falkirk et je reviendrai plus tard chercher le traître qui s'est enfui. En attendant, sir Humphrey, je veux que vous alliez au sud avec vos hommes, à Annandale. Détruisez le château de Lochmaben et brûlez tous les villages que vous trouverez. Il ne doit plus rien rester de ce trou à rats.

Humphrey s'inclina.

— À vos ordres, Sire.

Le roi et ses chevaliers ressortirent dans l'air saturé de fumée, laissant le lion rouge de l'Écosse rugir derrière eux.

Les trois bateaux glissaient vers le nord sur les eaux glaciales du canal. Les voiles noires ayant été sorties sous le ciel sans lune, seuls les grincements du bois et le bruit des rames indiquaient leur présence. Deux d'entre eux étaient des navires de guerre longs et minces, propulsés par quatre-vingts rameurs. Le troisième était un bateau marchand, un cogue plus large, plus rond, dirigé par deux rames à la poupe. En haut du gréement, au-dessus du pont, un homme siffla trois fois.

Le capitaine se dirigea du côté du port et regarda la mer au loin dérouler ses vagues. Il repéra des halos lumineux qui ponctuaient la ligne d'horizon.

— Maître Pietro.

Le capitaine se retourna. C'était Luca, l'un de ses plus anciens hommes d'équipage. Il avait peine à distinguer les traits de son visage dans l'obscurité.

— Il y a des bateaux aussi loin que nous pouvons voir, capitaine. Je ne crois pas que nous puissions forcer le blocus anglais sans nous faire remarquer.

Pietro hocha la tête.

— Va lui dire.

Deux heures plus tard, alors que le ciel virait du noir au bleu sombre, les trois vaisseaux s'approchaient des navires qui étaient alignés, mais seul un petit bateau de pêche aurait pu passer sans se faire remarquer. Néanmoins, l'alerte ne fut donnée que lorsqu'ils arrivèrent tout près.

Le bâtiment vers lequel ils s'avançaient était un imposant cogue anglais au mât épais, avec un château à l'avant. Un trébuchet était juché en haut du château tandis qu'un bélier en acier était suspendu au beaupré, tel un poing fendant l'air. Lorsque les trois vaisseaux furent repérés, on entendit des cris et des hommes apparurent contre le plat-bord, des lanternes et des arbalètes à la main. Pietro ordonna à son équipage de ralentir et son ordre fut transmis aux deux galères. Les trois vaisseaux se rapprochèrent et on lança les ancres par le fond. L'équipage du cogue anglais jeta des cordes aux hommes de la première galère et, dans un grand frottement de bois, les deux bateaux se rangèrent côte à côte.

Pietro, appuyé sur le plat-bord avec Luca à ses côtés, regarda les soldats anglais monter sur la galère. Certains étaient armés d'épées, d'autres d'arbalètes, et les derniers portaient les lanternes. L'un d'eux était mieux vêtu que les autres. Il portait une tunique ornée de brocart doré. Pietro supposa qu'il s'agissait du capitaine. L'homme parla brièvement avec le commandant du navire de guerre pendant que ses hommes inspectaient le vaisseau et l'équipage. Il ne fallut pas longtemps aux Anglais pour jeter des passerelles jusqu'au cogue marchand.

Pietro alla à la rencontre du capitaine, qui sauta sur le pont, flanqué de deux hommes équipés d'arbalètes. Pietro leva la main en un geste de paix.

— Vous entrez dans les eaux anglaises et devez vous soumettre à une inspection de votre vaisseau, sous l'autorité du roi Édouard.

Le capitaine fit un signe de tête vers la galère qu'il avait traversée. D'autres soldats montaient à bord et se dispersaient au milieu des bancs où les rameurs s'agitaient, mal à l'aise.

— Votre escorte m'a dit que vous arrivez de Gênes. Un long chemin...

Pietro naviguait sur la difficile route maritime de Gênes à Douvres en passant par Bruges depuis une décennie, et il savait assez d'anglais pour comprendre ce que lui disait l'homme. Après un moment, il répondit avec un accent qui obligea le capitaine à se concentrer.

— Un long chemin, oui. Mais plus sûr que par la terre pour les chargements précieux.

Le capitaine anglais scruta le bateau : une ouverture menait au pont inférieur.

— Quel chargement ?

— Du papier, répondit Pietro. Il vient d'une fabrique dans les montagnes, près de notre ville. Nous le livrons au port de Douvres.

Le capitaine hocha lentement la tête, attentif à tout ce qui l'entourait. Il semblait n'écouter qu'à moitié.

— Pourquoi naviguez-vous avec le *lupo* ? demanda-t-il en désignant les voiles noires hissées sur les mâts. On pourrait croire que vous avez quelque chose à cacher.

— Oui, répondit Pietro. Nous cachons notre chargement. La mer entre l'Angleterre et la France est dangereuse depuis que vos royaumes sont en guerre. Nous devons faire attention. Vos ennemis pourraient nous attaquer. Pour nous empêcher d'atteindre vos rivages.

— Je doute que nous gagnions la guerre avec du papier, répliqua sèchement le capitaine. Montrez-moi la cale.

Pietro et Luca escortèrent le capitaine vers les escaliers. Huit soldats anglais les suivaient, les épées tirées.

Des piles de caisses en bois occupaient une moitié de la cale, une étroite allée permettant de passer entre elles. L'autre moitié, où étaient étalées des couvertures, l'équipage en avait fait ses quartiers. Il devait y avoir une vingtaine d'hommes endormis en bas, éclairés par deux lanternes qui oscillaient, accrochées à une poutre.

— Fouillez la cale, ordonna le capitaine à ses soldats.

— Et les caisses, capitaine ? demanda l'un d'entre eux.

— Ouvrez-en six.

Pietro voulut protester, mais le capitaine anglais se tourna vers lui.

— Votre vaisseau est entré dans les eaux anglaises, il est sous l'autorité de notre roi. Nous sommes en guerre. Vous pourriez apporter des armes ou de l'argent à nos ennemis écossais. C'est notre droit de nous en assurer avant de vous laisser continuer votre voyage.

Bien qu'il n'eût compris que la moitié de ses explications, Pietro sut au ton employé qu'il aurait été dangereux de le contredire. Il laissa donc les soldats procéder à la fouille et les regarda se déplacer entre les caisses, en choisir six à différents endroits et les ouvrir pour les inspecter. Il sentit Luca se raidir près de lui. D'autres Anglais, après avoir examiné le pont supérieur, arrivaient pour les aider. Sur les ordres de leur capitaine, ils se mirent à soulever les couvertures, ce qui réveilla les hommes, et à cogner contre les parois du vaisseau à la recherche de caches secrètes. Le capitaine s'approcha des hommes qui arrachaient le couvercle des caisses. Ils en sortirent de douces feuilles de papier produites à partir de pulpe de lin. Le capitaine en prit quelques-unes et observa leurs motifs en filigrane.

— Rien que du papier, capitaine, lança un soldat au fond de la cale. Elles contiennent toutes du papier.

Le capitaine s'adressa aux hommes qui fouillaient l'autre moitié de la cale.

— Quelque chose à signaler ?

Personne ne lui répondit et il se tourna vers Pietro.

— Me voilà satisfait.

Faisant signe à ses hommes de le suivre, il grimpa l'escalier pour ressortir à l'air libre. Pietro remonta avec eux. Le ciel prenait une teinte turquoise à l'est.

Le capitaine anglais s'arrêta près du plat-bord et leva les yeux vers les voiles noires.

— À partir de maintenant, vous montrez vos couleurs. Vous n'avez plus besoin de vous montrer discret.

L'homme traversa la passerelle et regagna son vaisseau sous le regard de Pietro. La pression redescendit peu à peu après que son équipage eut remonté les ancres et que les rameurs eurent repris leur rythme. Quand les navires anglais ne furent que des petites taches sur la mer, il prit tranquillement à part un de ses marins.

— Dis à Luca que nous sommes passés.

Ayant reçu le message, Luca, qui attendait dans la cale, décrocha une des lanternes et s'avança le long des caisses, qu'il compta jusqu'à avoir repéré la sixième en partant de la droite. Les Anglais en avaient ouvert une juste à côté. Luca murmura une prière et ouvrit la caisse. Après avoir déposé le couvercle par terre, il sortit une liasse de papier qu'il posa à son tour sur le sol. Seul un tiers de la caisse était rempli de papier. En dessous, il y avait un double fond en bois. Du bout des doigts, Luca réussit à l'extraire. Au même moment, il entendit l'homme respirer.

— Vous êtes en sécurité, murmura Luca. Nous avons franchi le blocus.

Du fond de la caisse, un jeune homme maigre se déplia en grimaçant. Il avait un visage peu ordinaire, avec des traits bien définis et des cheveux noirs coupés court autour de sa tonsure, la sueur de son crâne chauve scintillant à la lumière de la lanterne. Mais c'étaient ses yeux qui attirèrent encore une fois l'attention de Luca. L'une de ses pupilles était bleu ciel et perçante, l'autre était aussi blanche qu'une perle.

— Quand arriverons-nous en Écosse ?

L'homme avait la voix cassée par le manque d'air, mais il en émanait tout de même une force qui exigeait une réponse rapide.

— Dans sept jours si le vent nous est favorable, monseigneur.

Chapitre 65

Durant les derniers jours de l'été, l'Écosse pleura la perte d'un grand nombre de ses fils. Dans les villes et les villages au-delà de la Forth, où les Anglais n'avaient pu pénétrer, le nom de Falkirk devint synonyme de souffrance. Les hommes comme les femmes prononçaient une prière quand ils l'entendaient. Cependant, quand août fut passé et qu'un automne rafraîchissant lui succéda, cette douleur commença à se cristalliser en eux, à durcir. Ils la portaient en eux, tout contre leur cœur, comme un souvenir né dans la forge de l'angoisse et qui, en refroidissant, leur aurait donné une résolution en acier trempé.

Au début de la guerre, et pendant l'occupation anglaise, beaucoup avaient continué de croire que le conflit pourrait être résolu et que le roi reviendrait prendre sa place. Ce sentiment avait culminé après Stirling, quand tout semblait possible grâce à William Wallace. Même ceux qui ne pensaient pas qu'ils puissent gagner la guerre sur les champs de bataille étaient d'avis que les conseils et les alliances pouvaient les sauver. Pendant des années, l'Angleterre avait été leur voisine et amie. Les vivants avaient oublié l'hostilité du passé, le mur qui avait séparé les deux royaumes n'était plus qu'un lointain souvenir. Avec Falkirk, plus d'un siècle de paix et de concorde avait été anéanti. À la place du mur écroulé de l'Empire romain, les Écossais en bâtirent un autre, de refus et de courage inébranlables celui-là.

Au cours de cette période, pendant que les survivants battaient en retraite dans la forêt et se regroupaient, le roi Édouard ramena ses hommes en Angleterre. La victoire de Falkirk lui avait beaucoup coûté et c'est une armée considérablement diminuée qui était rentrée en boitant à Carlisle à l'automne, les maladies et la désertion ayant fait leur œuvre depuis Ayr puisque les hommes avaient le ventre creux. Le roi avait détruit le plus gros de l'armée écossaise, mais il n'avait pas restauré son autorité. Le royaume d'Écosse était séparé en deux. Les territoires du sud de la Forth étaient aux mains des Anglais, les châteaux d'Édimbourg, Roxburgh, Berwick et Stirling étant tenus par les hommes du roi, tandis que tous ceux au nord de la grande rivière demeuraient écossais. Après avoir renforcé ses garnisons et fait du comte Patrick de Dunbar le Gardien du sud de l'Écosse, Édouard était retourné à York, siège de son gouvernement, pour préparer sa prochaine campagne.

Les exclamations fusaient dans la clairière. L'assistance brandissait ses poings serrés. La colère et la frustration étaient le lot commun. Certains portaient les cicatrices de la bataille, les guenilles incapables de cacher les plaies suppurantes. D'autres étaient seulement marqués par la fatigue des semaines passées à battre la campagne ou à se cacher dans les bois, à vivre au jour le jour. Au centre de la foule se tenaient le chambellan et l'évêque de Glasgow, ainsi que William Wallace et Robert Bruce. Tous étaient venus pour décider de l'avenir du royaume. Mais ils semblaient incapables de se mettre d'accord.

— Personne ne peut contester ce qu'a fait sir William. Pas un lord, pas un baron, ni même, oui, un *évêque* n'en a fait autant pour le royaume ! s'époumonait Wishart. Il a le droit de rester Gardien de l'Écosse !

Plusieurs hommes voulurent répondre en même temps. James Stewart fut le plus prompt.

— Personne ne le conteste, monseigneur, mais les circonstances ont changé et je crois que nous devons regarder dans une nouvelle direction.

John d'Atholl et Alexandre Seton l'approuvèrent avec force hochements de tête. Le comte Malcolm de Lennox, entouré de ses chevaliers habillés de noir, fit part de son opinion.

— Après la mort du roi Alexandre, nous avions six Gardiens. Un équilibre des pouvoirs du même genre ne serait-il pas une solution plus raisonnable que le gouvernement d'un seul homme ?

— Le Conseil des Douze offrait certes un équilibre des pouvoirs, répondit Gilbert de la Hay. Nous avons vu ce que cela a donné.

Neil Campbell, qui, comme Hay, était un allié fidèle de Wallace, opina bruyamment.

Robert jeta un coup d'œil en coin à William Wallace, qui se tenait au milieu de la foule surexcitée. Ses bras musculeux et nus jusqu'aux épaules étaient constellés de blessures reçues à Falkirk. Une cicatrice courait le long de sa joue, sillon rouge allant de son arcade sourcilière à la lèvre, peut-être due à un coup d'épée. Robert trouvait que le jeune homme avait l'air épuisé physiquement, mais surtout moralement.

— Rien ne sert de changer de chef, lança Gray, un autre commandant de Wallace, d'une voix tonitruante. Nous devons réunir nos forces, non les diviser. Les Anglais reviendront finir ce qu'ils ont commencé. Nous devons nous préparer à les recevoir.

— Je propose que nous envoyions une délégation porter une requête à la curie papale et que nous demandions le soutien de Rome, dit soudain Gartnait de Mar. Ce serait la preuve que nous contrôlons toujours notre royaume et que nous sommes unis face à la tyrannie du roi Édouard. Le chambellan a raison. Élisons d'autres hommes aux côtés de sir William.

Il désigna James et Wishart.

— Peut-être le chambellan, et vous, monseigneur ? C'est vous qui avez le plus d'expérience parmi nous. Sa Sainteté vous écouterait.

James leva les mains pour calmer les applaudissements qui s'élevaient.

— Je pense personnellement qu'il est temps d'apporter du sang neuf.

Il se tourna vers Robert mais n'eut pas le temps de poursuivre : déjà un homme d'allure revêche avec un moignon à la place de la main droite prenait la parole.

— Sir William a tout sacrifié pour nous conduire à la guerre ! Il a perdu son cousin et bien d'autres de ses parents à Falkirk. Pourquoi ? Parce que les nobles ont déserté le champ de bataille et ont laissé les nôtres mourir ! Ces hommes ne peuvent pas parler en notre nom.

Une clameur d'approbation déferla des rangs du fond, en grande partie occupés par les soldats.

— C'est vous qui avez perdu cette guerre, pas nous ! vociféra l'homme, encouragé par l'écho que recevait sa harangue. Et maintenant vous voulez nous punir pour votre propre couardise ?

— Assez ! cria James. Nous avons tous perdu des proches et des compagnons.

Le chambellan semblait porté par l'émotion qu'avait fait naître en lui le souvenir de son frère John.

— Personne n'a le monopole du chagrin.

Le silence tendu qui suivit fut rompu par une voix.

— J'ai pris ma décision.

Tous se tournèrent vers William Wallace, les hommes du dernier rang se hissant sur la pointe des pieds pour l'apercevoir.

— Notre armée a pour l'essentiel été détruite. Si les Anglais lançaient une offensive demain, nous ne pourrions pas nous battre contre eux. Nous devons retrouver notre force.

Wallace examina, visage après visage, l'assemblée et s'arrêta sur Robert.

— Sir Gartnait a raison. Il est de temps de chercher de l'aide ailleurs si nous voulons poursuivre notre lutte. Je vais renoncer à mon titre de Gardien de l'Écosse et partir en France. Nous ne devons pas laisser le roi Philippe oublier notre alliance, quel que soit le pacte qu'il a passé avec Édouard. De Paris, j'irai à Rome porter personnellement une requête au pape.

Sur ces mots, il pivota sur ses talons et s'éloigna. Les hommes gardèrent le silence un instant, puis des voix s'élevèrent, certains demandant à Wallace de changer d'avis, d'autres tentant seulement de se faire entendre.

Robert profita de la confusion pour s'extraire de la foule. Devant lui, Wallace marchait à longues foulées vers les arbres. Ces derniers jours, depuis son arrivée dans la forêt de Selkirk, Robert avait eu de longues discussions avec James Stewart à propos du rôle de Gardien. Il savait qu'en proposant à Wallace de se retirer, il lui préparait le terrain. Et il voulait se montrer magnanime.

— Sir William.

Wallace tourna la tête en arrière, mais ne s'arrêta pas.

Robert accéléra le pas, les feuilles mortes craquant sous ses bottes.

— Vous et moi n'avons pas pu parler seul à seul, mais je ne cherche pas à nier ce que vous avez accompli au cours de cette dernière année. Vous avez fait des soldats de bergers et de fermiers qui vous étaient tous dévoués. Vous les avez entraînés à se battre, vous leur avez mis des lances entre les mains et vous avez su leur insuffler de la bravoure. Ils vous ont suivi sans hésiter sur les champs de bataille. Votre victoire à Stirling fut incroyable.

Wallace stoppa net et se tourna vers lui.

— Et ma défaite à Falkirk ? Était-elle incroyable, elle aussi ?

Il regarda un moment les hommes qui se disputaient dans la clairière.

— Ils ne m'ont pas choisi pour être leur roi ou leur représentant. Ils m'ont choisi pour être leur général et un général n'est grand que par sa dernière victoire. Quand ces hommes me regardent, ce qu'ils voient aujourd'hui, ce sont les collines jonchées de cadavres. Si le succès de Stirling leur a mis du baume au cœur, Falkirk le leur a brisé. Je ne veux pas devenir le symbole de notre ruine.

— Ce que vous vous proposez de faire n'est pas sans risque. Le voyage en France sera périlleux, surtout maintenant que tant d'ennemis connaissent votre visage. Savez-vous seulement si le roi Philippe vous accordera une audience ?

Wallace désigna à travers les arbres un homme plus vieux qu'eux, les cheveux noirs, qui se tenait à l'écart de la foule, seul, et écoutait les hommes se quereller.

— Cet homme, là-bas, était un templier. Il a quitté l'ordre mais il a toujours des alliés au Temple, à Paris, qui pourront nous être utiles. Il pense que le roi me recevra.

Wallace jaugea Robert avec une expression matoise.

— Je sais que James Stewart veut vous désigner Gardien de l'Écosse. L'évêque Wishart me l'a dit. J'imagine qu'il y en aura d'autres pour soutenir ce choix.

Wallace hésita un instant, puis lui tendit la main.

Robert la serra.

William Wallace hocha la tête. Et il reprit sa marche entre les arbres parmi les feuilles mortes qui tombaient en voletant légèrement.

Wallace avait renoncé à son rôle de Gardien de l'Écosse depuis quatre jours et la dispute se poursuivait au sujet de sa succession, tous les arguments possibles étant échangés dans un désordre indescriptible. Des groupes d'hommes continuaient à affluer dans la forêt, avertis par messages qu'il leur fallait rejoindre l'assemblée. Tous s'empressaient de prendre part au débat.

Le lendemain du départ de Wallace, James Stewart avait révélé qu'il penchait en faveur de Robert. Ils furent quelques-uns à appuyer sa motion, avec John, Gartnait et Alexandre à leur tête. Le chambellan, les deux comtes et le lord constituaient une puissante faction à son service. Mais cela n'empêchait pas les autres de discuter sa légitimité ou de se mettre en avant pour prendre la place vacante. Ils étaient encore nombreux à vouloir que James ou Wishart deviennent Gardiens.

À la fin de l'après-midi du quatrième jour, le grand chambellan argumentait encore une fois pour la nomination de Robert. Les hommes des premiers rangs étaient assis sur la mousse qui tapissait le sol, juchés sur des bûches ou des souches d'arbres, les autres se tenant debout en arc de cercle au milieu des arbres. La voix du chambellan leur rappelait que Robert avait plus d'une fois, lors des seize derniers mois, prouvé qu'il était un partisan loyal de la libération de l'Écosse. Comme Wallace et Moray avant lui, le jeune comte de Carrick avait brandi sans crainte l'étendard de la rébellion. Il avait arraché l'Ayrshire des griffes de Henry Percy et bouté les garnisons anglaises. Il avait rassemblé une compagnie d'hommes fidèles à sa cause, s'était révélé un commandant à la fois audacieux et perspicace et c'est son épée qui s'était posée sur l'épaule de William Wallace, faisant de leur chef un chevalier.

— En outre, continua le chambellan en jetant un coup d'œil à Robert qui se tenait à son côté, il n'a pas hésité à tout risquer au service de notre cause. En rompant avec son père, sir Robert a perdu sa famille et un riche héritage. En combattant les hommes du roi, il a suscité la colère d'Édouard et vu brûler les terres d'Annandale, qui appartiennent aux Bruce, non pas une, mais deux fois. Nous avons appris qu'en repartant vers le sud, le roi a ordonné qu'on détruise Lochmaben.

Robert serra les poings, les paroles du chambellan réveillaient des émotions fortes en lui. Ce n'est qu'en arrivant dans la forêt la semaine précédente qu'il avait appris le désastre de Lochmaben. Il ne connaissait pas encore l'étendue des dégâts, mais on parlait de villages brûlés, d'hommes et de femmes massacrés sans discrimination. Un nom revenait constamment dans les rapports qui arrivaient parcimonieusement : Bohun. Le fait que son ancien ami ait été le plus actif dans le saccage de ses terres familiales avait proprement fait enrager Robert. Les domaines appartenaient peut-être à son père, mais il était certain que le roi n'avait pas un instant pensé au vieux lord retiré en Angleterre. Non, l'attaque le visait, lui, pour le toucher là où cela lui ferait le plus mal.

— Le grand-père de sir Robert était l'un des seigneurs les plus nobles que notre royaume ait eu le bonheur de connaître, poursuivait James. Un ardent croisé en même temps qu'un partisan de la paix, en qui deux de nos rois ont placé leur foi. Son petit-fils a les mêmes qualités, des qualités qui, je pense, sont celles requises chez un homme à qui échoit le devoir de perpétuer la lutte de notre royaume.

Quand le grand chambellan eut terminé, Robert vit l'assemblée s'agiter à ces propos. Certains acquiesçaient d'un air décidé, d'autres semblaient réfléchir, on échangeait des messes basses à deux ou trois. Il était impossible de dire ce qu'il ressortirait du vote.

Wishart s'avança, l'air renfrogné mais prêt. Il s'était certes battu pour que Wallace reste, mais cela n'était plus d'actualité et il s'était engagé dans le choix du nouveau Gardien avec autant de vigueur que le chambellan, bien qu'il n'eût pas fait connaître sa préférence.

— Nous avons entendu des arguments en faveur et en défaveur de la nomination de sir Robert. Je suggère que nous nous retrouvions dans une heure pour...

À travers les arbres leur parvinrent des cris et le martèlement sourd d'une cavalcade. L'évêque fronça les sourcils, fâché par cette interruption. Les hommes se dévissaient le cou pour voir ce qui se passait. Robert les imita : une compagnie montée s'approchait. Les chevaux maculés de boue soufflaient par les naseaux, le souffle court. À l'avant, un jeune homme efflanqué aux cheveux noirs semblait d'humeur sombre. C'était John Comyn, le fils de lord de Badenoch. La trentaine d'hommes qui l'accompagnaient portaient diverses armes sur leurs surcots et leurs boucliers. Beaucoup arboraient trois gerbes de blé sur fond rouge, mais on voyait aussi le lion du Galloway. Dungal MacDouall était du nombre. Plein d'appréhension à la vue de ses ennemis, Robert se rendit compte que la même inquiétude se lisait sur le visage du chambellan.

John Comyn descendit de son destrier en sueur et marcha à grands pas vers la foule, suivi par ses chevaliers qui repoussaient les hommes sur leur chemin. Arrivé au centre, il posa sur Robert un regard méprisant et hostile avant de faire face à Wishart et James.

— Êtes-vous arrivé à une décision ? demanda-t-il, d'une voix haut perchée et nasillarde qui couvrit les murmures de l'assemblée.

Wishart, surpris, leva un sourcil.

— Nous avons appris la tenue de cette assemblée il y a une semaine, reprit John en voyant l'expression de l'évêque. Mon père est occupé à fortifier nos forteresses au nord et il m'a envoyé à sa place. Hier, nous avons croisé une de vos patrouilles qui nous a annoncé que sir William avait renoncé au titre de Gardien et qu'on procédait à une élection pour choisir son successeur. Mes hommes et moi avons chevauché toute la nuit pour arriver à temps.

James se planta devant le jeune homme au ton belliqueux.

— Sir Robert est pressenti pour ce rôle.

— A-t-il été désigné ?

— Non, répondit Wishart avant le chambellan. Pas encore.

— Alors je veux me poser en recours, proclama-t-il en haussant la voix pour étouffer les protestations des hommes de Robert. J'ai le droit d'être entendu.

— Sir Robert est comte, lança Alexandre Seton. Son rang est supérieur au vôtre.

John Comyn se tourna vers lui.

— Je suis aussi le fils et l'héritier d'une des familles les plus puissantes de la noblesse du royaume, et le neveu du roi.

Il les défia tous du regard.

— Quelqu'un osera-t-il le contester ?

John Comyn parut satisfait du silence qui suivit.

— Si mon père avait su l'importance de cette assemblée, il serait venu lui-même. Je vais donc prendre sa place et vous demander de me choisir comme Gardien.

— Je soutiens cette proposition.

La voix bourrue qui s'était élevée était celle d'un homme à la carrure impressionnante et aux cheveux blancs qui sortit des rangs de la compagnie de Comyn. Il s'agissait du vieux comte de Strathearn. L'homme était un partisan de William Wallace, qu'il avait rejoint lors de son attaque sur le Northumberland l'année précédente. Marié à une sœur du comte de Buchan, le chef des Comyn Noirs, il représentait un courant important dans l'ancien ordre du royaume.

Robert regarda James Stewart à la dérobée et comprit à la frustration qui se lisait sur son visage qu'il faudrait se résoudre à accorder la parole à Comyn, surtout s'il était soutenu par quelqu'un comme Strathearn, dont la réputation n'était plus à faire.

— Dans ce cas, vous devriez faire votre déclaration tout de suite, sir John, dit finalement James. Nous ne pouvons pas poursuivre indéfiniment nos délibérations. Pendant que nous tergiversons, vous pouvez être certain que le roi Édouard prépare sa prochaine campagne.

John Comyn parut irrité que le chambellan lui demande de se hâter, mais il se tourna vers l'assemblée.

— Très bien.

Il prit un moment pour rassembler ses pensées, puis commença son discours. Il s'exprimait avec une clarté et une concision frappantes, ce qui étonna Robert qui l'avait toujours pris pour une pâle imitation de son père.

John évoqua la position de son père, Justicier du Galloway, qui avait été l'un des six Gardiens élus après la mort du roi Alexandre. Il parla aussi de la longue histoire de sa famille au sein du royaume et de leur combat sans équivoque pour le retour de son oncle, le roi Jean de Balliol. C'était une harangue intelligente et elle éveilla l'intérêt de beaucoup d'hommes dans la clairière, d'autant plus que James Stewart n'avait pas évoqué le soutien à Balliol lorsqu'il avait appuyé la candidature de Robert.

— Je suis là au nom du roi Jean, conclut John Comyn. Comme doit l'être celui qui se propose de devenir notre chef.

Il toisa Robert en prononçant ses mots.

Curieusement, c'est l'un des hommes de Wallace, le musculeux Gilbert de la Hay, lord d'Erroll, qui renâcla à cette déclaration hautaine.

— Ces paroles iraient de soi si les Comyn n'avaient pas fait fuir les nobles à Falkirk, pendant que sir

William et les soldats devaient affronter seuls la cavalerie anglaise.

Robert, qui avait senti ses rêves s'écrouler pendant le discours de Comyn, sentit l'espoir renaître en voyant Gray et Neil Campbell opiner du chef. John Comyn rougit, mais ne se démonta pas.

— Au moins mon père était à Falkirk, il était aux côtés de nos hommes. L'homme que vous vous apprêtez à désigner comme notre Gardien n'était même pas sur le champ de bataille ! assena-t-il en pointant le doigt vers Robert. Peut-être est-ce seulement la peur qui l'a tenu à l'écart, à moins que ce ne soit son allégeance au roi Édouard qui l'a empêché de lever l'épée contre lui ?

Le chambellan protesta, ainsi que quelques-uns de ses partisans, mais Robert ne laissa à personne le soin de répondre.

— Si mon allégeance passée envers le roi d'Angleterre doit jouer contre moi, il serait sans doute bon de rappeler votre propre engagement. Après tout, vous êtes marié à une cousine du roi et vous étiez à son service plus récemment que moi.

— Mon mariage n'est plus depuis que mon père et moi avons contrevenu aux ordres du roi, comme c'était notre intention dès le moment où nous avons été libérés de la Tour.

John Comyn parlait fort pour couvrir les sifflets insolents d'Édouard Bruce.

— Joan et mes filles sont en Angleterre. J'ai abandonné ma femme et mes enfants pour le bien de notre royaume. Qu'avez-vous sacrifié ?

La querelle se poursuivit et dépassa Robert et John pour se propager à toute l'assemblée. Le chambellan et Wishart s'efforçaient de ramener le calme en criant par-dessus le brouhaha jusqu'à en avoir la voix cassée, mais personne n'écoutait. Lorsqu'il détacha son regard furieux de Comyn, Robert vit des hommes hurlant à tue-tête, les poings serrés, prêts à la bagarre. Le clan de Comyn faisait face au sien. Son frère avait la main sur le pommeau de son épée, de même que John d'Atholl. Dungal MacDouall avait tiré la sienne. Du coin de l'œil, Robert avisa un homme maigre en robe noire qui s'avançait au milieu de la foule. Sous sa capuche, son menton était rasé de frais. L'homme vint se placer au centre et rabattit sa capuche en arrière, découvrant un visage jeune et singulier, avec une tonsure. L'un des yeux était bleu, l'autre d'un étrange blanc laiteux. Personne ne le remarqua avant un bon moment.

Wishart, plongé dans une discussion avec Strathearn, s'arrêta au milieu d'une phrase. Son expression changea du tout au tout et il resta bouche bée.

— Dieu soit loué, Lamberton, je vous croyais mort !

Cette sortie enthousiaste de l'évêque fit taire la foule. Peu à peu, tous les yeux se tournèrent vers le nouveau venu. Robert connaissait ce nom. William Lamberton, l'homme que Wallace et Wishart avaient nommé évêque de St Andrews, le plus éminent diocèse du royaume.

— Mon voyage à Rome a pris plus de temps que prévu, monseigneur, répondit Lamberton.

Il parlait sans hausser la voix, avec un calme et une pondération qui vinrent à bout des derniers mécontentements.

— Mais je reviens à vous, consacré devant Dieu par Sa Sainteté elle-même, le pape Boniface. Et il semble que j'arrive dans un moment de difficulté, ajouta-t-il.

Wishart examinait Lamberton sous toutes les coutures.

— Comment êtes-vous arrivé jusqu'à nous, mon ami ?

— Excellente question, répondit Lamberton avec un petit sourire, mais je garde la réponse pour plus tard. J'ai entendu la discussion qui a eu lieu, dit-il à l'attention de l'assemblée. Je propose pour ma part que sir Robert Bruce et sir John Comyn deviennent tous deux Gardiens de l'Écosse. Si les hommes du royaume se divisent sur ce sujet, comme c'est visiblement le cas, pourquoi ne pas retarder le moment du choix et élire les deux hommes qui ont le soutien des deux parties ?

Dans un silence total, Lamberton poursuivit d'une voix plus forte.

— Car c'est d'unité que nous avons besoin. J'ai réussi à obtenir que Sa Sainteté à Rome soutienne notre cause, mais en repassant par Paris, j'ai appris que l'Angleterre et la France avaient conclu une trêve.

— Nous en avons également entendu parler, monseigneur, lui apprit James Stewart.

— C'est pire que ce que vous imaginez, lord Stewart, affirma Lamberton. La trêve doit déboucher sur une alliance permanente, scellée dans l'année qui vient par le mariage du roi Édouard et de Marguerite, la sœur du roi Philippe. Cette alliance annulera nos anciens traités avec le roi de France. L'Écosse est seule contre tous.

Chapitre 66

Robert s'accroupit dans la trouée entre les arbres. Après avoir ramassé une petite branche par terre, il rabattit la capuche de sa cape verte en arrière pour mieux y voir. Une douzaine d'hommes formaient un cercle autour de lui, pareillement vêtus de capes qui dissimulaient les reflets des cottes de mailles. Des feuillages qui les surplombaient leur parvenaient les trilles des merles et des grives que leur arrivée dérangeait. Au-dessus, le ciel était d'une blancheur éblouissante. Les arbres protégeaient les hommes de la férocité du soleil, mais l'humidité de l'air et les insectes les tourmentaient : moucherons, mouches, tiques rendaient fous les hommes à force de les harceler et de tourner autour d'eux.

— Comme nous le savons, les chariots arriveront par cette route, dit Robert en traçant une ligne dans la poussière. En direction de Roxburgh.

Avec son bâton, il pointa un caillou au bout de la ligne avant de tracer un cercle à l'autre extrémité.

— Sir James et ses hommes les surveilleront de là, où le terrain est surélevé et où ils auront une vue dégagée sur la route. Pendant ce temps, nos troupes attendront ici, ajouta-t-il en traçant deux croix de part et d'autre de la ligne. Bon, nous ne savons pas exactement quand les Anglais arriveront, mais nos éclaireurs pensent que ce sera dans l'après-midi, en tout cas avant la tombée de la nuit. Sir John et ses hommes ont reconnu la route.

Il leva les yeux vers son beau-frère, qui acquiesça. Les cheveux noirs d'Atholl étaient cachés sous sa capuche. Il avait l'air pressé de se retrouver face aux Anglais.

— Nous estimons qu'il faudra environ dix minutes au convoi de ravitaillement pour atteindre nos positions, après qu'il sera passé devant le chambellan, précisa-t-il.

Robert croisa le regard ombrageux de John Comyn.

— Je suppose que vous avez désigné quelqu'un pour nous transmettre le signal de James.

Comyn était pâle, le visage bouffi.

— C'est Fergus qui s'en occupera, marmonna-t-il en désignant de la tête un Écossais athlétique qui se tenait les bras croisés.

Robert observa les chevaliers de Comyn, auxquels s'ajoutaient des hommes du Galloway. Ils avaient tous le même air revêche et indomptable, mais Robert savait que cela n'était pas tant dû à l'arrivée de l'ennemi qu'à ses hommes à lui qui leur faisaient face. De ses gens, Atholl était le seul qui parût concentré sur le plan. Gartnait semblait soucieux, Alexandre Seton sur ses gardes, Christopher nerveux, tandis que Neil Campbell, nonchalant, essayait de déloger quelque chose coincé entre ses dents avec une brindille. Édouard regardait John Comyn avec une haine qu'il ne cachait pas.

— Bien, dit Robert sombrement en reportant son attention sur la ligne qu'il avait tracée. Le chambellan va laisser les Anglais se jeter dans la gueule du loup avant de descendre pour les empêcher de battre en retraite. De notre côté, nous refermerons le piège et...

Robert s'interrompit, ayant entendu quelqu'un marmonner. Ses yeux se posèrent sur Dungal Mac-Douall, debout à droite de Comyn, qui portait un haubert épais sous sa cape brune.

— Vous avez quelque chose à dire ? lui demanda-t-il.

MacDouall soutint son regard sans ciller.

— Je pense qu'il est risqué de tenter une embuscade aussi près du château. Si la garnison de Roxburgh est alertée, elle sortira pour nous prendre à revers. Pourquoi ne pas laisser les troupes du chambellan engager le combat ? Nous irions les aider.

Édouard répondit avant que Robert ait pu ouvrir la bouche.

— Nous avons déjà examiné ce genre d'objections, MacDouall. N'avez-vous rien écouté de ce qui se disait ?

Robert jeta un regard noir à son frère tandis que Dungal murmurait quelque chose dans sa barbe.

— Il n'y a pas de meilleur endroit pour l'embuscade, dit-il en écartant les bras pour montrer les bois autour d'eux. Le terrain est parfait pour nos chevaux et nous pouvons attaquer simultanément des deux côtés. Nous savons que le convoi sera bien défendu. Les éclaireurs nous ont dit qu'il y avait une trentaine d'hommes à cheval et le double à pied, sans compter les conducteurs. Non. C'est là que nous devons prendre position. Si nous agissons rapidement, nous détruirons leurs vivres et pourrons battre en retraite dans la forêt bien avant que la garnison de Roxburgh ait le temps de monter une offensive.

Dungal glissa quelque chose à l'oreille de John Comyn, et Robert chassa avec irritation une mouche qui volait devant lui. L'air était si épais qu'il était difficile de respirer. Il se rappela la colline galloise enténébrée et couverte de neige, les flammes qui crépitaient dans la nuit, les corps éparpillés autour des chariots, les chevaux blessés qui gémissaient piteusement. Il avait préparé cette embuscade en pensant à Nefyn, mais il ne pouvait nier que ce fût différent ici, plus dangereux que ça ne l'était pour les Gallois, lesquels pouvaient à tout moment s'esquiver dans les montagnes. Pour commencer, il faisait jour. Et le terrain, s'il se prêtait davantage à une attaque, rendait aussi plus facile à l'ennemi de les poursuivre si ça tournait mal. Les paroles de Dungal suscitèrent le doute en lui.

Le château de Roxburgh était rempli de soldats anglais à moitié morts de faim qui attendaient l'arrivée des vivres. Il repoussa ses inquiétudes. Il fallait que le plan réussisse. Il se releva et jeta la branche par terre en croisant le regard de l'autre Gardien.

— Êtes-vous avec moi, John ? J'ai besoin d'en être sûr.

Après un instant, John hocha la tête, la mâchoire crispée.

— Pour Falkirk, ajouta Robert en lui tendant la main.

John la saisit. Ils se serrèrent brièvement la main, puis chacun s'éloigna.

Les deux groupes se séparèrent, Comyn et ses chevaliers en direction de la route où les attendait, un peu plus haut, le reste de leur compagnie. Robert et ses hommes s'enfoncèrent plus avant dans la forêt en faisant s'envoler devant eux les oiseaux. Les arbres, plus clairsemés vers la route, ne permettaient pas de rester à couvert, ce qui posait un problème si les Anglais avaient des éclaireurs à l'avant du convoi. Ils ne pouvaient prendre le risque d'être repérés et que l'alerte fût donnée. Robert avait décidé que les deux compagnies se tiendraient en retrait tant que le signal du chambellan ne leur serait pas parvenu.

Édouard jeta un coup d'œil par-dessus son épaule tandis qu'ils partaient.

— Ce corniaud de MacDouall conteste toutes les décisions que tu prends, dit-il tout à trac.

676

— Ne le blâme pas s'il nous en veut, répondit sobrement Robert. Notre père a tué le sien.

Édouard haussa les épaules avec indifférence.

— C'est son père qui a attaqué le nôtre. À quoi s'attendait-il ? Et puis d'ailleurs, c'était il y a longtemps.

Robert se mura dans le silence et se contenta d'écarter les branches qui le gênaient. Dans une clairière les attendait leur compagnie, qui se composait pour l'essentiel des chevaliers de Carrick, dont Nes et Walter, ainsi que des hommes d'Atholl et de Mar. Ils étaient soixante au total, ce qui, en y ajoutant les forces de John Comyn, était plus que supérieur aux quatre-vingts Anglais attendus.

— Le guetteur est en place ? demanda Robert en s'approchant de Walter et en acceptant la coupe de bière que Nes lui tendait.

Walter désigna les branches hautes d'un vieux chêne où Robert vit, au milieu de l'épais feuillage, les jambes d'un homme assis à califourchon.

Sa bière bue, Robert attendit. Il faudrait peut-être des heures avant que le signal arrive. Il fallait se reposer autant que possible. Les arbres étiraient leurs branchages au-dessus de lui, des rayons de soleil filtrant, obliques, là où la canopée était moins touffue. Ces bois constituaient la limite sud de la forêt de Selkirk. Sur cette frontière, il y avait essentiellement des chênes, des noisetiers et des bouleaux, et non les immenses pins qui culminaient au cœur de ce royaume végétal. De temps à autre, des éminences se transformaient en collines parsemées de bruyères, puis des vallées abruptes leur succédaient d'où jaillissaient soudain les flèches des abbayes et les tours des châteaux, tous construits avec les mêmes pierres roses.

S'adossant à un arbre, Robert observa ses hommes qui buvaient de la bière et discutaient entre eux. Ils étaient tous en sueur et portaient des vêtements sales après des mois de vie dans la forêt et de voyages d'un endroit à l'autre. Beaucoup s'étaient laissés pousser la barbe, car ils n'avaient pas le temps de se raser. Robert se frotta le menton et supposa qu'il devait leur ressembler.

Ces dix derniers mois, depuis que John Comyn et lui avaient été faits Gardiens, ils s'étaient engagés dans une guerre d'usure contre les châteaux toujours détenus par les Anglais livrés à eux-mêmes depuis que le roi Édouard avait ramené son armée en Angleterre. Ne disposant pas d'engins de siège, ils n'avaient pu lancer d'assauts de grande envergure et ils s'étaient efforcé de priver les garnisons des vivres qui leur étaient si nécessaires. À Stirling, on disait que les Anglais étaient sur le point de mourir de faim. Si Dieu était avec eux et leur accordait la victoire aujourd'hui, Roxburgh subirait le même sort. Ils auraient d'ailleurs grandement besoin d'un succès, car le château était situé à un endroit hautement stratégique, d'où Édouard, l'année précédente, avait lancé sa campagne.

Alors qu'il laissait ses yeux errer sur ses hommes, Christopher Seton croisa son regard. Robert avait adoubé le jeune homme à Noël pour le récompenser de sa loyauté des deux dernières années. L'écuyer avait d'abord semblé mal à l'aise d'être ainsi honoré, ce qui avait étonné Robert, mais Christopher avait peu à peu appris à ne pas accorder plus d'importance à son titre qu'il n'en méritait. Les autres s'étaient consacrés aux tâches qu'exigeait la guerre des nerfs qu'ils menaient. Certains s'en sortaient mieux que d'autres. Son frère et Alexandre Seton semblaient chez eux dans la forêt, à organiser des embuscades et des attaques, à vivre au jour le jour. Cela valait aussi pour John d'Atholl, dont le jeune fils, David, le servait comme écuyer, même s'il se languissait de son épouse restée au camp dans la forêt, avec les femmes et les enfants. Robert avait laissé Marjorie là-bas en la confiant aux soins de Christiane et de Judith. La nourrice avait changé depuis le départ de Katherine et semblait prendre plaisir à s'occuper de sa fille. De tous, Gartnait était celui qui avait le plus de mal à s'adapter, notamment parce qu'il n'aimait pas cette forme de guerre qui les obligeait à se cacher constamment – à ramper, comme il disait. Pourtant, même lui reconnaissait qu'il n'y avait pas d'alternative. Après la défaite de Falkirk, une bataille rangée était hors de question. Ils n'avaient pas les forces requises, et l'obstination de William Wallace, parti à l'étranger, qui défendait désormais leur cause auprès des rois et du pape, leur manquait.

Robert reporta son attention sur son frère, assis à côté de Neil Campbell. Tous deux se ressemblaient beaucoup – le même tempérament fougueux, le même sens de la répartie. Robert n'était pas surpris qu'ils soient devenus proches. Lui-même avait mis du temps à faire confiance à Campbell, l'un des lieutenants les plus fidèles de Wallace, mais il avait noté sa bravoure et ses talents de combattant, et au fil du temps il s'était aperçu qu'ils avaient plus en commun qu'il ne l'avait cru. Neil avait rejoint dès le début de la rébellion la compagnie de Wallace, après que les MacDougall eurent détruit les terres de sa famille à Lochawe. Dans l'ouest du pays, la guerre qui avait éclaté deux ans plus tôt entre les MacDougall, alliés des Comyn et de Balliol, et les MacDonald, lords d'Islay, qui agissaient toujours sur les ordres du roi Édouard, se poursuivait avec la même violence. Le chef des MacDonald était mort récemment, et c'est Angus Og qui lui avait succédé – l'homme qui avait proposé à Robert sa cuillère il y avait tant d'années, lors du banquet au château de Turnberry. Robert, qui éprouvait toujours la même vive douleur de la destruction de Lochmaben, partageait donc avec Neil des malheurs communs. Nombre d'entre eux avaient d'ailleurs connu des histoires similaires.

Le roi Édouard n'était pas encore revenu pour poursuivre son œuvre d'anéantissement, même si les rumeurs concernant l'imminence d'une prochaine campagne pullulaient. Cependant, malgré la distance, il s'était montré actif et avait offert des parcelles des terres confisquées à ses barons. Le comte de Lincoln avait reçu les domaines de James Stewart, Clifford le château de Caerlaverock au sud-ouest, et Percy la plupart des forteresses de Balliol dans le Galloway. Mais pour l'heure, tant que les Anglais ne s'assuraient pas le contrôle du royaume, les barons ne pouvaient pas réellement jouir de leurs nouvelles terres, menacées par les Écossais.

Observant les hommes qui allaient et venaient devant lui, Robert songea au chemin sur lequel il les engageait. À Irvine, quand il avait pris la décision de s'emparer du trône, il savait déjà que le processus serait long, mais il commençait seulement maintenant à se demander combien de temps il faudrait. Il y a une saison pour chaque chose, lui avait dit James quand il lui avait demandé quand il pourrait annoncer son ambition aux hommes du royaume. Sois patient, à l'écoute de l'ordre naturel des choses. Mais l'ordre naturel des choses, pour Robert, se réduisait surtout à des joutes politiques, à des attaques sur des convois de ravitaillement, à une tension incessante. Attendre, toujours attendre.

Le soleil poursuivait sa course dans le ciel et tapait sur la nuque de Fergus. Sa peau brûlait et des gouttes de transpiration coulaient dans son dos. Il chassa du revers de la main un frelon qui tournait autour de lui. Le gros insecte changea de trajectoire et se retrouva hors de portée. La lumière jouait sur l'écorce du chêne rongée par des scarabées au dos bleuté. Entre les branches, il distinguait en dessous de lui les têtes des hommes et les croupes des chevaux. Il avait une bonne vue d'où il était, les branches du chêne s'ouvrant devant lui à l'est et au sud, par-dessus les bois luxuriants. Par endroits, il apercevait distinctement la route, là où le terrain s'élevait. Derrière lui, en se tordant le cou, il pouvait apercevoir des murs roses à travers le feuillage : les remparts du château de Roxburgh.

Fergus se frotta le cou et plissa les yeux. Le soleil qui filtrait par les plus hautes branches l'éblouissait. Il aurait eu une vue tout aussi bonne de là-haut, mais davantage d'ombre. La chaleur lui donnait mal à la tête. Au bout d'un moment, il se redressa et finit par se tenir debout sur la branche où il était assis à califourchon depuis deux heures. Le sang afflua dans ses jambes et il eut bientôt des fourmis. Une voix le hélait.

— Fergus ? Alors, le signal ?

— Toujours pas, répondit-il à l'homme de Comyn qui levait le nez vers lui. Il faut que je bouge. Je vais aller plus haut.

Fergus enserra de ses bras une branche et se mit à grimper sans quitter des yeux l'endroit où étaient stationnés les hommes du chambellan. Un bourdonnement l'informa du retour du frelon mais il l'ignora, concentré sur son ascension, d'une branche à l'autre. Profitant d'une fourche, il passa de l'autre côté de l'arbre. Plus fines à cette hauteur, les branches pouvaient tout de même supporter son poids. Il en choisit une qui lui offrirait une vue dégagée à l'est tandis que ses feuilles le protégeraient de la morsure du soleil, et s'assit dessus. Le bourdonnement enfla dans ses oreilles. D'autres frelons. Il chassa un de ceux qui s'approchaient en poussant un juron. La bestiole s'esquiva. Fergus la suivit des yeux, prêt à l'intercepter si elle revenait. Il plissa un peu plus les yeux. Ils étaient des dizaines à tournoyer autour d'une petite branche, sous lui. À travers les feuilles, il distingua un gros renflement pâle.

Fergus se crispa en découvrant le nid. De plus en plus de frelons arrivaient dans sa direction. L'un d'eux se posa sur sa jambe et il le frappa. Il revint, passa devant ses yeux, le harcela. Fergus maudit sa malchance et se dit qu'il ne pouvait pas rester ici. Ces diables d'insectes le distrairaient de son guet. Il aurait mieux fait de ne pas bouger. Il tendit alors les mains vers la branche du dessus pour y prendre appui avant de redescendre. Lorsqu'il posa la main sur la branche, il sentit une piqûre. Il releva instinctivement la main et aperçut le frelon écrasé, le dard toujours planté dans sa paume. Au même instant, il reçut sur la nuque une autre piqûre. Fergus se donna un coup sur le cou, mais ce geste lui fit perdre l'équilibre. Il bascula en avant et heurta durement la petite branche du dessous. On entendit un craquement et le bruissement des feuilles et la branche céda. Se sentant tomber, il tendit les bras. Il parvint à s'agripper à une branche et resta là, suspendu, haletant, pendant que la branche dégringolait jusqu'au sol, le bourdonnement diminuant à mesure qu'elle chutait. Fergus cria pour avertir les autres, mais c'était trop tard. Quand elle heurta le sol, la poche s'ouvrit et libéra une nuée de frelons. Quelques secondes plus tard, des cris s'élevèrent jusqu'à lui.

Au loin, trois flèches traversèrent le ciel bleu, l'une après l'autre, au-dessus des bois qui surplombaient la route de Roxburgh.

De l'autre côté du chemin, dans la touffeur moite de la forêt, un sifflement fendit l'air depuis les grandes branches d'un orme blanc. Robert, qui s'était assoupi, se réveilla aussitôt. Un coup d'œil en l'air où un homme agitait le bras lui signala que le moment était venu. Sa compagnie, dispersée çà et là, vida les coupes de bière et les conversations s'arrêtèrent. Se remettant debout, tous se dirigèrent vers l'endroit où leurs montures étaient attachées. Certains prirent le temps de soulager leur vessie contre un buisson pendant que les écuyers finissaient de préparer les chevaux. Les oiseaux endormis dans la torpeur de l'après-midi prirent leur envol, effarouchés par cette soudaine activité.

Au côté de Chasseur, Robert enfila son heaume par-dessus sa cervelière, le visage fermé. Il entendait vaguement le bruit des chariots qui bringuebalaient sur la route. Il avait déjà accompagné un convoi de ravitaillement et savait le vacarme qu'il faisait sur une route semée de fondrières.

— Ils n'entendront pas grand-chose avec le raffut que font leurs chariots, dit-il aux autres en serrant les rênes de Chasseur dans une main et en prenant son épée dans l'autre. Avec l'aide de Dieu, le bruit nous couvrira quasiment jusqu'à ce qu'on soit sur eux.

Il pressa les flancs du destrier entre ses mollets pour le faire avancer de quelques pas. Ses hommes l'entouraient. John d'Atholl lui adressa un sourire grave en tirant son épée de son fourreau. Respirant difficilement sous les visières fermées, ils attendirent.

Le bruit se rapprocha et ils entendirent alors les sabots de nombreux chevaux. Robert ne percevait plus les tintements des harnais du côté des Comyn. Sans y prendre garde, il se concentra sur son objectif, comme un archer visant sa cible. Les chevaliers et ses beaux-frères étaient à ses côtés, les écuyers et les soldats derrière, brandissant de courtes épées et des haches. Nes avait l'air nerveux, mais il avait son arme et il était prêt à suivre Robert en enfer s'il le fallait. Walter n'était pas loin. L'écuyer chargé du guet, qui avait pour tâche de calculer le temps entre le signal et l'arrivée du convoi, descendit à la hâte de l'arbre et lui adressa un signe de tête.

Robert s'avança avec précaution, suivi par ses hommes, et la ligne se rompit au gré des obstacles du sous-bois. Les chevaliers devaient se baisser pour éviter les branches tout en gardant la bride courte aux montures. Plusieurs chevaux montraient des signes d'agitation, ils secouaient la tête, sentant la tension de leurs maîtres, mais les hommes réussirent à les

683

contrôler. Au milieu des ormes et des chênes, Robert lança Chasseur au trot, imité par ses hommes. Le vacarme des chariots et des chevaux semblait emplir la forêt. Dès que les arbres se clairsemèrent, les chevaliers éperonnèrent leurs destriers pour se mettre au galop. Ils ne prêtaient aucune attention aux branches qui oscillaient près d'eux, aux buissons qui les lacéraient. Des rayons de soleil traversaient le feuillage. Devant, à la lisière du bois, ils distinguaient les formes imposantes des chariots et les reflets brillants des surcots.

Lorsqu'ils surgirent sur la route, Robert poussa un hurlement de toute la force de ses poumons :

— *Pour l'Écosse !*

À leur vue, les Anglais firent faire volte-face à leurs chevaux et sortirent les épées de leurs fourreaux en criant pour donner l'alerte. Les soldats, qui portaient la croix rouge de saint George, s'emparèrent de leurs armes et vinrent se poster devant les chariots chargés de caisses, de sacs et de barriques. Les chevaux de trait harnachés hennirent, effrayés, et les conducteurs durent batailler pour les contrôler. La compagnie de Robert arriva au grand galop sur leur flanc droit, les chevaliers vociférèrent et éperonnèrent leurs chevaux pour qu'ils sautent le petit talus qui bordait la route.

Robert fonça droit à l'avant du convoi sur un chevalier vêtu de noir qui portait une croix bleue sur son bouclier. Il brandit son épée en un grand mouvement circulaire, dont l'acier scintilla dans la lumière dorée du début de soirée. Le chevalier leva son bouclier et la lame percuta durement le bois. Il n'avait pas eu le temps de fermer sa visière et son visage affichait sa détermination à ne pas se laisser faire. Il repoussa la lame et allongea sur le côté. Son épée dérapa sur le bouclier de Robert et entailla le chevron rouge sur toute sa longueur. Le chevalier poussa un juron et revint à la charge. Sa lame rencontra celle de Robert à mi-hauteur, le choc de l'acier contre l'acier résonna dans l'air au milieu du brouhaha qui les entourait. Robert banda ses muscles pour attirer vers lui son adversaire. Les chevaux vacillaient l'un contre l'autre en se montrant les dents. Quand l'épée de l'homme vint toucher la garde de la sienne, il pivota, la rejeta de côté et le déséquilibra. Puis, reculant promptement tandis que le chevalier essayait de se rétablir, Robert sortit le pied de son étrier et l'envoya sur son adversaire. Le chevalier, déjà de guingois sur sa selle, bascula à la renverse en criant. Comme il n'avait pas lâché les rênes, la tête de son cheval fut entraînée dans sa chute.

Quand il retomba dans un fracas métallique, son destrier libéré se cabra et battit l'air avec ses sabots. Au passage, il frappa Chasseur à la nuque, ce qui le fit chanceler. Robert, qui n'avait pas encore remis son pied dans l'étrier, fut à son tour projeté en avant, pardessus la tête de sa monture. Il heurta le sol, roula et reprit ses esprits juste à temps pour éviter les sabots d'un cheval de trait. Avec un soupir de soulagement, il ramassa son épée dans la poussière tandis que le chevalier, déjà debout mais le nez en sang, venait vers lui en grognant. Derrière lui, Robert aperçut un chaos de couleurs et de mouvements. Ses hommes étaient à la tâche. Il réalisa tout à coup que Comyn et les siens n'avaient pas attaqué le flanc gauche ; un frisson glacial le parcourut, mais déjà le chevalier se jetait sur lui et il fallut contrer, ramener son épée au-dessus de sa tête et l'abaisser rageusement pour parer.

Le combat était âpre, la surprise initiale ne jouait plus. Les Anglais, qui s'étaient rapidement organisés, se battaient pied à pied. Les épées des chevaliers fendaient l'air, les chevaux s'écrasant les uns contre les autres dans l'espace confiné. Les soldats ne s'épargnaient pas non plus, ils se battaient avec opiniâtreté, personne n'hésitait à lutter au sol, écraser les doigts de l'adversaire, lui fracasser le menton avec le pommeau de l'épée, lui trancher la gorge ou lui planter un coutelas dans le ventre. Le sang giclait et les chevaux devenaient fous. Les troupes de Robert étaient tenaces, mais sans le concours de celles de Comyn, ils faisaient face à une force plus nombreuse. En quelques instants, la victoire changea de bord, certains chevaliers écossais devant s'occuper de deux adversaires à la fois. John d'Atholl, poussé dans ses retranchements, luttait à la fois contre un chevalier et un soldat qui l'attaquait sans vergogne depuis le sol. L'un des chevaliers anglais hurla au conducteur du chariot de tête de rejoindre le château. Obtempérant, l'homme fouetta le dos des chevaux et le chariot s'ébranla en direction de Roxburgh.

Robert s'escrimait encore avec le chevalier en noir lorsque les deux chevaux de traits foncèrent sur lui. Il se jeta de côté, le chariot passa en cahotant devant lui. L'espace d'un instant, il se retrouva seul sur le flanc gauche alors que le combat se concentrait à droite. Il se tourna vers les arbres, reprit sa respiration et hurla le nom de Comyn. Il crut entendre des cris au loin, puis un deuxième chariot se mit en route vers Roxburgh.

Édouard Bruce venait de planter son épée dans la gorge d'un soldat qui l'avait touché à la jambe quand il vit les chariots s'ébranler et les conducteurs fouetter les chevaux pour qu'ils accélèrent. Il éperonna sa monture et se lança à la poursuite du plus proche, qui s'éloignait du lieu de l'escarmouche. Après être remonté à la hauteur des chevaux, il abattit violemment son épée sur le harnais en cuir qui se présentait à lui. Le conducteur du chariot lui donna un coup de fouet qui le rata de peu, mais lacéra sa monture à la croupe. Son cheval partit au galop. Pendant ce temps, celui qu'il avait libéré s'enfuit vers les bois à fond de train, ce qui n'empêcha pas le chariot de continuer sa course avec l'autre. Neil Campbell, comprenant le plan d'Édouard, se précipita pour trancher l'autre harnais. Quelques soldats écossais, qui avaient réussi à se dégager de leurs adversaires, montèrent sur les plate-formes, au milieu des caisses et des barriques, et se lancèrent à l'attaque des conducteurs. Deux chariots avaient fait demi-tour et repartaient par où ils étaient arrivés. Des chevaliers anglais s'étaient détachés pour les escorter, les guidant sans le savoir vers la compagnie de James Stewart.

Subitement, à leur gauche, des chevaliers apparurent dans une cavalcade désordonnée. Robert, qui était monté à l'arrière d'un chariot, les vit arriver à travers les arbres avec John Comyn à leur tête. Il lui hurla de s'occuper des chariots et se mit à ramper au milieu des sacs. Le chariot faisait d'incessantes embardées. Robert roula sur le côté, poussa un juron, s'agrippa aux montants de bois et finit par tomber sur le conducteur. L'homme se défendit mais d'un coup brutal, Robert le poussa hors de son siège et il se brisa le cou en atterrissant sur la route. Tandis que les chevaux terrifiés poursuivaient leur course, Robert lâcha son épée et s'empara des rênes. Le temps qu'il réussisse à arrêter le chariot, le reste des troupes des Comyn émergeait des bois et fondait sur les derniers Anglais. Sur les dix chariots, six s'étaient échappés, dont quatre en direction de Roxburgh et deux vers James Stewart.

Trempé de sueur, Robert sauta à terre et courut vers ses hommes. Remontant sa visière, il cracha la poussière et le sang qui lui obstruaient la gorge. Devant lui, le sol était jonché de cadavres. Quelques chevaux gisaient au milieu des hommes. L'un d'eux se tordait de douleur. Un instant Robert crut qu'il s'agissait de Chasseur, puis il vit son destrier. Nes l'avait récupéré. Toujours en selle, l'ancien écuyer serrait dans sa main libre son épée ensanglantée. Alors qu'il se dirigeait droit sur Comyn, Robert découvrit soudain un cadavre qu'une bannière lui avait caché. Ses yeux se posèrent sur le jeune chevalier qui le suivait depuis Carlisle. Il s'accroupit. Une dague était plantée dans le cou de Walter, le col de sa tunique était rouge de sang. Ses yeux vides fixaient le ciel.

Robert braqua son regard sur Comyn, pris d'une colère irrépressible. D'autres hommes se remettaient péniblement debout ou se laissaient glisser de leur selle, mal en point. Sa compagnie s'en prenait déjà à celle de Comyn. Atholl criait sur Dungal MacDouall. Robert s'élança vers l'autre Gardien, sans prêter attention aux boutons rouges sur les mains et les visages de la plupart des combattants de sa compagnie, ni au fait qu'il leur manquait plusieurs hommes. Il lui fallut un énorme effort pour ne pas se jeter sur Comyn, mais il se contenta de se planter devant lui et de hurler en lui postillonnant au visage.

— Où étiez-vous ? J'ai perdu une dizaine d'hommes, espèce de crétin !

Comyn lui rendit son regard noir.

— Et j'en ai perdu dix !

Dungal MacDouall avait délaissé Atholl pour se tenir aux côtés de Comyn. Il avait le visage boursouflé.

— Nous avons été attaqués par des frelons.

— Des frelons ? fit Édouard en s'approchant. Si vous aviez eu affaire à des lions, j'aurais peut-être compati.

Il apostropha les autres, qui se tenaient en retrait :

— Pendant que nous nous battions contre des hommes, ils se battaient contre des insectes ! Votre famille est vraiment prête à tout pour fuir une bataille, reprit-il en toisant Comyn. Et à Falkirk, qu'est-ce que c'était ? Des fourmis ?

Alors que sa sortie provoquait quelques rires méchants dans son dos, Dungal humilié allongea vers Édouard. Celui-ci se pencha et esquiva le coup, puis il se jeta sur son agresseur et l'envoya rouler par terre. Les hommes de Comyn se précipitèrent tandis qu'Édouard s'asseyait sur le capitaine du Galloway et lui faisait une clé de bras vicieuse. Les hommes de Robert s'avancèrent eux aussi et ceux qui avaient rengainé leur épée l'empoignèrent à nouveau.

Au même instant, James Stewart et ses hommes apparurent au détour d'un virage, plus bas sur la route. Certains d'entre eux brandissaient des torches, dont les flammes rougeoyantes se mêlaient aux couleurs du ciel de cette fin de journée. À la vue du chambellan, Édouard relâcha Dungal, qui se releva tant bien que mal en crachant du sang. Le capitaine voulut immédiatement se jeter sur Édouard, mais Comyn le retint.

James examina la scène qui s'offrait à lui pendant qu'il arrêtait son cheval.

— Qu'est-ce qui s'est passé ? demanda-t-il, irrité, à Robert et à Comyn.

Il regarda les cadavres sur la route ainsi que les quatre chariots, dont deux n'avaient plus de chevaux.

— Où sont les autres chariots ?

Robert secoua la tête.

— Ils sont arrivés à Roxburgh.

James paraissait furieux, mais il contint sa colère.

— Brûlez-les, ordonna-t-il à ses hommes en désignant les chariots de tête.

Tandis que ses chevaliers mettaient ses ordres à exécution, le chambellan s'adressa à Robert d'une voix agacée.

— Il faut faire vite. La garnison va être alertée. Nous ne sommes pas en mesure de l'affronter.

Alors que leurs compagnies s'ébranlaient, Robert attrapa Comyn par le bras.

— Je te tiens pour responsable de la mort de mes hommes, proféra-t-il d'un air menaçant.

Comyn se dégagea d'un mouvement sec.

Chapitre 67

Un tournoi était en cours dans un grand pré en fleurs aux abords de la ville de Cantorbéry. En ce début de soirée, cet événement fastueux profitait de la lumière mordorée du soleil qui se déversait, presque liquide, sur les visages des centaines de spectateurs au bord du terrain, faisant scintiller les robes incrustées de joyaux des dames ainsi que les cottes de mailles polies et les heaumes ornés de blasons.

Les gradins érigés de part et d'autre de la piste, protégés par des voiles rouges, étaient bondés d'hommes et de femmes de la noblesse. La foule de plus basse condition était allongée sur les pelouses, le visage rougi par la bière et le soleil, ou se hissait sur la pointe des pieds pour assister aux charges impétueuses des chevaliers. À l'extrémité du champ, au-dessus des pavillons où attendaient les participants, s'élevait la loge royale, conçue à la manière des remparts d'un château, et à laquelle étaient suspendus en alternance les boucliers portant les armes du roi et ceux de sa nouvelle épouse.

Édouard, qui avait grande allure dans ses robes noires décorées de lourds galons dorés, regardait les chevaliers se livrer à la compétition assis sur son trône confortable. Les joutes furieuses qui avaient égayé l'après-midi étaient terminées et un concours d'adresse concluait le tournoi. On avait monté une quintaine à un bout du pré, forme humaine montée sur son mât et déguisée avec les foulards et les robes d'un Sarrasin, avec un grand cœur rouge peint sur la poitrine. Les chevaliers, l'un après l'autre, chargeaient l'ennemi avec leur lance. C'était maintenant à Ralph de Monthermer de s'élancer, avec son manteau jaune et son aigle vert flottant au vent, la lance pointée en avant. La foule le suivit des yeux. Le chevalier toucha le cœur et heurta violemment le Sarrasin et le sac de sable qui faisait contrepoids de l'autre côté. Ralph continua à cavaler sur plusieurs dizaines de mètres, les sabots ferrés de son cheval projetant derrière lui des mottes de terre. Les spectateurs l'acclamèrent.

Le regard d'Édouard se posa sur la rangée de chevaliers montés à l'autre extrémité du champ, qui attendaient que les pages remettent la quintaine en position. Dans leur dos était hissée la bannière au dragon délavée qu'il portait autrefois en étendard lors des tournois de Gascogne. Édouard observa ses chevaliers – Humphrey de Bohun, héros du tournoi, Aymer de Valence, Henry Percy, Guy de Beauchamp, Robert Clifford, Thomas de Lancastre. Ces jeunes gens, qui avaient grandi à la cour, avaient atteint l'âge d'homme dans une décennie de guerre. Leur apprentissage était terminé. Ils avaient tous succédé à leur père. Ils n'étaient plus des Chevaliers du Dragon, ils avaient leur place autour de la Table et pouvaient s'honorer de porter les noms de ces immortels chevaliers gravés sur son plateau en chêne, Gauvain ou Perceval, Mordred ou Lancelot. Ce nom resplendissait dans leur âme. Parmi les vétérans, seuls le vieillissant John de Warenne, les comtes de Lincoln et de Norfolk, ainsi que le belliqueux évêque Bek étaient toujours là. Mais la jeunesse et le zèle se trouvaient devant lui.

Entendant quelqu'un applaudir mollement derrière lui, Édouard se tourna vers sa femme qui accueillait sans enthousiasme excessif la prestation de Ralph. Marguerite était surnommée par son peuple la Perle de France. Elle avait en effet l'air d'un joyau avec ses cheveux noirs pareils à ceux de son frère, le roi Philippe, sa peau d'un blanc laiteux, ses formes délicates mises discrètement en valeur par une robe de damas pourpre nouée à la taille par une ceinture couverte de rubis. On était début septembre, la température était douce, mais la reine avait passé une étole d'hermine sur ses épaules pour se protéger de la fraîcheur du soir qui tombait. Héritière des rois guerriers de la dynastie des Capétiens, Marguerite avait fait voile vers Douvres la semaine précédente, fragile symbole de paix, nerveuse quoique sûre d'elle-même, avec une suite de dames de compagnie et de serviteurs dignes de son rang. Deux jours après que son bateau eut accosté, Édouard l'avait épousée devant les portes de la cathédrale de Cantorbéry. La cérémonie, célébrée avec solennité par le truculent archevêque Winchelsea, avait été suivie de trois jours de fêtes et de tournois.

En cette occasion, Édouard n'avait pas lésiné sur les dépenses. Derrière le terrain des joutes, on apercevait le sommet des pavillons rayés, décorés de drapeaux colorés. De la fumée s'élevait des feux où les sangliers sauvages rôtissaient en tournant sur les broches. À l'intérieur des tentes, les tables à tréteaux étaient couvertes d'argenterie, de plateaux dorés et de pétales de fleurs. Il y aurait du pain d'épice, des pommes cuites au miel, des flans moelleux, du chevreuil succulent qui fondrait sur la langue, des amandes sucrées et du vin à profusion. Devant les pavillons, les serviteurs accrochaient des lanternes aux branches des arbres. À la nuit tombée, l'assemblée serait couronnée d'un halo d'étoiles scintillantes.

Marguerite, qui se sentait observée par le roi, sourit timidement. Édouard fit de même avec courtoisie avant de reporter son attention sur le terrain. Ce mariage était un événement joyeux, il devait mettre fin à une guerre qui avait duré cinq ans entre la France et l'Angleterre et permettrait à Édouard, grâce à l'entremise du pape Boniface, de récupérer la Gascogne. Cependant, les célébrations ne parvenaient pas à dissiper le profond sentiment de perte qui l'accablait depuis une semaine, en même temps que remontaient à la surface les douloureux souvenirs de son bonheur avec Éléonore. Il avait soixante ans. Marguerite, sage et discrète, n'en avait que dix-sept. Elle était aussi douce que de l'hydromel et il savait qu'elle lui apporterait du plaisir au cours des années qui lui restaient, mais elle ne toucherait jamais son âme. Celle-ci était morte avec sa reine espagnole.

Derrière lui, Édouard entendit le rire cristallin de son fils assis non loin de là avec ses amis. Le jeune Édouard, qui avait quinze ans, lui ressemblait comme deux gouttes d'eau quand il avait le même âge, avec ses cheveux blonds aériens et son long visage anguleux. Il avait beaucoup grandi cette dernière année, ce qui laissait supposer qu'il avait aussi hérité de sa stature. À côté de lui, un bras posé langoureusement sur le rebord du gradin, se trouvait un jeune écuyer de seize ans, très beau, qui s'appelait Piers Gaveston. Le jeune homme au regard noir, originaire de Gascogne, était le fils d'un chevalier qui avait bien servi le roi pendant la guerre. À sa mort, Édouard avait fait de Piers un garde de la maison royale, et son fils et lui s'étaient immédiatement pris d'amitié l'un pour l'autre. Édouard s'était légèrement inquiété du fait que son fils passât de plus en plus de temps dehors avec Piers et ses amis alors qu'il aurait dû s'entraîner ou étudier, mais il savait que son héritier gagnait en maturité, maintenant que ses fiançailles avec la fille du roi Philippe, Isabelle, étaient annoncées. Le mariage n'aurait pas lieu avant plusieurs années, la princesse n'étant encore qu'une enfant, mais entre-temps le roi avait d'autres projets pour son fils. Il comptait l'impliquer dans sa prochaine campagne écossaise, prévue pour l'année prochaine. Le calendrier s'y prêtait, car à la fin de l'année s'ouvrirait un autre siècle. L'époque était au changement et, si Dieu le voulait, il arriverait au bout de ses conquêtes.

Il avait dépêché des agents, sous les ordres de son lieutenant sir Richard de Burgh, le comte d'Ulster, pour traquer la quatrième relique en Irlande. Quand il aurait mis la main dessus, il la ferait parader devant le peuple, comme il l'avait fait pour la Couronne d'Arthur et la Pierre du Destin, symboles de son autorité sur la Bretagne unifiée. Ensuite, il présenterait la relique à l'abbaye de Westminster, devant le mausolée du Confesseur, et la Dernière Prophétie serait accomplie. Les hommes avaient soif de légendes − d'aspirations qui dépassent le dur labeur de la vie quotidienne, de mythologies célestes qui colorent la grisaille de l'existence terrestre. Ses hommes chanteraient ses louanges pour avoir sauvé le royaume de la malédiction prédite par Merlin, mais surtout la réalisation de la prophétie lui vaudrait la fidélité indéfectible de ces jeunes gens dont les impôts renflouaient ses caisses et qui n'hésiteraient plus jamais à brandir leur épée pour lui. Les chevaliers d'Arthur se disputaient, il leur arrivait même de contester leur roi, mais au bout du compte ils étaient liés à la Table par une loyauté éternelle. C'est cela que voulait Édouard, car il avait décidé depuis longtemps de ne jamais revivre Lewes, quand le royaume était divisé, entre les ambitions des barons et la faiblesse de son roi. Non. Son cercle serait d'or et d'airain. Parfait. Impossible à briser.

Il avait failli perdre leur soutien à cause de la Gascogne, la menace d'une guerre civile n'avait jamais été très éloignée de ses pensées. La bataille de Falkirk, malgré sa brutalité, avait offert une victoire commune à ses hommes. Pourtant, ce n'était pas fini. Il ne se satisferait pas de trophées, il voulait une domination totale. Chaque mois, les rapports lui répétaient la même chose : les convois de ravitaillement étaient attaqués et les garnisons isolées. Winchelsea, s'exprimant au nom du pape, protestait contre cette invasion d'un pays chrétien et Édouard avait récemment découvert que William Wallace avait réussi à franchir le blocus dans la Manche et qu'il se trouvait désormais à la cour du roi Philippe. Il s'inquiétait du mal que le chef rebelle pouvait causer à la trêve, mais pour l'instant rien n'avait changé. Il s'occuperait de ce brigand le moment venu. En attendant, un autre ennemi requérait son attention. Et il avait bien l'intention de lui régler son compte.

Alors que le tournoi touchait à sa fin, les chevaliers ayant brisé leurs dernières lances contre le Sarrasin, les juges se retirèrent pour choisir le vainqueur, à qui on remettrait sa récompense – un heaume en argent surmonté d'un dragon – lors du banquet. Profitant de l'interlude, un messager se faufila entre les bancs et glissa quelques mots à l'oreille du roi. Édouard se leva, s'excusa auprès de sa jeune épouse et quitta les gradins par l'escalier de l'arrière. Les nobles discutaient entre eux, pariaient sur l'issue des délibérations.

Édouard, évitant la foule, se dirigea vers les pavillons, discrètement suivi par deux de ses chevaliers. Le jour déclinait rapidement et les lanternes brillaient dans les arbres. Un serviteur faisait entrer cinq paons dans la plus vaste des tentes pendant que les ménestrels accordaient leurs instruments. Là, debout à l'entrée du somptueux pavillon royal, regardant les serviteurs dresser les tables, un homme qui portait une cape bleu marine et une cotte de mailles courte attendait. Il avait l'air plus vieux et plus marqué que la dernière fois où Édouard l'avait vu, en Gascogne. Indifférent aux saluts respectueux des serviteurs affairés, le roi fit signe aux chevaliers de rester en retrait et s'approcha seul.

Adam se tourna et, voyant le roi arriver, inclina la tête.

— Sire.

— J'imagine que vous vous êtes installé ?

— On s'est bien occupé de moi, Sire. Je vous remercie.

Adam marqua une pause avant de reprendre.

— Je vous avoue que j'ai été surpris de recevoir votre message alors que la guerre vient de se terminer. Mais j'ai laissé ma compagnie sous les ordres d'un de mes lieutenants à Bayonne, où elle renforce la garnison. Elle est entre de bonnes mains.

Les yeux d'Édouard semblaient suivre les serviteurs qui se dépêchaient de tout préparer pour le banquet, mais il ne les voyait pas. Il repensait à l'image du lion rouge rugissant au-dessus du dragon.

— J'ai une mission spéciale à vous confier. En Écosse. Elle est de même nature que celle que vous avez accomplie pour moi il y a treize ans.

Il posa son regard sur Adam.

— Il faut que l'homme auquel je pense ait un accident.

Chapitre 68

Robert Bruce et John Comyn se faisaient face. Entre eux, la haine était palpable. Ils se trouvaient dans la salle circulaire du château de Peebles, bondée, où l'ambiance était chargée, et l'explosion proche. La pluie frappait le toit de chaume et le tonnerre grondait entre les éclairs dont la lumière blanche était visible par les interstices des volets fermés. L'air était saturé de sueur et de l'odeur des fourrures mouillées.

— J'ai averti Bruce, répéta Comyn en haussant la voix pour se faire entendre malgré l'orage. Je l'ai prévenu qu'il valait mieux ne pas attaquer si près de Roxburgh, mais il n'a rien voulu savoir.

— Alors vous avez saboté l'attaque, juste pour montrer que vous aviez raison ? riposta Édouard.

John Comyn éclata d'un rire dur avant de prendre à partie les chevaliers de Badenoch et du Galloway installés derrière lui.

— Je n'aurais jamais pensé que les Bruce me croyaient assez fort pour organiser une attaque de guêpes !

Sa moquerie tomba à plat et il se retourna vers Robert.

— Votre frère et vous savez très bien ce qui s'est produit et pourquoi nous avons été retardés. J'ai perdu dix hommes et cinq chevaux, morbleu ! s'indigna-t-il en jetant un coup d'œil au chambellan et aux évêques Wishart et Lamberton, qui s'efforçaient de maintenir l'ordre. Dites-moi, qu'aurais-je dû faire ?

— Vous auriez pu choisir un guetteur plus compétent, répondit froidement Alexandre Seton. Peut-être que si votre homme avait été plus attentif, il aurait repéré le nid et changé de position.

— Fergus a payé son erreur de sa vie, rétorqua Comyn avec colère.

— Et une douzaine de mes hommes avec lui, répliqua Robert sans le quitter des yeux.

— Je pense que nous devrions nous accorder à dire que l'échec de cette opération n'est de la faute de personne, intervint fermement James.

Le grand chambellan avait l'air fatigué par ce débat qui durait depuis près d'une heure sans qu'on en voie la fin.

— Je ne suis pas d'accord, lord Stewart, dit soudain Dungal MacDouall, à côté de Comyn. Si nous avions fait comme sir John et moi le proposions et que nous avions attaqué le convoi plus tôt sur la route, nous aurions pu poursuivre les chariots malgré cet incident. Là, nous étions trop près des remparts de Roxburgh pour nous risquer à les pourchasser.

Il lorgna vers Robert.

— Nous l'avons expliqué à sir Robert, mais il refusait de se battre si nous n'acceptions pas son plan. Nous n'avons pas eu d'autre choix que de nous plier à ses volontés.

— Espèce de sale menteur ! s'emporta Édouard en faisant plusieurs pas vers MacDouall.

Dans sa fougue, il voulut empoigner son épée en oubliant qu'elle n'était pas à sa ceinture. Le grand chambellan, qui avait assisté à l'altercation après l'attaque ratée, avait ordonné qu'on déposât les armes pendant le conseil.

Robert passa devant Édouard en lui jetant un tel regard que celui-ci recula, mais sans cesser de guetter MacDouall, qui semblait prêt à se battre. La dispute gagnait la salle, où plusieurs hommes échangeaient des insultes. Dehors, la foudre frappa.

— Je suis pour qu'on déchoie Robert Bruce de sa position ! s'écria MacDouall au milieu du vacarme. Il n'est pas de taille à être notre Gardien !

Une partie de l'assemblée se rallia bruyamment à lui. Une voix domina le tumulte, celle de Gilbert de la Hay, qui prit la parole avec gravité.

— Il me semble évident que sir Robert et sir John ne peuvent continuer à travailler ensemble. Le royaume y perdrait. Je pense que nous devrions contacter sir William Wallace et demander son retour. Nous savons que la trêve entre l'Angleterre et la France a exclu l'Écosse, dit-il en jetant un coup d'œil à Lamberton, qui se taisait. Qu'a à faire sir William dans une cour à l'étranger ? Faisons-le revenir là où nous avons besoin de lui. Les Anglais seront ici l'année prochaine. Nous devons êtres unis pour les affronter.

— Cette trêve prouve que sir William doit rester là où il se trouve, répondit James. Si nous voulons obtenir des soutiens à notre cause, nous devons maintenir une forte présence à l'étranger. Les alliances peuvent changer. Nous le savons tous. Tout espoir n'est pas perdu. Pas encore.

John Comyn semblait ne pas avoir entendu cet échange. Il fixait toujours Robert avec haine.

— Je suis d'accord avec MacDouall. Il faut remplacer Bruce. Non seulement son plan insensé nous a coûté beaucoup de vies, mais il a permis aux Anglais de livrer la moitié des vivres à la garnison de Roxburgh. Maintenant ils survivront au siège jusqu'à ce que le roi Édouard vienne les libérer. Qui sait, poursuivit-il en élevant la voix par-dessus les manifestations d'animosité des hommes de Robert, peut-être voulait-il que cet assaut échoue ? Peut-être avait-il l'intention d'aider la garnison de façon à ce que son ancien allié, le roi Édouard, dispose d'une base d'où lancer sa prochaine invasion ?

Au milieu du tollé que suscitèrent ces mots, Robert prit la parole.

— Vos médiocres allégations peinent à masquer votre propre ambition, John. Vous voulez me voir partir pour être le seul maître. Il s'exprimait d'une voix ferme, mais posée, bien qu'il se sentît bouillir et qu'il n'eût qu'une envie : se jeter sur l'homme qui lui faisait face et qui, par ses accusations stupides, bafouait les hommes morts au cours de l'attaque, dont Walter.

— Le fait que vous soyez prêt à insinuer quelque chose d'aussi absurde dans le seul but de vous emparer du pouvoir me rend malade pour le royaume.

— Absurde ? reprit John. Est-il vraiment si absurde de vous accuser d'une telle chose alors que vous apparteniez à l'élite du roi et que vous êtes lié à sa cause par un serment inviolable ?

Robert secouait la tête avec mépris, mais les protestations avaient cessé. Le poison du doute s'insinuait dans les têtes. John Comyn continua sans lui laisser le temps de se défendre.

— Oui, Robert Bruce fait partie de ces hommes que le roi Édouard appelle les Chevaliers du Dragon. Je le sais parce que mon beau-frère, Aymer de Valence, en est un lui aussi. Il m'a dit il y a quelque temps que Bruce avait été reçu dans cet ordre. Comment pourrions-nous avoir confiance en un homme pareil ? Devons-nous miser l'avenir du royaume sur l'espoir qu'il a vraiment rompu tout lien avec ses anciens alliés ?

Tous les regards étaient maintenant tournés vers Robert. Combien de temps Comyn avait-il gardé cela pour lui, tel un oiseau couvant son œuf et le gardant au chaud, dans l'attente du bon moment pour le montrer à tous ? À l'exception de ses proches – son frère, les Seton, Atholl et Mar –, Robert n'avait confié à personne qu'il avait été initié dans l'ordre du Dragon. Même James le dévisageait, l'air perplexe. Il allait s'expliquer, Dungal MacDouall l'en empêcha.

— Bruce est un traître ! s'exclama subitement le capitaine du Galloway. Il est aussi fourbe que son corniaud de père et aussi traître que son grand-père ! Qu'ils soient tous maudits !

L'orage qui grondait dans la salle éclata. Édouard se jeta sur Dungal MacDouall et le saisit à la gorge avant de le plaquer contre le mur. Les hommes entrèrent dans la bagarre des deux côtés. Wishart se fraya un chemin jusqu'au milieu de la mêlée en leur ordonnant de s'arrêter.

Alors que Robert tentait de rejoindre son frère pour le calmer, on l'attrapa par-derrière et un bras enserra sa poitrine. John Comyn s'en prenait directement à lui. Un instant plus tard, il vit l'éclat de l'acier. Une dague se tendait vers sa gorge. La lame heurta sa peau. De l'autre côté de la pièce, il vit James Stewart, livide, le bras levé comme pour arrêter Comyn, la bouche ouverte en un cri muet. En une fraction de seconde, il comprit l'intensité de la sollicitude du chambellan à son égard, puis la lame entra dans sa chair et la révolte et la peur s'emparèrent de lui. Comyn allait l'assassiner. Il allait le tuer ici même, devant tout le monde.

— *Devant Dieu, je vous demande d'arrêter !*

La voix puissante de Lamberton les pétrifia. L'évêque de St Andrews, debout au milieu d'eux, était aussi furieux et impérieux que la foudre à l'extérieur. Ses yeux, l'un bleu, l'un blanc, irradiaient d'une colère irrésistible.

— Posez votre dague, John Comyn, ou je jure devant le Christ que je verrai votre famille condamnée au fin fond de l'enfer !

Comyn ne bougea pas. Robert sentait sa poitrine se soulever contre son dos à chaque inspiration. Au bout d'un moment, Comyn abaissa la dague et relâcha sa prise. À l'autre bout de la salle, Édouard, retenu par Neil Campbell, lâcha à son tour MacDouall, qui se laissa glisser contre le mur en luttant pour reprendre sa respiration. Robert se dégagea de Comyn.

— Le conseil est terminé, dit James Stewart d'une voix rauque. Retirez-vous, tous. Nous reprendrons quand les esprits se seront refroidis.

Robert se fraya un chemin dans l'assistance et sortit sous la pluie battante. Ses hommes le suivaient en parlant fort au milieu du déluge. Au-dessus du château, le ciel était une chape noire éclairée de l'intérieur par la lueur des éclairs. Les orages de la fin d'été étaient arrivés de l'est deux jours plus tôt et des flaques avaient envahi le moindre trou, la moindre cuvette dans le sol. Robert, capuche rabattue, traversa la cour sans se préoccuper de la boue et s'engagea sur le sentier qui menait à ses logements.

En contrebas, les maisons qui constituaient le village étaient tassées les unes contre les autres, près des tentes et des chevaux des hommes venus à Peebles assister au conseil. La ville était située à environ trente lieues de Roxburgh, dans une profonde vallée, au cœur de la forêt qui l'enserrait de tous côtés. Les arbres formaient une mer végétale agitée par la tempête. Robert entendait ses hommes se disputer autour de lui, mais leurs mots étaient aussi incohérents et dénués de substance que le vent, car il était assailli par des images qui l'accablaient. Il revoyait d'abord le visage de John Comyn blême de rage, prêt à le tuer. Ensuite, c'était l'incertitude qu'il avait lue dans les yeux du chambellan quand son rival avait révélé l'existence de ce serment. Tout au long de sa marche jusqu'à la ville, sous les trombes d'eau, il ne parvint pas à chasser de son esprit les accusations de Comyn. Elles résonnaient obstinément dans sa tête.

Lié à sa cause par un serment inviolable. Comment pourrions-nous avoir confiance en un homme pareil ?

Oui, comment auraient-ils pu avoir confiance en lui ? Personne, même son frère, ne savait qu'il avait aidé les Chevaliers du Dragon à s'emparer de la Pierre du Destin à l'abbaye de Scone. C'était un poids dont il avait été incapable de se décharger. Robert avait beau se dire que s'il avait refusé ce jour-là d'aider Humphrey et les autres à commettre ce vol, ils se seraient débrouillés sans lui, cela n'allégeait en rien son fardeau. Quelle que soit sa contribution à la libération du royaume, le nombre d'Anglais qu'il avait tués au cours de leurs attaques, le nombre d'Écossais qu'il ralliait sous sa bannière ou le chemin qu'il parcourait vers le trône, il ne pouvait oublier que le plus grand empêchement à l'accomplissement de son destin était le crime que lui-même avait commis.

Il n'y a pas de trône.

C'était un fait avéré. Et il était impossible de ne pas en tenir compte. Le jour où Katherine l'avait trahi, Alexandre lui avait dit qu'il devait commencer à croire en lui-même pour devenir roi. Le lord considérait que cette femme l'empêchait d'avancer, et peut-être que, d'une certaine façon, c'était vrai : peut-être pensait-il réellement qu'il ne méritait pas mieux qu'une servante. Mais la vérité, la seule raison qui rendait sa marche vers le trône hésitante et pleine de doutes, c'était ce qu'il avait fait ce jour-là à Scone, dans l'ombre de la colline où il avait une fois senti frémir les fantômes de l'histoire.

Robert était tellement plongé dans ses réflexions qu'il ne vit pas les six hommes qui remontaient le sentier dans l'autre sens avant d'arriver à leur hauteur. C'étaient quatre chevaliers de Carrick qui escortaient deux hommes, lesquels marchaient en chancelant, aveuglés par des capuches rabattues jusqu'au menton, et qui marmonnaient, malgré les bâillons, des paroles de protestation.

Robert s'arrêta, tout comme Édouard, Alexandre et les autres qui étaient sur ses talons.

— Sir Robert, le salua l'un des chevaliers tandis qu'un éclair zébrait le ciel. Nous avons trouvé ces hommes qui essayaient de pénétrer dans vos quartiers. Ils prétendent vous connaître, mais ils refusent de nous donner leur nom.

À ces mots, les prisonniers commencèrent à se débattre. Robert entendit son nom qui lui parvint étouffé.

— Retirez les capuches.

Les chevaliers obtempérèrent et Robert découvrit deux jeunes gens aux joues rouges, visiblement furieux. Ils étaient vêtus de tuniques et de manteaux en lin bleu, salis par la pluie et la crasse, mais de bonne qualité. Tous les deux portaient une ceinture, mais pas d'épée. Les chevaliers avaient dû la leur confisquer. Le plus âgé était petit et trapu, avec un menton carré couvert d'une barbe rousse alors que ses cheveux étaient blonds. L'autre, plus jeune de quelques années, était grand et sec, nerveux, et ses cheveux noirs tombant jusqu'aux épaules encadraient un visage juvénile. Lorsqu'ils virent Robert, leur colère reflua subitement et ils parurent émerveillés.

Troublé, Robert les dévisagea un moment. Puis il entendit Édouard pousser un cri de joie près de lui et alors, il les reconnut.

Les chevaliers de Carrick, indécis, se rangèrent sur le côté et assistèrent au spectacle de Robert et Édouard qui se jetaient dans les bras des deux prisonniers en riant, emportés par une allégresse qui faisait briller leurs yeux. Alexandre Seton croisa le regard interrogateur de Christopher et secoua la tête, aussi circonspect que son cousin, tandis que John d'Atholl, Gartnait de Mar, Neil Campbell et les autres observaient la scène avec surprise.

Robert s'écarta du jeune homme aux cheveux noirs en l'examinant de bas en haut d'un air ébahi.

— Par le Christ, Niall, tu es presque plus grand que moi !

Il dévisagea ensuite Thomas, qui riait sous l'étreinte forcenée d'Édouard. Il n'avait pas vu ses jeunes frères depuis des années. Sur l'injonction de son père, ils avaient passé toute la guerre à Antrim, comme lui au sortir de son enfance. Il fut frappé par la beauté de Niall qui avait hérité de la grâce naturelle de leur mère, de ses pommettes et de ses yeux enfoncés, et il dégageait une bonne humeur qui se communiquait à tous. Thomas avait grandi, lui aussi, mais il ressemblait plutôt à leur père et semblait monolithique.

Robert se tourna vers ses hommes avec un sourire radieux.

— Venez rencontrer mes frères !

John d'Atholl s'avança vers Niall en secouant la tête.

— Vous deviez être un gamin de huit ou neuf ans la dernière fois que je vous ai vu, maître Niall ! Quel âge avez-vous maintenant ? Seize ? Dix-sept ans ?

— Dix-huit, répondit Niall avec la fierté des jeunes gens qui sont presque des hommes.

Les Seton et Neil Campbell saluèrent les deux frères avec courtoisie.

Les présentations faites, Robert les entraîna sur le sentier.

— Continuons ces retrouvailles au sec, dit-il avant de se tourner vers les quatre chevaliers qui avaient amené ses frères jusqu'ici. Veillez à ce qu'on prépare à manger pour mes honorables invités.

Les chevaliers se hâtèrent de repartir devant eux.

Robert ne pouvait s'empêcher de contempler Niall, stupéfait par la façon dont son frère avait changé et était submergé de joie. Il avait envie de passer son bras autour de ses épaules, mais n'osait pas, à cause des nombreuses années qu'ils avaient vécues sans se voir et de tout ce qui s'était passé entre-temps. Il avait des milliers de questions à lui poser, mais ce fut la plus évidente et la plus facile qui se présenta à lui en premier.

— Pourquoi n'avez-vous pas donné votre nom à mes hommes ? Si vous leur aviez expliqué qui vous étiez, ils ne vous auraient pas traité de cette manière.

— Nous ne savions pas si nous pouvions leur faire confiance, répondit Niall en jetant un coup d'œil à Thomas, qui marchait entre Robert et Édouard. Nous avons entendu tellement de rumeurs ces dernières années qu'il n'est pas toujours facile de savoir qui se bat contre qui.

Robert vit qu'il hésitait à formuler une question. Il devait en avoir beaucoup. Et il aurait sans doute du mal à répondre à certaines.

— Comment avez-vous su que nous serions à Peebles ?

— À notre retour, nous sommes d'abord allés à Turnberry, répondit Thomas d'une voix de basse. Sir Andrew Boyd nous a reconnus. Il nous a appris que tu étais dans la forêt de Selkirk et que tu te battais contre les Anglais. Plus nous nous sommes rapprochés, plus il a été facile de retrouver ta trace.

Tout en parlant, la compagnie arriva à hauteur de la palissade. Robert et ses hommes avaient pris leurs quartiers dans une auberge, à la sortie de la ville. Ils franchirent la porte et il les guida vers le bâtiment.

— Je n'arrive pas à croire que vous soyez tous les deux ici.

— Et moi, je n'arrive pas à croire que tu sois Gardien de l'Écosse, répliqua Niall. Pourquoi ne nous as-tu pas envoyé de message ?

Alors qu'ils arrivaient devant l'auberge, Robert s'arrêta pour laisser le chevalier qui faisait office de sentinelle ouvrir la porte.

— Cette année a été chargée en événements. Je ne pouvais pas me permettre d'envoyer un homme.

— As-tu des nouvelles de notre père ? demanda Thomas en suivant Robert à l'intérieur. Où se trouve-t-il ? Et Alexandre ? Il est toujours à Cambridge ?

— Assez ! protesta jovialement Édouard. J'insiste pour que vous nous donniez d'abord de vos nouvelles.

Tout en entrant dans la grande salle où il logeait avec ses hommes, Robert adressa un signe de tête à Édouard, reconnaissant pour la diversion qu'il lui offrait. Après avoir retiré sa cape trempée, il la tendit à Nes qui s'était levé du tabouret près du feu à leur arrivée.

— Pourquoi êtes-vous venus ? leur demanda-t-il.

Niall sembla chercher du courage dans le regard de Thomas, et Robert comprit qu'il s'était passé quelque chose de grave.

— Le manoir d'Antrim est détruit, lui annonça Niall. Les chevaliers de sir Richard de Burgh l'ont rasé.

— Le comte d'Ulster ?

Il revit en pensée le manoir en pierre près de la rivière, entouré de champs verts perlés de rosée. À l'autre bout de la salle, le visage d'Édouard s'était assombri et il devina que lui aussi revisitait dans sa tête la maison du seigneur irlandais qui les avait élevés.

— Pourquoi le comte a-t-il fait une chose pareille ?

— Des soldats anglais écument le nord de l'Irlande sous ses ordres depuis un an, répondit Thomas. Même si nous ne l'avons appris que ces derniers mois, quand ils ont voulu fouiller Antrim. Le lord ne leur a pas donné l'autorisation et ils sont entrés de force. Nous avons été obligés de nous en aller, sous peine de mort, pendant qu'ils mettaient le manoir à sac. Et comme ils n'ont rien trouvé, ils y ont mis le feu.

— Ils ont dit que c'était le seul moyen pour eux de savoir où ils avaient déjà cherché, murmura Niall avec dégoût.

— Qu'est-ce qu'ils cherchaient ? demanda Édouard.

— Une relique que désire le roi, d'après ce qu'ils nous ont dit.

Robert ressentit une secousse dans la poitrine.

— Quelle relique ?

Niall le fit attendre un moment avant de répondre.

— Ils l'appellent la Crosse de Malachie.

Les ténèbres étaient complètes lorsque Robert remonta le sentier. L'orage s'était éloigné mais des nuages bas dérivaient en rasant le château. Les flaques frémissaient sous les rafales de vent. Il avait passé deux heures à écouter ses frères raconter les événements d'Irlande tout en réfléchissant aux possibilités que la situation lui offrait. Et là, tandis qu'il arpentait le sentier, sa décision prise, il se sentait fiévreux, aussi tendu que les éclairs qui continuaient à zébrer le ciel au loin. Plus de politique. Plus d'attente. Si tout avait une saison, alors la sienne était venue.

Les halos rougeoyants des torches éclairaient la salle circulaire surmontée d'un dôme. Des chevaliers portant les couleurs du grand chambellan montaient la garde devant le bâtiment, leurs visages colorés par les flammes. Quelques-uns hochèrent la tête pour le saluer tandis qu'il s'approchait. Le vent ramenait ses cheveux noirs dans ses yeux et faisait bouffer son manteau et son surcot, ornés du chevron rouge de Carrick. L'un des chevaliers ouvrit la porte et Robert entra.

Il faisait chaud à l'intérieur. Les flammes des torches accrochées au mur vacillèrent sous l'effet du courant d'air. Tandis que la porte claquait dans son dos, Robert observa les trois hommes assis autour de la longue table à tréteaux à l'extrémité de l'immense pièce. Lorsque ses pas résonnèrent sur le plancher, ils firent silence jusqu'à ce qu'il les rejoigne.

— Votre frère va-t-il cesser de se comporter comme un enfant ? s'enquit Wishart avec rudesse. Les choses ne peuvent pas continuer ainsi. C'est impossible. Nous aurions dû flageller votre frère pour s'en être pris à MacDouall de cette façon. Et Comyn aussi, pour ce qu'il a voulu vous faire.

— Robert, le salua James Stewart en se levant à demi pour apaiser la tension qui régnait. Je vous en prie, asseyez-vous avec nous.

Une carafe de vin et plusieurs coupes étaient posées sur la table.

— Non, je vous remercie.

— Nous discutions de la possibilité de nommer l'évêque Lamberton comme troisième Gardien, dit Wishart sans remarquer que le refus de Robert de prendre place à leur côté inquiétait le chambellan. Il servirait d'arbitre entre vous deux.

Robert jeta un coup d'œil à William Lamberton, assis près de l'évêque de Glasgow. Le jeune ecclésiastique le dévisageait de son étrange regard.

— Je pense que c'est un choix plein de sagesse, monseigneur, répondit-il. Mais, pour ma part, j'ai décidé de me retirer.

James se leva d'un coup.

— Vous retirer ? répéta-t-il, à la fois surpris et furieux. Pourquoi ? À cause de John Comyn ?

Il scruta Robert un moment.

— Je vous implore d'y réfléchir de nouveau. Pensez à l'avenir, Robert. Pensez à ce que vous risquez.

— Ce n'est pas la raison qui m'incite à partir. John Comyn a raison à propos d'une chose, mon lien avec le roi Édouard. Je crois avoir trouvé le moyen de tirer profit de ce lien. Vous l'avez sans doute déjà appris, mes frères sont arrivés ce soir de notre domaine d'Antrim. Ils m'ont apporté des nouvelles qui me donnent de l'espoir. Je vais retourner en Irlande avec eux dès que possible.

— En Irlande ? s'étonna Wishart. Au nom de Dieu, qu'allez-vous chercher là-bas qui pourrait servir la cause de l'Écosse ?

— Quelque chose que le roi d'Angleterre désire plus que tout.

709

Après avoir respectueusement salué le grand chambellan et les deux évêques, Robert tourna les talons et retraversa la salle.

Lorsqu'il poussa les portes devant lui, il se mit à songer à Fionn mac Cumhaill et à sa bande de guerriers, dont il avait appris par cœur les actes héroïques à Antrim. Désenchanté par la réalité de la guerre au pays de Galles et hanté par l'incertitude liée à sa place dans l'ordre du Dragon, il avait banni les contes de son enfance de son esprit qui avaient rejoint les faux espoirs de la jeunesse. Et voilà que s'offrait à lui la quête d'un trésor qui pourrait à la fois déterminer le sort d'un royaume et lui permettre de s'amender. S'immergeant dans les ténèbres extérieures, Robert ne put s'empêcher de sourire.

Affraig marchait à pas lents dans la lumière matinale en cillant des yeux, aveuglée par les rayons du soleil. Les orages venus de l'est quelques jours plus tôt, qui avaient fait couler des torrents de boue de la colline, étaient partis dans la nuit. Le vent était retombé, les nuages dérivaient à l'ouest, vers Arran, laissant derrière eux une aube bleutée.

Le sol scintillant sous la rosée était couvert de brindilles et de chaume arraché du toit par la tempête, même si la colline qui surplombait son habitation l'avait protégée du pire. Murmurant des prières de remerciement aux dieux de l'air, elle se pencha pour ramasser le seau laissé dehors afin de récupérer les eaux de pluie. Elle aperçut alors quelque chose qui gisait par terre, au pied du chêne, à moitié caché par des débris. C'était un destin qui était tombé dans la nuit, enfin accompli.

Affraig se redressa et s'avança sur l'herbe humide qui agaçait ses pieds nus. Puis elle s'accroupit, ses vieux os craquant et protestant, et sa cape miteuse s'étala autour d'elle. Avec précaution, elle écarta les feuilles rousses pour faire apparaître la cage de brindilles blanches. À l'intérieur, la corde couverte de mousse formait un nœud – la racine de la malédiction de saint Malachie. Elle tendit les doigts pour toucher le morceau de bois fatigué et sa respiration s'accéléra en voyant la ficelle usée qui si longtemps avait entravé le destin du vieux lord. Elle leva ensuite les yeux. À travers le feuillage, le petit morceau de ficelle pendait à une haute branche, solitaire désormais. À côté, d'autres cages oscillaient doucement sous la brise. Le regard d'Affraig se concentra sur l'une d'elles, encore neuve et résistante. Pendue à son bout de ficelle, elle contenait une couronne de bruyère et de genêt qui se balançait d'avant en arrière dans la lumière glorieuse du matin.

NOTE DE L'AUTEUR

En juin 2007, j'étais en Écosse pour me documenter sur *Requiem*, le dernier roman de ma première trilogie, basée sur la chute de l'ordre du Temple. Mon personnage principal était écossais et, depuis le début, j'avais dans l'idée qu'il revienne des croisades pour se mêler aux guerres d'indépendance de son pays. La lutte de William Wallace et de son armée rebelle constituait un puissant parallèle avec celle des templiers pour survivre au procès qui les menaçait, les deux conflits culminant en 1314 avec, d'une part, la bataille de Bannockburn et, d'autre part, le bûcher sur lequel périt le dernier grand maître du Temple, Jacques de Molay. À Paris, le mois précédent, j'avais travaillé sur la partie de l'histoire qui concernait les chevaliers, et cette excursion écossaise était donc censée m'aider à bâtir l'autre moitié du récit. J'ai passé trois semaines sur la route à écumer les champs de bataille transformés en lotissements, les abbayes écroulées et autres ruines couvertes de lierre. Jour après jour, des pages d'histoire et du paysage sauvage, une figure ne cessait de s'imposer, plus grande et distincte que les autres – celle de Robert Bruce. Il m'a littéralement happée et transportée dans une histoire qui dépassait de beaucoup l'invasion anglaise de 1296 et l'insurrection ultérieure de Wallace, une histoire composée de cruelles querelles familiales, de deux guerres civiles et d'un combat pour la Couronne. À la fin du voyage, j'avais développé une telle obsession pour Robert que j'avais presque oublié les templiers – les protagonistes de *Requiem*. Rentrée chez moi, je me suis aperçue qu'il n'était pas question que ce personnage ne fasse qu'une simple apparition dans l'histoire d'un autre homme. Sa vie était beaucoup trop riche, compliquée et haletante. Pour la faire entrer dans *Requiem*, il aurait fallu couper. J'ai préféré laisser Robert de côté et me concentrer sur l'histoire dramatique mais beaucoup plus simple de Wallace, qui fonctionnait mieux avec la partie sur le Temple. Cependant, je n'arrivais pas à évacuer Robert de mon esprit et quelques semaines plus tard, incapable de faire taire sa voix, j'ai téléphoné à mon agent, qui m'avait demandé de lui faire des propositions concernant ma prochaine série de romans. Je savais désormais de quoi ils parleraient.

Lorsque vous écrivez des romans historiques, vous marchez toujours sur une ligne mouvante entre faits réels et fiction. Ce sont les faits qui inspirent nos histoires et permettent aux lecteurs d'entrer dans ces mondes disparus, mais ces faits peuvent parfois nuire à un roman. Les sources, qu'elles soient historiques ou contemporaines, sont parfois plus que contradictoires et les choses restent souvent sans explications – nous pouvons savoir qui a fait quoi, mais nous ignorons pourquoi. Un historien dit : voilà ce qui s'est passé ; voilà les faits à l'appui. Nous le croyons. Mais un romancier doit inventer les motifs sous-jacents de ces actions et offrir au lecteur un cadre crédible. Par exemple, nous n'avons pas d'explication concrète sur la raison qui a poussé Robert à abandonner la cause de son père et du roi Édouard devant le château de

Douglas, le jour où il a décidé de rejoindre les rebelles écossais. Il avait tant à perdre et si peu à gagner. Même la plus simple théorie, à savoir qu'il s'agissait d'un acte de pur patriotisme, ne tient pas tout à fait la route quand on y regarde de plus près. C'est pour cela que je le fais agir de façon plus individualiste – non seulement pour une cause nationale mais pour une autre, personnelle, qui relève à la fois de sa frustration et de son antagonisme avec son père. D'ailleurs, bien souvent, c'est ce genre de circonstances personnelles qui nourrissent les grands événements. Nous prenons des décisions extrêmes, nous le faisons sur le coup, nous comprenons à peine que nous participons à quelque chose de plus grand jusqu'à ce que nous nous retournions, des siècles ou des années plus tard. L'histoire ne tient qu'à un fil.

La première liberté que j'ai prise avec l'histoire concerne le meurtre d'Alexandre III. Les chroniqueurs de l'époque et les historiens modernes considèrent sa mort sur la route de Longhorn comme un accident et il n'y a pas de raison de soupçonner le contraire. Mais en tant que romancière, je suis prompte à formuler des soupçons : la rapidité avec laquelle Édouard Ier a reçu du pape l'autorisation que son enfant épouse Marguerite de Norvège, ajoutée au fait qu'Alexandre pouvait avoir discuté de la possibilité d'une telle union deux ans plus tôt dans une lettre adressée à Édouard, sachant que toute progéniture issue de son mariage avec Yolande eût proprement annulé cette proposition, tout cela m'a rapidement mis sur la route du *Et si...* De la même façon, rien ne permet de penser que la mort de Marguerite soit autre chose qu'un coup du sort venant s'ajouter à un autre. Ses meurtriers, les Comyn, sont ici décrits plus noirs qu'ils n'étaient – on pense en effet que la princesse est morte durant son voyage à cause de la nourriture avariée, et non en raison de desseins malfaisants. Cependant, il est vrai que les Comyn ont enlevé Alexandre quand il était mineur pour tenter de prendre le contrôle du royaume.

J'ai simplifié la procédure de ce qu'on appellerait plus tard la « Grande Cause ». L'audience organisée par Édouard Ier pour choisir un nouveau roi d'Écosse a duré longtemps et, bien que ce soit intéressant sur le plan historique, cela ne fonctionnait pas dans le roman, puisqu'il s'agit essentiellement de discussions politiques et de longues périodes d'attente. En conséquence, le chapitre qui se déroule à Norham est un amalgame des nombreuses réunions qui ont eu lieu sur une période bien plus longue et en divers endroits.

Le grand-père de Robert a effectivement fait valoir ses droits sur le trône d'Écosse en rappelant qu'Alexandre II l'avait désigné comme héritier, mais j'ai un peu grossi l'affaire par rapport à la réalité. Robert a bien hérité du comté de Carrick peu après l'intronisation du roi Jean, mais le passage de relais entre grand-père et petit-fils relève de la fiction. À ce stade, c'est bien au père de Robert que revenait le droit de prétendre au trône, un droit qu'il pouvait transmettre à ses héritiers. Mais à la lumière de son revirement brutal d'allégeance, et en raison du fait que dès Irvine on l'accusait de prétendre au trône, j'ai choisi de renforcer la charge symbolique et de ne pas brouiller les pistes.

Les prophéties de Merlin sont réelles. Elles ont été écrites au XIIe siècle par Geoffrey de Monmouth, qui prétendait les traduire d'une autre source. Avec sa très populaire *Histoire des rois de Bretagne*, les *Prophéties* circulaient beaucoup et l'on sait qu'Édouard en possédait des copies. *La Dernière Prophétie*, telle qu'elle apparaît dans le roman, est de mon invention ; néanmoins, Monmouth suggérait qu'il en existait d'autres.

À la fin de l'*Histoire*, alors qu'il évoque les invasions saxonnes, Monmouth parle d'une voix angélique qui annonce aux Bretons qu'ils ne régneront pas sur leur royaume avant d'avoir rassemblé les reliques des saints. Les quatre reliques sur lesquelles je me suis concentrée ont toutes existé. Édouard s'est emparé de la Couronne d'Arthur, mais plus tôt que dans mon roman, au cours de la conquête de 1282-1284. Il a aussi mis la main sur la Pierre du Destin de Scone, mais le trône dans laquelle elle a été insérée n'a été réalisé que plusieurs années plus tard. En lisant ce passage dans l'*Histoire* de Monmouth et en observant les actions d'Édouard durant les invasions du pays de Galles et d'Écosse – où il a saisi tous les attributs du pouvoir – j'ai eu le sentiment qu'il y avait là un lien. Édouard était connu pour la fascination qu'exerçaient sur lui les légendes arthuriennes. La reine Éléonore et lui ont réenterré les dépouilles d'Arthur et de Guenièvre lors d'une cérémonie fastueuse à l'abbaye de Glastonbury. Comme d'autres nobles à cette époque, il organisait des joutes de la Table ronde et s'était construit la sienne propre. On peut la voir aujourd'hui au château de Winchester. Les Chevaliers du Dragon sont fictifs, mais ses membres ont existé.

Les expériences de Robert au pays de Galles sont également fictives, mais on pense qu'il a passé du temps à la cour d'Édouard à cette période et il semble qu'il soit devenu proche de certains jeunes chevaliers de la noblesse anglaise. Son père et l'un de ses oncles s'étaient battus pour Édouard lors de la conquête du pays de Galles, en 1282-1284, et s'étaient mis à son service pour conserver leurs domaines en Angleterre. Il ne m'a donc pas paru incohérent d'incorporer Robert dans cette armée. Le soulèvement et la campagne de 1295 sont basés sur des faits réels, à l'exception de l'exécution du frère de Madog, Dafydd, qui est inventée.

717

J'ai distordu ou altéré certains petits détails, soit pour faciliter la lecture, soit pour mettre en place l'intrigue et les personnages. Par exemple, la première femme de William Douglas était la sœur de James Stewart, mais à l'époque où il apparaît, il était marié à une Anglaise. Le père de Robert, quant à lui, se remaria après la mort de Marjorie de Carrick. Les Seton n'étaient sans doute pas de la même famille, même s'ils portaient le même nom, mais cela me semblait plus logique de les faire cousiner. John Comyn le Jeune et plusieurs autres nobles écossais ont bien servi Édouard en France, mais pas avant 1296. Le père de Humphrey de Bohun n'est pas mort à Falkirk, mais juste après. Ceux qui aimeraient en savoir plus sur cette période peuvent se reporter à la bibliographie.

L'histoire de Robert Bruce est complexe, et pas seulement à cause des caprices de l'histoire. Il n'est pas aussi monolithique que William Wallace. Ni noir ni blanc, il est gris ; c'est une figure changeante, souvent insaisissable, qui passe d'un camp à l'autre pendant les guerres d'indépendance, disparaît parfois dans l'obscurité avant de réapparaître au premier plan, pour modifier le cours de l'histoire. Je n'ai jamais cru qu'il serait facile de raconter sa vie. Mais c'est cette complexité, ce que certains pourraient appeler la perfidie de Robert, qui donne à son histoire sa valeur et sa beauté : l'exceptionnelle fragilité de l'homme, sa force, sa capacité à évoluer, à se tromper, à s'adapter. Et chez Robert, la volonté de forger son propre destin, contre toutes les prévisions, et en même temps celui de toute une nation.

Robyn Young
Brighton
Mai 2010

LISTE DES PERSONNAGES

(*indique les personnages, les relations ou les groupes fictifs)

*Adam : commandant gascon

Adam : cousin de William Wallace

*Affraig : sorcière de Turnberry

Alexandre II : roi d'Écosse (1214-1249), désigna le grand-père de Robert comme son héritier avant d'avoir un fil qui lui succédera, Alexandre III

Alexandre III : roi d'Écosse (1249-1286), beau-frère d'Édouard Ier par son premier mariage ; sa femme et ses enfants étant morts avant lui, il fut obligé de désigner sa petite-fille, Marguerite, comme son héritière

Alexandre Bruce : frère de Robert

Alexandre MacDonald : fils et héritier d'Angus Mór MacDonald

Alexandre Menteith : fils et héritier de Walter Stewart, comte de Menteith

Alexandre Seton : seigneur de l'East Lothian et *cousin de Christopher Seton

Angus Mór MacDonald : Lord d'Islay

Angus Og MacDonald : fils cadet d'Angus Mór Mac-Donald

*Andrew Boyd : vassal de Robert à Carrick

Andrew Moray : a dirigé la rébellion dans le nord de l'Écosse contre Édouard Ier en 1297

Anthony Bek : évêque de Durham

Aymer de Valence : fils et héritier de William de Valence, cousin d'Édouard Ier et *Chevalier du Dragon

*Brigid : nièce d'Affraig

Christiane Bruce : sœur de Robert, mariée à Gartnait de Mar

Christopher Seton : fils d'un chevalier anglais du Yorkshire *cousin d'Alexandre Seton

*Dafydd : frère de Madog ap Llywelyn

David D'Atholl : fils de John, comte d'Atholl

Dervorguilla Balliol : mère de Jean de Balliol

Donald de Mar : comte de Mar, beau-père de Robert

Dungal MacDouall : *fils du chambellan de Buittle, devient capitaine de l'armée du Galloway

Edmond : comte de Lancastre, frère cadet d'Édouard Ier

Édouard Ier : roi d'Écosse (1272-1307)

Édouard de Caernarfon : fils et héritier d'Édouard Ier

Édouard Bruce : frère de Robert

Éléonore de Balliol : sœur de Jean de Balliol, mariée à John Comyn II

Éléonore de Castille : première femme d'Édouard Ier et reine d'Angleterre

Élisabeth (Bess) : fille d'Édouard Ier

*Eva de Mar : fille de Donald, comte de Mar

Florence : comte de Hollande

Gartnait de Mar : fils et héritier de Donald, comte de Mar, marié à Christiane Bruce

Gilbert de Clare : comte de Gloucester

Gilbert de La Hay : Lord d'Errol

*Gillepatric : vassal du père de Robert

Gray : ami de William Wallace

Guy de Beauchamp : fils et héritier du comte de Warwick, *Chevalier du Dragon

*Helena : fille du comte de Warwick

Henry III : roi d'Angleterre (1216-1272)

Henry Percy : Lord d'Alnwick, petit-fils de John de Warenne, *Chevalier du Dragon

Hesilrig : prévôt anglais de Lanark

Hugh de Cressingham : clerc royal, puis Trésorier d'Écosse

Humphrey de Bohun : comte de Hereford et d'Essex, et constable d'Angleterre

Humphrey de Bohun : fils et héritier du comte de Hereford et d'Essex, *Chevalier du Dragon

Isabel Bruce : sœur de Robert, épouse Éric II et devient reine de Norvège

Isobel de Mar : fille de Donald, comte de Mar, et première femme de Robert

James Douglas : fils et héritier de William Douglas, neveu de James Stewart

James Stewart : grand chambellan d'Écosse

Joan de Valence : sœur d'Aymer de Valence et cousine d'Édouard Ier, mariée à John Comyn le Jeune

John D'Atholl : comte d'Atholl et prévôt d'Aberdeen, marié à une fille de Donald, comte de Mar, donc beau-frère de Robert

Jean de Balliol Ier : lord de Barnard Castle, a combattu Henry III lors de la bataille de Lewes

Jean de Balliol II : fils de Jean de Balliol de Barnard Castle, lord du Galloway et beau-frère de John Comyn de Badenoch, est devenu roi d'Écosse (1292-1296)

John Comyn Ier : a combattu Henry III lors de la bataille de Lewes

John Comyn II : lord de Badenoch et Justicier du Galloway, beau-frère de Jean de Balliol, à la tête des Comyn Rouges

John Comyn III (le Jeune) : fils et héritier de John Comyn II et d'Éléonore de Balliol, marié à Joan de Valence

John Stewart : frère de James Stewart

John de Warenne : comte de Surrey

*Judith : nourrice de la fille de Robert

*Katherine : servante de la femme de Robert

Llywelyn Ap Gruffudd : prince de Galles, tué lors de la conquête de 1282-1284

Madog Ap Llywelyn : chef d'un soulèvement contre Édouard Ier au pays de Galles

Malcolm : comte de Lennox

Marguerite : demi-sœur de Robert par le premier mariage de sa mère

Marguerite (la Pucelle de Norvège) : petite-fille et héritière d'Alexandre III, elle fut nommée reine d'Écosse après sa mort, mais elle est décédée lors du voyage qui la ramenait de Norvège

Marguerite de France : sœur de Philippe IV le Bel, deuxième épouse d'Édouard Ier et reine d'Angleterre

Marjorie Bruce : fille de Robert et Isobel de Mar

Marjorie de Carrick : comtesse de carrick, mère de Robert

Mary Bruce : sœur de Robert

Matilda Bruce : sœur de Robert

Navre : évêque de Bergen

Neil Campbell : chevalier de Lochawe

Niall Bruce : frère de Robert

*Nes : écuyer de Robert

Patrick de Dunbar : comte de Dunbar

Philippe IV Le Bel : roi de France (1286-1314)

Ralph de Monthermer : chevalier royal et *Chevalier du Dragon

Richard : comte de Cornouailles

Richard de Burgh : comte d'Ulster et lieutenant d'Édouard Ier

Robert Bruce V : lord d'Annandale et grand-père de Robert, a prétendu au trône

Robert Bruce VI : comte de Carrick et père de Robert, il a renoncé à son comté en faveur de son fils et est devenu lord d'Annandale à la mort de son père

Robert Bruce VII : fils et héritier du comte de Carrick

Robert Clifford : chevalier royal et *Chevalier du Dragon

Robert Winchelsea : archevêque de Cantorbéry

Robert Wishart : évêque de Glasgow

Simon de Montfort : comte de Leicester, a mené une rébellion contre Henry III

Thomas Bruce : frère de Robert

Thomas de Lancastre : fils et héritier d'Edmond, comte de Lancastre, neveu d'Édouard Ier, *Chevalier du Dragon

*Walter : chevalier de Carrick, porte-étendard de Robert

Walter Stewart : comte de Menteith

William Comyn : a combattu aux côtés de Simon de Montfort lors de bataille de Lewes, à la tête des Comyn de Kilbride

William Douglas : lord de Douglas, père de James

William Lamberton : évêque de Saint-André

William Ormesby : Justicier anglais d'Écosse

William de Valence : comte de Pembroke, demi-oncle d'Édouard Ier et père d'Aymer

William Wallace : chef de la rébellion écossaise contre Édouard Ier en 1297

Yolande de Dreux : deuxième femme d'Alexandre III et reine d'Écosse

*Yothre : instructeur de Robert

GLOSSAIRE

AILETTES : portées aux épaules et peintes aux armes des chevaliers, elles étaient généralement faites de pièces de cuir ou de bois.

BRAIES : sous-vêtements portés par les hommes.

CHAUSSES : collants.

COIFFE : couvre-chef en tissu porté par les hommes et les femmes. Elle pouvait aussi être faite en mailles et portée par les soldats sous ou à la place d'un heaume.

COURONNE D'ARTHUR : couronne portée par le prince de Gwynedd, en particulier par Llywelyn ap Gruffudd qui s'autoproclama prince de Galles. Édouard Ier s'empara de la couronne ainsi que d'autres reliques galloises lors de la conquête de 1282-1284, et il les envoya à l'abbaye de Westminster.

ÉPÉE DE LA CLÉMENCE : appelée ainsi en raison de sa pointe brisée, on disait qu'elle avait appartenu à Édouard le Confesseur et elle fut intégrée aux Joyaux de la Couronne.

DESTRIER : cheval de guerre.

FAUCHON : courte épée à la lame incurvée.

GAMBISON : veste matelassée portée par les soldats, faite en général de tissu molletonné rembourré de paille ou de feutrine.

GEOFFREY DE MONMOUTH : Gallois ou Breton de naissance, Monmouth habita à Oxford au cours du XIIe siècle, où il fut peut-être chanoine de St George's College. Plus tard, il devient évêque de St Asaph. Il a écrit trois œuvres majeures au cours de sa vie, les plus célèbres étant l'*Histoire des rois de Bretagne*, dont les *Prophéties de Merlin* faisaient partie, suivie de la *Vie de Merlin*. Bien qu'il mélangeât des faits établis et des inventions romantiques, Monmouth présentait ses écrits comme la vérité. Nombre de ses lecteurs les prenaient comme telle, acceptant Arthur et Merlin comme des figures historiques. Les œuvres de Monmouth, même si certains de ses contemporains les critiquaient, furent immensément populaires durant la période médiévale et son *Histoire des rois de Bretagne* devint le canon de la légende arthurienne qui embrasa l'Europe les siècles suivants. Chrétien de Troyes, Thomas Malory, Shakespeare et Tennyson furent tous influencés par son œuvre.

HAUBERT : robe ou cotte de mailles à longues manches.

HOBBY : cheval de course, en général petit et vif.

JUSTICIER : responsable de l'administration de la justice. En Écosse, il y avait trois justiciers à cette époque : ceux du Galloway, de Lothian et de Scotia.

PALEFROI : cheval léger utilisé pour monter au quotidien.

PRIMOGÉNITURE : le droit d'hériter réservé au premier-né.

PROPHÉTIES DE MERLIN : écrites par Geoffrey de Monmouth au XIIe siècle. Composées au départ comme un ouvrage à part, les *Prophéties* furent plus tard incorporées à l'*Histoire des rois de Bretagne*. Monmouth prétendait traduire en latin un texte plus ancien. On a depuis fait de Monmouth le créateur de Merlin, mais on estime qu'il a puisé cette figure énigmatique dans des sources galloises antérieures.

QUINTAINE : cible utilisée par les soldats pour s'entraîner à la pratique des armes, en général un bouclier attaché à un poteau qu'on frappe avec une lance.

SCHILTRON : anneau défensif généralement composé de lanciers.

ENGINS DE SIÈGE : toute machine servant à attaquer des fortifications pendant les sièges, tels que les mangonneaux, les trébuchets ou les béliers.

PIERRE DU DESTIN : également appelée Pierre de Scone, c'est l'ancien trône utilisé lors des couronnements en Écosse. On pense qu'elle a été amenée à Scone au IXe siècle par le roi d'Écosse, Kenneth mac Alpin, quoique son origine soit inconnue. Édouard Ier s'en empara en 1296 après son invasion et l'emporta à l'abbaye de Westminster où elle fut insérée dans un trône spécialement dédié qu'on utilisait lors des cérémonies de couronnement anglaises. Elle y demeura jusqu'en 1950, quand quatre étudiants la dérobèrent et la ramenèrent en Écosse. Elle fut ensuite renvoyée en Angleterre avant d'être présentée officiellement en 1996 au château d'Édimbourg, où on peut désormais la voir. Elle reviendra à Westminster pour les futurs couronnements.

SURCOT : long vêtement sans manches généralement porté par-dessus les armures.

VASSAL : sujet d'un seigneur féodal qui détient des terres en échange de sa fidélité et de ses services.

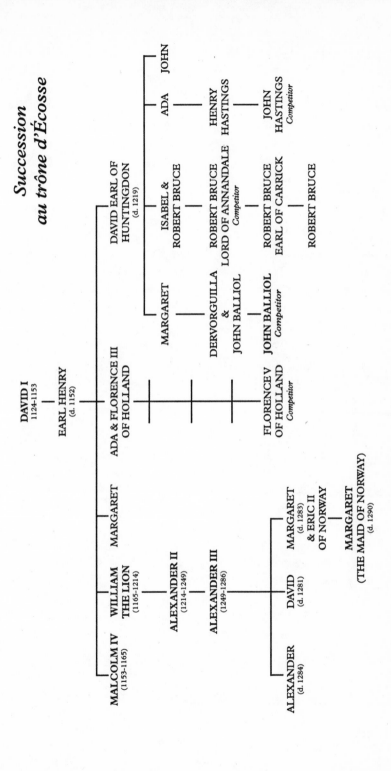

Succession au trône d'Écosse

BIBLIOGRAPHIE

Jeremy A. Ashbee, *Conwy Castle*, Cadw, 2007

Richard Barber, *The Knight and Chivalry*, The Boydell Press, 1995

John Barbour, *The Bruce* (trad. A.A.M. Duncan), Canongate Classics, 1997

G.W.S. Barrow, *Robert Bruce and the Community of the Realm of Scotland*, Edinburgh University Press, 1988

G.W.S. Barrow, *The Kingdom of the Scots*, Edinburgh University Press, 2003

Amanda Beam, *The Balliol Dynasty 1210-1364*, John Donald, 2003

John Chancellor, *The Life and Times of Edward I*, Weidenfeld and Nicolson, 1981

John Cummins, *The Hound and the Hawk, the Art of Medieval Hunting*, Phoenix Press, 2001

Christopher Daniell, *Death and Burial in Medieval England 1066-1550*, Routledge, 1997

David Egle et John M. Paddock, *Arms and Armours of the Medieval Knight*, Bison Group, 1988

Richard Fawcett, *Stirling Castle (Official Guide)*, Historic Scotland, 1999

Christopher Gravett, *Knights at Tournament*, Osprey Publishing, 1988

Christopher Gravett, *English Medieval Knight 1300-1400*, Osprey Pubishing, 1988

Mary G. Houston, *Medieval Costume in England and France*, Dover Publications, 1996

Ann Hyland, *The Horse in the Middle Ages*, Sutton publishing, 1999

Edward Impey et Geoffrey Parnell, *The Tower of London (Officiel Illustrated History)*, Merrell, 2006

Richard Kieckhefer, *Magic in the Middle Ages*, Cambridge University Press, 2000

James Mackay, *William Wallace, Braveheart*, Mainstream Publishing, 1995

Ronald McNair Scott, *Robert the Bruce, King of Scots*, Canongate, 1988

Colm McNamee, *Robert Bruce, Our Most Valiant Prince, King and Lord*, Birlinn, 2006

Geoffrey de Monmouth, *Histoire des rois de Bretagne* (trad. Laurence Mathey-Maille), Les Belles Lettres, 1992

Geoffrey de Monmouth, *La Vie de Merlin* (trad. Isabelle Jourdan), La Part commune, 2008

David Moore, *The Welsh Wars of Independance*, Tempus, 2007

J.E. Morris, *The Welsh Wars of Edward I*, Sutton Publishing, 1998

Marc Morris, *A Great and Terrible King, Edward I and the Forging of Britain*, Hutchinson, 2008

David Nicolle, *The History of Medieval Life*, Chancellor Press, 2000

Richard Oram, *The Kings and Queens of Scotland*, Tempus, 2004

Denis Rixson, *The West Highland Galley*, Birlinn, 1998

Peter Spufford, *Power and Profit, the Merchant in Medieval Europe*, Thames and Hudson, 2002

Chris Tabraham, *Scotland's Castles*, Historic Scotland, B.T. Batsford, 2005

Chris Tabraham (sous la direction de), *Edinburgh Castle (Official Guide)*, Historic Scotland, 2003

C.H. Talbot, *Medicine in Medieval England*, Oldbourne, 1967

Arnold Taylor, *Caernarfon Castle*, Cadw, 2008

Peter Yeoman, *Medieval Scotland*, Historic Scotland, B.T. Batsford, 1995

Alan Young, *Robert the Bruce's Rivals : The Comyns, 1212-1314*, Tuckwell Press, 1997

Les extraits cités en exergue sont tirés de :
La Vie de Merlin (trad. Isabelle Jourdan), Geoffrey de Monmouth, La Part commune, 2008
Histoire des rois de Bretagne (trad. Laurence Mathey-Maille), Geoffrey de Monmouth, Les Belles Lettres, 1992

Composé par Nord Compo Multimédia
7, rue de Fives, 59650 Villeneuve-d'Ascq

Imprimé en France par

à La Flèche
en mai 2011

FLEUVE NOIR – 12, avenue d'Italie - 75627 PARIS – CEDEX 13

N° d'impression : 64845
Dépôt légal : juin 2011

DATE DUE

NOV 22 2011
10 MAI 2016